YELLOWMOON

Kramat BVBA
Hulshoutsesteenweg 24
2260 Westerlo Belgium
Tel./Fax: +32(0)16 68 05 87
www.kramat.be

ISBN-13: 9789075212747
Wettelijk Depot: D/2007/7085/5
Nur: 330
Omslag: ARTrouvé, Berlaar
Drukwerk: Vestagraphics

YELLOWMOON

Johan Deseyn

UITGEVERIJ
KRAMAT

Index

Deel Een:

De aanzet

"Blanke Mannen, we hebben jullie niet gevraagd hier te komen.
De Grote Geest heeft ons dit land gegeven om in te leven.
Jullie hebben je eigen land. Wij hebben jullie niets gedaan.
De Grote Geest heeft ons een groot land gegeven om in te leven,
en bizons, en herten, antilopen en ander wild.
Maar jullie zijn gekomen en hebben mijn land gestolen,
je doodt mijn wild, het is onmogelijk
voor ons om hier te blijven leven.
Nu zeggen jullie ons dat we moeten werken om te leven.
De Grote Geest heeft ons niet geschapen om te werken,
maar om van de jacht te leven.
Jullie anderen, blanke mannen, vragen ons: waarom worden
jullie niet beschaafd?
Wij willen jullie beschaving niet! Wij willen leven zoals
onze ouders, en hun ouders voor hen."

Crazy Horse, Oglala
Sioux Opperhoofd,
Uitspraak na zijn arrestatie in 1877.

1. Haylan Rasschino
Het begin

Vrijdag, 10 juni 2005.

Op de vraag waarom hij in de loop van de voorbije week dat oranje nylontouw in Garland had aangekocht, slaagde Haylan Rasschino er nu – meer dan een week later – nog steeds niet in een concreet antwoord te formuleren. Er waren twee problemen die hij niet uit zijn hoofd kon bannen. Ten eerste: waarom had hij het touw gekocht? Hij had een dergelijk gebruiksvoorwerp helemaal niet nodig. En ten tweede: waarom net in Garland? Halverwege Morton Road prijkte Yellowmoon, het dorp waar hij al zijn ganse leven in verbleef, toch met één van de meest uitgebreide doe-het-zelf-zaken tussen Miles City en Sheridan?! Haylan brak er niet onmiddellijk zijn hoofd over waarom hij dan bijna vijfentwintig kilometer naar het noorden was gereden om dat touw te kopen. Dan nog tegen een veel duurdere prijs dan in het *Ideal Works*magazijn in Morton Road dat hij heel goed kende en waar hij zijn aankopen van werkmateriaal normaal deed. Het vreemde voorval liet hem echter niet los. Het haakte zich in zijn gedachten vast, net als een hele resem andere voorvallen waar hij de afgelopen weken mee te maken had gekregen. Allemaal zaken waar hij het liefst niet aan terugdacht, omdat het 'eraan denken' alleen al hem koude rillingen bezorgde. Hij had het touw niet nodig, hij was met geen enkele werkzaamheid bezig die de noodzakelijke aanwezigheid van dergelijk materiaal vereiste.

Hij herinnerde zich dat hij verleden week woensdag halverwege de voormiddag zonder enige aanleiding in zijn oude Ford was gestapt om noordwaarts over de 332 naar Garland te rijden. Hij zocht op z'n minst een halfuur naar de juiste bestemming zonder echt te beseffen naar wat hij eigenlijk effectief op zoek was. Dat bevreemdde hem nog het meest. Hij had zonder een welbepaald doel rondgereden in Garland, links en rechts kijkend, niet wetende waarnaar hij aan het uitkijken was. Iets in hem had er hem toe gedwongen in zijn auto te stappen en de afstand naar de stad af te leggen.

Hij toerde rond tot hij de zaak van gereedschappen in het oog kreeg. The Workman's Shop. Daar ging het om! Dat was het eindpunt van zijn rit. Hoe het kwam dat hij dat zo ineens wist, ontging hem volledig. Maar dat was niet langer het belangrijkste. Haylan Rasschino wist gewoon dat hij zijn doel bereikt had. Hij stalde zijn hoogbejaarde wagen pal voor het gebouw. Hij haastte zich het voetpad op, opende de deur, stapte naar binnen en liep onmiddellijk door naar de plaats in de ruime toonzaal waar touwen tentoongesteld waren. Haylan vond het zelfs bangelijk dat hij blijkbaar zomaar wist welke richting hij daarvoor best nam. Heel waarschijnlijk omdat hij een ganse tijd met open mond en glazige ogen onbeweeglijk naar de goederen keek, kwam een kereltje naast hem staan. Ongetwijfeld de gerant die zich afvroeg waarom die kerel daar stomweg bleef staan.

Haylan schrok op van het kuchen. Hij klapte zijn mond dicht, knipperde met de oogleden en keek opzij. Het ventje dat hem van linksonder aankeek, was hooguit anderhalve meter hoog, maar woog toch bijna negentig kilogram. Het droeg een blauwe overall boven een geruit, flanellen hemd, hoewel het buiten zowat vijfentwintig graden was. De zomer nam dat jaar in het zuidelijke gedeelte van Montana de heerschappij over de natuur al heel vroeg op zich.

"Eh, goeievoormiddag... kan ik u helpen?"

De stem van het kereltje was niet in overeenstemming met zijn figuur. Zwaar, maar aarzelend, als was de eigenaar bang 'de idioot' op stang te jagen.

"Wat?"

"Ik zie dat u twijfelt?"

Haylan Rasschino voelde zich terug op de begane grond neerdalen. Het was alsof hij een tijdje niet aanwezig was geweest. Een nevel van grijze mist trok uit zijn brein weg. Hij keek haastig (bevreesd?) om zich heen en vroeg:

"Twijfelen?"

"Ja, ik zag u mijn winkel binnenkomen. U bekijkt de koorden en touwen nu al een hele tijd. Ik vermoed daarom dat u twijfelt aan... aan... wat dan ook. Ik vroeg me af of ik u kon helpen."

Het kereltje heette Vernon LaFolette en was eigenlijk een beetje bang van de struise en blijkbaar potige kerel die zich vreemd gedroeg. Hij moest omhoogkijken wilde hij het gezicht van de breedgeschouderde, robuust uitziende... 'woesteling' zien. Die kerel zag er als een gevaar-lijke gek uit. En nu hij hem van heel dichtbij bekeek, was Vernon er bijna zeker van dat hij gelijk had. Dat zou hij later allemaal aan Raven vertellen, die vriendelijke en bloedmooie politieagente. Hij vertelde haar gewoon alles; op elke vraag die ze stelde, gaf hij spontaan een antwoord.

Van zodra de man zijn zaak was binnengestapt, had Vernon zich on-gemakkelijk gevoeld. De kerel liep op zware laarzen door de winkel en stevende rechtstreeks op de touwen af, alsof hij iets wilde grijpen, afre-kenen en binnen anderhalve minuut weer op straat staan. Maar niets was minder waar. Zeker drie minuten bleef de reus met de warrige (zeg maar 'slordige') haardos onbeweeglijk voor het rek staan. Enkel zijn brede borstkas bewoog, wat erop wees dat de man nog leefde. Hij ademde zwaar door de harige neusgaten en Vernon ving het geblaas achter zijn toonbank op. Niemand bleef in een winkel zolang op de-zelfde plaats naar iets kijken zonder zich te bewegen. Het duurde veel te lang om niet in te grijpen. Van dichtbij zag Vernon dat de kerel een woest gezicht had. Eigenlijk omschreef je alles aan die man best als 'woest'. Groot, struis, harige armen, geblokte schouders, en een gezicht dat waarschijnlijk al heel wat slagen te verwerken had gekregen. In de opperhuid van de brede, platte neus kronkelden enkele gebarsten adertjes. De donkere, kwade ogen lagen diep ingebed in grote holen die gevormd waren door de hoge jukbeenderen en de immense, struik-vormige wenkbrauwen die op hun beurt een verhullend afdak vorm-den. Vernon rook de zure lucht van de man. Zelfs zijn kleren stonken naar oud zweet. De kerel zag er weliswaar als een gigantische Canadese houthakker uit. Voor Vernon LaFolette was zijn vijfde klant die dag niet onmiddellijk de geschikte persoon om tegenin te gaan, laat staan een robbertje mee te vechten. Vernon had nog nooit in z'n leven deel moeten nemen aan een gevecht. Nu hij naast die aangeklede Neander-thaler stond, hoopte Vernon dat hij nooit in een man-tegen-mange-vecht betrokken geraakte. Dat hield hij geen twee minuten uit.

Zijn knieën knikten en het speet hem al dat hij het had aangedurfd de kerel aan te spreken. Maar niets mocht de verkoop in de weg staan, ze-ker niet een mogelijke afkeer van bepaalde klanten. Haylan Rasschino keek op het dwergje neer. Waar had die pafferige kaasbol het in 's he-melsnaam over? Hij had veel zin om... *touw*!

Hij knipperde enkele malen met zijn oogleden en deinsde zelfs een beetje achteruit toen dat ene woord door zijn hoofd flitste. Het was bijna een pijnscheut die onder de vorm van vier letters de goede werking van zijn hersenen belaagde. Een vurige vinger had de letters tegen de binnenkant van zijn hersenpan geschreven. Met hem deinsde ook Vernon achteruit.

"Gaat het?"

Haylan gromde enkel, waardoor de omschrijving 'oermens' nog intenser op hem van toepassing was. Vernon was net van plan zich onopvallend terug te trekken, toen de kerel zich weer naar hem richtte. Vernon voelde de onfrisse luchtverplaatsing. Hij keek vluchtig boven Vernon naar de zaak achter hem, bespiedde alle windrichtingen, keek eventjes langer dan anders naar één bepaalde plek aan het plafond en vroeg vervolgens iets wat Vernon helemaal niet had verwacht.

"Jij bent... blijft jezelf?"

Vernon was verrast en wist niet onmiddellijk hoe hij daar best op reageerde. Een vriendelijk bedoelde glimlach deed de reus misschien al overkoken. Van een opgetrokken wenkbrauw ging hij mogelijk volledig uit z'n dak. Vernon had geen zin om tot pulp geslagen te worden. Hij wachtte even. De man bleef boven hem naar de zaak kijken, alsof hij iets zocht. Hij bespiedde nogmaals de zoldering. Wat viel daar nu in 's hemelsnaam te bekijken? Speurde hij de omgeving af met de bedoeling te zien of iemand anders 'hem' in het oog hield? Zocht hij naar de aanwezigheid van bewakingscamera's? Leed hij aan achtervolgingswaanzin? De diepliggende ogen flitsten nerveus van de ene naar de andere kant van de ruimte. Vernon ging niet op die vreemde vraag in en die werd ook niet opnieuw gesteld. De brute reus wees vervolgens met een arm als een behaarde boomstam naar het rek en zei:

"Ik zoek... een... touw."

"Een touw?"

"Ja."

Een kort en beknopt antwoord. Niet veel uitleg. Vernon bedwong zich met moeite. Het liefst was hij achter de toonbank gerend. Maar hij kneep zijn billen samen tot hij zijn aars voelde gloeien. Een ongewone maar effectieve methode die hij van zijn grijze grootvader had geleerd en overgenomen. *Dat doet je aan iets anders denken dan datgene wat je bang maakt of irriteert! Lukt altijd, knijp je hol dicht, Vernie! Hol dicht,*

en je hangspul naar voren duwen! Tot je oren ervan tuiten! Lukt altijd!
Het lukte inderdaad! Vernon ontspande zijn bilspieren opnieuw en voelde het bloed door zijn beide billen stromen. Zijn hersenen zinderden nog net niet. Hij ademde door zijn mond waardoor hij de lichaamsgeur van de man niet opving, liet de lucht vervolgens door de neusgaten ontstappen en zei zo rustig mogelijk:
"Ik kan touwen leveren voor verschillende gelegenheden, meneer."
Haylan Rasschino hief een van zijn gigantische, zwartbehaarde handen naar boven en wreef zich op het ruwe voorhoofd. Vernon merkte dat er huidschilfers naar beneden dwarrelden, maar hield daar wijselijk zijn mond over.
"Kunt u mij zeggen waarom u dat touw wilt gebruiken? Het is namelijk zó dat niet alle touwen voor elke gelegenheid gebruikt kunnen worden. Zo kunt u bijvoorbeeld een defecte wagen het best met dit touw slepen."
Vernon wees naar in een plastieken zak verpakt geel touw, voorzien van klemhaken.
"Heel sterk, kan tot 2100 kg slepen. Dan hebben we hier touw gemaakt van onder andere fiberglas. Dit wordt hoofdzakelijk gebruikt bij het verpakken van…"
Haylan gromde opnieuw. Hij hield zijn ene hand nu over zijn ogen en wiegde zacht voor- en achteruit. Vernon vertrouwde de zaak helemaal niet meer. Wat als die kerel pardoes achteroverviel? Voorzichtig verdergaan en de vreemde gedragingen van de monsterman naast hem negeren, leek Vernon nog het allerbeste.
"Dan hebben we hier nog…"
"Een… gewoon… stevig… touw!"
Vernon wachtte even. De man had de woorden traag uitgesproken, één voor één, alsof hij problemen had met de volgorde. Had hij misschien moeite met het naar buiten brengen van wat hij wilde?
"Eh… goed… wenst u een bepaalde lengte?"
Haylan Rasschino liet zijn arm zakken. Hij sloot de ogen en leek in trance te wachten tot het belang van die nieuwe vraag tot hem doordrong. Nu hingen zijn schouders af en de armen bengelden lusteloos langs het lichaam. Ineens dook het beeld van een hoog gebouw voor zijn gesloten ogen op. Hij kende het gebouw niet, maar 'zag' het lang genoeg om de verdiepingen te tellen. Het waren er negen.

"Vijftien meter is lang genoeg."

Het klonk niet meer dan een grommen, maar Vernon was blij dat hij het van bij de eerste maal begrepen had.

"Vijftien meter, stevig... geen enkel probleem. Ik stel dan een statisch klimtouw met een diameter van 11 mm voor. Dat bestaat uit meerdere polyamidevezels die in verschillende patronen rond een weinig elastische kern geweven zijn. De beschrijving van de samenstelling staat net als de verschillende gebruiksmogelijkheden op de verpakking. Wenst u een bepaalde kleur? Er is keuze uit..."

Vernon keek op naar de woedende blik van de reus boven hem, verbleekte en zweeg. Waarschijnlijk was de uitleg over de samenstelling van het touw al te veel. Haylan rechtte zijn rug, waardoor hij nog groter leek.

Vernon LaFolette wilde die kerel zo vlug mogelijk uit zijn zaak. Hij haakje een plastieken zak met een touw van oranje kleur van de houder en holde er mee achter zijn toonbank. Terwijl hij haastig en daardoor onhandig het codenummer intikte en de rekening uit de kassa tevoorschijn liet komen, keek hij van onder zijn wenkbrauwen naar de woesteling die naderbij kwam. Tijdens het stappen keek de man angstig om zich heen. *Wat kon in 's hemelsnaam een monster als die kerel bang maken?* Een vraag die door Vernons geest flitste. Uiteindelijk plofte Haylan zijn grove handen op de toonbank. *Als hij het nu maar niet te duur vindt! Als hij nu maar niets anders meer wenst aan te kopen!*

"Hoeveel?"

Vernon noemde niet zonder aarzeling het bedrag dat op het kasticket vermeld stond en vreesde een grove scène. Maar die kwam er niet. Haylan viste een totaal versleten brieventas uit de achterzak van zijn al even versleten jeansbroek op, wierp die nonchalant op de toonbank en haalde er de nodige dollars uit. Hij betaalde en wachtte op het wisselgeld. Vernon bewees zijn vriendelijkheid nogmaals door de gekochte waar in een plastieken zak met daarop reclame voor de zaak te verpakken.

Haylan Rasschino ritste alles van de toonbank weg en dreunde tot bij de deur. Daar bleef hij staan, duwde die open, keek naar links en rechts en verliet vervolgens de zaak zonder dankwoord of groet. Het kon Vernon niets schelen, hij was blij dat de bullebak weg was.

Dat evenement gebeurde vorige week woensdag, de eerste dag van die maand. Het touw lag nog steeds in de koffer van de Ford, onaangeroerd in de plastieken zak van The Workman's Shop. Haylan had het voorwerp sindsdien elke dag meerdere keren bekeken, zonder echt te beseffen waarom hij ernaar keek. Telkens had hij de koffer geopend en met beide handen op de dekselrand naar de zak gestaard die tussen de andere rommel in de grote kofferruimte lag. Hij zag die uiteraard liggen, maar de reden van de aanwezigheid van het touw drong niet tot zijn geest door. Net als de andere zaken die hij de afgelopen weken had gezien. Die beangstigende zaken waar hij met niemand over wilde praten omdat ze er gewoon niet konden zijn. Hij wilde zich niet belachelijk maken. Haylan Rasschino besefte niet hoe het kwam dat hij 'onmogelijke dingen' zag, en andere mensen – die in zijn buurt waren – blijkbaar niet. Hij was van niets of niemand bang en dat hoefde ook niet gezien zijn fysische verschijning en capaciteiten. Maar hij had wel schrik van wat hij had gezien. Of nog anders: het feit dat hij niet wist wat hem overkwam telkens hij 'iets' zag, deed hem aan zichzelf twijfelen. Tot op dat moment in zijn leven had hij vrijwel alle touwtjes zelf in handen gehad. Er was hem weinig in de weg gelegd en de personen die dat wel hadden geprobeerd, waren ondertussen tot hun eigen schade en schande te weten gekomen dat met een persoon als Haylan Rasschino niet te spotten viel.

De aankoop van het touw situeerde zich vorige week woensdag. Nu hield hij een scheermes in zijn rechterhand en keek er met tranende ogen naar. Nu was vrijdag, de tiende juni. Kort na de middag. Haylan Rasschino beschouwde zichzelf als een échte man. Dat was onder andere iemand die zich met een openklapbaar mes scheerde, niet met zo'n petieterig machientje. Dat was voor nichten. Echte mannen hielden zich niet met dergelijk speelgoed bezig. Haylan schraapte liefst de stoppels van zijn gezicht en hals met het mes dat hij nu in zijn ene hand hield. Hij herkende het gevaarlijke voorwerp natuurlijk, maar besefte nauwelijks waarom hij het op datzelfde moment vasthield. Hij had het die ochtend reeds gebruikt in de badkamer, maar nu was het een voorwerp dat bij het touw in zijn koffer hoorde. Daar was hij zeker van. Die twee voorwerpen pasten die dag heel goed samen. De bedoeling van dat alles ontging hem echter volledig.

Haylan sloot zijn woning niet af toen hij naar zijn Ford stapte. Hij opende de koffer terwijl hij schichtig om zich heen keek. Pas toen alles in de nabije omgeving 'normaal' leek, plooide hij zijn lichaam voorover en nam voor het eerst sinds verleden week woensdag de plastieken zak van *The Workman's Shop* vast. Het touw zat er nog steeds in. Verpakt. Zonder te weten waarom, stak hij het dichtgevouwen scheermes in dezelfde plastieken zak. Vervolgens richtte hij zich op en klapte het kofferdeksel dicht. Haylan Rasschino stapte achter het stuur van zijn wagen en startte de motor.

De bejaarde vrouw bleef liggen waar ze lag en had geen zin om zich te bewegen. Het was tijd voor een rustpauze en er was niets dat haar daarvan weerhield. Het feit dat ze iets miste, irriteerde haar.
"Drummietje... Drummietje?"
De vrouw zweeg en wachtte even op een reactie die er niet kwam.
"Drummy!"
Drummy hoorde haar bazin wel roepen, maar had geen zin om er onmiddellijk op te reageren. Ze had lang moeten wachten op haar eten en was nu van plan rustig van haar middagmaal te genieten. De bazin kon nu op haar beurt wel even wachten.
"*Drummy!*"
Het oude Maltezerhondje stopte met kauwen. Het wrong het witte kopje over de linkerschouder naar achteren en keek naar de sofa waarin haar bazin rustte.
"Drummy, je bent ongehoorzaam!"
Drummy draaide haar kop terug naar voren. Het hondje kende de menselijke gewoontes niet. Indien het dat wel had gedaan, had het nu de schouders opgehaald. Een typische non-verbale expressievorm met de onuitgesproken mededeling: *ach, zeur niet, oud wijf, laat me met rust, ik wil eten. Je hebt me lang genoeg laten wachten.*
Dyanna Linther had geen zin om naar de keuken te stappen om de hond op te halen. Zij wilde van haar welverdiende middagrust genieten. Dat deed ze altijd door languit in de sofa te liggen, haar hoofd rustend op een gehaakt kussen. Drummy kwam dan telkens bovenop haar liggen. Dat vond Dyanna prettig. Ze vond de aanwezigheid en de aanhankelijkheid van haar hondje subliem. Maar ze wilde niet dat ze al half in slaap was gesukkeld eer de hond bovenop haar klauterde.

Daarom riep ze haar op het appel. Maar Drummy dook nog steeds met haar snoet in de etensbak en leek niet van plan het middagmaal te onderbreken.

Dyanna was achtenzeventig. Ze woonde op de zesde verdieping van een proper onderhouden appartementsgebouw op de hoek van Condor Street en Main Street, langsheen het stadspark van Yellowmoon. Het liefst had ze uitzicht op het park gehad, maar haar grote vensters gaven uit op de drukke Main Street. Onderhandelingen met haar huidige buurvrouw hadden bij de aankoop van het appartement niets opgeleverd. Die had daags voor Dyanna haar keuze gemaakt en wilde er toentertijd niet meer van afwijken. Dyanna vervloekte nu nog wekelijks het feit dat ze één dag te lang had gewacht om contact met de aannemersmaatschappij op te nemen.

"Drummy, ik wil nu rusten. Ik wacht niet langer. Kom onmiddellijk bij mij!"

Ze hoorde de etensbak over de keukenvloer schuiven. Dat betekende dat Drummy probeerde de laatste brokjes vlees met saus te pakken te krijgen. Dyanna wist dat het diertje nu nog een dringende behoefte moest doen op een daarvoor voorzien stuk krantenpapier in de keuken. Een dergelijk klein hondje beschikte blijkbaar over een perfecte en uitstekend werkende spijsvertering. Eten en onmiddellijk daarna 'op de pot', zoals Dyanna die natuurlijke handelingen omschreef. Soms wenste de oude vrouw dat zij over diezelfde mogelijkheid beschikte, want de afgelopen maanden had ze weer enorm veel last van aanhoudende constipatie. Een hoogst irritant opgeblazen gevoel in de buik en pijn in de darmstreek. Soms leek het alsof haar buikholte *enkel* maar met harde darmen gevuld was.

Dyanna wist dat Drummy nu elk moment vanuit de keuken naar de woonruimte kon trippelen. Vanuit haar luie positie in de sofa had ze zicht op Main Street.

Op het moment dat ze het getik van de lange teennagels op de vloer hoorde, keek ze door het immense raam (dat de volledige breedte van haar appartement vormde) naar buiten. Beneden stopte een donkerkleurige wagen. Haar ogen functioneerden niet zo meer goed als vroeger, maar toch zag ze dat de bestuurder uitstapte. Hij liep naar de achterkant van de wagen, opende de koffer en haalde er een tas of een plastieken zak uit. Drummy trippelde tot naast haar been en keek met vertederende, bruine oogjes naar haar bazin op.

Wel, wat scheelt er nu eigenlijk? Eerst jaag je me op om te eten, ik pers dan mijn darmen leeg, ik haast me naar hier en nu laat je me hier zomaar staan. Weet je eigenlijk nog wel wat je wil?

Dyanna bracht haar gezicht dichter bij het raam toen ze merkte dat de man de straat overstak en in de richting van de toegangsdeur van het blok stapte. Hij was nog veel te ver verwijderd, maar ze had niet de indruk dat het iemand was die ze kende.

Haylan Rasschino herkende het gebouw op het moment dat zijn ogen het opmerkten. Hij had een ganse tijd in Yellowmoon rondgereden, weerom niet wetend waarom en ook niet wetend wat hij zocht. Maar toen hij door Main Street in de richting van het stadspark reed, viel zijn blik ineens op het negen verdiepingen tellende gebouw dat boven de andere optrekjes in de buurt uitstak. Haylan trapte op de rem waardoor zijn voertuig slippend tot stilstand kwam. Achter hem remde een voertuig heel kort en de bestuurder ervan reageerde – duidelijk geagiteerd – door zijn geluidsinstallatie overdreven lang te gebruiken. In normale omstandigheden was Haylan Rasschino onmiddellijk brullend uit zijn wagen gesprongen om 'de klootzak' bij de keel te grijpen, maar dit waren geen normale omstandigheden.

Hij reageerde zelfs niet toen de Buick naast hem kwam rijden en de kwade bestuurder een opgestoken middelvinger in zijn richting opstak. Woorden als 'steek dit maar diep in je reet, vetkikker' pasten uitstekend bij dat gebaar. Zoiets naar Haylan uithalen was een dodelijk manoeuvre, maar deze keer had hij dat zelfs niet gemerkt. Een heel goede zaak voor de bottenstructuur van de bestuurder van de Buick. Haylan zat voorovergebogen met beide handen bovenop het stuur en staarde naar het gebouw schuin rechts voor hem. Hij had het verleden week woensdag achter zijn ogen 'gezien' in *The Workman's Shop* in Garland, toen dat belachelijk kleine ventje hem vroeg hoe lang het touw moest zijn. Het beeld kwam met een pijnscheut die door zijn hoofd sneerde. Haylan kneedde de knobbels op zijn brede voorhoofd toen hij aan dat moment dacht.

Goed, ik heb het gebouw gevonden! Wat nu?

Als antwoord op de in het ijle gestelde vraag, reed Haylan zijn Ford tot net voor het gebouw en parkeerde aan de overkant. Hij trok de sleutels uit het stopcontact en stapte uit. Uit de koffer haalde hij de plastieken zak met daarin het touw en het scheermes en stapte naar de overkant van de straat.

Haylan Rasschino duwde de glazen toegangsdeur open en trad een ruime hall binnen. Hij herinnerde zich niet dat hij vroeger ooit dit gebouw had betreden. Werktuiglijk stapte hij naar de liftdeuren en duwde op de knop om een kooi naar beneden te vragen. De glazen strook in de deur werd verlicht toen de lift er aankwam. Haylan trok de deur open, betrad de kleine ruimte waarin het naar zweet rook en duwde op de knop met het nummer 9. De bovenste verdieping. De zwaargebouwde kerel bekeek zichzelf in de spiegel die tot zijn verbazing nog aanwezig was. In grootsteden was dat ondenkbaar. Dat hem vanuit de spiegel een ruige en woest ogende kerel aankeek, was normaal, maar Haylan stelde zich vragen bij de bange uitdrukking in zijn ogen. Iets dergelijks had hij bij zichzelf ooit eerder gemerkt.

Dyanna Linther lag in een halfopgerichte positie in de sofa met Drummy in haar schoot. Het hondje had zich opgerold en leek daardoor op een grote bol witte pluizen. Ze kon de slaap niet vatten en keek naar buiten, naar de blauwe hemel en de weinige wolken die heel langzaam voorbijtrokken. Die deden haar aan 'de tijd' denken. Die ging ook zo tergend traag voorbij. Het vermalen van te veel tijd was een probleem, zeker sinds ze drie jaar daarvoor weduwe was geworden.

Drie verdiepingen hoger stapte Haylan Rasschino uit de lift. Links van hem was er een stenen trap die naar een buitendeur leidde. Het kwam hem allemaal heel vreemd over, want Haylan besefte nog steeds niet waar hij mee bezig was. Hij liep de trap op, duwde de deur open en kwam zo op het platte dak van het gebouw terecht. In zijn ene hand hield hij nog steeds de zak met de voorwerpen. Zonder aarzelen stapte hij naar de rand. Hij tuurde over de borstwering en zag zijn wagen in Main Street geparkeerd staan. Haylan Rasschino genoot niet van het wijde uitzicht over de stad. Yellowmoon kende niet veel hoge gebouwen, maar dit gebouw was er een van. *Slechts* negen verdiepingen. Het enige andere gebouw dat in de omgeving opviel, was het betonnen wangedrocht met de immense antenne erbovenop, aan de rand van de kleine stad. Haylan moest daarvoor slechts recht voor zich uitkijken.

Het bevond zich achter alle andere woningen en appartementen van Yellowmoon aan de andere kant van County Route 332 die het dorp in twee gelijke delen sneed. Het waren de gebouwen van een firma met een vreemde naam, een bedrijf dat hem helemaal niets zei. Rechts van hem bevond zich het groene stadspark met de grote vijver, maar daar keek Haylan niet naar. Hij liet de plastieken zak naast zich op de grond zakken. Haylan slikte toen hij merkte dat hij de schoenen van zijn voeten schopte. Zijn handen trilden toen hij zijn broekriem opende, de rits naar beneden trok om vervolgens zijn broek en onderbroek uit te doen. Hij zweette toen hij zijn hemd uittrok en van zich afsmeet als was het iets smerigs. Hij boog zich voorover en trok dan nog zijn kousen uit.

Haylan Rasschino stond poedelnaakt bovenop het gebouw, en begreep zijn eigen handelingen niet. Hij zweette zelfs overvloedig toen hij de plastieken zak opraapte en het pakje eruit haalde. Onhandig, met bevende handen, opende hij de verpakking en wrong het touw eruit. Het voelde ruw aan, maar daar schonk Haylan niet veel aandacht aan. Hij ging zitten en knoopte het ene uiteinde van het touw rond zijn rechterenkel. Happend naar adem stond hij op. Hij deed enkele stappen tot bij de borstwering. Hij legde het touw erbovenop en bond vervolgens het andere uiteinde via de buitenkant van de wering rond de horizontale pijlers die in de vrije stukken van het beton verwerkt zaten. Haylan gaf er enkele deftige rukken aan tot hij voldoende zekerheid had over de stevigheid van de knoop. Zijn hart trommelde hevig.

Zijn ogen waren vochtig van het traanvocht toen hij de plastieken zak opraapte en het scheermes eruit haalde. De zak viel terug op het warme asfalt. Opkomende wind voerde die even later mee naar de verste uithoek van het dak.

Drummy veranderde van positie op Dyanna's schoot en scharrelde daarbij met haar achterpootjes tot ze de meest comfortabele houding had gevonden. Het hondje liet een zware zucht horen. Blijkbaar kon het – net zoals haar bazin – het dagelijkse middagslaapje niet vatten. Het waren lange – soms vervelende – dagen. Dyanna vroeg zich af wat ze die namiddag zo allemaal kon doen. Wandelen in het park (opnieuw?). Een taart bakken (om toch maar iets te doen?). Het kruiswoordraadsel waar ze een maand geleden aan begonnen was, proberen te vervolledigen (geen zin om veel na te denken!)?

Terwijl ze over de verschillende mogelijkheden nadacht, volgden haar vermoeide ogen de wolken. Misschien, als ze deze namiddag geen dutje deed, kon ze vannacht beter slapen en niet – zoals het de laatste tijd veelvuldig voorviel – om vier uur in de ochtend wakker worden om de rest van de nacht slapeloos tussen de lakens te blijven woelen. De wolk die traag voorbijgleed, leek op een verkreukeld vliegdekschip. Heel wat hoger dan die wolk vloog een lichtgrijze stip noordwaarts. Dyanna wist dat het een vliegtuig was, maar zij zag enkel een traag bewegende, wazige stip in een immens blauw vlak. Ze voelde hoe lucht zich in haar darmen verplaatste. Het was stil in haar appartement.

Drummy zuchtte nogmaals.

De naakte Haylan hield het scheermes in zijn rechterhand en werkte zichzelf op de borstwering. Het beton onder zijn voeten voelde koud aan. Met zijn vrije hand controleerde hij voor een laatste maal of de knoop aan zijn rechterenkel nog vast zat en trok vervolgens nog één keer aan het touw waarmee hij de bevestiging van het andere eind checkte. Alles zat vast. Het zou niet loskomen.

Hij klapte het scheermes open. Haylan begreep niet *wat* hij deed. Haylan begreep niet *waarom* hij het deed. Tranen rolden over zijn wangen, snot droop uit beide neusgaten. Door het vocht dat over zijn ogen striemde, zag hij beneden – negen verdiepingen lager – zijn Ford staan. Keurig geparkeerd. *Net zoals altijd, ik doe toch niets verkeerd? Ik ben toch altijd een deftige kerel geweest, waarom gebeurt dit dan met mij? Waarom sta ik hier? Ik weet niet wat ik moet doen om het niet te doen!*

Het snot droop zijn mond binnen toen hij – met lange halen luidop huilend – zijn linkerarm ophief en de punt van het scheermes in zijn oksel duwde. Hij balde zijn linkervuist. Hij voelde de spieren hard worden.

"O, God, nee... laat het stoppen!"

Maar toch wist hij nog altijd niet wat zijn rechterhand van plan was. Speeksel spatte van tussen zijn tanden toen hij de punt in het bezwete, klamme vel en vlees in zijn oksel duwde. De pijn was draaglijk?! Eigenlijk voelde hij niet meer dan een kriebeling. Het was vooral de schrik die hem als een bliksemschicht door zijn hersenen overviel. Huilend keek hij toe hoe hij het scheermes diep in de wonde wrong. Bloed spatte tegen de zijkant van zijn lichaam. Haylan Rasschino krijste lang en luid toen hij het scheermes in beweging zette. Het sneed dwars door het weelderige okselhaar, waarbij de afgesneden strengen naar het voetpad beneden dwarrelden. Hij liet het snedige metaal diep in de spier van de bovenarm tot in de plooi van de elleboog glijden. Achter het mes spleten het vlees en de spieren open. Geel vet wolkte uit de langwerpige wonde. Bloed vloeide vrijelijk. Haylan dreef het scheermes dwars door het midden van de onderarm, reet de aders in de pols open en stopte toen het scherpe lemmet aan de onderste handbeentjes haperde. Het bloed gulpte – spoot nu – uit de geopende slagaders.

Snot en speeksel dropen over zijn kin toen hij happend naar adem en onophoudelijk snikkend het scheermes van hand wisselde. Opnieuw voelde hij geen pijn toen hij het mes nu in zijn rechteroksel duwde. Zijn gezicht en borstkas werden besproeid met zijn eigen bloed, afkomstig uit de aders van zijn linkerarm. Daar werden de wonden breder doordat hij die plooide. Hij dreef het mes door de spieren, over de okselplooi, trok een diepe voor in de rechteronderarm, voelde het lemmet over de botten schrapen en stopte, net als daarnet, bij de pols. Opnieuw borrelden het spierweefsel en de vetlaag over de beide randen van de lange wonde.

Nu sproeide het bloed volop in het rond. De eerste druppels hadden ongetwijfeld reeds het voetpad onder hem bereikt.

Maar daar hield het niet mee op. Haylan Rasschino, nog steeds bij zijn volle verstand, raakte bijna in shock toen hij zag dat hij zijn eigen lichaam verminkt had. Geen pijn?! Hoe was dat in godsnaam mogelijk? Hij werd bijna gek van de aanblik van de gruwelijke verminkingen... maar de pijn die daar ongetwijfeld mee gepaard moest gaan, bleef uit. Vervolgens sneed hij zijn liezen aan beide zijden van het scrotum open met twee lange halen, tot tegen de onderste ribben. Alsof dat allemaal nog niet voldoende was, duwde hij de punt van het scheermes in zijn linkerzij en sneed met één vloeiende beweging – over de navel heen – de reeds gescheurde buikwand open. Vetkwabben puilden onmiddellijk uit de spleet, die verder opengeduwd werd door de ingewanden die achter het vet aankwamen.

"Neen!!" schreeuwde Haylan.

Het was een langgerekte schreeuw, een uiting van pure onmacht. Terwijl zijn darmen zich steeds verder uit de buikwonde persten, hief Haylan beide armen zijdelings omhoog. De horizontale wonde in zijn buik scheurde daardoor nog meer open. Het scheermes viel uit zijn handen. Hij presenteerde zichzelf als een duiker die zich voor een sprong klaarmaakte. Maar nog steeds woelde er geen pijn door zijn getormenteerde lichaam.

Haylan zette zich af en dook van de borstwering. Gespreide armen, gespreide benen. De ingewanden, grijs en paars, glanzend in het zonlicht, tuimelden nu vrijelijk uit zijn lichaam en kwamen omringd door slierten van rondspattend bloed achter hem aan toen hij naar beneden viel. Hij merkte nogmaals zijn Ford op, netjes geparkeerd. *Niets op aan te merken*, ging het door zijn hoofd.

Dyanna schrok op. Er verscheen iets in haar gezichtsveld, zich scherp aftekenend tegen de blauwe hemel en de wolken. Het trok haar aandacht en kwam van boven. Was het iets wat vloog? Doordat de vrouw abrupt bewoog, richtte Drummy haar kopje op en keek verward om zich heen. Wat haar bazinnetje had laten schrikken, verdiende zeker ook haar aandacht.

In een brede waaier van rondspattend bloed suisde Haylan met opengesperde ogen schreeuwend naar beneden. Armen en benen nog steeds gespreid. Een zich uitdijende wolk van vrijgekomen bloed volgde hem. Het vallen duurde hooguit vier seconden. Tot het aan de spijl vastgeknoopte touw zich opspande. Door die hevige schok kwam Haylan even in de lucht tot stilstand toen het rechterkniegewricht uit elkaar werd gerukt. Nog steeds met gespreide armen en slingerende, druipende ingewanden suisde Haylan terug in de richting van het gebouw. Vernon LaFolette had niet gelogen: het touw hield stand.

Dyanna zag het ding op haar raam afkomen en duwde zich verschrikt in de sofa achteruit. Het volgende ogenblik knalde Haylan met de voorkant van zijn lichaam tegen het glas op nauwelijks een meter van haar. Het was een zware, doffe, vochtige bons. Overal bloed en andere smeerlapperij. De impact duwde hem een halve meter terug achteruit, waarna hij nogmaals tegen het glas botste. Haylan hing nu stil ondersteboven. Geopende armen naar beneden, net als zijn vrije been. Het was alsof hij zijn linkerknie optrok en tegen de vrijgekomen, nu onherkenbare, ingewanden perste. Drummie sprong luid blaffend uit

Dyanna's schoot en spurtte tot bij het raam. De oude vrouw gilde niet omdat ze Haylan als een mens herkende, wel om het vele bloed dat op haar ramen bleef spatten.

Haylan Rasschino had de harde impact met het venster niet gevoeld. Door het smerig bevuilde raam, (*Mijn* bloed? *Mijn* slijm?) merkte hij de vrouw op die zijn hangende figuur met grote ogen en een open mond vanuit een sofa aankeek.

Ze blijft zichzelf, bedacht hij. *Gelukkig, dat is goed. Ze verandert niet. En dat hondje? Het blijft een hond, geen zorgen maken. Geen enkel probleem dus.*

Terwijl Haylan Rasschino daar ondersteboven met zijn ingewanden tegen het raam gekleefd hing, vroeg hij zich af hoeveel liters bloed er eigenlijk in een menselijk lichaam aanwezig waren. Vreemd genoeg stelde hij zichzelf geen vragen omtrent zijn uiterst benarde positie en de toestand van zijn lichaam. Het *was* gewoon zo. Hij zag de oude vrouw ondertussen bezig. Ze hield haar ogen op hem gericht en probeerde zich tegelijk uit haar sofa te werken. Waarschijnlijk was ze van plan de hulpdiensten te alarmeren. Misschien was ze te verbouwereerd en wist ze niet wat haar te doen stond? Wie zou dat trouwens niet zijn als hij of zij met een dergelijk voorval geconfronteerd werd? Haylan vroeg zich af of hij glimlachte. Hij plooide zijn hoofd in zijn nek, waardoor hij naar het voetpad kon kijken. Er renden beneden mensen naar het gebouw toe. Hun schreeuwen was duidelijk hoorbaar tot waar hij hing. Betekende de aanwezigheid van die mensen daar automatisch dat er dus redding op komst was? Haylan wilde niet gered worden. Hij had zichzelf verminkt, zichzelf vermoord. Hoewel hij het niet op vrijwillige basis had gedaan. Iets in hem had hem gedwongen die vreselijke dingen te doen. *Wat* dat was, wist hij niet. Hij had die handelingen gewoon uitgevoerd.

Achter het smerige glas zag hij de oude vrouw op handen en knieën door haar flat kruipen, weg van het raam. Het hondje huppelde als bezeten blaffend om haar heen.

Het bloed bleef uit zijn armen spuiten. Het stroomde nu ook over zijn borstkas en gezicht. Het kleefde zijn ogen dicht. Haylan voelde dat zijn hart pijnlijk heftig sloeg. Hij kreeg het moeilijk om adem te halen. Werd het donker?

Terwijl hij in de ongenaakbare zee van gevoelloosheid en bewusteloosheid wegzakte, vroeg Haylan zich nog voor een laatste keer af wat er hem eigenlijk kon hebben toe gedwongen zichzelf op een dergelijk afgrijselijke manier toe te takelen? Hij zocht in de laatste ogenblikken van zijn bestaan zichzelf in zijn kindertijd en pubertijd op. Hij overliep ook zijn jaren als volwassene. Haylan besefte – terwijl hij afdaalde in wat hem een bodemloze put vol beangstigende duisternis leek – dat hij niet het fraaiste wezen op deze planeet was. Toch bleef hij vasthouden aan de volharding dat hij aanspraak kon maken op een fraaiere manier om de overgang te maken. Maar het was nu te laat.

Ik heb het mezelf aangedaan, godverdomme, ik heb eerst al die rare, onmogelijke dingen gezien en dan kocht ik het touw en ik hanteerde het scheermes...

Ik wilde het niet...

Ik wil nu slapen... ik word zo moe... zo verdomd moe...

Er bereikten hem nieuwe geluiden. Sirenes. Van heel ver, van op een totaal andere plek op de wereld.

Laat me toch slapen...

Ik ben zo moe...

Slaap...

Haylans hart hield op met pompen.

Het bloed *droop* nu enkel nog uit zijn armen en uit de gapende wonde op zijn buik.

2. Raven Daramantez
Start van het onderzoek

Vrijdag, 10 juni 2005.

"Jezus ... wat een smeerboel!"

Dat was de eerste reactie van agent Danny Lahmian nadat hij zich halsoverkop uit het patrouillevoertuig had geworpen. Hij was nog net geen volledig jaar in dienst bij het politiekorps van Yellowmoon. Zijn wat meer ervaren compagnon stapte iets trager uit de met gillende banden tot stilstand gekomen jeep Cherokee. Nathaniel Duhamel keek waar zijn opgewonden collega naar wees en gaf onuitgesproken toe dat Danny gelijk had. Een smeerboel! Een prachtige omschrijving van de feiten waar weinig op aan te merken viel. Het papierwerk vroeg natuurlijk om iets meer details, maar dat ene woord volstond momenteel. Het voetpad en de straat waren *bespat* met bloed, maar de muur van het gebouw waar ze voor stonden... dat was meer dan enkel maar bespat. Nathaniel keek omhoog naar het lijk dat omgekeerd met één been aan het touw hing. De armen reikten naar beneden, het bloed druppelde over het hoofd en de handen. De ingewanden hingen tussen het lijk en het raam waar het tegenaan gekleefd hing. Onder het lichaam was de wand van het gebouw tot halverwege een brede, gruwelijke collage van druipende bloedslierten en naar omlaag glijdende darmen. Overal om hen heen draafden mensen in het rond. Sommigen schreeuwden, anderen huilden.

"Hey, waar ga je heen?"

Danny's hart sprong bijna uit zijn borstkas van opwinding. Hij draaide zich om en keek Nathaniel aan die schijnbaar doodgemoedereerd naast het dienstvoertuig stond. De *oudere,* zwarte man van veertig keek hem vragend aan. Omdat hij niet onmiddellijk antwoord kreeg, stelde hij zijn vraag opnieuw.

"Danny? Waar ga je heen?"

"Naar boven natuurlijk... het touw doorsnijden... we kunnen... hij..."

"Leeft nog? Denk je dat werkelijk?"

Steeds meer mensen verzamelden zich rond hun voertuig. Er werd nog meer geschreeuwd. Iemand lachte nu zelfs. Nathaniel gebaarde naar zijn op ontploffen staande collega en zei:

"Danny, kom hier."

Danny Lahmian blies stoom af en stapte met overdreven plichtmatigheid tot bij de jeep. Nathaniel ging dicht bij hem staan en richtte zijn mond tot naast zijn hoofd op. Hij wilde niet dat de burgers hoorden dat hij zijn jongere collega terechtwees.

"Danny... die kerel is twintig liter bloed kwijt, zijn beuling hangt uit zijn buik. Hij leeft niet meer... trouwens, als je het touw doorsnijdt, valt hij voor de voeten van iedereen hier op het voetpad in nog meer stukken te pletter. Dat willen we toch niet?"

"Neen, maar..."

"Hem omhooghijsen kunnen we niet, geloof me."

"Maar..."

"Hou jij die mensen hier op een afstand. Zorg dat er bijstand ter plaatse komt. Een ambulance en ook de brandweer. Een ladderwagen, zes verdiepingen hoog, meld hen dat allemaal. Beschrijf de situatie."

Danny snoof luidruchtig en keek Nathaniel zelfs even kwaad aan. Hij wilde actie. Hij wilde naar boven lopen. Geen lift gebruiken. Lopen, dé adrenaline door zijn aderen voelen bruisen. Hij wilde het touw doorsnijden, hij wilde het lijk als eerste zien, hij wilde...

"*Danny*!!"

Hij schrok op. Nathaniel keek hem nors aan.

"Heb je me gehoord?"

Danny knipperde met de oogleden.

"Brandweer..."

"Beheers je, jongen. Ik weet dat je opgewonden bent... ik ben ook jong geweest en heb veel ondoordachte dingen gedaan. Doe nu wat ik gevraagd heb. Hou iedereen op een afstand, vraag bijstand, ambulance en brandweer. Okay?"

Danny Lahmian liet nogmaals duidelijk merken dat hij er niet akkoord mee ging. Maar tegen een oudere collega ingaan was niet netjes. Dus bedwong hij zichzelf... met moeite. Hij trok een vies gezicht, snoof nogmaals, hief zijn broek op waarbij alles wat aan zijn riem hing, rammelde en rinkelde. Daarna draaide hij zich om en beende naar de toeschouwers die steeds dichter naar het voetpad oprukten. Hij haalde diep adem en schreeuwde:

"Iedereen achteruit! Komaan! Naar de andere kant van de straat...hup, hup… vandaar zie je het nog beter!"

Nathaniel schudde het hoofd en stapte het gebouw binnen. Lang hoefde hij niet te wachten op een reactie. Vrijwel alle aanwezigen stonden in de hall. Een dikke kerel stapte naar voren en zei:

"Hij hangt tegen Dyanna's venster. Zij heeft bij mij aangeklopt, ik woon tegenover haar appartement. Ik heb de 911 gebeld."

Nathaniel knikte vriendelijk.

"Goed gedaan, waar is Dyanna?"

"Die zit bij mij... bij mijn vrouw. Zesde verdieping."

Nathaniel knikte nogmaals. Hij nam de lift en stapte op de zesde verdieping uit. Vier flats. Van twee ervan stond de deur open. Uit een van de deuren klonk het geluid van een snikkende vrouw. Nathaniel liep tot in de deuropening. Een vrouw veerde uit haar geknielde positie naast de tafel op en kwam op hem af. Op een andere stoel zat een veel oudere vrouw. Haar beide armen lagen op het tafelblad en trilden.

"Gelukkig zijn jullie er al. Dat is Dyanna… ze is overstuur. Er moet een ambulance komen."

"Die is reeds onderweg, mevrouw. Blijf bij haar, ik neem eerst een kijkje in haar appartement."

De vrouw knikte en keerde zich met een bezorgde uitdrukking op haar gezicht weer naar Dyanna. Die keek wezenloos voor zich uit en roffelde met beide armen languit op de tafel.

Nathaniel keek achterom eer hij de gang instapte en merkte een klein, wit hondje op dat onder de tafel tegen de voeten van de oude vrouw lag. Het kopje lag op één van de stoffen pantoffels aan haar voeten. Het dier keek hem aan, maar het staartje bewoog niet heen en weer.

Nathaniel stapte Dyanna's appartement binnen en werd onmiddellijk geconfronteerd met het dode, naakte lichaam van Haylan Rasschino. Het kleefde nog steeds tegen het raam. Veel uitgesmeerd bloed, heel veel vegen, veel slijm, veel vrijgekomen ingewanden. Zoals Danny Lahmian het in één enkel woord had omschreven: een smeerboel. De zwaartekracht begon tot overmaat van ramp z'n tol te eisen. De darmen en de lever zakten traag maar zeker naar beneden, tussen het lichaam en het raam zelf.

De ramen konden niet worden geopend. Een voorzorgsmaatregel tegen potentiële zelfmoordenaars. Nathaniel grijnsde bij die gedachte. Hij draaide zich om, verliet het appartement en volgde de weg die Haylan had gevolgd tot bovenop het dak van het gebouw. Even later stond hij bij de borstwering. In de verte, langsheen het politiekantoor op Park Lane, kwam een ambulance hun kant op. Hij zag de flikkerende lichten en hoorde de sirene. Danny had dus zijn opdrachten uitgevoerd. Hij bekeek het touw dat aan een van de betonnen pijlers geknoopt was. Hij merkte dat er 'verse' kleren op een slordig hoopje lagen. Eén top van een schoen stak van onder de bundel uit. Dan viel zijn oog op het scheermes. Nathaniel had ervaring genoeg om nergens aan te komen. Alles laten liggen. Niet met bewijsmateriaal flikflooien. Dat behoorde niet tot zijn bevoegdheden.

Vijf minuten later stond hij weer beneden. Ondertussen waren drie andere patrouillewagens toegekomen en hielden de zes agenten de toegestroomde menigte op een afstand. Heel wat ramptoeristen hadden ondertussen de zich onvoorstelbaar vlug verspreidende geruchten van een bloederig spektakel op de hoek van Condor en Main opgevangen en waren er vol enthousiasme op afgekomen. Velen wezen, velen hadden commentaar, maar niemand wist wat effectief was voorgevallen. De agenten hadden weinig moeite om alle omstanders op een deftige afstand te houden. Eén van de pas aangekomen agenten haastte zich tot bij Nathaniel.
"Dat lijk moet daar zo vlug mogelijk weg, Nathaniel. Straks trekt hier een perverse klootzak een hamburgertent op. Hij zal er nog heel wat mee verdienen."
Nathaniel grijnsde.
"Ik bel eerst het bureel, George. De bazen een beetje uitleg verschaffen kan geen kwaad. Ze zijn zo graag op de hoogte van alles en nog wat."
Hij manoeuvreerde zijn mobiel telefoontoestelletje uit het kleine draagtasje aan zijn riem, toetste het nummer in en wachtte. Terwijl hij de bel aan de andere kant van de lijn hoorde overgaan, keek hij nogmaals omhoog. Het bloed droop niet meer van de handen van het lijk. De man hing daar nu gewoon... gewoon dood te zijn. Er werd opgenomen.
"Met Nathaniel... in Condor Street. Is de chef er?"
"Grafisch?" vroeg de stem aan de andere kant.
"Erg genoeg! Is ie er?"
"Komt eraan."

Er volgde een doorschakeling. Will Kamen nam op.

"Hallo? Met Kamen"

"Luitenant? Nathaniel hier. Ik denk dat je best eens hierheen komt."

"Ah? Iets speciaals? Ik dacht dat iemand zich had verhangen? Was de melding niet op die manier binnengekomen?"

"Wat men over de telefoon heeft verteld, weet ik niet, baas, maar dit is geen 'gewone' verhanging. Ik twijfel zelfs of het..."

"Ja?"

"Ik twijfel zelfs of het om een zelfmoord gaat."

"Komaan, Nathaniel... je lult toch, niet?"

"Luitenant, ik lul nooit!"

Nathaniel luisterde naar de vlugge ademhaling aan de andere kant van de lijn. Iedereen kende hem als een integere politieman met twintig jaar ervaring op straat. Luitenant Kamen *wist* dat hij hem met geen onzin zou lastigvallen.

"Goed, Nathaniel. Geef me tien minuten."

"Ik loop niet weg."

Aan de andere kant van Yellowmoon, aan de overkant van het kerkhof op Miller Road, bevond zich het Swan Park. Op het moment dat luitenant Will Kamen zich na het telefoongesprek met Nathaniel Duhamel klaarmaakte om naar Main Street te vertrekken, had Jeffrey Cockroft er geen enkel besef van dat zich in hetzelfde stadje iemand van het leven had beroofd. Hij had daarnet in de verte wel het heel herkenbare geluid van loeiende sirenes gehoord, daarna gevolgd door nog enkele wagens in bijstand die blijkbaar allemaal dezelfde kant opgingen, maar hij had zich niet op die activiteit toegespitst. Hij had andere zaken om zich mee bezig te houden.

Hij zat als versteend op een houten bank in Swan Park. Met een hamerend hart keek hij toe hoe het onmogelijke monster (half spin, half vis) dat daarnet uit het meer was gekropen, zich nu in het water terugtrok. Tussen de tanden in de gigantische muil zat het spartelende kind nog steeds geklemd.

"Dag Nathaniel. Het is hier inderdaad... een walgelijk spektakel." Luitenant William Kamen was net uitgestapt en keek omhoog.

"Hallo, luit. Boven brandt de lamp."

"Ik volg je."

De geüniformeerde Nathaniel Duhamel ging de in burger geklede luitenant voor tot bij de lift. Ondertussen was de brandweer aangekomen met meer dan het nodige materieel. Danny en de andere agenten schreeuwden de longen uit hun lijf om iedereen op een afstand te houden en plaats te maken voor de activiteiten van de brandweermensen. Er werd op die plaats op Main Street heel wat heen en weer geschreeuwd. Beide straten, Main en Condor, waren afgesloten voor alle verkeer. Heel wat leden van het technische team bewogen zich door het appartement. Will stelde de vragen die hij verondersteld was te stellen en kreeg de antwoorden van Nathaniel die hij had verwacht.

"Zijn er foto's genomen?" vroeg Will Kamen.

"Honderden."

"Ook van de omstanders beneden?"

"Hele videobanden vol… degene die geilt, is de dader!"

"Alle nummerplaten van de wagens in de buurt genoteerd?"

"Zoals altijd, luit."

"Danny Lahmian lijkt enorm opgewonden?"

"Hij is nog maar drie maanden onder mijn hoede. Ik vermoed dat het zijn eerste zelfmoord is…"

"Toch een zelfmoord dan?" vroeg Kamen.

"Zijn eerste lijk."

"En dan nog zoiets?!"

"Kan iedereen overkomen."

"Zesde verdieping?"

Nathaniel knikte. Kamen duwde de knop in en de lift zette zich in beweging. Op de zesde verdieping ontfermden twee ambulanciers zich over Dyanna Linther. Drummie hield blijkbaar niet van al die drukte en hield zich tegen een van de muren van het appartement op. Het diertje hield angstig de blik op haar bazin gericht.

"Jezus!"

Dat was Kamens enige woord toen ze Dyanna's appartement binnenstapten. Het bloed was tegen de ramen in brede, donkerrode beken gestold. Het hoofd van Haylan Rasschino was niet zichtbaar achter de ingewanden die tegen het venster kleefden.

"Boven, op het dak, ligt een scheermes. Hij hangt boven met één voet aan een spijl vast."

"Die kerel heeft dat niet zelf gedaan!"

"Dat is ook mijn mening, luit, vandaar mijn telefoontje."

"Jezemie… bekijk zijn armen! Beide armen? En zijn buik! Godsamme…die kerel werd vermoord! Eerst gemarteld, verminkt en dan aan dat touw gebonden en naar beneden geworpen. Hoe geraak je hierboven?"

Nathaniel wees naar de deur en ging zijn overste voor. Kamen volgde. Op het dak keek hij over de borstwering naar het hangende lijk en de krioelende massa mensen beneden. Hij wierp een blik op het scheermes dat nog steeds op de plaats lag waar Haylan het had laten vallen. Beiden meden ze de plaats. De technische dienst was nog bezig met alles zorgvuldig op te nemen. Op dat moment hoorde Kamen het gejoel van mensen op straat. Er was iets gaande. Hij keek nogmaals over de rand en merkte dat sommigen naar het lijk wezen, terwijl de agenten hun uiterste best deden om iedereen op een afstand te houden. Toen hij verder over de borstwering reikte, merkte Kamen dat de dunne darm een grote, grijze lus had gevormd onder het lichaam. Alles begon uit elkaar te vallen. Kamen ritste zijn eigen mobieltje tevoorschijn en duwde enkele knopjes in.

"Dit is niet meer voor ons, Nathaniel. Hier zijn wij vanaf."

Nathaniel Duhamel haalde de schouders op. Daar had hij geen probleem mee. Dat bespaarde hem een hele hoop papierwerk. Hij keek hoe Kamen over het dak heen en weer stapte. Het duurde blijkbaar een poos eer iemand aan de andere kant opnam. Uiteindelijk had hij dan toch beet. Hij hield halt.

"Hallo, hier luitenant Kamen van Yellowmoon. Met wie spreek ik?"

Nathaniel kon uiteraard niet horen wat er aan de andere kant van de lijn werd gezegd, maar Kamen wond zich duidelijk niet op.

"Ik wil de officier van dienst op Moordzaken. Dringend."

Hij legde zijn hand op het spreekgedeelte, keek op naar Nathaniel en fluisterde geërgerd:

"Hij weet niet wie er van dienst is. Hij zoekt op zijn lijst!"

Nathaniel wist dat een dorp als Yellowmoon, dat slechts een kleine drieduizend inwoners kende, over een beperkte politionele bezetting beschikte. Voldoende mensen om de nodige patrouilles uit te voeren, de verkeerszaken te regelen, burenproblemen en huiselijke toestanden te regelen. Allemaal goed en wel. Klein grut dus. Soms zelfs een occasionele zelfmoord. Dat was allemaal geen probleem. Maar van het ogenblik dat het grootser werd, werd noodzakelijk beroep gedaan op het veel grotere korps van Garland. Daar hadden ze godsamme een echte afdeling *Moordzaken*. Nathaniel vroeg zich af hoeveel moorden ze daar het afgelopen decennium al hadden voorgeschoteld gekregen. Laat staan opgelost. Nathaniel grijnsde toen hij dacht aan die keer dat hij zei dat de suiker in hun koffie het enige was dat de medewerkers van Moordzaken tot op dat moment hadden opgelost, meer niet.

"Ja?" zei Kamen ineens.

Hij luisterde even naar wat hem verteld werd.

"Inderdaad, ik vermoed dat we hier met een moord te maken hebben. Ik sta bovenop een appartementsgebouw in Main Street, op de hoek met Condor. Het is tamelijk spectaculair. Heel wat lastige toeschouwers en ik..."

Hij zweeg omdat zijn correspondent iets vroeg.

"Het kruispunt Main met Condor Street! Niet ver van ons bureel. Aan het stadspark. Wie komt er?"

Kamen knikte.

"Goed, ze zal de plaats wel vinden. Er staat genoeg volk buiten."

Will Kamen borg zijn toestel op, wreef zich op de buik en keek Nathaniel met een brede grijns op zijn gezicht aan.

"Hier zijn we duidelijk vanaf."

"Wie komt er?"

"Daramantez."

"Hmm! Hebben we effe geluk."

Nathaniel glimlachte tevreden.

"Luitenant Daramantez lost de zaak hier wel op."

Jeffrey Cockroft geloofde zijn ogen niet. En dat zeker niet voor de eerste maal in de afgelopen weken. Hij zat nog steeds op dezelfde bank in het Swan Park. Daarnet was een jonge moeder met een kind voorbijgekomen. Zo'n guitige spruit. Vier jaar? Hoogstens vijf? Jeffrey had problemen met het schatten van leeftijden. Zeker van kinderen. Hoe dan ook, die ma slenterde met haar kind aan de hand langsheen het kleine meer. Hij had er een uitstekend zicht op. Drie minuten geleden gebeurde het. Ongeveer op hetzelfde moment dat hij de sirenes hoorde loeien. Zijn hart hamerde nog steeds in zijn keel.

Het water van het meer, dat tot op dat moment heel vlak en rustig was geweest, borrelde ineens heftig op, als kookte het van het ene op het andere moment. Jeffrey hoorde het kolken tot op de plaats waar hij zat. Waarom reageerde die moeder dan niet? Was ze doof of zoiets? Misschien had ze haar kind zelfs nog kunnen redden?! Indien ze opzij had gekeken en het wild bewegende water had gezien, had ze het samen met haar kind op een lopen gezet. Maar niets van dat alles. De vrouw reageerde gewoon niet?! Onvoorstelbaar!

Het meer spleet open en het ding dat uit het water op de oever sprong, was afschuwelijk. Het had het zware, bolvormige lijf van een grote spin, inclusief de acht gelede poten, maar vooraan bevond zich de muil van een vis. Een grote, vraatzuchtige muil vol blinkende tanden. Het beest droogde zich even als een hond door zijn lijf vliegensvlug heen en weer te schudden. Dan holde het langs de waterkant in de richting van het *nietsvermoedende* tweetal. *Dit is toch onmogelijk*, ging het door Jeffrey Cockroft heen, *eerst het water, dan het monster. En niets opmerken? Als* hij *dat beest zag, waarom reageerden al die andere wandelende mensen dan niet?*

Maar Jeffrey wist beter, maar weigerde opnieuw dat pijnlijke besef te aanvaarden.

Het beest klapte zijn muil dicht en sloot de rechterarm en -schouder van het kind tussen de afgrijselijk lange tanden. Het kind – een meisje, het was een meisje – gilde niet toen de naaldvormige tanden in haar vlees drongen. Jeffrey zag dat duidelijk. Ze reageerde niet!

De moeder trok zich van de situatie rechts van haar helemaal niets aan. Ze wandelde gewoon onverstoorbaar verder en keek zelfs niet opzij. Zelfs niet toen het beest zich met een korte ruk omdraaide en het kind uit de handgreep van haar moeder trok. Jeffrey wist dat hij niet kon reageren, maar hij had het liefst naar de moeder geschreeuwd dat ze moest omkijken, dat ze moest reageren, dat...

Het beest hapte enkele malen zodat het een betere greep op het kind kreeg. Het meisje schokte in de muil, het hoofdje tolde van de ene naar de andere kant. De tanden groeven zich dieper in haar jonge vlees. Jeffrey zag haar benen op en neer bewegen. Witte kousjes en zwarte, blinkende schoentjes. De moeder wandelde rustig verder, niets aan de hand. Het monster trok zich achterwaarts in het meer terug, het kind met zich meesleurend.

Het was Jeffrey ook opgevallen dat het kind niet had geschreeuwd. Het had zelfs niet op een *normale* manier gereageerd. Wat was eigenlijk een *normale* manier om op een dergelijke situatie te reageren?

En niemand anders die dat gruwelijke schouwspel scheen te zien? Jeffrey zag duidelijk dat zich nog andere mensen in het park bevonden, sommigen op nauwelijks tien meter afstand van het meertje. Ze *moesten* alles gezien hebben. Het gebeurde verdomme voor hun neus, ze stonden erop te kijken! Waarom ontstond er geen regelrechte paniek? Waarom reageerde die moeder niet? Zo'n monster bestond toch niet? Of zag *hij* alleen al die dingen?

Ze had lang, zwart haar. Bijna vloeibare zijde. Dat was het eerste wat opviel. Het golfde in lange, sierlijke bewegingen toen ze uit haar Stratus stapte en over de straat ging. Heel wat mensen keken onbeschaamd in haar richting. En waarschijnlijk wel terecht. Haar slanke, prachtige gezicht had van nature uit een lichtbruine kleur, net als haar grote ogen. Het waren de vertederende ogen van een ree. Niet alleen haar gezicht was slank. Haar ganse lichaam was slank, lenig en gespierd. Onder een groene blouse beklemtoonden stevige borsten nogmaals haar adembenemende vrouwelijkheid. Een halflange, lederen vest bedekte nauwelijks het wapen dat in een holster aan de riem van haar aansluitende jeansbroek stak. Ze droeg lederen laarzen tot net boven de enkel.

Haar naam was Daramantez. Raven Daramantez, luitenant bij de afdeling Moordzaken van de Politie van Garland. Vierendertig jaar en ongehuwd. Wanneer je haar voor de eerste maal zag, vermoedde je onmiddellijk dat er Spaans bloed door haar aderen stroomde en vergat je elke vorm van wellevendheid. Je staarde gewoon je ogen uit je kop. Je bekeek openlijk haar voorkant en zonder schroom haar achterkant wanneer ze voorbij was. Raven was iemand naar wie je ongewild keek en soms bleef kijken.

Ze bleef even bij het voetpad staan, keek omhoog en reageerde nauwelijks toen een grote, paarskleurige klodder langs het raam neerwaarts glibberde. Haylans lever was van tussen de ingewanden losgescheurd en was nu traag op weg naar beneden. Het orgaan kleefde nog even aan het glas, geraakte er uiteindelijk van los, liet de loshangende darm even slingeren en viel nauwelijks een seconde later met een wansmakelijk geluid op het voetpad te pletter. Alles wat zich in de buurt bevond, werd besproeid met stukjes lever of bloed. Raven draaide zich om, liep naar de brandweerwagen en sprak hooguit enkele seconden met de aanwezige officier waarbij ze naar boven wees. Dan haastte ze zich het voetpad op en stapte het gebouw binnen.

Twee minuten later stond ze bovenop het dak.

Nathaniel kende haar en de reputatie die haar achtervolgde. Die was goed. Héél goed. Hij kende haar als een vrouw die niet met zich liet sollen en... ze was daarenboven zo betoverend *mooi*!!! Bijna te mooi om echt te zijn. Hij had het voorrecht gehad een paar keer met haar aan een zaak te mogen werken, en moest naderhand een hele tijd afkicken. Lang en dicht in haar buurt blijven was voor elke man dodelijk. Rond Raven Daramantez straalde werkelijk een aura van lichamelijke perfectie die niemand onbewogen liet.

"Dag, Will... Hallo, Nathaniel, je bent weer van de partij?"

Zelfs het timbre van haar stem was aangenaam. Nathaniel had zich vele malen afgevraagd met welke filmactrice hij haar kon vergelijken, maar hij vond dat maar magertjes. Actrices werden onophoudelijk onder handen genomen, gekneed, opgetut en geschminkt. Raven Daramantez was van nature uit een adembenemende schoonheid. Will schudde haar uitgestoken hand. Nathaniel deed hetzelfde. Haar hand voelde droog en warm aan. Hij snoof een heerlijk parfum op toen ze zich in zijn richting bewoog.

"Wat hebben we hier?"

Will Kamen snoof en Nathaniel hield zich op de achtergrond. Hij kende zijn plaats. Dit was een zaak tussen mensen van dezelfde graad en hij wilde zich daar niet mee bemoeien. Iedereen zijn bevoegdheden.

"Wat hebben we? Dat vind ik een goeie vraag."

"Ik heb beneden gevraagd om het hangende lijk te bedekken met een groot zeildoek, zodat het uit het gezicht van de mensen is. De brandweer zorgt daarvoor. Ik vermoed dat de nodige foto's van op straat reeds genomen zijn?"

Will voelde zijn keel en nek opgloeien. Daar had hij zelf niet aan gedacht. *Stommeling. Je slaat een belachelijk figuur.* Hij hoestte kort en zei:

"Prachtig, Raven... eh... foto's werden genomen, geen probleem. Dit hebben we door het raam waar hij tegenaan hangt, al kunnen zien:

van die kerel werden de beide armen opengesneden van onder de oksel tot tegen de pols. Daarna werd zijn buik op verschillende plaatsen opengereten en werd zijn ene voet met een touw vastgemaakt aan die spijl daar."

Will Kamen draaide zich gedeeltelijk om en wees de plaats aan die hij beschreef. Raven Daramantez boog zich iets voorover. Nathaniel hield de bewegende vorm van haar borsten in het oog. Als man kon je bij iemand als Raven daar echt niet aan weerstaan.

"Daarna werd hij over de borstwering gegooid. Zo kwam hij tegen het raam terecht. Het scheermes ligt daar nog."

"Dat moet ongetwijfeld allemaal heel wat pijn gedaan hebben! Is de identiteit al bekend?"

Will had die vraag verwacht.

"Nog niet. We hebben de plaats onaangeroerd gelaten. Trouwens, hij hangt compleet in z'n blootje. Zijn kledij hebben wij ook nog niet doorzocht."

Hij had niet verwacht dat Raven Daramantez zou reageren en dat deed ze ook niet. Ze gaf geen enkele reactie op wat Will haar had verteld. In plaats daarvan liep ze op de kleren af, maar raakte die niet aan. Ze bekeek het scheermes, dat nog steeds opengeklapt op het asfalt lag, en vervolgens de knoop en blikte kort over de borstwering. Ze merkte dat de mensen van de brandweer met de ladderwagen in de weer waren om een zeil rondom het lijk te spannen.

Het was er warm. De zon scheen ongenadig hard en het asfalt waar ze op stonden, scheidde een onsmakelijke geur af. Will Kamen meende dat hij de stank van het vergoten bloed opving.

"Hmm..."

Dat was haar enige bedenking toen ze opnieuw in de buurt van Will en Nathaniel stond. Ze viste haar gsm-toestel uit het tasje aan haar riem, klapte het toestel open en toetste in. Nathaniel merkte op dat haar gemanicuurde nagels een lichtblauwe kleur hadden.

Terwijl ze op verbinding wachtte, schonk ze hem een innemende glimlach. Nathaniel glimlachte ongemakkelijk terug.

"Hallo... met Daramantez. Breng het ganse nest maar hierheen. Extra foto's nemen, alle spullen in beslag nemen, de gewone routine. Vraag de ijzeren kist ook, we brengen hem onmiddellijk naar het mortuarium. Het lijk blijft ook in beslag... ja... geen probleem... ik blijf nog even."

Raven klapte de gsm dicht.

"Natuurlijk, mocht het dan toch een zuivere zelfmoord zijn, dan gebruiken jullie uiteraard alle info die wij hier verzamelen. Ziezo. Kan ik nog even op jullie medewerking rekenen?"

Will Kamen knikte overdreven.

"Natuurlijk."

"Ik heb een aantal geüniformeerde agenten nodig. Straks halen we het lijk weg. Ofwel via het dak, ofwel via de straat. Ik wil geen toeschouwers meer, enkel voor het geval er iets misloopt en het lijk naar beneden dendert. Kan er voor gezorgd worden dat iedereen op een deftige afstand blijft?"

Will Kamen draaide zich naar Nathaniel.

"Jij zorgt daarvoor?"

"Geen probleem."

Hij knikte naar Raven en liet hen op het dak achter. Will wees naar het hoopje kleren.

"En? Wat denk je?"

Raven haalde haar schouders op.

"Veel te weinig gegevens om onmiddellijk iets te zeggen, Will. Ik wil eerst een naam. Laat ons nu wachten tot onze mensen hier zijn."

"Mij goed... het is hier lekker... warm."

Will Kamen transpireerde hevig. Hij schaamde er zich over en wilde niet dat Raven Daramantez de onaangename geurtjes opving die zijn oksels verspreidden. Om die reden deed hij zijn vest niet uit, waardoor hij nog meer zweette.

Wat men allemaal niet doet om in de smaak te vallen...

Jeffrey Cockroft wilde niet langer in het park blijven. Het beest uit het meer liet zich niet meer zien en het water was weer even kalm als vóór de aanval op het kind. Wel had hij problemen met de grote, groene wolken die laag over het park dreven, maar blijkbaar had weer niemand anders daar problemen mee. Groene wolken met daarin gele of rode vlekken. Ondertussen was er nog iets anders voorgevallen. Daarnet werd de grote boom links van hem gedeeltelijk doorzichtig, alsof de bast uit mat glas bestond. Alles transformeerde in een glazen substantie. Stam, takken en bladeren. Jeffrey keek om zich heen. Weer niemand van de andere aanwezigen schonk aandacht aan dat fenomeen, hoewel sommigen er stomweg voorbijwandelden.

Een glazen boom?! Hij stond van de bank op en stapte op het pad tot hij nauwelijks een meter van de stam verwijderd was. Van dichtbij stelde hij vast dat de substantie die hij voor glas had aanzien, water was. Nog erger?! De boom bleef rechtop staan, de takken hingen over en de bladeren bleven waar ze waren. Maar alles bestond uit water? Hoe was zoiets in godsnaam mogelijk? Jeffrey voelde de intense koude die het water uitstraalde. Het maakte lichtgolvende bewegingen. Binnenin de 'stam' bewogen zich figuren. Mensen? Toch mensachtige wezens. Ze waren naakt en kronkelden rond elkaar, als slangen die vochten. Maar er werd niet gevochten. Er werd gegleden en gekronkeld, alsof ze zich allemaal in een pure extase bevonden en daar ook uiting aan gaven door hun lichaam op die wulpse manieren te laten bewegen. Jeffrey zag vrouwen en mannen, sommige behaard, andere compleet naakt. Sommigen bestonden slechts uit twee dimensies, anderen waren hooguit een meter groot. Er waren er met kleurrijke veren, zelfs met grijze schubben bovenop de schouders. Jeffrey meende zelfs hun hijgen te horen, hun kreunen en zuchten. Dwars door het water heen. Ze keken hem aan, ze verleidden hem met hun ogen. Mannen en vrouwen... en andere wezens. Ook kinderen. Een sneer van walging trok door zijn maag. Ze bevonden zich in de stam. Van boven in de kruin tot beneden in de kronkelingen van de in elkaar geslingerde wortels. Maar veel dieper ook, onder de grond. Zelfs daar ging de orgie door. Jeffrey zette nog enkele passen dichter en tuurde naar de plaats waar de wortels zich een weg naar het binnenste van Moeder Aarde zochten. Hij zag een grot, gevuld met duizenden dergelijke wezens die probeerden tegen de gladde, vochtige wanden op te kruipen, allemaal in de richting van dat ene gat, daar waar de 'boom' uit de aarde ontsproot.

Links van hem – in een andere wereld? – klonk een gedempt lachen, gevolgd door fluisteren dat veel weghad van het geven van een berisping. Jeffrey draaide zijn hoofd naar links en zag een jonge kerel met een klein meisje. Het kind wees naar hem en lachte. De kerel, waarschijnlijk de vader van de spruit, zei haar dat er zomaar niet met vreemde mensen mocht gelachen worden.

Toen Jeffrey weer voor zich uitkeek, begreep hij waar het meisje om lachte. Was er nu iets dommer dan een volwassen man die onbeweeglijk op tien centimeter van een boom stond? De boom was weer een gewone boom. De fantoom-illusie van daarnet was verdwenen. Geen stam, takken en bladeren van water meer. Geen kronkelende lichamen. Niet langer een duidelijk hoorbaar hijgen en kreunen. Een doodgewone, grote boom. Begrijpelijk dat het kind dat vreemd vond.

Jeffrey Cockroft draaide zich om en verliet totaal verward het Swan Park. Het was niet de eerste keer dat hij iets dergelijks meemaakte. Vandaag was het echter kort na elkaar driemaal voorgevallen. Eerst dat monster uit het meer, de vreemde wolken en nu die boom...

Hij begreep het niet. Hij begreep zichzelf en de anderen (die dat allemaal niet zagen?) niet.

Hij wilde er met niemand over praten. Het was iets in zijn hoofd... daar was hij zeker van.

Raven Daramantez hoefde bovenop het dak van het gebouw op de hoek van Condor en Main Street niet lang te wachten. De diensten die ze gevraagd had, waren heel vlug op haar vraag ingegaan. Raven kreeg altijd snel waar ze om vroeg. Weinigen hadden zin haar iets in de weg te leggen, wat haar uiteraard enorm goed uitkwam.

Als ervaren werkmieren verspreidden de gespecialiseerde agenten zich op het dak, bovenop de ladderwagen en in het appartement van Dyanna Linther. Ze hoefden geen opdrachten af te wachten. De mannen en vrouwen die samen met Raven werkten, wisten wat hen te doen stond. Daarom waren zij ook 'gespecialiseerd' in hun taak. Raven gaf geen enkele commentaar en keek niet over hun schouder mee. Ze hield zich op een afstand en bekeek hun handelingen vanuit een duidelijke rust. Het vertrouwen was groot, gebaseerd op positieve ervaringen bij voorgaande acties. Niets werd over het hoofd gezien. Met een digitale camera werden van op de straat (nogmaals), van in Dyanna's flat en van bovenop het dak vanuit alle mogelijke hoeken tientallen overzichtsfoto's gemaakt. Alles wat op het dak lag (de kleren en het mes) werd in beslag genomen en in speciaal daarvoor gefabriceerde plastieken zakken gedeponeerd. Alles werd zorgvuldig geregistreerd en gelabeld. Iedereen zorgde ervoor zo weinig mogelijk sporen te vernietigen of te verwaarlozen.

Er werden ook een ganse resem detailfoto's van Haylans lijk genomen voordat men de ijzeren kist op een elevator naar de gewenste hoogte bracht. Onder het aangebrachte zeil manoeuvreerden de brandweerlieden Haylan Rasschino en zijn slingerende ingewanden in de kist vooraleer het touw door te snijden. Hun handelingen werden nauwlettend in het oog gehouden door Ravens mensen. Iemand bleef foto's nemen. Er werd duidelijk niets aan het toeval overgelaten.

Nadat het dak volledig ontruimd was en het lijk naar beneden was gebracht, vroeg Raven de brandweerofficier om de gevel van het gebouw schoon te spuiten. Er werd onmiddellijk op haar vraag ingegaan. Het resultaat was dat de gevel, bestaande uit veel glas en veel beton, aanvankelijk compleet roze kleurde, om vervolgens druipnat, maar ontdaan van alle bloedvlekken achter te blijven. De lieden bleven hun werk secuur uitvoeren. Raven hield de zaak in het oog. Ze voelden haar (prachtige) blik op hun rug, en dat zorgde voor een extra beetje inzet. Voor iemand als Raven Daramantez zette iedereen graag zijn extra beste beentje voor. Er werd met water gewerkt tot zowel de muur, het voetpad als de straat schoon waren. Weliswaar door en door nat, maar schoon. Ze bleven in de weer tot geen enkel spatje bloed of ook maar het kleinste restje van de ingewanden meer te bespeuren viel. Raven hield niet van losse eindjes. Opgeruimd stond netjes.

Van zodra het lijk niet meer te zien was en al het bloed en de smurrie verdwenen waren, viel er voor de menigte niet veel meer te rapen. Het plezier was er vanaf. In groepjes dropen ze af. Terug naar hun saaie leventje, hun televisie en pizza.

Luitenant Raven Daramantez wierp nog een allerlaatste blik op de omgeving. Ze nam afscheid van haar collega Kamen en nam vervolgens met gracieuze bewegingen plaats achter het stuur van haar Dodge Stratus. Een eerste ambulance was al eerder met Dyanna Linther naar het Garland Memorial Hospital vertrokken. Raven volgde de bestelwagen van de brandweer met daarin de ijzeren kist waarin de totaal verhakkelde resten van Haylan Rasschino opgeborgen lagen. Hun bestemming was het mortuarium van datzelfde ziekenhuis.

Vanaf dat moment was het haar zaak.

3. Melchior Multcher
Gesprek met Lorne

Zaterdag, 11 juni 2005.

Yellowmoon ligt in het zuidoosten van Montana en telt ruw geschat drieduizend zielen. Een middelgroot dorp dat door County Route 332 in twee bijna gelijke delen gesplitst wordt en tussen de grotere steden Garland noordwaarts en Brandenberg zuidwaarts ligt. Het is er vooral droog en enorm uitgestrekt. Eigenlijk is Custer County één grote, golvende vlakte. Immense weiden vol koeien en schapen, de grootste vorm van industrie in de streek. Yellowmoon bevindt zich tevens tussen Tongue Creek en Pumpkin Creek, die een kleine veertig kilometer noordwaarts samenvloeien, op de plaats waar County Route 332 en State Route 59 hetzelfde doen. Onbeduidende rivieren in een onbeduidende streek. Onbeduidende mensen in een onbeduidend dorp, maar wel met een indrukwekkende geschiedenis.

Vijftig kilometer ten zuiden van Yellowmoon bevindt zich het Custer National Forest, met links daarvan het Northern Cheyenne Indian Reservation en aan de linkerkant van Interstate 90 naar Hardin en verder naar Billings – de tweede grootste stad van Montana – het grotere Crow Indian Reservation. Yellowmoon situeert zich in het vroegere territorium van de indianen. Nauwelijks honderd kilometer daarvandaan werd op 25 juni 1876 de beroemde, maar al evenzeer beruchte slag bij de Little Bighorn uitgevochten. Luitenant-kolonel George Armstrong Custer stond met een luttele 250 soldaten tegenover het grootste indianenleger dat ooit was samengetroept. Crazy Horse en Sitting Bull voerden de vechtklare massa aan. Custer leed waarschijnlijk aan hoogmoed, want in zijn overtuiging dat hij de immense meute indianen zomaar in de pan kon hakken, liet hij zijn mannen aanvallen. De strijd duurde niet lang. Nauwelijks een vol uur. Enkele ogenblikken na het vertrek van de indianen werden de lijken van 250 blanke soldaten teruggevonden. De meesten waren heel zwaar verminkt. Degenen die het meeste geluk hadden, waren enkel gescalpeerd, en vervolgens de blootgelegde schedel ingeslagen. Naar verluidt werd wat van generaal

Custer nog herkenbaar was, (vooral het uniform met de graden) aangetroffen met een speerpunt in zijn penis geduwd. Maar dit laatste detail
wordt niet in alle geschiedenisboeken vermeld.

Eén uitstap die alle scholen uit de (heel wijde) buurt in hun geschie-
denislessen hebben ingecalculeerd, is een obligaat bezoek aan het Litte
Bighorn Battlefield National Monument en het Custer Museum in de
buurt van Crow Agengy langsheen Interstate 90. Je komt er gewoon
door County Route 332 zuidwaarts te volgen, die zo'n vijfentwintig
kilometer voorbij Brandenberg overgaat in de 447. In Ashland sla je
rechtsaf op US Route 212 die je volgt over Lame Deer en Bust tot in
Crow Agency. Echt moeilijk is het niet. Je volgt gewoon de wegwijzers.
Er staan er veel, héél veel… men is toch erg fier op wat zich daar meer
dan honderd jaar eerder heeft afgespeeld. Nou ja…

Maar wie in Yellowmoon woont en niet langer schoolplichtig is, heeft
de musea en de nationale monumenten meer dan genoeg gezien. Zij
kennen de geschiedenis. Zij hebben alle legendes en mythes gehoord.
Voor hen hoeft het allemaal niet meer. Het heden schept meer dan
genoeg problemen.

Yellowmoon is en blijft hun stek.

Op de hoek van Splinter Road en County Route 332 bevond zich een
benzinestation, annex auto-onderdelenshop én snoep-, eetwaren
en prullenwinkel. De vierendertigjarige Melchior Multcher was noch
de eigenaar, noch de gerant. De afgelopen veertien jaar, sedert 1991,
vanaf zijn twintigste dus, was hij 'slechts' pompbediende. Niet meer
dan dat. De afdeling die doorging voor 'winkel', werd opengehouden
door een illustere figuur die de naam Ottie Pelch droeg. Hij was de
neef van de eigenaar van het geheel, namelijk William Pelch, die zelf
in Garland woonde en zich van het geheel weinig aantrok. Natuurlijk
waren de inkomsten het allerbelangrijkste. De rest was bijzaak. Het hele
optrekje was om die reden één van de slechtst onderhouden bouwsels
in Yellowmoon. De grote vensters waren wansmakelijk smerig, in
jaren niet gelapt. Als de zon erop scheen, zag je er helemaal niet door.
Geen doorkijken aan. Groene, hardnekkige schimmel vormde brede
banden op het afbrokkelende metselwerk en op bepaalde plaatsen lekte
het platform. Het ene toilet dat de instelling rijk was, bezocht je best
niet als je pas een maaltijd achter de rug had. Trouwens, een blik van

buiten naar de binnenkant van de winkel door de altijd openstaande deur vertelde een mens die bij zijn volle verstand was, reeds meer dan genoeg. Het was er donker. Zowel overdag als 's avonds. Sinister donker zelfs. Het was het hol van een of ander dier waarvan je zeker was dat het zich binnen bevond. Wachtend op de stommeling die het in zijn hoofd kreeg zich toch binnen te wagen.

Er kwamen hoegenaamd geen volwaardige gesprekken bij hun relatie aan te pas. Melchior en Ottie *verdroegen* elkaars aanwezigheid; meer dan een dagelijkse oogopslag bestond er tussen hen niet. Ottie Pelch kwam om zeven uur dertig in de ochtend aan, opende de winkel en schakelde de elektriciteit aan, waardoor ook de pompen konden bediend worden. Melchior Multcher verscheen om acht uur. Hoewel toch reeds vierendertig, woonde hij nog steeds bij zijn ouders in de bescheiden woning op Church Street. Abraham en Eva Multcher, respectievelijk zestig en negenenvijftig jaar oud, vonden het niet erg dat hun enige nog levende zoon nog steeds onder hun vleugels vertoefde. Vooral volgens zijn moeder was hij helemaal niet bestand tegen wat de maatschappij hem allemaal kon aandoen. De term 'overbescherming' kende zij natuurlijk niet, maar daarvoor had ze dan ook haar eigen redenen. Melchior was namelijk de enige van de drie die overbleef.

Hij was niet mooi. Hij was zelfs… lelijk. Eva had daarvoor de schuld op haar eigen schouders genomen. Ze had een lelijk kind ter wereld gebracht. Dat was een van de vloeken die hij de rest van zijn leven meedroeg. Op school werd hij erom gepest, verschopt en afgewezen. Zelfs hun overbuurvrouw, Hanna Khanlowski, liet hen duidelijk en soms publiek merken wat zij van hun resterende zoon vond. De ruzie met Hanna was een aspect in hun leven waar de ouders van Melchior zwaar onder leden.

Melchior Multcher was mager. Zó mager dat je meende dat zijn botten op het punt stonden op enkele plekken door zijn gelige huid te scheuren. Hij had nooit de strijd met de hardnekkigste acne overwonnen. Integendeel. Naarmate hij ouder werd, ging zijn gezicht steeds meer op aangebakken lasagne lijken. Melchior had kort stekelhaar dat in geen enkele andere vorm kon worden gewrongen, geblazen of gekamd, hoeveel potten gel je er ook in smeerde. Zijn tanden waren afschuwelijk groot, veel te groot voor zijn kleine mond met dunne lippen. De twee immense snijtanden vooraan stonden tot overmaat van ramp dan nog naar voren gericht, zodat hij eigenlijk nooit zijn mond volledig kon sluiten.

Op school had hij het nooit tot een modelleerling gebracht en eigenlijk waren Abraham en Eva blij dat hij alle dagen van de week, behalve op zondag, de benzinepomp op de hoek van Splinter en 332 bediende. Dat baantje had hij via toevallig nepotisme weten te bereiken. Abraham kende indertijd iemand die iemand anders kende die bevriend was met de beste vriend van… en zo ging het leven. Zijn ouders wisten ook dat hij voor iets anders dan het vullen van benzinetanks geen enkele bekwaamheid bezat.

Melchior Multcher mocht dan wel geen oogverblindende schoonheid zijn, nooit viel hij iemand lastig. Hij wist van zichzelf dat hij niet 'mans' genoeg was om zich zowel met woorden als lichamelijk te verdedigen mocht het ooit tot een confrontatie komen. Daarom ging hij dan ook elke vorm van conflict uit de weg. Hij was verre van hoogbegaafd, maar zeker niet achterlijk en een tikkeltje te goedgelovig. Velen hadden hem in het verleden onheil aangedaan, en dat was hij niet vergeten. In zijn hart, daar waar hij niemand toeliet, weende het kleine, geslagen kind in hem nog steeds.

Reeds om vijf over acht op zaterdag de elfde juni, reden de eerste twee wagens na elkaar het terrein van Willy Pelch's Gas Station op. Die grote letters waren ooit als oogverblindende aankondiging in felrode verf op een gigantisch groen bord geschilderd. De onverbiddelijke zon had ondertussen niet alleen de verf, maar ook het hout van het bord zelf kapotgebrand. Iedereen wist dat het station zo heette, niemand zag het vale, compleet versleten bord boven de ingangsdeur naar Ottie's winkel nog. En in William Pelchs hoofd kwam het nooit op om geld in een verse pot verf te investeren. Melchior had net zijn door en door versleten lederen draagtas naast zijn tafel neergezet. Hij keek op toen hij het zware ronken van de oersterke motor hoorde.

"Ho…"

Een gitzwarte Dodge Charger uit 1968 reed als eerste tot bij één van de pompen. Melchior glimlachte en was in zijn nopjes. Hij was weg van oldtimers. Melchior trok haastig zijn eeuwig gevlekte overall van de haak en werkte die over zijn kledij, zonder zijn ogen van de twee wagens te houden. De tweede was al even indrukwekkend als de eerste.

Een rood-met-witte Plymouth Belvedere uit 1958. Melchior hield de Fury en de Belvedere nooit uit elkaar. Hij vond dat die twee Plymouths verdomd goed op elkaar leken.

Met zijn overall nog steeds niet dichtgeknoopt, haastte hij zich uit zijn hok in het vroege zonlicht. De bestuurder van de Charger was al uitgestapt en keek zoekend om zich heen, een bankkaart in de hand. Toen Melchior bij de pompen aankwam, vroeg de man:

"Met de kaart?"

Melchior kon zijn ogen niet van de grote wagen afhouden.

"Eh, sorry? Kan ik hier met de kaart betalen?" herhaalde de man.

"Ooh… neen, dat gaat niet," zei Melchior, duidelijk onder de indruk. De man keek verveeld naar de bestuurder van de Plymouth die nu ook uitgestapt was.

"Okay dan. Gooi maar vol."

Melchior schonk de twee mannen een glimlach en stelde de handelingen die ze van hem verwachtten. Terwijl de meter met een enerverende *klonk-klonk-klonk* tikte, wees Melchior naar de wagens.

"Prachtig onderhouden. Waarschijnlijk alles nog origineel?"

"Heel zeker. Anders kan het niet. We zijn onderweg naar Miles City voor een bijeenkomst. We komen uit Sheridan."

Melchior wist dat Sheridan net onder de grens op het grondgebied van de staat Wyoming lag.

"Een oldtimerbeurs?"

"Niet echt een beurs, meer een samenkomst van… gelijkgestemde zielen."

Melchior Multcher begreep wat de man zei en voelde zich daar onmiddellijk teleurgesteld door. Want hij voelde zich ook een – met hen – gelijkgestemde ziel. Hij beschouwde zichzelf niet als 'bezeten', maar het ging toch soms erg in die richting. Hij las veel over classics en hield honderden knipsels bij. Computers en het Internet waren niet aan hem besteed. Daarvoor beschikte hij trouwens niet over het nodige geld. Dus hield hij het bij week- en maandbladen en ook kranten. Af en toe kreeg hij enkele outprints van zijn vriend Lorne, waarvoor hij hem dan duizendmaal bedankte. Melchior wist dat hij nooit de nodige dollars bijeen kon schrapen om zich een dergelijke machine aan te schaffen. Laat staan onderhouden en stallen. Dat stemde hem ook verdrietig. Hij hield van de ziel die hij meende in die deftig onderhouden wagens aan te voelen. Hij beschouwde bepaalde goedbewaarde oldtimers als pure meesterwerken; relikwieën die erin geslaagd waren tegen de aftakeling op te tornen. Melchior vond dat er tegenwoordig geen ziel, geen 'gevoelswaarde' meer aan een auto werd toegevoegd.

De glanzende Dodge werd volgetankt en maakte plaats voor de sierlijk glimmende Plymouth. Melchior genoot van het grommen van de loodzware motoren en keek even later de wegrijdende wagens na tot die volledig uit het zicht verdwenen waren.

Hij genoot nog even van de prachtige ochtend van de laatste werkdag van die week. Hij merkte dat Ottie hem al van achter zijn toonbank verwijtend aankeek – *moet je nu echt zo lang buitenblijven?* – en net voor hij zijn 'hok' (zoals hij de kleine ruimte noemde waar hij op klanten wachtte) weer betrad, keek hij naar links. De bovenste rand van het dak van het meest futuristische gebouw van Yellowmoon, zijnde het bedrijf QuarTech, met de immense antenne erbovenop, zag hij nog net, hoewel het maar een paar kilometer van *Willy Pelch's Gas Station* verwijderd lag. Melchior Multcher beschikte over weinig bruikbare fantasie, maar toch vond hij dat de betonnen mastodont van Quar-Tech erg leek op iets wat daar in dat artificiële dal *geland* was, in plaats van *opgetrokken*. Hoe zijn vriend Lorne het binnen die grijze muren volhield, begreep hij niet. 's Nachts, wanneer iedereen werd geacht in bed te liggen, was het voorste, uitstekende gedeelte van het gebouw één groen fosforisch blok. Sommigen die het hadden aanschouwd, beschreven het als mysterieus. Anderen hadden het over griezelig en enkelen vonden het lichtspektakel een misselijkmakend schouwspel. Immense gloeilampen die aan de binnenkant tegen de grote buitenramen in de vloer waren ingewerkt, werden 's avonds in werking gesteld. De bureauruimtes boven de ingang van QuarTech gloeiden daardoor groen op en deden de wijde omgeving in dezelfde, groene nevel onderdompelen. Jongelingen die zich in de buurt hadden gewaagd, spraken van gestalten die 's nachts door het groene licht bewogen. De ouderen hadden het dan over de nachtwakers. Ongetwijfeld nachtwakers. Maar zelfs volwassenen meden bij mistig weer de groene nevels die rond het gebouw zweefden, niemand had daar 's nachts trouwens iets te zoeken. Yellowmoon beschikte niet over een gigantisch aanbod van speciale activiteiten. Er viel in het dorp heel weinig te beleven waardoor enkelen graag zelf voor wat afwisseling in hun saaie leventje zorgden. Het groene licht in en rond het donkere bouwsel bood sommige jongeren af en toe enkele hart-in-de-keel-kloppende momenten.

Het andere grote gebouw waar Melchior – enkel van bij de pompen, niet van in zijn hok – zicht op had, was aan de overkant van County Road 332 opgetrokken. Op de hoek met Splinter Road bevond zich het warenhuis dat zich het dichtst bij zijn woning bevond. Gelukkig voor hem en zijn ouders hielden de uitbaters de deuren geopend tot halfacht 's avonds, zodat Melchior in opdracht van zijn moeder veel gebruikmaakte van het ruime aanbod dat daar te verkrijgen viel. Het was op zijn weg naar huis. Het was in datzelfde warenhuis dat Melchior, dag op dag een maand eerder, één van zijn aartsvijanden de figuurlijke doodsteek had gegeven.

Melchior hoorde Ottie Pelchs slijmerige hoesten nog boven het schreeuwerige geluid van zijn transistorradio uit. Omdat hij geen problemen met Ottie wilde, haastte hij zich over het beton naar zijn hok. De muziek waar Ottie naar luisterde, was een onverstaanbare en onuitstaanbare gesel voor Melchiors oren en brein. De kerel luisterde onophoudelijk naar WXXW, een soort death-metal zender die zijn gruwel vanuit een voorstad van Garland uitzond. Melchior had niet alleen problemen met Ottie's persoon, maar ook met diens muziekkeuze. Twee redenen om zich niet te lang in zijn buurt op te houden.

In zijn 'hok', het kleine vertrek van nauwelijks drie bij drie, stond een wankel tafeltje met een stoel. Het elektrische vuurtje, dat nu in een hoek opgeborgen stond, probeerde in de wintermaanden de immense koude zo goed als mogelijk terug buiten te duwen. Meer had Melchior niet ter zijner beschikking. Het piepkleine radiotoestel dat op de rand van het tafelblad tegen de muur stond, liet bijna nooit geluid horen. Het geschreeuw vanuit Ottie's shop zou het toch overstemmen. Enkel wanneer er een klant de winkel binnenstapte – wat dus heel weinig gebeurde – dacht Ottie Pelch eraan het lawaai te dimmen.

Melchior Multcher ging aan de tafel zitten. Van op die plaats had hij zicht op de beide pompen, de ingang van Ottie's shop, de betonnen vlakte waarop de pompen stonden en de 332 richting Brandenberg. Soms verbeeldde hij zich dat hij over die betonnen strook tot in Wyoming kon kijken.

Melchior viste een donkergroene broodtrommel en een koffiekan uit zijn lederen draagtas die naast hem op de grond stond. Hij plaatste alles op de tafel en haalde ook de krant van die dag uit de tas tevoorschijn. Zijn moeder bereidde elke morgen zijn tas en wilde van die taak niet afwijken. Boterhammen, verse koffie en de krant.

Hij schonk de koffie uit, haalde een boterham uit de verpakking en nam een eerste beet. Melchior kauwde afwezig terwijl hij *The Yellow Sentinel* openvouwde. De krant die elke dag – behalve op zondag – verscheen, werd op geel papier gedrukt. Niemand lette daar nog op. Het was gewoon zo, net als de meeste feiten in hun leven. Geen vragen, geen kopzorgen. Gewoon leven... tot het ophoudt.

Melchior Multcher hield op met kauwen. Hij slaagde er nauwelijks in zijn ogen van de grote, zwarte letters op de eerste pagina te houden. *Dus toch! Alles is blijkbaar mogelijk!* Een koud gevoel ontwikkelde zich in zijn borstkas toen hij alleen al de titel van het hoofdartikel op de voorpagina las. In vette letters schreef de krant dat zich gisteren iemand op een spectaculaire manier van het leven had geholpen. *Moord of Zelfmoord?* waren de eerste woorden die Melchior opvielen. Onder die drie woorden stond een onduidelijke kleurenfoto. Zo te zien genomen door een toeschouwer die toevallig een toestel bij zich had. Waarschijnlijk had hij van de redactie van *The Yellow Sentinel* heel wat geld toegestopt gekregen om die foto in hun handen te geven. Tegen de gevel van een appartementsgebouw waren brandweermannen bezig met een groot zeil te spannen en te bevestigen. Wat men met dat zeil probeerde te verbergen, zag men niet. Maar onder het zeil was tot op het voetpad heel wat bloed op de muren te zien.

Melchior slikte het halfgekauwde eten in één brok door en veegde zich de tranen uit de ogen. Hij overlas het artikel driemaal na elkaar, maar ontdekte nergens een naam. Het artikel sprak over een extreem bloederige bedoening op de hoek van Condor met Main. Het ging over een man van wie de identiteit niet onmiddellijk kon worden bepaald. Maar Melchior had geen krant nodig om te weten dat het artikel handelde over iemand die hij heel goed kende. Hij *wist* het gewoon. De zekerheid overviel hem van zodra het artikel voor zijn ogen was verschenen. Het koude gevoel in zijn borstkas vertelde het hem nogmaals. Er was geen twijfel mogelijk.

Er droop dik snot uit zijn linkerneusgat, maar hij schonk er geen aandacht aan. De binnenkant van zijn hersenkom was een wervelende draaikolk van gedachten. Melchior liet de krant vallen, dook opzij en viste zijn gsm uit zijn draagtas. Met beverige vingers drukte hij de nodige toetsen in en wachtte. Terwijl het toestel aan de andere kant van de lijn overging, keek Melchior naar buiten. Geen verkeer, geen klanten. De betonnen stroken rond de pompen waren vrij. Prachtig, even niet gestoord worden! Dat had hij nu nodig. Het lawaai van WXXW bereikte zijn geest nauwelijks toen er aan de andere kant van de lijn werd opgenomen.

"Met Lorne."

Een zware, slaperige stem. Melchiors neus slurpte de snotbel die over zijn lip naar binnen dreigde te kantelen, terug omhoog. Daarna stortte hij de woorden uit.

"Lorne? Melch, hier. Heb je de krant vandaag al gelezen?"

Stilte.

"Melch, klootzak! Het is verdomme... Jezus... Melchior, het is halfnegen!! Het is zaterdag, ik lig nog in bed!"

Melchior haalde gejaagd adem. Hij keek nerveus om zich heen, hij wilde geen tijd verliezen. Lorne had gelijk. Goed, het was zaterdag en goed, het was pas halfnegen. Maar de reden waarom hij belde, kon niet wachten.

"Lorne... je *moet* de krant lezen!"

Melchior hoorde een gedempt vloeken. Waarschijnlijk werkte Lorne zich op dat moment uit zijn bed.

"Lorne, luister naar me!"

"Jezus, Melch... wat scheelt er? Je weet toch dat ik nooit in het weekend moet werken. Je weet toch dat ik uitslaap. Het is al erg genoeg dat ik...."

"Haylan Rasschino is dood."

Stilte. Beide sprekers luisterden naar elkaars ademhaling. Het duurde even voor Lorne opnieuw – maar heel bedaard – reageerde.

"Wat?"

Melchiors stem klonk nu gedempt en nog nerveuzer.

"Ik sloeg de krant open en het staat op de eerste pagina. Haylan Rasschino heeft zich.... hoe staat het hier... eh..."

Lorne hoorde geritsel van papier.

"... eh... een extreem bloederige bedoening op de hoek van Condor met Main!"

"Ja, en?"

"En wat?"

"Spreekt het artikel over Haylan?"

Melchior slikte een brok door.

"Neen," zei hij met een klein stemmetje.

"Dan kan het toch om het even wie zijn?!"

"Het *is* Haylan!!" schreeuwde Melchior.

Daar kreeg hij direct spijt van, want het lawaai van WXXW verminderde onmiddellijk. Ottie Pelch had de knop omgedraaid.

"Hey, puistenkop? Scheelt er iets?"

Daar had je het al. Ottie meende waarschijnlijk dat hij iets had gehoord, had zijn afschuwelijke muziek stiller gezet en wilde nu het fijne van de zaak weten. Melchior voelde dat er zich zweetdruppels op zijn voorhoofd vormden. Hij duwde zijn mobieltje tegen zijn borstkas en riep naar buiten:

"Alles is in orde, Ottie, ik moest niezen."

"Je niest als een hoer die klaarkomt, Melch. Sterf thuis!"

Melchior hoorde Ottie om zijn eigen grap lachen en onmiddellijk daarna barstte het onverstaanbare gegil weer uit het winkeltje naar buiten. Melchior boog zich voorover en fluisterde:

"Lorne… ben je daar nog?"

Hij liet duidelijk hoorbaar een zucht ontsnappen toen Lorne reageerde.

"Melch, ik weet niet wat er met jou aan de hand is. Een kerel gaat eraan, jammer voor hem, maar zoals jezelf, zegt staat er geen naam in de krant vermeld. Hoe weet jij dan dat…"

"Lorne, luister naar me!"

Melchiors stem trilde. Hij bedwong zich om niet terug aan het schreeuwen te slaan.

"Ik weet niet hoe ik het weet, maar van zodra ik de krant opsloeg daarnet en het hoofdartikel las – de titel zelfs nog maar – was er iets in mijn hoofd dat zomaar wist dat het om Haylan ging. Het was alsof iemand me binnen in m'n kop zei dat het gelukt was. Vraag me niet opnieuw hoe het komt maar twijfel er niet aan dat het om Haylan gaat."

Lorne Dorganson zuchtte en woelde met zijn vrije hand door zijn haar. Hij zat ondertussen rechtop met de benen uit bed. Hij had een slechte smaak door een teveel aan bier de vorige avond en bedwong de neiging om te moeten braken. Melch ging duidelijk door het lint. Hij had hem niet met dat stomme verhaal op stang mogen jagen.

"Melch..."

"Ja, Lorne, ja... wat moeten we doen?"

"Wat bedoel je... wat moeten we doen?!"

"Ja... ja... met wat er is gebeurd!"

Lorne Dorganson stond op. De veren van het bed kraakten. Hij voelde zijn ochtenderectie van daarnet weer opkomen en had weinig zin om dit gesprek met Melchior verder te zetten. Het had geen enkel nut, zijn vriend was duidelijk niet in staat op een rustige manier te praten.

"Melch... ik denk dat je een beetje over je toeren bent. Laat ons eerst afwachten. Als het hier effectief om Haylan Rasschino gaat, dan zien we nog wel."

Er kwam niet onmiddellijk een reactie.

"Ja, eerst Haylan, dat was de eerste die ik... en dan is er ook nog... shit, er komt een auto aan... ik... later, Lorne, ik bel je wel terug!"

Er werd ingehaakt. Lorne zuchtte nogmaals, wierp zijn gsm achteloos op zijn bed en slofte naar de badkamer. Misschien was het toch beter om zich even aan een gezellig braakfestijn over te geven. Zijn maag gedroeg zich echt niet normaal. Melchior borg zijn toestel zorgvuldig in de draagtas weg en werkte zich van achter de tafel. Zijn gezicht stond zorgelijk. Een knalrode PT Cruiser was net de terreinen opgereden. Melchior Multcher was duidelijk niet gerust in de situatie en vond het erg dat zijn vriend Lorne er zo licht over ging. Hij had eerder ook erg matig gereageerd toen Melchior hem vertelde dat hij erin geslaagd was Haylan aan te raken en twee dagen later ook Cockroft. Lorne had gereageerd alsof het hem helemaal niet interesseerde. Dat was Melchior toen zeker niet ontgaan.

Een oudere heer, vond Melchior, zeker boven de vijftig, stapte uit de PT en zwaaide van naast pomp nummer twee naar hem met een tankkaart. Hij probeerde een vriendelijk gezicht op te zetten en verliet zijn hok.

Dat was ook de plaats waar hij Haylan Rasschino had 'aangeraakt'. Dat beeld barstte uit het niets tevoorschijn op het moment dat hij zijn hok verliet. Natuurlijk. Melchior had zopas dat ontstellende bericht in de krant gelezen. Hij had net zijn vriend opgebeld. Lorne leek niet erg overtuigd van Melchiors absolute zekerheid dat het slachtoffer Haylan Rasschino was, maar daar kwam binnenkort verandering in. Lorne Dorganson zou op de ene of de andere manier wel overtuigd geraken. Een maand lang had Melchior in onzekerheid geleefd. Was het normaal dat het zolang duurde eer er reactie kwam, of had hij iets verkeerd gedaan? Maar nu Haylan dood was – het was zeker Haylan Rasschino – dat *voelde* hij gewoon, was daar dat geruststellende besef dat hij alles goed had gedaan. Alles was zoals het hoorde, alles was zoals Lorne hem had opgedragen te doen. Hij begreep dan wel niet waarom Lorne de eerste was die twijfelde.

De PT Cruiser stond aan de pomp waar de smerige Ford van Rasschino had gestaan. Wanneer was dat alweer? Verleden maand... het begin van de maand mei. Melchior vervloekte zichzelf omdat hij de juiste datum niet had opgeschreven. Hij had het nochtans moeten doen, want het was een erg memorabele dag voor hem. Gelukkig herinnerde hij zich de omstandigheden nog heel duidelijk. Hij wist nog erg goed hoe hij zich voelde toen hij de Ford die dag het beton zag oprijden. Dat was die dag waarop hij – Melchior Multcher – alles in gang zette...

Maandag, 9 mei 2005

De smerige Ford die bij pomp nummer twee stopte, bezorgde Melchior bijna een acute hartstilstand. Hij herkende de wagen onmiddellijk als de eigendom van één van de personen die hem in het verleden het ergst had belaagd om wie hij was. Het helse gedreun van WXXW uit Ottie Pelchs radio overstemde nauwelijks het pijnlijke bonken van zijn hart. Dit was hét moment. Hier had Melchior zich mentaal een maand lang op voorbereid. Hij had – zoals Lorne het hem had opgedragen – het ding met de dolk gedaan, hij had zich voorgehouden dat Haylan het verdiende en nu het zover was... deed hij het bijna in zijn broek.

De imposante figuur van Haylan Rasschino werkte zichzelf uit de wagen en bleef ernaast staan. De man – nog steeds een reus van een kerel – keek eerst in de richting van de donkere winkelruimte en vandaar naar het hok waarin Melchior zich hoegenaamd niet kon bewegen van de schrik. Het was alsof alle spieren weigerden mee te werken aan de opdracht die zijn hersenen doorseinden. Melchior had de meeste moeite om zijn trillende lichaam onder controle te krijgen. Dat kon niet! Dit mocht niet! Hij verdiende het niet om zo door het leven te moeten gaan. Haylan tankte er elke week en had op die manier Melchior de kans gegeven een elementair scenario uit te werken.

"Hé... komt er nog wat van?"

Haylan wist verdomd goed wie de pompbediende was die hem zou bedienen. Hij wist heel goed dat het die afschuwelijk lelijke pizzasmoel was die zich daar in dat donkere hok ophield. Haylan kende zowel zijn eigen verleden als dat van die kerel en herinnerde zich de occasionele raakpunten.

"Héla? Moet ik het misschien zelf doen?"

Ottie Pelch draaide de knop van zijn radio om. Het gekrijs milderde. Dat was voor Melchior het sein om in actie te schieten. Ottie mocht hem niet voor zijn, hoewel een dergelijke scène zich nooit eerder had voorgedaan. Maar Melchior nam vandaag niet graag enig risico.

Hij hees zichzelf uit zijn stoel en probeerde zich te vermannen. Er mocht niets verkeerd gaan, er *kon* niets verkeerd gaan. Melchior had zich dit moment gedurende de afgelopen maand duizenden keren ingebeeld en ingeprent. *Eén aanraking is genoeg.* Lorne had hem dat op het hart gedrukt. Eén duidelijke aanraking. Huid tegen huid. Meer was er niet nodig. Op benen van zachte boter stapte Melchior het zonlicht in.

"Ah, je bent daar? Was je jezelf aan het aftrekken?"

Melchior reageerde niet. Wat hij zich allemaal had ingebeeld – wat zich mogelijk kon afspelen op dit heel cruciale moment – spartelde als een hoop pas opgehaalde vissen door zijn hoofd. *Wat als?* Wat als Haylan de winkel binnengaat, daar wat aankoopt en er alles samen betaalt (hij doet het nooit!)? Wat als net een tweede auto oprijdt (wat dan nog? Ik mag de kerel toch aanraken?!)? Wat als ik mij op het laatste moment bedenk (durf het niet, rotzak, misschien krijg je nooit een tweede kans!)? Wat als...

"Wat scheelt er met jou?"

Melchior schrok uit een bijna-lethargische verdoving op. Hij stond op een tweetal meter van Haylan en gaapte de man onbeschaamd aan. Haylan had hem aanvankelijk bijna met een gevoel van walging aangekeken, maar omdat de onbeweeglijkheid van de stommekloot hem op de heupen werkte, stelde hij de vraag die meer als een snauw klonk.

"Sorry!"

"Gooi de tank vol! Ik moet nog weg."

"Onmiddellijk. Geen probleem."

Melchior zag dat zijn handen trilden. Het was alsof zijn knieën het elk moment konden begeven. De metalen spuit die hij uit de pomp haakte, woog duizend kilo. Hij had beide handen nodig om zijn handelingen zo onopvallend mogelijk te laten verlopen. Melchior wilde niet dat Haylan merkte dat hij hypernerveus was. Er mocht vandaag gewoon niets mislopen, hij had het Lorne in stilte beloofd, hij had het zichzelf luidop beloofd. Meerdere keren.

Het grote probleem was dat Melchior een enorme tegenstand voelde. Hij had de afgelopen maand aan een plan gewerkt. Nu hij er op bevende benen voor stond, leek het hem onuitvoerbaar. Gewoon omdat het indruiste tegen alles wat hij aanvoelde.

Terwijl de benzine vanuit de ondergrondse tanks overgepompt werd in de wagen, stond de gigantische Haylan naast de onbenullige Melchior. Ze keken elkaar niet aan. Ze keken zelfs elk een andere kant op. Ottie had zijn muziek weer luider gezet en Melchior was hem daar voor één keer dankbaar voor. Op een bepaald moment voelde hij aan dat hij het niet langer kon uitstellen. De tank was bijna vol. In Melchiors geest ontplooide zich een doemscenario: de tank is vol, Haylan betaalt en vertrekt en al zijn mentale beslommeringen zijn voor niets geweest. Dat mocht niet! Hij zoog daarom zijn longen vol adem, wachtte tot het duizelen in zijn hoofd wegtrok en zei:

"Haylan… ik moet met je praten."

Het was eruit. De molen was in werking gebracht. Melchior vermoedde dat een dreun tussen zijn schouders het resultaat kon zijn, maar Haylan draaide enkel zijn immense kop op de massieve nek in zijn richting en keek hem vies aan.

"Praten? Wat valt er te praten? Wij hebben elkaar niets te zeggen."

Melchior had een reactie van die aard verwacht. Maar hij liet zich niet overdonderen. Hij wilde geen stap achteruitzetten, hij wilde niet meer terug naar het bang-zijn-van-je-eigen-schaduw-omdat-je-denkt-dat-het-de-smeerlap-van-een-Haylan-Rasschino-is.

"Ik weet dat je weg moet. Ik wil je niet lang ophouden, het duurt nauwelijks één minuut."

"Waarover wil jij praten? Ik kan mij onmogelijk iets indenken waar jij mij mee kan boeien. We hebben nooit gepraat."

De pomp sloeg af. De tank was vol. Dit was zijn laatste kans. Melchior schroefde de dop erop en wees naar zijn hok.

"Je moet toch betalen. Kom mee naar mijn hok, ik wil niet dat Ottie ons bezig ziet."

"Wat scheelt er met jou? Ik tank hier elke week en nu wil jij plotseling een lekker babbeltje slaan? Heb je weed gerookt vanmorgen?"

"Eén minuut, Haylan, meer vraag ik niet."

Melchior Multcher verraste zichzelf door zich om te draaien en in de richting van zijn hok te stappen. Dit was verdomme erger dan hij zich ooit had ingebeeld. Wat als Haylan hem niet volgde, instapte en wegreed zonder te betalen? Wat als Ottie bij hen kwam? Wat als...

Maar hij hoorde een donker mompelen achter zich, gevolgd door zware stappen. Melchior kneep zijn ogen eventjes hard dicht en liet een korte zucht ontsnappen. Hij haastte zich naar de duistere beslotenheid van zijn hok en ging aan de tafel zitten. Haylan kwam ook binnen en bleef (uiteraard) rechtop staan, er was namelijk maar één stoel. Het gegil van Ottie's radio overstemde bijna hun gesprek, wat volgens Melch geen kwaad kon. Het ging niemand aan wat er tussen hen werd gezegd.

"Okay, wat scheelt er?" vroeg een duidelijk geënerveerde Haylan Rasschino.

Melchior dacht dat hij zijn vooropgestelde rol als irenische persoonlijkheid goed had ingeoefend. Maar hij voelde zijn hart tegen zijn ribbenkast bonken. De reus keek hem met een verveelde blik aan.

"Ik..." begon Melchior.

"Jij wat?" onderbrak Haylan hem onmiddellijk.

"Ik vind dat we weer vrienden moeten worden."

Melchior had het enorm moeilijk om zijn spartelende zenuwen onder controle te brengen en zijn ogen op Haylan gericht te houden. Diens reactie verraste hem dan ook.

"*Weer*? Wij zijn nooit vrienden geweest!"

Touché. Daar scoorde Haylan duidelijk een punt. Daar had Melchior niet aan gedacht toen hij die openingszin had ontworpen en ingestudeerd. Maar hij repliceerde gelukkig heel snel.

"Dan wordt het misschien tijd, Haylan."

"Waarom? Ben je van plan dood te gaan?"

"Helemaal niet... zeker niet. Maar ik vind dat we als volwassenen niet verder hoeven te leven met gevoelens van wraak."

"Wraak? Wat bedoel je?"

Melchior vond het goed dat Haylan om meer uitleg vroeg. Dat betekende dat hij zijn interesse had gewonnen. De reus leek niet langer van plan zich om te draaien en het hok uit te draven.

"Het zit zo. Wij hebben samen niet de meest amusante jeugdjaren doorgebracht. Ik werd door jou gepest tot ik er ziek van werd. Goed, zo is het nu eenmaal. Wat gebeurd is, is gebeurd en het verleden kan niet teruggedraaid worden. Maar door alles wat vroeger is voorgevallen, ben ik nu nog steeds bang wanneer ik jouw auto de pompen zie naderen. Dat alleen al is genoeg om die angst van vroeger mijn maag compleet dicht te doen snoeren. Ik wil dat dit ophoudt."

Zijn hart hamerde nu in zijn keel. Zoveel woorden na elkaar had hij waarschijnlijk nooit eerder uitgesproken. Het feit dat Haylan niet onmiddellijk reageerde en hem in stilte aankeek, vond Melchior fijn. Het gaf hem even de tijd om tot bedaren te komen. Wat hij daarnet had gezegd, was de waarheid en het voelde ook zo aan. Zo dicht in de buurt van één van zijn ergste vijanden staan, bezorgde Melchior ijskoude rillingen in de hartstreek. Toen Haylan sprak, was zijn stem niet zo hard als daarnet.

"Wat dan nog? Alles is voorbij. Ik pest jou nu toch niet meer?"

"Nee, dat klopt... maar zoals ik zei: alles van vroeger doet me nog steeds pijn als ik jou zie."

"Godsamme, m'n ballen... wat denk je daaraan te doen? Al eens bij een hersendokter geweest? Misschien kan die met wat sleutelwerk wonderen verrichten," lachte Haylan.

Melchior had niet de indruk dat hij uitgelachen werd. Hij had de indruk dat de grote, stoere Haylan Rasschino zich in een dergelijk gesprek erg onwennig voelde.

"Neen, daar gaat het niet over. Ik wil de zaak direct met jou bespreken."

"Wat wil je dan doen?"

Nu kwam het. Nu kon Melchior onmogelijk nog terug. Dit was de aanzet van alle gruwelen die over Yellowmoon neerdaalden in de maanden die volgden.

"Ik dacht... net zoals kleine kinderen doen nadat ze ruzie hebben gemaakt. Laat ons elkaar gewoon de hand schudden en alles vergeten."

"En jij denkt dat dat zal helpen?"

Melchior knikte. De darmen in zijn buik leefden een eigen leven: een nest kronkelende slangen. Het duurde echt niet lang meer eer hij instortte. Als Haylan nu weigerde mee te werken, was alles verloren.

"Wat mij betreft wel, Haylan."

Zijn arm trilde als een espenblad toen hij die over de tafel in Haylans richting uitstak. Onmiddellijk werden zijn gedachten overmeesterd door een nieuwe doemvoorstelling. Wat als Haylan weigerde, zich schouderophalend omdraaide en gewoon wegging?

"Je was en blijft een lul, Melchior Multcher!" zei Haylan hard.

Was dat *echt* of was het een verdedigende reactie van zijn kant om niet melig over te komen? Melchior trok zijn arm niet terug en bleef de reusachtige kerel voor hem aankijken. Haylan ging niet weg, draaide zich niet om. Waarom bleef hij dan? Twijfelde hij? Nog een klein steuntje nodig?

"Komaan, Haylan. Eén handdruk en we spreken nooit meer over het verleden. Dan zal ik jou met een rustig hart zien aankomen."

"Lulkoek!"

Maar Haylans ogen verrieden iets wat een zweem van gevoeligheid in zich meedroeg. Een heel klein beetje maar. Maar blijkbaar was het voldoende. Grijnzend stak hij ineens zijn gigantische hand uit en greep die van Melchior vast. Deze schrok en trok zijn arm bijna achteruit. Maar hij vermande zich en kneep hard in Haylans grote poot. Tegelijk voelde hij hoe een warme gloed zich vliegensvlug vanuit zijn plexus door zijn borst, rechterschouder en rechterarm in de richting van zijn hand bewoog. Het was bangelijk om dat vast te stellen. Het was alsof iets levends als een schicht door zijn lichaam trok. Melchior voelde de gloed door zijn arm, over zijn pols en uiteindelijk zijn rechterhand binnenglijden... en via de huid in Haylans hand overgaan.

De kerel reageerde onmiddellijk daarop eventjes vreemd. Hij liet Melchior (als het ware geschrokken) los en bekeek verward de binnenkant van zijn rechterhand waarbij hij de vingers verschillende malen open- en dichtplooide.

Melchior Multcher was zelf onder de indruk van de 'overdracht' maar voelde dat hij het best onmiddellijk reageerde. Daardoor zou Haylan zijn aandacht op iets anders richten.

"Ziezo! Dat was het dan. Zand over wat ooit is gebeurd. Eh... je moet wel nog betalen, Haylan."

De reus maakte een vuist van zijn hand en bewoog zijn vingers alsof hij met de nagels in de palm wilde duwen.

"Ik betaal... wacht even."

Nadat Melchior de te betalen som vermeldde, greep Haylan met nog steeds gefronste wenkbrauwen zijn brieventas uit de achterzak van zijn donkerblauwe jeans. Hij zocht het juiste bedrag samen en legde de groene dollars op Melchiors tafel neer.

"Bedankt. Tot later!" zei Melchior.

Haylan zei niets, bekeek nogmaals de palm van zijn rechterhand en verliet het hok. De kerel keek niet meer om en werkte zijn immense lichaam in de vuile wagen naast pomp twee. Melchior wachtte nog met een hamerend hart tot de Ford met zijn voormalige, redoutabele vijand aan het stuur het terrein afreed. Dan kneep hij zijn ogen hard dicht, sloeg beide handen voor zijn gezicht en schreeuwde... schreeuwde... schreeuwde.

Zaterdag, 11 juni 2005.

De rode PT Cruiser vertrok nadat Melchior Multcher de tank had gevuld en de bejaarde eigenaar had betaald. Terwijl hij terugging naar zijn hok waar *The Yellow Sentinel* nog steeds naast de geopende boterhammendoos op de tafel lag, voelde Melchior dat het lezen van de hoofdtitel op de gele pagina hem zijn allereerste aanraking (die van Haylan Rasschino) als het ware in werkelijkheid had laten herbeleven. Toen hij naar de wegrijdende PT Cruiser keek, voelde hij nog steeds hoe hysterisch hij een maand eerder had gereageerd nadat die dag alles volgens plan was verlopen. Hij wilde er Lorne zeker nog over spreken. Maar misschien was het beter te wachten tot zijn vriend zichzelf had samengeraapt om de zaterdag door te brengen. Maar het was gelukt, verdomme... het stond in de krant!! Waarom geloofde Lorne hem dan niet?

Net voor hij zijn hok betrad, vroeg Melchior zich af hoe het nu verder moest.

4. Raven Daramantez
Verder onderzoek

Zaterdag, 11 juni 2005.

Net als Lorne Dorganson lag Raven Daramantez om halfacht nog in bed. Ook voor haar was het zaterdagmorgen. Genietend van de warmte onder de zachte donsdeken streelde ze afwezig met één hand haar beide borsten en bevoelde haar tepels tot die hard werden. Haar gedachten waren echter niet efficiënt bij haar lichaam. De nieuwe zaak speelde door haar hoofd. Er was iets dat haar parten speelde, maar waar het effectief om ging, kon ze nog niet bepalen. Het had met de plaats van het feit te maken en het nadenken had haar slaappartij verstoord. Uiteindelijk wierp ze geërgerd de donsdeken van zich af en liep naakt naar de badkamer. Haar ochtendritueel was kort. Douche, ontbijt en de innerlijke oorlog om de juiste kleren te kiezen. Die keuze hing van haar gemoed af. Die ochtend was ergernis het doorslaggevende element. Het ging haar niet als ze zichzelf aanvoelde zoals ze zich op dat moment herkende: onzeker. Raven hield niet van dergelijke situaties. Normaal ging ze recht door zee en altijd rechtstreeks op haar doel af. Terwijl ze met enkel een lichte kamerjas om haar naakte lichaam gedrapeerd door de keuken struinde, zag ze zichzelf telkens opnieuw – zoals de ganse voorbije nacht eigenlijk – bovenop dat dak staan. Het was voor haar duidelijk dat wat ze zocht, daar te vinden was. Maar er klopte iets niets. Dat 'iets' knaagde aan haar gemoed.

Raven at een stevig ontbijt, koos uiteindelijk voor kleurige kledij (fleurige lange rok met groene blouse en laarsjes) en een daarbij passende bloemenparfum. Hoewel zij soms in benepen situaties terechtkwam, hield Raven ervan rokken te dragen. Zij was zich namelijk heel bewust van haar vrouwelijkheid.

Ongeveer twintig minuten later parkeerde ze haar Dodge op de voorziene politieparking van het Garland Memorial Hospital. Nog steeds niet volledig gerecupereerd van een warrige nacht liep ze door de gangen tot ze in het mortuarium in het immense kelderlabyrint aankwam. Raven duwde de deuren open en werd onmiddellijk de typische geur van vergoten bloed en blootliggende ingewanden gewaar. Alle mortuaria roken hetzelfde. De dood en de geur die hij verspreidde, voelde er zich duidelijk thuis.

Er stonden een tiental tafels met daarop tien lijken onder tien witte lakens. Degenen die nog voeten hadden, had men voorzien van een naamkaart aan de grote teen. Raven keek nauwelijks opzij toen ze tussen de tafels door stapte. In de ontleedruimte stond de veertigjarige forensisch-pathologe Rachelle Winther over een geopend lijk gebogen. Ze keek op toen Raven binnenstapte.

"Hallo... zo vroeg? En dat op een zaterdagmorgen!"

Raven wuifde en zuchtte.

"Heel slecht geslapen. Ik zie er waarschijnlijk niet uit."

"Je ziet er fantastisch uit, zoals altijd... en dat weet je wel!"

"Dank je, lief van je.

Raven wees op het lijk op tafel.

"En?"

"Ho... hij was al open, dat was het probleem niet. Kom je voor hem?"

"*Hij* is de reden waarom ik niet geslapen heb."

"Komaan... met jouw ervaring?!"

"Er kwelt me iets."

Rachelle probeerde inzicht te krijgen in de glibberige wirwar van ingewanden die rondom het lijk lagen. De borstkas was volledig opengemaakt, het rooster van de ribben lag als een versteende krab naast het hoofd. Ook dat was onherkenbaar bewerkt. Het gezicht was losgesneden en lag voorovergeplooid zodat de schedel bloot was gemaakt. Rachelle had er reeds de bovenste kom van verwijderd en de hersenen uit de schedelruimte gehaald. De twee geopende armen lagen met de wonden naar boven gericht naast het lijk.

"En dat is?" vroeg Rachelle.

"Onder andere... de verwondingen, de identiteit, de plaats zelf..."

"Wat de verwondingen betreft, daar had ik graag eens met..."

Op dat moment zoemde Rachels mobieltje.

"Momentje..."

Rachel viste het toestel uit het tasje aan haar riem, duwde op het noodzakelijke knopje en zei:

"Hallo, met Daramantez."

"Morgen, luitenant. Deke hier."

"Hallo, Deke, wat is er loos?"

"Niets, maar ik wilde je graag op de hoogte brengen. Het onderzoek naar de genoteerde nummerplaten is afgerond."

"En?"

"We hadden er meer dan twintig genoteerd en één voertuig komt in aanmerking."

"En dat is?"

Deke was een uitstekende collega, maar Raven haatte het feit dat hij zin per zin uitsprak. Het was alsof ze hem telkens moest aansporen om verder te gaan, alsof hij na elke zin afwachtte tot zijn woorden doorgedrongen waren.

"Een Ford. Die stond geparkeerd tegenover het desbetreffende gebouw."

"Ja?"

"Die staat er nu nog. Ik heb reeds contact opgenomen met die oude mevrouw, ene Dyanna of zoiets. Ze is nog steeds in het ziekenhuis, maar vertelde me dat ze effectief iemand uit die wagen heeft zien stappen die het appartementsgebouw is binnengekomen. Ze had zoiets al aan de mensen van Yellowmoon verteld. Ik wilde het enkel even checken. Ze kon jammer genoeg geen enkele beschrijving van de man geven."

Raven werd nerveus. Ze keek naar Rachelle die haar een vriendelijke glimlach schonk. Haar gehandschoende handen zaten onder het bloed. Ze viste de gescheurde lever uit de kladderige puzzel en woog die in haar ene hand.

"Heb je de nummerplaat geïdentificeerd, Deke?"

"Natuurlijk. De eigenaar is een kerel die Haylan Rasschino heet. Hij woont in Yellowmoon, op Walker Road. Is gescheiden, geen kinderen. Bouwvakker."

Raven Daramantez voelde dat een eerste last van haar schouders gleed. Waarschijnlijk was er toch al één probleem opgelost.

"Prachtig. Het nodige is waarschijnlijk reeds gedaan?"

"Natuurlijk, luitenant. Zijn wagen staat er inderdaad nog. Er wordt bij hem thuis niet opengedaan. Hij neemt ook geen telefoon op. We hebben naar zijn werk en zijn ex gebeld, maar daar hebben ze niets van hem vernomen."

"Is het iemand die wij kennen?"

"Enkele veroordelingen opgelopen voor gewelddadigheden. Ik bekijk zijn strafblad straks weleens met wat meer aandacht. Bleek volgens de eerste verslagen nogal losse handjes te hebben, met zijn vrouw als maandelijks slachtoffer. "

"Hmm... een echte kerel, dus."

"Ze zijn niet allemaal zo."

"Deke, je bent een goeie ziel..."

"Ik weet het, jammer dat mijn vrouw dat niet zo ziet."

"Hou je problemen voor jezelf! Goed, terug naar het werk! Ik denk dat ik een kijkje neem bij onze vriend Rasschino thuis."

"Nummer 556, Walker Road."

"Mooi... dank je voor de info."

Raven Daramantez klapte haar gsm dicht. Rachelle keek haar met opgeheven handen aan.

"Je straalt?!"

"Ik heb daar een reden toe. Ik vermoed dat onze vriend hier Haylan Rasschino heet. Dat is al een begin. Nu de rest nog."

"Ja... heb je nog even?"

"Tuurlijk."

"Wel, ik wilde je toch op enkele feiten wijzen. Ik zal die uiteraard in het rapport zelf vermelden, maar ik weet dat je graag vlug en efficiënt werkt."

"Gelijk heb je!"

"Goed. Eh... Haylan, zei je... laten we hem dan Haylan noemen. Aangezien jij hier opduikt, gaat het vermoeden naar moord uit. Maar... ik twijfel."

"Ah? Daar heb je vermoedelijk een grondige reden toe?"

Rachelle haalde diep adem en zuchtte. Haar immense boezem rees onder haar witte schort op en neer.

"Ik heb met de mensen van de brandweer gesproken. Degenen die hem er hebben afgehaald. De verwondingen. Ik vermoed dat hij die zichzelf heeft toegebracht. Hij is gestorven aan bloedverlies. Ik vrees dat dit hier om een vorm van extreem erge automutilatie gaat."

Raven keek in de lege, bloederige ruimte waarin ooit alle ingewanden opeengepropt hadden gezeten.

"Weet je, Rachelle, ik denk dat dat de reden is waarom ik de afgelopen nacht geen oog heb dichtgedaan. Er is..."

Raven sloeg haar ene hand zachtjes tegen haar voorhoofd.

"Maar dat is het! Jouw twijfel... nu weet ik het! *Bloed*!"

"Bloed? Haylan is hier binnengekomen met heel weinig bloed! Dat klopt!"

"Dat bedoel ik niet. Er was bijna geen bloed op het dak zelf en ik herinner me ineens de manier waarop het touw rond zijn ene voet was gebonden. Het touw was niet *rond* of *over* de borstwering bij mijn aankomst. Ik zal de foto's nog eens goed bekijken, maar ik ben er bijna absoluut zeker van. Het touw vertrok van de onderkant van die verticale spijl naar beneden."

"En dat betekent?"

"Dat betekent dat het touw voor de verwondingen aan de spijl en aan zijn voet werd aangebracht. En de afwezigheid van het bloed op het dak betekent dat de verwondingen zijn aangebracht op het moment dat hij reeds bovenop de borstwering stond. Daar hebben we enkele druppels opgemerkt. Kan dat kloppen?"

Rachelle knikte veelbelovend.

"Dat *moet* kloppen, Raven. Indien iemand anders de sneden op zijn lichaam had aangebracht, dan zou er inderdaad veel bloed vergoten zijn voor het lichaam over de borstwering kon worden geworpen. Technisch gezien is het dus onmogelijk. En indien hij zichzelf heeft verhakkeld, moet hij eerst het touw hebben aangebracht. Eerst het touw vastmaken, daarna op de borstwering kruipen en zich vervolgens opensnijden. Omgekeerd is onmogelijk. Dat lijkt me het meest logische scenario, zeker volgens de toestand van de plaats zelf."

"Maar dat moet dan verdomme toch heel pijnlijk geweest zijn?"

"Hij heeft beide armen aan de binnenkant geopend en daarna tot driemaal toe zijn buik ook nog. Ik denk dat die kerel effectief dood wilde zijn."

"Maar waarom dan op een dergelijke manier? Een kogel door de kop is toch heel wat minder pijnlijk?!"

"Misschien was het iemand die van pijn genoot?"

Raven voelde zich ontlast. Het betrof een zelfmoord, dus. Weliswaar een bizarre, maar een zelfmoord... wat betekende dat het niet langer *haar* onderzoek was. Zelfmoorden waren voor de lokale korpsen. Maar vooraleer die zekerheid er was – enkel en alleen gestaafd door het rapport van Rachelle – was het nog steeds in haar handen. En er was ook nog geen enkele formele bevestiging van de identiteit. Dus, eerst even een kijkje nemen in Walker Road.

"Je glimlacht?"

Raven besefte dat niet. Ze keek op en merkte dat Rachelle haar glimlach beantwoordde.

"Er komt op die manier schot in de zaak, zo heb ik het het liefst. Waarschijnlijk daarom mijn glimlach. Tussen haakjes... heb je zin in een glaasje wijn vanavond?"

"Ho... dat komt goed uit. Hoe laat?"

"Acht uur?"

"Prachtig!"

Jeffrey Cockroft had enkele eetwaren en andere spullen gekocht en stond in de rij aan de kassa te wachten. Hij hield ervan vroeg in de ochtend zijn boodschappen te doen. Niettemin waren er toch al veel klanten in *Betty's Market*. Voor hem stond een kaalgeschoren kerel met een groot aantal ringen door beide oren. Hij droeg een door en door versleten jeans en een soort spannend hemdje dat heel veel van zijn schouders bloot liet. De tatoeages op zijn schouders en rug vielen op. Een arend op het linkerschouderblad, een hagedis midden op de rug (de gevorkte tong was van de ruggengraat tot bovenop zijn hoofd getekend) en een leeuwenkop op het rechterschouderblad.

Jeffrey hield er niet van lang te moeten wachten. Het maakte hem nerveus. De dingen die hij de dag ervoor in het Swan Park had meegemaakt, hadden hem niet meer losgelaten. Het monster dat het kind te grazen nam en dan de waterboom met de figuren erin... achteraf gezien te stupide om aandacht aan te schenken. Maar hij had – net als Raven Daramantez – heel weinig geslapen en er zijn vrouw absoluut niet over gesproken. Met niemand eigenlijk, want Jeffrey wilde namelijk niet voor gek versleten worden.

Vóór de getatoeëerde kerel bevonden zich zeker nog vier andere mensen in de rij, allemaal met tot over de rand gevulde winkelkarren. Er stond ook een vrouw tussen. Zij had alle moeite om een jengelend kind tot de orde te roepen. Haar ogen flitsten heen en weer tussen de toekijkende omstanders en het zich hevig verzettende kind. Het wilde nog meer snoep, het *eiste* meer snoep. En omdat het dat niet kreeg, gebruikte het kind de voor de hand liggende methode om toch zijn zin te krijgen: krijsen, gillen en brullen, daarmee zijn moeder in verlegenheid brengend.

Jeffrey Cockroft verplaatste zijn blik van het irritante kind dat uit pure opwinding een bloedrode kop had gekregen, naar de rug van de man vóór hem. De leeuw op de rechterschouder opende zijn muil en toonde hem de lange snijtanden. De hagedis trok haar tong terug in de bek, scharrelde met de scherpe poten in de huid, draaide zich vliegensvlug om en verdween onder het hemdje van de man. Jeffrey deinsde achteruit. Blijkbaar ervoer de kerel helemaal niets van wat er op zijn rug aan de hand was. Jeffrey barstte in een overdadig zweten uit. Achter hem stonden nog twee mensen te wachten. Twee mensen, twee karren. Links en rechts stonden rekken met snoepgoed. Om kinderen te verleiden die in de rij wachtten. Jeffrey zag niet echt onmiddellijk een uitweg en keek daarom verschrikt toe hoe er kwijl uit de geopende leeuwenmuil droop. De arend was verdwenen. Gewoon weg! De huid van de man was op die plaats ongeschonden.

Ineens puilde de afbeelding van de leeuw uit de huid in zijn richting. Totaal ontoereikend, maar toch gilde Jeffrey het uit. Reagerend op het plotse geluid achter hem, draaide de man zich om. Neen, dat was het niet. Jeffrey zag tot zijn grootste ontsteltenis dat het hoofd van de kerel een draai van honderdtachtig graden maakte. Hij hoorde de nekwervels kraken. Het lichaam bleef onbeweeglijk staan, maar het hoofd keerde zich naar hem om. Daar was de arend terug. De man had het gezicht van de arend. De kwaadkijkende ogen, de scherpe snavel. Daar hield de gelijkenis op.

Jeffrey Cockroft gilde nu nog meer. Als een dolgedraaide woesteling scharrelde hij achteruit waarbij hij tegen de winkelkar van het oude vrouwtje duwde. De vrouw vloekte en werd op haar beurt tegen de kar achter haar geduwd. Die uitweg was geblokkeerd De arendsogen volgden zijn paniekerige handelingen. Jeffrey kon zelfs zijn blik niet van de man afhouden terwijl hij probeerde zich zo vlug mogelijk uit de voeten te maken. Hij liet zijn eigen kar onaangeroerd, wierp enkele rekken aan zijn linkerkant omver, knalde tegen vloekende en ketterende klanten in de andere rij op, duwde uiteindelijk een halfvolle winkelkar omver en holde halsoverkop naar buiten. Hij hoorde het vloeken en kermen van de omstanders niet. Hij zag ook hun verwonderde en kwade blikken niet. Eigenlijk kon het Jeffrey Cockroft allemaal niets schelen. Hij wilde daar gewoon zo vlug mogelijk zover mogelijk vandaan zijn.

Het was ongeveer kwart voor tien. Op datzelfde moment stapte luitenant Raven Daramantez uit haar Dodge Stratus op Walker Road.

Lorne Dorganson stapte uit de douche. Wat Melchior hem zowat een uur eerder paniekerig via de telefoon had verteld, speelde nog steeds door zijn hoofd. Het was nochtans pure onzin. Het kon niet. Onmogelijk. Melchior Multcher mocht dan wel een jeugdvriend zijn... hij was een ongelofelijke pummel die je alles kon wijsmaken. En Lorne Dorganson wist dat hij hem 'iets' had wijsgemaakt. Melchior was er natuurlijk halsoverkop ingetuimeld.

Lorne vroeg zich nogmaals af of hij er wel goed had aan gedaan...

"Hallo... is er iemand thuis?"

Op Ravens aanbellen werd bij de woning nummer 556 niet opengedaan. Ze had tweemaal met aandrang gebeld en nu klopte ze met nog meer aandrang op de deur. Er volgde geen reactie. Ze tikte zelfs een paar keer met haar autosleutels op het grote venster. Er volgde een reactie die ze niet verwachtte.

"Ik zou dat niet doen!"

De stem kwam van achter haar. Raven draaide zich om en merkte een oud vrouwtje op dat bij haar voertuig stond. Haar gezicht was gedeeltelijk verborgen achter een web van warrig haar. Raven liep tot bij haar op het voetpad. De vrouw bekeek Raven van onder tot boven en vroeg:

"Ben je zijn nieuwe vlam?"

"Waarom mag ik niet aankloppen?"

Het vrouwtje glimlachte enkele onverzorgde tanden bloot.

"Ik heb je hier nog niet eerder gezien."

"Waarom beantwoord je m'n vraag niet?"

"Omdat ik je hier nog niet eerder heb gezien."

"Klopt... het is de eerste keer dat ik hier kom. Mijn naam is Raven."

"Je bent veel te chique voor hem. Hij valt op sloeries."

"Je kent Haylan dus?"

"En jij kent zijn naam?"

Raven Daramantez was het spelletje beu. Ze viste haar politie-insigne uit haar vestzak op en hield die aan de vrouw voor.

"Luitenant Daramantez – Moordzaken Politie Garland."

De oude vrouw was absoluut niet geïmponeerd. Met trage bewegingen veegde ze het haar van voor haar gezicht weg.

"Ik woon hier recht tegenover en doe de ganse dag niets anders dan naar buiten kijken. Ik zie alles wat op straat en in de buurt van dit huis gebeurt."

"Goed... wat gebeurt er dan zo allemaal?"

"Haylan is een smerige bruut. Hij slaat, zuipt, schopt en slaat en zuipt en schopt. Begrijp je het beeldje? Hij trekt een dronken sloerie mee naar binnen, ze drinken zich compleet lazarus, hij neukt haar en *slaat* haar even later naar buiten."

"Een echte lieverd, dus?"

"Een zwijn! Dat is het."

Raven wilde een glimlach niet bedwingen.

"Zou hij nu thuis zijn?"

De vrouw schudde het hoofd.

"Neen. Zijn smerige Ford staat altijd buiten op de oprit... als hij thuis is. Nu staat die er niet, dus is ie er niet."

Raven zag de immens grote vlekken olie op de oprit naast de woning. Daar had inderdaad lang en veel een lekkende wagen gestaan.

"Hij is gisteren kort na de middag vertrokken. Ik heb hem nog niet teruggezien. Is ie dood? Of heeft ie iemand om zeep geholpen?"

Raven mocht dat vrouwtje wel maar kon onmogelijk informatie geven die haar tevreden zou stellen.

"Bedankt... ik kijk nog even rond."

"Geen 'bedankt' nodig. Ik had al direct gezien dat je geen sloerie bent. Daarom ben ik tot hier gekomen. De sloeries laat ik begaan. Die moeten het maar zelf weten als ze geneukt en geslagen willen worden door een wrattenzwijn als Haylan."

"Dank u."

De vrouw draaide zich om en slofte de straat over. Raven liep terug tot bij de voordeur.

Melchior Multcher wist niet meer hoe hij verder met de informatie moest omgaan. De krant vertelde hem die zaterdagochtend een gans verhaal dat volledig ontkracht werd door zijn gesprek met Lorne. Tijdens de uren die volgden op zijn paniekerige oproep naar Lorne, was het tamelijk druk aan de pompen. Nog meer oldtimers boden zich aan. Onder andere een donkerblauwe Dodge Dart uit 1970 en een glanzende Mercury Cougar, eveneens uit 1970. Beide eigenaars waren op weg naar de bijeenkomst in Miles City. Even vergat Melchior zijn beslommeringen wanneer hij met de trotse eigenaars praatte, maar van zodra de wagens uit het zicht verdwenen waren, werd hij opnieuw verzwolgen door een poel van twijfels.

Jeffrey Cockroft holde tot hij de brakke smaak van bloed achter in zijn keel proefde. Het kon hem geen ene moer schelen wat mensen van hem dachten. Een netgeklede kerel die als een gek (daar heb je het al!!) door de straten rende? Wat hij daarnet in die winkel had meegemaakt, was onmogelijk, hij was inderdaad gek geworden. Een andere mogelijkheid bestond er niet. Niemand zag wat hij zag, niemand maakt blijkbaar mee wat hij moest doormaken. Jeffrey stond er alleen voor. Niemand begreep hem, niemand *kon* hem begrijpen, want het probleem manifesteerde zich enkel bij hem. Was dat niet *het* teken van dolgedraaid zijn?

Hij stopte met rennen toen hij de pijnscheuten in zijn rug niet langer verdroeg en zijn benen krachteloos werden. Hij kon er elk moment doorzakken. Gierend ademhalend, leunde hij ruggelings tegen de gevel van een woning. Zijn hart hamerde in zijn keel en hoofd en het kon hem geen bal schelen dat de mensen hem met een vreemde uitdrukking op hun gezicht aankeken. Hij was drieënvijftig, nog steeds onderdirecteur van Yellow Junior and High School en gehuwd met Shelley. Hij was iemand! Hij was verdomd *iemand!*

Omdat hij zich niet door zijn knieën wilde laten zakken, duwde Jeffrey zijn rug van de muur weg en strompelde over het voetpad naar een zitbank die hij daarnet niet had opgemerkt. In normale omstandigheden inspecteerde hij een dergelijke bank, maar nu overwoog hij zelfs niet die steeds terugkerende ergernis opzij te zetten. Hij plofte er gewoon op neer. Zijn rug kwam onzacht in aanraking met de leuning. De pijn bracht hem terug bij zijn positieven.

Er was iets vreemds aan de hand met hem. Jeffrey boog voorover, plaatste beide ellebogen op de knieën en liet zijn hoofd in de kom van zijn handen vallen. Misschien dachten de voorbijgangers nu dat hij weende, maar ook dat kon hem niet schelen. Hij had andere dingen aan zijn hoofd.

Komaan, hij was een intelligente en op vele vlakken meer dan bekwame man. Hij wist van zichzelf dat hij over de gave beschikte om in moeilijke situaties logisch en nuchter na te denken. Hij schakelde automatisch zijn verstand in wanneer negatieve gevoelens de overhand dreigden te nemen. Dus… wat scheelde er met hem? Wat liep er dan zo erg verkeerd?

Jeffrey Cockroft probeerde zijn geest af te sluiten voor de geluiden van het kleinstedelijke leven om zich heen. Voorbijrijdende auto's, toerende taxi's, het geluid van een sirene in de verte, lachende mensen, stappen, een blaffende hond… allemaal bewijzen dat de omgeving om hem heen normaal was. Niets aan de hand… dus speelde zich alles tussen zijn beide oren af. Hij concentreerde zich nu op de situatie zelf. *Denken, Jeffrey, denken. Redeneren, ratio!*

Hij masseerde zijn voorhoofd en slapen en probeerde de geluiden nog meer buiten te sluiten. Jeffrey concentreerde zich op zijn eigen hersenen. *Stel jezelf vragen! Beantwoord die en trek besluiten uit wat er naar buiten komt. Denk na! Emoties doen hier niets terzake. Je bent wijs en oud genoeg om er jezelf uit te helpen! Denk! Denk! Filter wat aan de oppervlakte komt, bekijk de verkregen gegevens en neem besluiten! Komaan, je hebt het al eerder gedaan. Het lost problemen op, het brengt verlichting. Doe het, sukkel, bevrijd jezelf. Stel jezelf vragen. DOE HET!*

Ineens kwam het proces op gang. Een vraag ontpopte zich in zijn hersenen.

Vraag: Hoelang is die toestand al aan de gang?

Antwoord: Ik denk zo'n drietal weken.

Vraag: Onduidelijkheid brengt geen zekerheid. Hoelang is de toestand aan de gang?

Antwoord: Drie weken.

Vraag: Wat was het eerste dat je op dat gebied hebt opgemerkt, wat liep toen verkeerd?

Het was even wachten op wat volgde.

Antwoord: Die jongen in de auto.

Vraag: Welke jongen? Wat gebeurde er?

Antwoord: Ik reed met de wagen in Brandenberg. Ik was op weg naar een vergadering. Ik stond stil voor het rode verkeerslicht. In de file. Links van mij hield een blauwe wagen halt. Die stond ook in de file.

Er zaten drie mensen in die wagen. Een man, een vrouw en een jongen van ongeveer twaalf. Die zat rechts achteraan.

Vraag: Keek hij jou aan?

Antwoord: Neen. Ik keek opzij. Iedereen in de blauwe wagen keek voor zich uit.

Vraag: Wat is daar zo speciaal aan?

Antwoord: De jongen draaide zijn hoofd opzij, maar zijn ogen waren niet op mij gericht. Ik... probeerde zijn aandacht te trekken.

Vraag: Waarom?

Er volgde geen antwoord.

Vraag: Waarom?

Jeffrey masseerde zijn gezicht niet langer, hij *wreef* erover.

Vraag: Waarom Jeffrey? Waarom probeerde je zijn aandacht te trekken?

Antwoord: Omdat... omdat ik zijn gezicht wilde zien, godverdomme!

Vraag: Wat voelde je toen je zijn gezicht zag? Was het... mooi?

Antwoord: Ik boog mijn hoofd naar voor. Toen hij zijn ogen op mij richtte, lachte ik. Hun wagen stond een beetje verder dan die van mij. De jongen en ik bevonden ons op dezelfde hoogte, zo goed als naast elkaar. Nauwelijks een meter afstand tussen ons. Hij was nog zo jong en blond en... inderdaad, mooi. Ik knikte en lachte nogmaals.

Vraag: En dan?

Antwoord: Ik merkte dat zijn mondhoeken omhoogrezen. De jongen lachte naar me...

Vraag: Wat voelde je?

Jeffrey voelde tranen achter zijn ogen opwellen.

Vraag: Jeffrey, wat voelde je toen de jongen naar je lachte?

Antwoord: Je weet het wel!

Vraag: Neen, vertel het aan jezelf, Jeffrey. Wat voelde je?

Een snik ontsnapte uit Jeffrey Cockrofts keel en klonk als een hoest achter zijn handen.

Antwoord: Ik... ik kreeg weer dat warme... gevoel. Net zoals vroeger. In mijn borstkas... in mijn ballen...

Vraag: En dat maakte je bang?

Antwoord: Neen, dat was het niet... de jongen... hij lachte steeds breder... en plotseling...

Vraag: Ja?

Antwoord: Plotseling sperde hij zijn mond erg wijdopen. De helft van zijn gezicht was ineens een open muil geworden. Een heleboel lange, scherpe tanden. Schots en scheef. Gele tanden, afgebrokkelde tanden. Bloedend tandvlees. Kwaadkijkende ogen.

Vraag: Wat gebeurde er toen?

Antwoord: Ik schrok me kapot, wat denk je? Ik deinsde achteruit en keek onmiddellijk weer voor me uit.

Jeffrey schrok op toen een wagen naast het voetpad stopte. Hij hief zijn hoofd op en zag dat het een taxi was. Een zwaarlijvige, zwarte vrouw stapte uit, trok een kleine hond en enkele boodschappentassen van op de achterzetel naar buiten, duwde met haar immense kont de deur dicht en waggelde over het voetpad weg, het keffertje achter zich aan sleurend. Jeffrey Cockroft dook weer weg in zijn eigen wereld.

Vraag: Wat gebeurde er dan verder?

Antwoord: De verkeerslichten sprongen op groen. De file zette zich in beweging. Ik was zodanig geschrokken dat ik niet goed wist wat ik moest doen. Achter mij klonk getoeter.

Vraag: En de jongen?

Antwoord: Hun voertuig vertrok net voor het mijne, maar ik zag nog dat hij voor zich keek. Het was weer het jongetje van daarnet.

Vraag: Het mooie jongetje?

Antwoord: Ja... ik... alle zin was verdwenen. Ik schakelde en verdween in het verkeer. Ik heb hun wagen niet meer teruggezien. Ik heb de wagen ook niet meer gezocht.

Vraag: Dat was de eerste keer dat je iets dergelijks hebt meegemaakt?

Antwoord: Ja.

Vraag: Maar niet de laatste keer.

Antwoord: Neen... zeker niet.

Er kwamen geen vragen meer. Jeffrey rechtte zich. De onderste wervels in zijn rug kraakten pijnlijk. Hij stond op, keek of alles rondom hem in orde was en ging op stap.

De woning was een ruïne en een stortplaats. Dat was Raven Daramantez' eerste idee. Het onkruid tierde welig op alle plaatsen waar het zich *kon* manifesteren. De 'vrije' ruimte naast het bouwvallige krot dat waarschijnlijk voor oprit doorging, was besmeurd met olievlekken. Op de muren viel nergens meer een spoortje van de (eventueel) oorspronkelijke verf te bespeuren. Alle ramen en deuren waren scheefgetrokken en door het glas viel niets te zien.

Raven klopte nog een laatste maal, wachtte nauwelijks het resultaat af en duwde de deur niet zonder moeite open. Onderaan schraapte die over de afgesleten drempel. Duisternis en stank overvielen haar. Ze voelde een dringende behoefte aan verse lucht en zette onmiddellijk een stap achteruit. Raven zoog haar longen vol en duwde zichzelf de duistere ruimte achter de deur binnen.

Toen haar ogen aan de smerige zwartheid gewend waren, ontdekte ze dat ze in een kleine woonkamer terechtgekomen was. Ze probeerde de stank te negeren en onderscheidde vooral rommel. Alle meubels waren van bedenkelijke kwaliteit en tot over de randen bedekt met allerhande zaken. Niets van waarde. Geen enkele plek vrij om te zitten, niet dat ze dat van plan was. De twee stoelen aan de kleine tafel werden – net als de doorgezakte zetel – gebruikt als stortplaats voor oude, smerige kleren en ander afval.

"Hallo? Iemand thuis?"

De duisternis om haar heen bleef zwijgen.

"Hallo? Meneer Rasschino?"

Er volgde geen enkele reactie. Raven drong verder de kleine woning binnen. Ze probeerde niets aan te raken en zelfs nergens tegenaan te lopen. De deur naar de keuken stond open. Het gezoem van brom-vliegen kwam haar tegemoet. Aarzelend stapte ze over op de grond liggend afval de keuken binnen, waar de stank nog erger was. 'Nau-welijks te dragen' was een overdreven omschrijving, maar Raven kon zich onmogelijk indenken dat iemand in dergelijke omstandigheden kon leven. De erg kleine tafel stond overvol met etensresten in vettige, kartonnen dozen. Dat en lege bierblikjes. De man was dus duidelijk geen keukenprins.

Haar ogen zochten naar voorwerpen die ze eventueel kon gebruiken om de identiteit van het lijk in het mortuarium vast te stellen. Het verslag van de patholoog zou ongetwijfeld zelfmoord als eindresultaat hebben, wat haar van het onderzoek weg zou halen. Maar het was de laatste tijd erg kalm in Garland wat moorden betrof. Dit kleine verzetje was welkom.

"Hallo?"

De stank was nauwelijks te dragen. Raven had weinig zin om nog dieper het huis binnen te dringen, en net toen ze overwoog haar zoektocht op te geven, vielen haar ogen op een bundeltje dat bovenop de koelkast lag. Toen ze het van dichterbij bekeek, merkte ze dat het een brieventas was. Versleten en verwrongen omdat hij jarenlang in de achterzak van een(zelfde) broek gezeten had.

"Bingo..."

Raven was niet van plan het voorwerp met haar blote vingers aan te raken. Uit een binnenzak van haar vest viste ze enkele papieren zakdoeken op. Daarmee nam ze de brieventas op. Meer dan tevreden werkte ze zichzelf door en over het vuilnis naar buiten. Het oude vrouwtje was nergens meer te bespeuren. Duidelijk opgelucht dat ze weer zuivere lucht kon inademen, stapte Raven naar haar wagen, stapte in, legde de brieventas op de passagierszetel en mengde zich in het verkeer van Yellowmoon.

Even voor zes uur in de namiddag besloot Lorne Dorganson dat het tijd was om een stapje in de wereld te zetten. Hij greep z'n mobieltje en belde Melchior Multcher.

"Melch?"

Op de achtergrond was countrymuziek hoorbaar.

"Ja..."

"Is dat jouw radio?"

"Ja... Ottie is naar huis. Hij sloot al om halfzes. Enkel als zijn radio uit is, kan ik de mijne laten spelen. Anders hoor ik die toch ni..."

"Zin om pinten te drinken?"

Stilte.

"Ik werk tot acht uur, Lorne. Het is zaterdag."

"Net daarom! Zaterdagen dienen om het zwijn uit te hangen. Wat zeg je me?"

"Na acht uur, Lorne... ik moet nog eerst naar huis."

"Komaan, Melch! Allemaal tijdverlies. Ik haal je wel op."

"En mijn fiets dan?"

Melchior hoorde zijn vriend snuiven.

"Jouw fiets staat daar goed, Melch. Die halen we op na de pinten!"

Daar reageerde Melchior niet onmiddellijk op. Lorne veronderstelde dat de kerel nadacht, wat voor Melchior Multcher het beheersen van een olympische discipline inhield.

"Tja... mij goed, maar ik bel dan wel mijn ouders op."

"Doe maar rustig aan, jongen... ik haal je om acht uur op."

"Ik wil niet dat ze ongerust zijn."

"Begrijpelijk. Om acht uur. We rijden naar de *Wild Ladies* en drinken ons daar lazarus. Misschien zien we vanavond wel een tiet."

Omdat Melchior niet onmiddellijk repliceerde, wist Lorne dat zijn vriend duidelijk geen zin had om de bloemetjes buiten te zetten. Maar dat was iets waar hij allang van op de hoogte was. Melchior was een brave kerel, deed geen vlieg kwaad... ook zichzelf niet. Hij was zó respectvol dat hij ook niemand anders in de problemen wilde brengen. *Ik wil niet dat ze ongerust zijn.* Typisch Melchior. Hij zou hen ook nooit vertellen wat de aard van de bar was die zij samen bezochten. Lorne wist dat Eva onmiddellijk een beroerte zou krijgen indien ze wist dat het een 'huis van ontucht' was.

Melchior dronk zich nooit lazarus. Hij dronk enkel cola. Melchior Multcher was een brave kerel en het speet Lorne dat hij zijn vriend die warboel had wijsgemaakt. Hij had er hem enkel mee willen helpen. Lorne had gehoopt dat het verhaal de jongen wat meer zelfvertrouwen kon bijbrengen, maar na dat telefoontje van die morgen was Lorne niet zo zeker meer van de goede afloop van zijn opzet.

Om die reden had hij het idee opgevat om samen met Melch enkele pinten te pakken. De zaak bespreken. Er hem op wijzen dat het eigenlijk één grote grap was. Na het nuttigen van enkele schuimende potten bier en met wat bloot tietenvlees in de buurt lukte hem dat waarschijnlijk wel iets gemakkelijker.

"Ja... om acht uur dan..."

"Prima!"

D eke keek op toen Raven zijn kantoor binnenstapte. Ze zag er weer ravissant uit. Net als altijd. Wat ze in haar hand hield, legde ze op het bureau.

"Hallo... heb je handschoenen?"

Deke boog vooBrover en haalde een paar witte, doorschijnende handschoenen van latex uit een doos uit een van de lades van zijn werktafel. Raven nam die van hem over en wriemelde er haar handen in.

"Wat valt er te bekijken?"

"Een brieventas."

Deke bekeek Ravens handelingen. Heel voorzichtig – alsof papier breekbaar was – opende ze de versleten brieventas en inspecteerde de inhoud.

"Waar heb je dat gevonden?"

"In het huis van Rasschino."

"Die kerel van gisteren?"

"Misschien..."

Deke fronste de wenkbrauwen.

"Maar... hoe ben je daaraan geraakt? Hij had toch niets bij zich?"

"Ik heb in zijn woning rondgeneusd."

"Zomaar? Zonder bevel, zonder toestemming? Zomaar binnengegaan?"

"De deur stond open."

"Je belandt nog in de gevangenis, Raven. Ik zal jou missen."

"Lul niet..."

"Ik lul..."

Raven Daramantez hield hem een rijbewijs voor.

"Ah? Haylan Rasschino... enkele foto's?"

"Ik kijk verder... sleur jij hem even volledig door de computer? Wat met zijn strafblad?"

Raven keek op omdat Deke niet reageerde. Hij keek haar schaapachtig aan.

"Heb ik reeds gedaan, schoonheid. Hij is gekend voor hoofdzakelijk geweldplegingen op personen en goederen. Enkele kleine diefstallen."

"Prachtig... dan hebben we zijn vingerafdrukken?"

"Natuurlijk. Alles ligt netjes opengespreid op jouw bureel. Denk je misschien dat wij hier de ganse dag met onze tenen spelen?"

Raven toonde hem een foto. Haylan Rasschino met een lederen vest naast een motorfiets. Een echt ruige kerel.

"Zonder jouw capaciteiten stort het korps in mekaar, Deke. Wat denk je hiervan?"

Deke bekeek de foto.

"Te klein, slechte kwaliteit. Nauwelijks herkenbaar."

Raven rechtte zich ineens en nam de hoorn van Dekes telefoontoestel. Ze toetste enkele cijfers in en wachtte. Deke genoot van het zicht op haar lange benen toen ze op zijn bureau ging zitten en haar lange rok openviel.

"Rachelle?"

"Hey, Raven... wat is er loos?"

"Betreft onze Haylan, de niet langer naamloze zelfmoordenaar. Waarschijnlijk betreft het een kerel die al eerder met de gerechtelijke instanties in contact is gekomen. Ik heb zijn vingerafdrukken nodig. Pas dan heb ik zekerheid omtrent zijn identiteit. Lukt je dat nog?"

"Die heb ik reeds genomen. Toen je vanmorgen langskwam, had ik die reeds klaargelegd. Maar je vroeg er niet naar. Ik dacht dat je die nog niet nodig had."

"Ik hou van jou! Dat noem ik pas werken! Ik kom die nog ophalen. Tot straks?"

"Zeker!"

Deke glimlachte naar Raven toen ze de hoorn op het toestel legde.

"De pathologe?"

"Ja... als de vingerafdrukken identiek zijn, hebben we zijn identiteit met zekerheid!"

"De zaak is zo goed als opgelost."

"Het is *mijn* zaak niet, Deke, het is *maar* een zelfmoord."

"Je bent een moeilijke dame, luitenant Raven Daramantez."

"Ik hou ook van jou!"

"Dat mag mijn vrouw niet te weten komen."

"Verdomme, Melch, het is pas elf uur! De avond is nog jong."

Melchior Multcher schokschouderde. Hij had geen zin om nog langer in de rokerige bar te blijven. Lorne had volgens hem al veel te veel drank op en wat uit zijn mond kwam, was idiote wartaal. Hij had net gevraagd of hij hem terug naar het pompstation wilde brengen, want hij moest daar zijn fiets nog ophalen.

De *Wild Ladies* was een louche bar in de noordelijke rand van Brandenberg. Het was ook de plaats waar het voor Melchior (en uiteindelijk ook voor Lorne) allemaal begon. Daar hadden ze in het begin van het lopende jaar dat geheimzinnige gesprek gevoerd dat uiteindelijk zou leiden tot het gebruik van de dolk, het aanraken van Haylan en alles wat daarop volgde.

2005 was nauwelijks veertien dagen gevorderd en die avond had Melchior weer eens gejammerd over zijn vies verleden en over de kwade dromen die hij meedroeg en waar hij mee te kampen had. Dat was dan ook het moment waarop Lorne zich had laten verleiden. Hij meende Melchior te kunnen helpen. Hij meende dat hij goede intenties had om zijn vriend een beter leven te laten leiden.

De prijzen van de dranken vielen nog mee, maar van wilde dames was er deze avond zeker geen sprake. De bazin was een plompe koe en de twee 'dames' die er voorhanden waren, konden allebei haar moeder zijn. Maar Lorne had geen zin gehad om zich te verplaatsen en Melchior had er eigenlijk ook op aangedrongen om daar te blijven. Hij werd vlug wagenziek en het vooruitzicht alleen al om weer in die wagen te moeten zitten en te wachten tot zijn vriend de geschikte plek had gevonden, maakte hem misselijk. Lorne Dorganson was een zuipschuit. Dat was het enige negatieve punt dat Melchior tot op dat moment aan zijn vriend had opgemerkt.

Voor Lorne té ver over de grens van de nuchterheid was gereisd, had Melch hem over het krantenartikel van die ochtend en de zaak Haylan gesproken. Tot zijn grote verbazing wilde Lorne er helemaal niet meer op ingaan.

Het is allemaal larie, Melch, het is de ganse tijd al niets anders dan larie geweest. Ik weet verdomme zelf niet wat ik daar nog doe.

Dat waren zijn woorden geweest. De laatste woorden vooraleer hij zich verder op het schuimende bier had gestort. De ene na de andere pint. En hoe meer Melchior probeerde op de zaak terug te komen, hoe meer Lorne er zich van afkeerde, hoe vlugger hij dronk. Hij wilde er dus duidelijk niets van weten. Melchior merkte zelfs dat hij op een bepaald ogenblik met een geile blik naar de *jongste* van de twee oude vrouwen loerde.

Melchior Multcher hield het tot elf uur in de avond uit. Hij had nog geen enkele druppel alcohol aangeraakt, wat van zijn vriend niet kon worden gezegd. Uiteindelijk vroeg hij de zuippartij voor gezien te houden. Lorne reageerde met duidelijke verontwaardiging.

"Jezus, Melch, het is pas elf uur! De avond is nog jong."

"Lorne... ik ben hier niet graag. Ik ben moe en wil naar huis."

"Komaan, Melch, nog even. Laat me nog even genieten."

"Ik heb mijn ouders beloofd vroeg thuis te zijn. Ze worden vlug ongerust."

Lorne dronk de laatste helft van zijn pint uit, bonkte het lege glas op de tafel en wachtte. Hij uitte een erg overtuigende boer en zei:

"Melch, je bent geen snotjong meer! Je bent een volwassen kerel van vierendertig, je hoeft hen geen rekenschap meer te geven."

"Ik ben... blij dat mijn ouders nog leven, Lorne."

Lorne Dorganson reageerde daar niet onmiddellijk op. Melchiors opmerking raakte hem. Omdat hij gelijk had. Melchiors ouders leefden nog, die van hem niet meer. Zes jaar geleden, in 1999, kwamen ze beiden om in een ongeval met een sportvliegtuig. Een verjaardagsgeschenk van vrienden. Leroy en Emily Dorganson stierven de vijftiende maart, op de verjaardag van Leroy. Lorne was toen achtentwintig. Sindsdien woonde hij alleen in zijn ouderlijke woning op de Wooden Bridge Road, was hij zijn eigen baas en hoefde hij inderdaad geen rekenschap meer te geven. Sindsdien had hij veel geweend omdat hij de diepe, pijnlijke betekenis van het woord eenzaamheid veelvuldig had ervaren.

Melchior had niet de bedoeling zijn vriend te kwetsen, maar aan diens houding merkte hij dat hij het wel degelijk had gedaan. Lorne zat nu met afhangende schouders aan de tafel, beide voorarmen op het blad, beide handen rond de lege pint. Zijn doffe blik was op het glas voor hem gericht.

Lorne Dorganson besefte ineens de reden waarom hij zijn vriend die avond naar deze tent had uitgenodigd. Hij had hem alles willen vertellen, alles verklappen en daarmee de zaken op een rijtje zetten. Maar daar was hij dus niet in geslaagd, hij had er zelfs niet willen (of durven) over beginnen. De drank was hem te vlug af geweest.

Ineens zoog hij veel lucht naar binnen en blies een bieradem uit. Hij keek Melchior aan en er lag niets verwijtends of vijandelijks in zijn blik. Lorne glimlachte zelfs toen hij zei:

"Komaan, ik breng je naar jouw hok."

Raven maakte zich in haar bed uit de warme omhelzing van de veertigjarige Rachelle Winther los en draaide zich op haar andere zijde. Rachelle volgde haar en kroop naakt tegen haar aan. Raven voelde de volumineuze borsten tegen haar rug duwen en onmiddellijk daarna gleed Rachelles hand over haar heup, lendenen, buik, om vervolgens haar rechterborst te omvatten. Toen Rachelles vingertoppen haar tepel aanraakten, werd die onmiddellijk hard. Rachelle Winther hield er overduidelijk niet graag mee op.

Haar hand streelde de zachte buikwand en gleed naar beneden, waar ze heel uitdagend met één vingertop Ravens gezwollen genotknobbeltje aanraakte. Niet strelen, enkel aanraken. Daarna terug naar boven. Vervolgens zoenden, streelden en kneedden de twee vrouwen elkaar tot Rachelle als eerste kreunend en schokkend klaarkwam.

Ze hadden eerder die avond zoals afgesproken samen wijn gedronken. Ze hadden gepraat, gelachen en nog meer wijn gedronken. Raven had Rachelle terloops gevraagd nog even te wachten met het uitbrengen van haar verslag omdat ze minstens zelf de identiteit van het slachtoffer wilde bepalen. De pathologe had daar geen problemen mee. Na het eten en de drank hadden ze samen een douche genomen, iets wat ze altijd deden eer ze elkaar liefhadden. Het bed was welkom, want de wijn had hen een beetje duizelig gemaakt.

De wondermooie Raven Daramantez genoot graag van wat het leven haar bood.

Jeffrey Cockroft lag op datzelfde moment naast zijn vrouw in bed. Hij sliep niet, want het geluid dat zijn bedgenoot maakte, was onuitstaanbaar. Ze lag – zoals meestal – met haar rug naar hem gekeerd. Normaal maakte zijn vrouw geen lawaai, maar nu loeide, schreeuwde en gromde ze als een volwassen grizzly die met een leeuw worstelt.

Hij wist dat de geluiden niet echt waren. Hij wist dat die zich enkel in zijn hoofd manifesteerden, net als de zwarte schaduwen die over het plafond gleden. Die waren er ook niet echt, maar toch zag hij ze. Allerlei vormen met lange, smalle uitstulpingen die naar beneden reikten, in zijn richting. Ze gleden over en door elkaar, en reageerden zelfs op het schokkerige ritme van het onmenselijke lawaai dat zijn vrouw naast hem maakte.

Zijn vrouw? Dat was iets waar Jeffrey eigenlijk ook al niet meer zeker van was. Hij lag op zijn rechterzij en keek naar de vorm van zijn vrouw onder de deken. Het maanlicht schonk hem genoeg klaarte om te zien dat het geen menselijk lichaam was dat naast hem in bed lag. Zijn vrouw had een normale lichaamsbouw, maar het ding dat onder de lakens pulseerde, was gigantisch. Jeffrey durfde zich niet bewegen, durfde de aandacht niet op zijn aanwezigheid vestigen. Hij probeerde zelfs niet te ademen, wat hem uiteraard niet lang lukte. Maar het grommende en brullende ding naast hem had geen oog of oor voor hem.

Het lag daar maar, een vormeloze berg vet en vlees, uitzettend en weer inkrimpend, maar steeds immens van omvang.

Jeffrey wist dat het allemaal nep was, net als het waterbeest dat gisteren het kind in het park had opgevreten. Net als de glazen boom en al die andere afschuwelijke wezens die hij had opgemerkt. Hij alleen, niemand anders.

De schaduwen bleven over het plafond glijden. De vorm naast hem in bed gromde en brulde.

Hij wist niet of hij al dan niet droomde.

Hij wist helemaal niets meer met absolute zekerheid.

Jeffrey Cockroft was ten einde raad.

Zondag, 12 juni 2005.

Lorne Dorganson sliep tot na de middag uit. Nadat hij Melchior Multchei de avond ervoor bij het pompstation in Yellowmoon had afgezet, was hij teruggereden naar Garland. Voor hem was de nacht zeker nog niet voorbij. Na de middag bewandelde hij die zondag langdurig de webdraden van het Internet, bekeek hij twee actiefilms (zijn lievelingsgenre) na elkaar, at in de vooravond een snack, bekeek nog een film en vlijde zichzelf om halftien 's avonds reeds tussen de lakens. Voor hem zat het weekend erop.

Melchior genoot om acht uur stipt van een gigantisch ontbijt, klaargemaakt door Eva. Abraham en Eva waren stipte mensen. Er was maar weinig dat hen van hun vaste gewoontes of principes liet afwijken. Zelfs in het weekend. Uitslapen was voor hen een ontoepasbaar principe. Ontbijt was om acht uur (Melchior at zijn boterhammen in zijn hok), middagmaal om twaalf uur en het avondmaal om halfacht. Melchior nam de meeste gewoontes van zijn ouders over, zoals elk kind dat (willen of niet) doet.

De rest van de vrije dag dook hij zich mentaal onder in zijn verzameling tijdschriften. Hij zocht vooral naar prenten van de oldtimers die hij de dag ervoor aan de pompen had gezien. Melchior hield zich bezig. Op die manier hoefde hij niet na te denken. Na halfacht, na het avondeten, wandelde hij nog even in de omgeving van zijn ouderlijke woning. Niet te ver afwijken van het normale, veilige leven.

Jeffrey Cockroft was een mentaal en lichamelijk wrak toen hij die zondagochtend aan de ontbijttafel zat. Zijn vrouw Shelley had zoals altijd voor hem plaatsgenomen en genoot van de croissants en de verse koffie. Haar 'hmm's' klonken als een snerpend zoemen in zijn hoofd. Hij had bijna niet geslapen en toen hij een halfuur daarvoor wakker werd, waren alle nare dingen die hem in de nacht wakker hadden gehouden, totaal verdwenen. Naast hem lag zijn vrouw en het plafond was lichtbeige. Geen bewegende en lekkende, zwarte vlekken. Jeffrey keek op toen Shelley hem aansprak.

"Schat... heb je zin om er vandaag op uit te gaan?"

Jeffrey schraapte zijn keel en probeerde het trillen van zijn handen tegen te gaan. Hij omklemde zijn bloedhete tas en negeerde het brandende gevoel in zijn vingers.

"Eh... waar dacht je aan?"

Shelley Cockroft slikte een halfgekauwd stuk croissant door en zei:

"Ik dacht aan een bezoekje aan Milly en Ken. Deze namiddag. Ik heb nog enkele boeken die ik van hen heb geleend en wil die vandaag per se terugbrengen. Je weet hoe Milly over haar spullen denkt. Het zijn dure boeken en ik heb ze nu al meer dan drie maanden. Ik stel het teruggeven maar uit. Ik zou ook niet graag hebben dat..."

Jeffrey liet zijn vrouw kakelen. Milly en Ken waren klootzakken. Hij had geen zin om daarheen te gaan, hij had andere zaken aan zijn hoofd. Hij had geen zin om naar het herenloze brabbelen tussen Milly en zijn eigen vrouw te luisteren. Het was dat of het al even herenloos gepoch van Ken die zichzelf toch zo'n geslaagde heer in het leven vond. Maar hoe maakte hij dat zijn vrouw wijs? Shelley had geen problemen met Milly of Ken en gewoon zeggen dat hij geen zin had, zou haar alleen maar ontgoochelen en misschien zelfs kwaad maken.

Terwijl hij nog steeds zijn tas krampachtig hard vasthield, keek Jeffrey ineens op. Hij had een waardevolle uitvlucht gevonden en was van plan haar die onmiddellijk wijs te maken. Hij opende zijn mond om haar waterval van woorden te onderbreken, toen hij zag dat haar ogen in haar hoofd weggleden.

Shelley Cockroft was een halve maand eerder vijftig geworden en dat hadden ze uitgebreid gevierd met een heleboel 'zogezegde' vrienden. Iedereen prees haar om haar prachtige lichaam (dat was waar), om haar jeugdige uiterlijk (dat was ook waar) en vooral om haar helblauwe ogen. Het waren die ogen die Jeffrey in haar hoofd zag verdwijnen. Zijn vrouw bleef gewoon rechtop zitten zoals ze altijd zat, de rug heel recht. Schouders naar achteren, borsten naar voren. Shelley babbelde verder over de boeken van Milly en had er blijkbaar geen erg in dat ze geen oogballen meer had. Jeffrey staarde met openhangende mond naar de zwarte kassen in het fraaie hoofd van zijn vrouw.

Haar neus werd op slag zwart, schrompelde ineen en er verscheen een driehoekig gat boven de mond dat één werd met de oogholten omdat de huid errond wegrotte. Vervolgens verpulverden haar bewegende lippen en brokkelden haar tanden uit de groene pulp die haar tandvlees was geworden.

Jeffrey ontving nog steeds geluiden die op de stem van zijn vrouw Shelley leken, maar hij herkende die niet langer als woorden. Het waren schorre, hese klanken, afkomstig van iemand van wie de keelholte vol bloed of wakke vleesklonters zat. De ooggaten breidden zich uit en werden één met de gapende wonde die de mond vormde. Haar ganse gezicht was weggevreten, maar nog steeds zat Shelley rechtop. In haar ene hand hield ze de halve croissant en in haar andere de tas koffie.

Jeffrey Cockroft voelde hoe tranen over zijn wangen druppelden. Zijn tas viel uit zijn handen en de gemorste koffie kwam op de tafel terecht.

"Schat, wat scheelt er?"

Jeffrey knipperde met de oogleden. Shelley keek hem – met een ongeschonden gezicht – bezorgd aan. Hij klapte zijn nog steeds openhangende mond dicht en stond wankel op. Zijn benen waren bijna niet in staat zijn gewicht te dragen. Hij hield zich aan de tafelrand vast.

"Jeffrey, schat... wat scheelt er?"

"Ik... voel me niet zo goed..."

"Je bent zo bleek!"

"Ik ga terug naar bed."

"Ik bel de dokter!"

Hij wuifde haar bezorgdheid met één trillende hand weg.

"Laat maar, het gaat over. Laat me een tijdje met rust."

Zonder nog iets te zeggen, strompelde Jeffrey Cockroft langs zijn vrouw de keuken van hun woning op Willow Lane uit. Hij hees zichzelf niet zonder moeite de trappen op en liet zich languit op het nog onopgemaakte bed vallen. Zijn hart hamerde in zijn keel. Hij bleef op zijn rug liggen en net voor hij in slaap viel, merkten zijn ogen dat de vlekken op het plafond er weer waren. Nu hadden ze helblauwe ogen die hem aanstaarden.

Rachelle bracht de rest van de nacht in Ravens bed door. Om negen uur die zondagochtend namen ze – opnieuw samen – een verkwikkende douche, gevolgd door een stevig ontbijt waarna Rachelle afscheid nam en naar haar eigen stek in Garland vertrok. Raven Daramantez nam in de loop van de voormiddag telefonisch contact met het bureau op en verkreeg daar het heuglijke nieuws dat de vingerafdrukken van het lijk overeenkwamen met die van de persoon wiens naam zij had doorgegeven. Haylan Rasschino. Prachtig. Ze gaf de opdracht de wagen van Haylan te laten takelen en volledig te doorzoeken. Geen half werk. Om reden van het feit dat Rachelle haar verslag enkele dagen achterhield, had Raven nu nog iets omhanden.

5. Jeffrey Cockroft
Raadsel

Maandag, 13 juni 2005.

Het eerste wat Vernon LaFolette, de gerant van *The Workman's Shop* in Garland, opviel, was de frappante gelijkenis tussen de handelingen van de klant die omstreeks halftien door zijn winkel draafde en die van de ruige bruut, de Neanderthaler, van afgelopen vrijdag. Deze kerel zag er niet zo ruw uit, maar wel even verward en onzeker. De man was heel deftig gekleed, maar zijn gezicht was dat van iemand die de afgelopen veertien dagen nauwelijks vierentwintig uren had geslapen. Hij keek schichtig om zich heen, keek – net als de andere – naar het plafond, en liep zonder een blik op de rest van de winkel te werpen, naar de linkerzijkant van de toonzaal. Hij hield halt voor een rek en bleef – net als de andere – onbeweeglijk naar de waren staren die erop uitgestald stonden.

Jeffrey Cockroft draaide zich eerder diezelfde maandagochtend in bed op zijn rechterzijde, zodat hij zijn vrouw naast zich zag liggen. Het was al een tijdje klaar buiten en het ochtendlicht stroomde de kamer voluit binnen, enkel gedempt door lichtblauwe overgordijnen. Hij had de nachtelijke uren in een waas van waanzin en doodsangst doorgebracht. Nu keek hij naar het verdorde lichaam van Shelley. Haar gemummificeerde gezicht met openhangende mond en lege ogen keek hem van op haar kussen aan. Nog enkele warrige, grijze haren lagen als spinnenrag op het kussen verspreid.
Jeffrey schrok niet. Hij schrok niet *meer*. Dat dergelijke situaties zich voordeden, was hij gewoon geworden. Hij wist dat als hij zijn ogen sloot en die daarna weer open deed, alles weer normaal zou zijn. Dat hoopte hij tenminste.
De man haalde enkele malen adem, sloot de ogen, wachtte even en opende die opnieuw. De mummie was er inderdaad niet meer. Shelley lag nu op haar rechterzijde, haar rug naar hem gekeerd. Het licht viel op haar weelderige haardos. Jeffrey Cockroft zuchtte. Hij schoof over

de lakens en kroop dicht tegen haar warme lichaam aan. Hij hoorde haar kreunen. Het klagerige ochtendhumeurtje dat hij van haar gewoon was.

"Schat?"

"Hmm..."

"Ben je al wakker?"

"Hmm..."

"Ik voel me niet zo goed vandaag, ik heb heel slecht geslapen."

"Hmm... hmm..."

Shelley was duidelijk niet opgezet met zijn opdringerigheid.

"Ik denk dat ik vandaag thuisblijf."

Shelley Cockroft bewoog zich op haar rug en draaide door tot ze op de linkerzijde lag. Jeffrey staarde vol afgrijzen naar haar lijkwitte gezicht, met daarin diepliggende, donkere ogen. Haar mond was geopend en lange, naaldvormige tanden waren schots en scheef uit het vervormde en gezwollen tandvlees gegroeid.

Hij kneep onmiddellijk zijn ogen dicht en vervloekte de situatie. Dit kon gewoon niet langer. Hij werkte zichzelf uit bed en liep tot bij het raam, in de hoop zijn met zorg onderhouden tuin te zien. In plaats daarvan staarde hij naar een compleet braakliggend stuk grond, zover als zijn zicht reikte. Zijn tuin was verdwenen, de straat daarachter was verdwenen en alle huizen in zijn buurt stonden er ook niet meer. Eigenlijk was Yellowmoon en alles daarachter omgetoverd tot een grijze, grauwe woestijn. Dat gedeelte van Montana was nu niet langer groen en heuvelachtig, maar zo'n immense vlakte had hij nog nooit aanschouwd. De horizon was één vale streep, nauwelijks te onderscheiden van de grijze hemel die zich boven de ongezellige kaalheid uitstrekte. Troosteloos, eenzaam en totaal onaangenaam om in te vertoeven. Hij wist dat het geen zin had naar de voorkant van zijn woning te hollen om daar te kijken of er iets aan de omgeving veranderd was. Jeffrey was er zeker van dat het kerkhof en de kerk van Vader Evans verdwenen zouden zijn, platgewalst door een afschuwelijk droombeeld. Jeffrey wist van zichzelf dat hij niet over veel verbeeldingskracht beschikte en twijfelde daarom nogmaals aan zijn gezonde verstand.

Hij draaide zich van bij het venster weg, stapte naar de badkamer en herkende nauwelijks zijn gezicht in de spiegel. De man die hem door het glas aankeek, was oud, verweerd en compleet uitgeput. *Ben ik dat?*

Ben ik zo geworden, en dat op zo'n korte tijd? Hij scheerde zich niet, waste zich oppervlakkig en stommelde de trappen af. De keuken bulkte van gigantische ratten, allemaal zo groot als een volwassen hond. Ze vochten met elkaar, grauwden, beten en hapten... maar dat alles zonder lawaai. Jeffrey trok de deur weer dicht, wachtte even en opende die opnieuw. *Net als mijn oogleden*, ging het door hem heen.

De keuken was proper en leeg. Geen ratten meer. Jeffrey begon met de voorbereiding van het ontbijt en vond zichzelf ineens in de garage van zijn woning terug. Hij knipperde met de oogleden omdat hij in het geheel niet begreep hoe hij daar terecht was gekomen en wat zijn uiteindelijke bedoeling was. In zijn hand hield hij de sleutels van de Mercedes. Die had hij verleden jaar gekocht. Het stond 'chique' in de kringen waar hij zich in bewoog, om met een Europese wagen te rijden, zeker een Mercedes. Hij was dus van plan ergens naartoe te rijden. Jeffrey merkte zelfs dat hij zijn vest droeg en dat hij zijn brieventas in zijn binnenzak bevoelde. Eigenlijk buiten zijn eigen wil om, stapte hij in zijn wagen, liet met de afstandsbediening de garagepoort openglijden en reed naar buiten.

Hij voelde enkel aan dat hij richting Garland moest rijden. Het 'waarom' was – net als bij Haylan Rasschino drie dagen eerder – een groot raadsel.

"Kan ik u helpen?"

Jeffrey Cockroft draaide zich met een abrupte ruk om en speurde de omgeving af eer hij naar het kereltje keek dat nu voor hem stond. Vernon schrok van Jeffrey's korte reactie. Was het nu toeval, of betrof dit een herhaling van een eerder gebeurd feit? Bij Vernon lokte Jeffrey's reactie in elk geval een déjà-vu-gevoel uit.

"Eh... ik... zoek..."

Jeffrey zweeg omdat hij achter (boven) Vernon iemand de winkel zag binnenkomen. Het was een oude man, leunend op een wandelstok. Vernon draaide zich om, knikte naar de andere klant en richtte zich terug naar Jeffrey.

"Zoekt u iets, meneer?"

Jeffrey had moeite om zijn ogen op de kleine gerant te richten. Alsof een stem in zijn hoofd hem zei wat hij eigenlijk nodig had, antwoordde Jeffrey:

"Tape..."

Ondertussen keek hij naar het oude kereltje dat achter Vernon LaFolette zijn armen spreidde, volledig dubbel plooide waarbij de bovenkant van zijn lichaam een onmogelijke kronkel van negentig graden maakte en vervolgens als een slang over de grond in de richting van de toonbank gleed. De wandelstok sleepte achter hem aan, vastgehaakt in klauwvingers die tijdens het glijden van geen nut waren. Het lichaam maakte pulserende bewegingen, waardoor het zich kon verplaatsen.

Vernon LaFolette keek nogmaals achterom en zag dat het oude mannetje naar het rek met verfborstels keek. Geen probleem. De kerel voor hem vormde *wel* een probleem.

"Tape! Plakband!" zei Jeffrey Cockroft ineens, alsof hij zich plotseling herinnerde dat hij in *The Workman's Shop* aanwezig was om iets te kopen en niet om naar iets te staan kijken wat toch niet bestond. Vernon was tevreden dat de man een keuze had gemaakt.

"Hebt u een speciale voorkeur?"

Jeffrey schudde heftig het hoofd. Zijn ogen bleven op het voortglijdende lichaam gericht. Het wrong zich tegen de muur omhoog en begon naar het plafond te glijden. Het hoofd van de oude kerel was nu in zijn richting gedraaid. Jeffrey kon het gezicht heel duidelijk zien. Onder de bleke huid krioelde het van de zwarte wormen en de ogen waren uitpuilende, zwarte bollen.

"Hallo, meneer... meneer? Hebt u een speciale voorkeur? Een merk misschien?"

Vernon had moeite om de aandacht van de vreemde klant vast te houden. Er kwamen veel mensen bij hem over de vloer, maar verleden week vrijdag en vandaag kreeg hij toch een totaal doorgeslagen specimen voorgeschoteld. Ze reageerden en gedroegen zich eender, misschien waren ze samen uit een gekkenhuis in de buurt ontsnapt. Vernon bedwong een glimlach bij die gedachte.

"Sterk!"

"Excuseer?"

"Het moet sterk zijn. Sterk en breed. Enkele rollen!"

Vernon knikte met een tevreden glimlach. Eindelijk resultaat.

"Geen probleem, meneer, wij hebben alles wat u nodig hebt. Volgt u me?"

Jeffrey keek omhoog naar het kronkelende lichaam van de oude kerel dat tegen het plafond hing. Het was dus nogmaals duidelijk dat hij de enige was die dat zag. Nu droop er zelfs zwart slijm uit de openhangende mond. Het rekte in lange slierten tot halverwege de ruimte.

"Meneer? U volgt me?"

Vernon had de meeste moeite om de man mee te krijgen. Waarom keek hij eigenlijk onophoudelijk naar het plafond, wat viel daar nu toch te zien? Vernon zag dat de oude man met zijn aankopen begonnen was. Hij had een winkelmandje genomen en stopte er meerdere spullen in. Vernon wilde ook *die* klant niet verliezen. Hij ging voor en keek voortdurend achterom om te kijken of die vreemde kerel hem wel volgde. Nogmaals herkende hij dezelfde symptomen als bij die andere, verleden vrijdag. Toeval of niet, het bezorgde hem kriebels.

Jeffrey had de meeste moeite om nergens tegenaan te lopen want hij keek bijna constant naar boven. Het slangenlichaam van de oude man gleed in de richting die hij volgde. De lange, zwarte slierten uit de geopende muil rekten tot net boven zijn hoofd. Hij besefte dat het geen zin had om die te willen aanraken, want zijn nuchtere 'ik' wist dat dat onmogelijk was. Maar de donkere kant van zijn wezen – het gedeelte van de zaken die hij niet langer onder controle had – verklapte hem dat zijn huid zou verbranden als hij het slijm, dat eigenlijk een brandend zuur was, zou aanraken. Dus hield Jeffrey rekening met zijn donkere kant en boog zich meerdere malen voorover om de druipende slijmslierten te ontwijken.

Vernon begreep er steeds minder van. De man boog zijn lichaam nu in vreselijke bochten, terwijl hij naar boven keek. Hij bedwong voor het eerst een glimlach, want de gedragingen van de kerel waren nu eerder lachwekkend. Aanvankelijk had hij 'iets' van medelijden gevoeld – misschien was de man een beetje ziek in het hoofd, maar nu perste hij zijn lippen op elkaar. Vernon wilde niet dat de klant merkte dat hij plezier beleefde aan zijn vreemde gedrag.

"Meneer, dit hier zijn een aantal artikelen waaruit u uw keuze…"

Jeffrey greep Vernon ineens bij de arm.

"Stop het gelul, kerel! Geef me vijf rollen stevige plakband."

Vernons zin om te lachen verging onmiddellijk. Hij had weinig moeite om zijn arm los te trekken, want de angstig om zich heen kijkende man had geen erg stevige greep.

"Sorry… eh… eigenlijk pleeg ik een inbreuk op mijn vaderlandsliefde,

maar het beste materiaal is van Chinese makelij en…"
Jeffrey bracht zijn hoofd heel dicht bij Vernons linkeroor en siste:
"Vijf!"
Jeffrey Cockroft stonk naar het zweet. Vernon knikte en grabbelde vijf
rollen plakband uit de rekken. Met Jeffrey op de hielen haastte hij zich
naar de toonbank. Hij stopte die in een plastieken zak, overhandigde
die aan de – nog steeds omhoogkijkende – kerel.
"Meneer?"
"Ja?!"
"Mag ik ontvangen?"
Jeffrey Cockroft viste zijn brieventas uit zijn vest en overhandigde Ver-
non een bedrag dat veel te groot was voor de som die hij verschuldigd
was. Vernon opende de kassa, maar zag dat de klant zich reeds verwijderde.
"Meneer… uw wisselgeld!"
Jeffrey Cockroft haastte zich de winkel uit en liep daarbij bijna het rek
met schilderborstels omver.
"Sorry… geen tijd… "
De man verdween als een haas uit de winkel. Vernon LaFolette keek
nog even naar de uit zichzelf dichtdraaiende deur en richtte zich terug
naar voor. De oude man stond voor de toonbank. Hij wees met zijn
duim naar Jeffrey die net de winkel had verlaten en zei:
"Ik dacht dat er bij mij een vijs loszat, maar ik vermoed dat die kerel er
geen meer heeft om vast te draaien!"
Vernon had zin om te zeggen dat op de wereld meer gekke dan normale mensen ronddoolden, maar hield zijn mond. Hij tikte alles in
de kassa, overhandigde de oude man zijn koopwaar en ontving het
gevraagde geld. Hij had geen zin om te praten. Soms waren woorden
overbodig. Soms zelfs nutteloos.

"Jeffrey?! Je ziet er slecht uit!"
"Laat me…"
"Wat scheelt er? Je bent niet op school?"
Shelley Cockroft dwaalde nog steeds in kamerjas door het huis. Daar-
onder droeg ze enkel een string. Ze wist dat die outfit haar man enorm
opwond, maar nu richtte hij zijn doffe ogen helemaal niet op haar.
Normaal had hij nu reeds zijn handen onder haar kamerjas geschoven

om haar borsten te omvatten. Als seksueel erg actieve vrouw werkte Shelley Cockroft graag mee aan het voorspel. Soms duurde dat lang, een halve dag zelfs, maar meestal was één blik genoeg. Ze was vijftig en had de indruk dat haar seksualiteit steeds maar aan intensiteit toenam. Haar lichaam *schreeuwde* gewoon om aandacht en affectie. Jeffrey was al even actief, en dankzij haar opwindende aansporingen vreeën ze zeker twee- tot soms driemaal per week. Met minder was ze helemaal niet tevreden en werd ze zelfs kribbig. Ze hield van lingerie, maar enkel om op te winden. Ze was een voorstandster van totale monogamie en had haar man in hun achtentwintigjarige huwelijk nog nooit bedrogen.

De afgelopen weken had ze het moeilijk gehad. Jeffrey gedroeg zich namelijk niet *normaal*. Meestal was het openslaan van haar rok waardoor haar dijen tevoorschijn kwamen, al genoeg om het bloed tussen zijn benen te stuwen. Van een blik op haar in een kanten beha rustende borsten als ze zich opzettelijk vooroverboog, kreeg hij een stijve. Op dat gebied pasten ze uitstekend bij elkaar. Hun kinderloos huwelijk vormde geen beletsel om samen gelukkig te zijn. Seks was er bij hen voor het plezier, niet voor de productie van kinderen. Shelley had nooit een kinderwens gehad en Jeffrey had er nooit over gesproken, waardoor zij vermoedde dat hij er ook geen graten in zag.

Net de afgelopen weken viel zijn vreemde gedrag haar op. Ze had het recente verleden in filmvorm voor haar geestesoog voorbij laten glijden. Na enige deductie van wat ze te zien had gekregen, bleek dat hij 'raar' was beginnen doen kort na dat voorval met die lelijke jongen van het pompstation. Dat gebeurde in het warenhuis, zowat een maand eerder, toen er dozen koffie gevallen waren en de jongen wilde helpen. Niet dat het iets spectaculairs was geweest, dat niet, maar kort daarna was Jeffrey niet langer de Jeffrey die ze tot op dat moment had gekend. Wat ze ook probeerde om hem 'aan de praat' te krijgen, niets lukte. De zaken, waarvan ze wist dat die hem enorm opwonden, beroerden hem niet meer.

Jeffrey hield ervan dat zijn vrouw zijn edele delen met haar mond in beroering bracht. Shelley was absoluut niet afkerig van het uitvoeren van een daad van fellatie. Daarom schrok ze zich twee weken geleden bijna een bult door zijn duidelijke uiting van afkeer. Hij kwam die dag net uit de douche en begon zich af te drogen toen zij naakt de badkamer binnenstapte. Ze had opzettelijk in de gang gewacht tot het geluid van het lopende water uit de douchekraan was opgehouden. Shelley zakte voor haar man op haar knieën en was van plan te doen wat zijzelf opwindend vond: zijn slappe penis vastnemen, de voorhuid voorzichtig achteruitschuiven en de vochtige eikel in haar mond nemen, er daarbij voor zorgend dat het tipje van haar tong de onderkant ervan streelde. Normaliter begon hij dan te kreunen en kreeg hij een spontane erectie. Shelley was sterk in het plezieren van haar echtgenoot en verschafte hem dat met veel enthousiasme. Maar nu bereikte ze al heel vlug een nieuwe reactie die haar met verstomming sloeg. Nooit eerder had hij op een dergelijke manier gereageerd. Zij had nog maar net zijn penis met haar vingers aangeraakt toen hij geschrokken en vloekend achteruitsprong waardoor hij bijna achterover in het bad terechtkwam. Jeffrey bekeek haar met ogen vol angst en afkeer, een blik waarvan zij de oorzaak helemaal niet begreep.

Dat was de eerste keer dat zijn reactie zo heftig negatief was. De week daarvoor was hij geen enkele maal ingegaan op haar invitatie, van welke aard die ook was. Jeffrey had zijn vrouw meerdere malen afgewezen, wat haar echt verwarde. Nooit eerder had hij zich op een dergelijke manier gedragen.

De afgelopen week had hij haar zelfs niet éénmaal aangeraakt. Een midlife crisis? Een minnares? Of beviel zij hem gewoon niet langer? Shelley probeerde haar gedachten te ordenen. Gelukkig was zij in staat haar verstand boven haar gevoelens te plaatsen, waardoor ze niet de mentale dieperik ingleed. Het probleem lag duidelijk niet bij haar... hij worstelde met iets. Daarvan was ze overtuigd. Hij was degene die moest geholpen worden.

Jeffrey liep langs zijn vrouw door de woonkamer. De bovenkant van haar kamerjas was een beetje opengevallen waardoor haar rechterborst met de grote, bruine tepel duidelijk zichtbaar was. Tot voor kort was dat meer dan voldoende om spontaan een vrijpartij te starten. Nu keek hij er zelfs niet naar.

"Ben je naar school geweest?"

"Nee... laat me..."

"Wat heb je daar bij?"

Jeffrey besefte dat hij nog steeds de plastieken zak van *The Workman's Shop* in Garland in zijn hand hield. Hij liep tot in de deuropening naar dc hall, maar bleef met zijn rug naar haar gericht staan.

"Inkopen."

Hij maakte aanstalten om verder te gaan. Zijn kleren hingen als vodden rond zijn lijf. Zijn haar was in tegenstelling tot anders een totale warboel en eigenlijk zag haar man er als een totaal wrak uit.

"Jeffrey… ik denk dat wij eens moeten praten… je doet zo raar…"

"Shelley… laat me… ik…"

Hij draaide zich in haar richting, keek op en wat hij te zien kreeg, gaf de doorslag. Shelley was volledig naakt, stond met de voorkant van haar dijen tegen de tafel, en lag met haar bovenlijf op het tafelblad, de armen in een compleet ontspannen houding. Haar benen waren gespreid en bijna tegen haar blote kont stond een figuur rechtop. *Dae Nhemm.* Dat ene woord – het was een naam!! – barstte door zijn hoofd als een witte bliksem die de lenzen van zijn ogen aan flarden reet. Jeffrey dacht onmiddellijk aan een duivel. Een graatmagere, griezelig naakte man met een enorme rechtopstaande penis. Hij keek Jeffrey grijzend aan, spuwde een ferme klodder in zijn ene hand en wreef alles over de donkere plek tussen Shelley's benen open. Na die weerzinwekkende handeling greep hij Shelley's heupen vast en ramde zijn grote pik zonder voorbereiding tussen haar benen in haar lichaam. Hij hoorde zijn vrouw kreunen, en het was zeker niet van de pijn. De figuur bleef grinnikend en uitdagend in zijn richting kijken, en stootte ondertussen lustig verder met zijn bekken. De man was ongelooflijk mager en lelijk. Weerzinwekkend lelijk eigenlijk. Zijn huid was vol grauwe vlekken waar de botten bijna doorheen staken en hij had slechts enkele lange pieken haar, waardoor hij veel op de figuur van Gollem uit *The Lord Of The Rings* leek. Dat was Jeffrey's eerste idee. Maar de man was veel kwaadaardiger. Ook het hoofd toonde weinig gelijkenissen. Gollems hoofd was groot en rond, terwijl deze figuur een lang en smal gezicht had. Holle, in donkere kassen weggeborgen ogen. Donkere lippen die een smerige grijns vormden en de bruinzwarte tanden nauwelijks verborgen. Enkele vieze, lange haarpieken die van op het midden van zijn schedel in alle richtingen vertrokken.

Jeffrey hoorde zijn eigen vrouw reageren op het stootwerk van de kerel. *Ja… ja… ja…* telkens hij zijn magere bekken tegen haar kont ramde. Zijn vuile handen, voorzien van dikke, lange en smerige nagels klauwden in het vlees van haar dijen. Jeffrey merkte dat zijn vrouw duidelijk genoot van de verkrachting, want ze bewoog haar borsten van links naar rechts over het koude tafelblad, terwijl ze de randen met haar handen vasthield. Haar gezicht was zijn kant op gekeerd. Haar ogen waren gesloten als wilde ze de geneugten die haar lichaam ervoer, niet laten bederven door de realiteit om haar heen.

Jeffrey bleef daar maar staan, de plastieken zak in zijn ene hand, zijn andere tot een vuist gebald. Hij wist heel goed dat hij die niet tegen die figuur zou gebruiken, daarvoor bezat hij niet genoeg fierheid en durf. Trouwens, de donkere kant van zijn geest wist dat de man die zijn vrouw op z'n hondjes neukte, helemaal geen 'man' was. *Dae Nhemm.* De naam flitste opnieuw door zijn hoofd.

"Jeffrey... wat scheelt er toch met jou? Je doet zo raar?!"

Shelley bekeek haar man met een mengeling van gevoelens. Enerzijds was er medelijden, anderzijds voelde ze afkeer. Nooit had Jeffrey zich zo verward gedragen. Waardigheid en zelfzekerheid stonden hoog in zijn vaandel. Van die twee waarden restte helemaal niets meer. Hij zag er niet uit, zijn kledij was gewoon slordig en zijn ogen... die verdomd vreemde blik?!

Jeffrey hoorde de woorden die zijn vrouw uitsprak. Wat hem betrof, lag ze nog steeds voorover op de tafel en smeerde ze haar borsten over het koude blad heen en weer. Wat hem betrof, genoot ze nog steeds van de grote, stijve pik die steeds maar opnieuw in haar vagina werd geramd. Wat hem betrof, meende ze niet wat ze zei. Hij draaide zich om en liep de woonkamer uit.

"Wat ga je doen?"

De stem van zijn vrouw. Hij hoorde haar hijgen. Shelley keek naar de gekromde rug van haar man die door de hall in de richting van de trap naar boven stapte.

"Laat me... ik... neem een bad."

"Goed, daar voel je je misschien beter door."

"Dat meen je toch niet?" mompelde hij.

"Wat? Ik begrijp je niet."

Jeffrey stak zijn vrije hand op en wuifde even.

"Niets... laat me."

Shelley haalde haar schouders op en liet een zucht ontsnappen.

Jeffrey vond zichzelf even later in de slaapkamer terug. Hij stond voor de grote kleerkast die in de muur was ingewerkt. Waarom hij daar stond, wist hij niet onmiddellijk. Maar toen hij met zijn vrije hand naar een deurtje in de valse achterwand reikte, *voelde* hij wat hij van plan was te nemen. Het was alsof een rauwe stem in zijn hoofd hem opdrachten gaf. Een stem die waarlijk paste bij de figuur die beneden onbeschaamd zijn vrouw nam.

Hij opende een kastje waarin ze hun 'speeltjes' bewaarden. Shelley hield van een beetje onschuldige variaties in hun seksuele activiteiten en in de loop van de jaren hadden ze zich om die reden enkele attributen aangeschaft. Vibrators, dildo's... en handboeien. Weliswaar niet de officiële, zware die de politiemensen gebruikten, maar toch degelijke kluisters. Jeffrey zag dat zijn vrije hand de handboeien uit de kast haalde. Hij vroeg zich niet af waarom hij dat deed. Hij deed het gewoon, net zoals hij eerder die ochtend naar Garland was gereden om plakband te kopen.

Met in zijn ene hand de handboeien en in zijn andere de zak van *The Workman's Shop,* voelde hij hoe zijn voeten zich inderdaad in de richting van de badkamer begaven. Enerzijds wilde hij wel een bad nemen, maar anderzijds was er iets...

Een halfuur later vond Shelley Cockroft dat het tijd was om zich aan te kleden. Ze hield er tijdens het weekend van om zolang mogelijk in kamerjas door het huis rond te dolen. Het schonk haar een aangenaam en huiselijk gevoel. Ze liep de trappen naar de badkamer op en reeds toen ze halverwege was, voelde de vrouw aan dat er iets verkeerd was. Er was een geluid dat er niet meer hoorde te zijn. Het gedruis van stromend water. Shelley's huwelijk hield lang genoeg stand om elkaars gewoontes te kennen. Ze wist dat haar man altijd het bad eerst liet vollopen met heet water om er zich vervolgens centimeter per centimeter te laten inglijden. Hij bleef dan languit liggen en waste zich pas als het water begon af te koelen. Nooit vulde hij het bad bij.

Nu hoorde Shelley Cockroft dat er water stroomde. Het klonk niet als het geluid van water dat bij de rest van het badwater terechtkomt. Het klonk anders. Bij de deur van de badkamer gekomen, riep zij de naam van haar man.

"Jeffrey?

Er volgde geen reactie, behalve dat van het stromende water.

"Jeffrey? Is alles in orde?"

In haar borstkas knabbelde een vreemd beestje dat er nooit eerder was geweest. Neen! Niet *alles* was in orde. Dat voelde de vrouw zo aan. Maar wat er scheelde, ontging haar nog.

"Jeffrey?"

Ze klopte op de deur. Het water stroomde. Shelley kreeg het pas ijskoud toen ze aan de kruk van de deur voelde. Die was gesloten. Noch Jeffrey noch zijzelf hadden ooit die deur gesloten. Het was zelfs op zijn eigen advies. *Je kunt nooit weten dat je onwel wordt, dan kan er niemand binnen.* Zij vond dat een gezonde overtuiging en ging er volledig mee akkoord.

Shelley rammelde aan de kruk, maar de deur bood hevig weerstand. Uiteindelijk klopte ze nogmaals, om vervolgens met beide vuisten op het hout te hameren. Er klopte iets niet daarbinnen. Dat was zeker. Ze negeerde de krampen in haar buik, keek even wanhopig om zich heen, niet wetend wat haar te doen stond en holde vervolgens naar beneden. Ze rende het huis uit, tot op het voetpad, en liep tot bij de voordeur van hun buur. Op haar onophoudelijk bellen werd tamelijk rap opengedaan. John D. Board, haar buurman, een krasse vijfenzeventiger, probeerde wijs te geraken uit haar hysterische woordenvloed. Ze gesticuleerde hevig en probeerde tevergeefs haar kamerjas dicht te houden. Maar John had weinig oog voor wat hij te zien kreeg. Hij maakte uit haar nerveuze gebrabbel op dat bij hen thuis iets verkeerds aan de gang was. Hij werd ineens door Shelley bij de arm genomen en ze troonde hem naar hun woning mee. Ze bleef onophoudelijk babbelen, maar wat ze zei, ontging hem. Het ging vooral over haar man Jeffrey en over de manier waarop hij zich de afgelopen weken zo vreemd had gedragen. Uiteindelijk stonden ze samen voor de badkamerdeur. John voelde aan de kruk. De deur was nog steeds gesloten, het water stroomde nog . Shelley begon nu te huilen.

"Ik heb al alles geprobeerd. Er is hem daarbinnen iets overkomen!"

"Geen risico's nemen, Shelley, waar staat de telefoon?"

"In de keuken."

De man haastte zich naar beneden, vond heel vlug de keuken en het toestel en belde de 911. Hij legde de situatie uit en liep na het afsluiten van het gesprek terug de trap op. Shelley zat op de grond naast de deur. De rug tegen de muur, de benen opgetrokken. Haar hoofd leunde op haar knieën. Ze weende.

"Shelley... hou je sterk... ze komen er zo aan," probeerde John D. Board.

Het tijdsbeloop dat het woordje 'zo' inhield, waren de twaalf langste minuten uit het leven van Shelley Cockroft. Het geluid van de naderende sirenes had ze niet gehoord, zodanig had de situatie haar aangegrepen. Ze hoorde ook haar buurman niet die haar troostende en bemoedigende woorden toesprak. Wat haar betrof, was er iets heel ergs daarbinnen gebeurd. Ze had het moeten zien aankomen, ze had de veranderingen in zijn gemoed opgemerkt, maar had er niet voldoende aandacht aan besteed. Ze voelde zich schuldig omdat ze de symptomen niet had aanvaard als zijnde tekenen aan de wand van naderend onheil.

Shelley bleef zichzelf beklagen tot ze opschrok door gestommel beneden in de woning. Ze veerde op toen drie brandweermannen samen met leden van het medische personeel als aanvallende stormtroepen de trappen in haar richting opholden. Onmiddellijk ontfermde een verpleegster zich over haar en leidde haar van de badkamerdeur weg. Buurman John D. Board legde de situatie in enkele woorden uit. Alles ging vervolgens heel vlug. Er waren slechts oogwenken nodig om iedereen aan het werk te zetten. Veel woorden waren hier overbodig. De verpleegster leidde de huilende Shelley nu met meer drang naar de slaapkamer aan de overkant van de gang en schopte met haar voet de deur achter hen dicht.

Het openen van de badkamerdeur kostte de mensen van de brandweer weinig moeite. Jammer voor het hout, het slot en de omlijsting, maar heel waarschijnlijk stond een mensenleven op het spel. Shelley sloot haar oren af voor het krijsen van het versplinterende hout. De verpleegster die naast haar op het bed zat, legde een moederlijke arm om haar schouders. Ook hier waren woorden nog niet nodig. Shelley hield haar oren afgesloten voor wat ze mogelijk kon horen. Eigenlijk wilde ze de waarheid nog niet kennen. Nu nog niet, misschien zelfs nooit! Daarom hoorde ze het vervolg van de handelingen buiten de slaapkamer niet.

Het schuifelen van voeten, stappen door het water, gesmoorde kreten van verwondering. Het geven van opdrachten, het bespreken, het einde van het druisen van het water. Enige tijd van stilte. Schuifelen, fluisteren. Overleg. Uiteindelijk het zachte kloppen op de slaapkamerdeur. De verpleegster stond op en opende de deur op een kier. Schichtig keek Shelley die kant op. Tussen haar handen en haar haarpieken door. Ze zag heel even de rand van het bad. Heel herkenbaar. Natuurlijk, ze had er zich jarenlang in gebaad. Iemand zat in het bad. Iemand met zijn kleren nog aan en met zijn rug naar haar gericht. Een rijzige man, waarschijnlijk de dokter van het medische interventieteam, stond naast het bad. Hij sprak rustig met de verpleegster, die onophoudelijk knikte. Nu waren dus wel woorden nodig. Hij keek in haar richting en even later sloot de verpleegster de deur. Shelley draaide haar ogen weg. Ze wist wat komen zou en wilde er niets mee te maken hebben. Ze wilde de woorden van de vrouw niet aanhoren, ze wilde haar blik niet ontmoeten. Shelley was bang van de waarheid. Bang dat die haar leven zou verscheuren en haar onnoemelijk veel pijn zou doen. Misschien... als ze haar handen op haar oren gedrukt hield... en haar ogen hard dichtkneep... dan...

"Mevrouw?"

De zachte stem van de verpleegster. Shelley Cockroft probeerde die te negeren. Ze wiegde voor- en achteruit met haar bovenlichaam.

"Mevrouw? Mijn collega zal de politie verwittigen. Uw echtgenoot is... niet meer in leven."

Shelley Cockrofts geest arriveerde aan de rand van een onpeilbare, zwarte afgrond. Achter haar brandde haar verleden op. Er was maar één mogelijkheid voorhanden. Ze kneep haar ogen dicht en zette mentaal een stap naar voren.

6. Raven Daramantez
Het mysterie breidt zich uit

Maandag, 13 juni 2005.

Luitenant Raven Daramantez beet net het topje van een punt vispizza af, toen het telefoontoestel op haar tafel zoemde. Ze knabbelde de lekkernij haastig fijn, slikte ze door en bracht de hoorn tot tegen haar oor. In een automatisme negeerde ze geluiden van de aanwezige politiemensen in haar buurt.

"Goedemiddag, met Daramantez."

"Middag, met Will Kamen."

Raven ging rechtop zitten. Ze had het onderzoek graag nog wat langer in haar bezit gehouden. Waarschijnlijk had Kamen via een onofficiële weg vernomen dat de dood van Rasschino een zuivere zelfmoord was en belde hij nu om 'zijn' zaak weer op te eisen. Niet dat ze het tot een discussie zou laten komen, en niet dat Kamen op zijn strepen zou staan. Ze verwachtte een hartelijk en open gesprek met het voor haar bekende en gevreesde resultaat. Dus begon ze luchtig, want het allerlaatste wat ze met Kamen wilde, waren problemen. Wat volgde, kwam als een totale verrassing voor haar.

"Hey... alles okay?"

"Wel... met mij persoonlijk is alles in orde, dat is het probleem niet, maar... ik vermoed dat je beter eens naar Yellowmoon komt."

Raven fronste haar fijne, lange wenkbrauwen. Dat had ze nu niet verwacht.

"Ah? Nieuwe gegevens?"

"Meer dan dat, Raven. Een nieuwe zaak zelfs."

"Nog een... moord?"

"Neen, nu is het een zelfmoord, heel zeker. We hebben een getuige, maar ik had graag jouw mening gehad. Zeker na wat we verleden vrijdag met die Rasschino-kerel hebben meegemaakt. Wij zijn drie dagen later en er doet zich in een stadje als Yellowmoon opnieuw zo'n vreemde zaak voor."

Raven ging mogelijk nog meer rechtop zitten. Ze had het politiekorps van Yellowmoon reeds geïnformeerd over de juiste identiteit van Haylans lijk, want ze wilde hen nu ook niet in het ongewisse laten. Het was toch een inwoner van *hun* dorp. Samenwerking hoorde efficiënt te zijn. Maar het vreemde aan dit telefoontje was dat Will Kamen haar mening voor een pure zelfmoord wilde.

"Waar word ik verwacht?"

"Willow Lane, naast het kerkhof. Je zal onze wagens wel zien staan."

"Ik kom eraan.

"Tot straks."

Er werd dichtgelegd. Raven Daramantez had de indruk dat Kamen verdomd blij was dat ze haar medewerking wilde verlenen. Toen ze langs Deke passeerde, tikte ze op zijn schouder.

"Ja?"

"Hou je maar klaar!"

"Wat is er loos?"

"Dat weet ik nog niet, maar ik vermoed dat Kamen het ook nog niet weet."

Raven had geen moeite om het juiste huis te vinden. Er stonden enkele politiewagens, een ambulance en zelfs de pers was er reeds. Ongenode gasten werden op een afstand gehouden. Slecht nieuws verspreidde zich verdomd snel. Ze stalde haar Dodge Stratus achter de ambulance omdat dat de enige vrije plaats was. Will Kamen kwam op haar af van zodra hij haar uit haar voertuig zag stappen. De begroeting was kort.

"Dag, Will, het is *druk* hier?!"

"Hey... zeg dat wel. Het slachtoffer is Jeffrey Cockroft, de onderdirecteur van Yellow Junior and High, een school hier vlakbij. Een kerel die blijkbaar hoog aangeschreven staat of stond in de hogere kringen van het stadsbestuur. Daarom al die heisa."

Will Kamen draaide zich om en liep in de richting van de voordeur. Een geüniformeerde, zwarte agente hield er als het ware de wacht. Raven haastte zich achter hem aan.

"Je sprak van een getuige?"

"Zijn vrouw... en een buurman."

"Is alles onaangeroerd?"

"Alles is gebleven zoals de plaats werd aangetroffen. Enkel de waterkraan werd dichtgedraaid."

"Kraan?"

"Je zal het wel zien. Het is heel vreemd. Ik moet zeggen... ik ben al vijftien jaar in dienst, ik heb al veel gezien en meegemaakt, maar dit gaat boven mijn petje. De ene zelfmoord is nooit als een andere, maar dit hier..."

De zwarte agente knikte vriendelijk in Ravens richting. Raven merkte dat de vrouw prachtige ogen had. Will Kamen ging de woning binnen. Enkele agenten hielden zich beneden op, er was niemand bij die ze kende. Ze volgde hem de trap op.

"We moeten naar de badkamer."

"Heeft hij zich in het bad de polsen overgesneden?"

Die versie had Raven ettelijke keren meegemaakt. Maar omdat Kamen zich zo vreemd gedroeg, vermoedde ze dat het deze keer iets anders was.

"Neen... hij heeft... nou, we zijn er... kijk zelf maar."

Will Kamen stapte als eerste op de overloop en wees links naar een deur waar ook een agent bij stond. Blijkbaar werd alles hier bewaakt. Het was duidelijk dat de deur met geweld was geopend. De stijl was ter hoogte van het slot verwrongen. Raven begreep niet waarom, maar ze voelde haar hart bonken. Misschien om de mysterieuze sfeer die Kamen rond de ganse zaak schiep. Ze stapte als eerste verder en hoorde dat Kamen haar volgde.

De agent stapte opzij en maakte de doorgang vrij. De deur was ter hoogte van het slot zelf ook serieus toegetakeld. Iemand heeft de deur met veel geweld willen openen en is daar uiteindelijk in geslaagd. Raven nam alles in zich op. Elk detail was noodzakelijk om een duidelijk beeld van de situatie te krijgen. Ze probeerde zich te concentreren. De kamer was vrij groot en het bad, het deel dat de meeste ruimte in beslag nam, bevond zich tegen de tegenovergestelde muur. Jeffrey Cockroft zat rechtop in het bad. Ze zag een gedeelte van zijn rug, zijn schouders en zijn hoofd. Het eerste wat haar opviel, was dat hij niet had plaatsgenomen zoals iemand 'normaal' in een bad zit. Hij zat niet in de lengte, wel in de breedte. Het tweede punt dat haar aandacht vroeg, was zijn hoofd. Dat was volledig omwikkeld door een glanzende materie.

"Plakband."

Raven schrok op toen ze Kamens stem achter zich hoorde. Toen ze omkeek, wees hij op het hoofd van het slachtoffer.

"Zijn hoofd... met plakband... kijk maar."

Hij wrong zich tussen de deurstijl en haar lichaam, waardoor zij besefte dat zij nog geen stap verder had gezet. Will Kamen stapte tot bij het bad, wees erin en zei:

"Toch wel een vreemde manier om jezelf om zeep te helpen. Daarom had ik graag dat je het met je eigen ogen kon zien. Zeker na Haylan. Kijk hier eens."

Raven liet een zucht ontsnappen. Ze begreep zichzelf niet. Wat was er met haar gaande? Het was de eerste keer dat zij *aarzelde*? Dat was haar gewoonte niet. Uiteindelijk overwon ze haar twijfels en stapte tot naast Kamen.

"Kijk naar zijn handen."

Raven had nu een volledig zicht op Jeffrey Cockroft. Hij was nog volledig gekleed, met schoenen en al. Hij zat in kleermakerszit (in de breedte) in het bad. Zijn polsen waren op zijn rug in handboeien geslagen. De horizontale buis van de thermostatische kraan die uit de muur kwam, zat in zijn mond tot diep in zijn keel. Zijn hoofd en de twee draaistoppen waren onwrikbaar met elkaar verbonden door de plakband. Niets van zijn hoofd was vrij.

"Die kerel heeft veel gedronken, maar niet genoeg."

"Niet grappig, Kamen."

"Sorry..."

"Ik bedoel dat niet... waarom zou iemand al die moeite doen? Net als Haylan verleden vrijdag?"

"Tja? Er kan onmogelijk een verband zijn... toch zeker niet op het eerste zicht. Het verdere onderzoek zal dat moeten uitwijzen."

Raven rechtte zich.

"Ik vind het vreemd. Je hebt een getuigenverklaring die zegt dat hij dit alleen heeft gedaan? Plakband en handboeien?"

Kamen knikte.

"Nog onofficieel, maar zijn vrouw heeft in het ziekenhuis verklaard dat hij zich de laatste weken heel vreemd gedroeg. Hij is vandaag niet op school geweest. Vanmorgen is hij volgens haar ergens naartoe gegaan en toen hij weer thuiskwam, wilde hij een bad nemen. Hij heeft de deur achter zich gesloten. Dat wordt bevestigd door de buurman bij wie de vrouw om hulp ging en door de mensen van de medische interventiedienst. De badkamerdeur was aan de binnenkant gesloten."

Raven keek om zich heen. Geen venster. Geen andere manier om binnen of buiten te geraken dan de ene deur.

"Dus, die kerel heeft zich met zijn kleren aan dwars in het bad gezet. Hij heeft de waterbuis in zijn mond genomen. Vervolgens heeft hij zijn hoofd en de kraan volledig met plakband omwonden, zodat hij voornoch achteruit kon bewegen. Hij heeft zelfs zijn ogen dichtgekleefd. Daarna heeft hij het water op het koudst gezet en laten lopen. Hij heeft daarbij nog zijn eigen polsen in de boeien geslagen zodat er absoluut geen weg meer terug was. Dat klopt?"

Kamen had blijkbaar geen problemen met Ravens vorm van voorstelling. In die volgorde moet het inderdaad gebeurd zijn. Hij knikte.

"Zal wel. Ik zie niet in op welke andere manier – als er niemand anders bij betrokken is – hij het voor mekaar heeft gekregen."

"De deur was vanbinnen gesloten?"

"Absoluut! Zoals ik al zei: de brandweermannen hebben de deur moeten openbreken. Omdat datgene wat ze aantroffen, zo opmerkelijk was, hebben ze ons verwittigd en alles onaangeroerd gelaten."

"De man wilde dus dood. Maar waarom zo opvallend? Haylans dood was al even opmerkelijk."

"Misschien wilde hij de aandacht op iets vestigen?! Misschien wilde hij eens op een andere manier in de kijker komen. Mensen gaan er voor allerlei redenen vandoor, dat weet jij ook."

Raven knikte. Dat wist ze inderdaad.

"Okay... ik heb het gezien. Het is inderdaad een zelfmoord, dus... jouw departement."

"Geen enkel probleem. Ik heb foto's laten nemen en wat zich hier bevindt, wordt in beslag genomen."

"Wat is dat daar?"

Raven wees op een zak die achter Kamen in de verste hoek van de kamer lag. Hij draaide zich om en keek waar zij naar wees. Hij haalde zijn schouders op.

"Blijkbaar een plastieken zak. Soort boodschappentas."

"Mag ik?"

"Tuurlijk!"

Raven raapte de zak op en streek die effen. Op een kant stonden letters.

"*The Workman's Shop* in Garland? Is mij onbekend."

Ze opende de zak en viste er een stukje papier uit.

"Een kasticket. Op vandaag gedateerd. Voor de aankoop van vijf rollen plakband. Bingo."

Will Kamen voelde zich onwennig bij de situatie. *Zij* heeft het ticket gevonden, *zijn* mensen niet. Hij probeerde zijn geschonden imago nog wat op te vijzelen.

"Ik laat aan zijn vrouw vragen of zij hem met die tas heeft gezien. Die zal door de brandweermannen of de ambulanciers opzijgeschopt zijn tijdens hun handelingen."

Raven Daramantez glimlachte. Ze overhandigde hem de zak.

"Weet je wat, Will, ik rij daar wel even langs. Ik kijk over welke zaak het gaat en laat jou iets weten. Gewoon een kwestie van elkaar bij te staan. Samen staan we sterker."

"Met plezier..." mompelde Kamen.

Nadat Raven weer vertrokken was, gaf Will Kamen de opdracht om alles wat zich in de badkamer bevond, in beslag te nemen. Van de grootste kartonnen doos tot het allerkleinste schaamhaartje. Alles kan van belang zijn, zei hij er nog bij. De brandweerlieden werden er bij geroepen om het lichaam van Jeffrey Cockroft uit het bad te bevrijden. Het mocht overgebracht worden naar het mortuarium van hetzelfde ziekenhuis waar ook Haylan Rasschino lag. Haylan was geopend en ondertussen reeds opnieuw gedicht. Hetzelfde wachtte de weledele heer onderdirecteur Jeffrey Cockroft.

7. Melchior Multcher
Een nieuwe vlaag van paniek

Maandag, 13 juni 2005.

Melchior stalde zijn fiets in de garage. Zijn eerste werkdag voor die week zat erop. Hij loodste zichzelf langsheen de rekken met niet langer gebruikt werkmateriaal – allemaal eigendom van zijn vader Abraham – en begroette zijn moeder in de keuken. Het rook er enorm lekker. Zijn maag reageerde op de geur, die hij al in de garage had opgevangen, door hevig te protesteren. Die wilde duidelijk aandacht onder de vorm van vast voedsel. Het avondritueel was herkenbaar. Hij plaatste zijn tas naast de keukentafel op de grond. Zijn ma ledigde die wel, het hoorde bij het ritueel.

"Hallo, hoe ging het?"

De eerste geijkte vraag van zijn ma.

"Goed, veel werk, allemaal mensen van de streek."

Het geijkte antwoord van Melchior.

"Het eten staat op tafel."

Die woorden sprak Eva Multcher altijd uit met haar rug naar haar pas binnengekomen zoon omdat ze op dat moment reeds een gedeelte van de afwas verwerkte. Dat bespaarde haar tijd na het avondeten.

"Het ruikt lekker."

"Gebakken aardappelen, biefstuk, sla en tomaten. Ga maar zitten, pa komt zo."

Melchior wist dat zijn pa 'zo' kwam. Die zat zoals altijd voor het televisietoestel. Hoewel hij nog maar zestig was, was wezenloos naar de bewegende beelden zitten kijken het enige wat de brave man nog kon verrichten. Drie jaar eerder had hij een 'tikje' aan het hart gehad, in het ziekenhuis gevolgd door een 'haperingetje' in zijn hoofd. Abraham was sedertdien niet dezelfde meer. Er waren gelukkig geen verlammingsverschijnselen opgetreden, maar Abe was traag geworden. Traag en een beetje 'achter'. Hij kon over alles meepraten, maar kon de draad van het gesprek dat hij soms zelf gestart was, niet lang volgen. Eva verzorgde hem goed, zij hielden nog evenveel van elkaar als vroeger, toen alles nog in orde was. Eva klaagde nooit. *Als het zo is, dan* moet *het zo zijn. Het is de wil van Die Kerel van Hierboven.* Melchior wist dat ze daarmee God bedoelde, maar hijzelf twijfelde. Het leek hem veel te gemakkelijk om volledig op een figuur als een god te vertrouwen. Als alles goed ging, was Hij in een goede dag. Liep het verkeerd, dan was het ook Zijn wil. Als Hij dan net een slechte dag had, waren sommige van zijn scheppingen dan net het slachtoffer? Normaal moest hij nog twee oudere broers hebben, maar blijkbaar had Hij daar destijds anders over beslist. Was dat rechtvaardig? Hadden die twee onschuldige mensen dan geen recht om te leven? Melchior Multcher had daar zo zijn eigen bedenkingen bij. Was het noodzakelijk dat er iemand bestond die kon worden beschuldigd als er zaken verkeerd liepen? Hartaanvallen en bloedklonters in de hersenen waren jammerlijk genoeg de normaalste zaak in de medische wereld. Alles was *natuurlijk*. Het menselijke lichaam kende kwalen, er kon af en toe iets mank lopen. Wat probeerden mensen als zijn ouders dan te bereiken met te zeggen dat ze het heil aan God te danken hadden en het onheil op de schouders van God rustte? Voelden zij er zich beter door? Of leden zij dan onder de druk van het besef dat zij door Hem gestraft werden? Indien dat zo was, wat probeerden ze daar dan mee te bereiken?

Melchior Multcher was geen intellectueel, maar ook niet iemand die nooit over het leven nadacht. Hij observeerde graag, analyseerde graag. Eigenlijk was hij op zijn persoonlijke manier een beetje een filosoof. Hij besefte dat sommige mensen kracht putten uit hun geloof in een goddelijk wezen en dat vond hij positief. Voor hen was een gebed inderdaad helend. Maar hij vond dat geloof geen manier mocht zijn om verkeerd om te gaan met tegenslagen. Iedereen deelde een stukje verantwoordelijkheid als zaken niet liepen zoals ze wilden. Zelfs soms op medisch vlak. Niet iedereen volgde het dringende advies van een geneesheer op, niet iedereen hield zich aan de regels van de noodzaak om gezond te leven.

"Zijn er veel kruiden op het vlees?

Met zijn moeder sprak hij het best over heel triviale zaken. Het weer, het eten, de buren (niet over iedereen – de overbuurvrouw Hanna werd altijd gemeden) en wat er zich die dag in Yellowmoon had afgespeeld. Veel dieper gingen de losse gesprekken niet.

"Jawel, daar komen die lekkere geuren uit los... Abe?"

"Ik kom."

Abrahams stem klonk vanuit de woonkamer. De televisie werd uitgeschakeld. Melchior hoorde de veringen van de zetel kraken toen zijn vader opstond. Hij hoorde de slepende voetstappen. Hij kon ze tellen. Elke dag hetzelfde aantal slepende passen tot zijn vader om de hoek verscheen. Gevolgd door de begroeting.

"Dag, zoon. Rustige dag gehad?"

"Dat ging nogal."

Gevolgd door Abe die op het aanrecht naar de transistorradio reikte en die aanschakelde. Sedert zijn aanvalletjes (zoals hij de aandoeningen zelf omschreef) had hij constant behoefte aan omgevingsgeluiden. Stille momenten maakten hem nerveus. Omdat aan tafel weinig werd gesproken, liet hij zich nooit op zijn stoel neerploffen eer de radio speelde. Iemand die at, sprak niet. Nog zo'n overtuiging in het modale gezin Multcher. Dus aten ze samen in stilte. Op de achtergrond zongen Madonna, gevolgd door Prince en vervolgens nog enkele anderen. Er werd ook gesproken, maar waar het gesprek over handelde, interesseerde niemand. Het ging enkel maar om het geluid.

Melchior begaf zich bij zijn thuiskomst meestal eerst naar zijn kamer om zich wat te verfrissen. Maar vandaag was het een klein beetje anders: het eten was helemaal klaar en Eva hield er niet van dat het koud werd. Wat ze had voorbereid, was inderdaad voortreffelijk. Eva was een sublieme huismoeder. Wassen, strijken, boodschappen doen en eten maken. Het volledige huishouden nam ze (haar ganse leven al) op haar schouders. Ze wilde namelijk niet dat Abe een nieuwe 'draaiing' kreeg. Om die reden was *zij* altijd in de weer en keek *hij* de ganse dag televisie.

Na het eten herhaalde alles zich, maar dan in omgekeerde volgorde. Abe stond op, zette de radio uit en nam weer in zijn zetel plaats. Het televisietoestel werd weer leven ingeblazen. Eva ruimde de tafel af en werkte haar afwas verder af. Melchior trok zich op zijn kamer terug. Hij had zijn tijdschriften, zijn oldtimers en zijn dromen.

Het was één uur later, rond de klok van negenen, dat hij naar beneden kwam om een slok frisdrank te drinken. In de ijskast stond altijd wel iets fris. Eva was nog steeds in de keuken bezig. Alles was opgeruimd, maar blijkbaar vond ze het een zonde om het oude brood weg te werpen. Dus maakte ze broodpudding. De afwas van het avondmaal was reeds verwerkt, maar nu stond het aanrecht alweer boordevol. Eva werkte bijna dag en nacht in die keuken. Abe keek bijna dag en nacht naar de televisie. Melchior hield zich dag en nacht bezig met zijn dromen en zijn hoopvolle verwachtingen van wat het leven hem mogelijk nog te bieden had. Omdat ze hem in de ijskast bezig hoorde, zei Eva zonder om te kijken:

"Ik maak broodpudding. Morgenvroeg is die klaar en kun je een paar stukken meenemen. Neem er eentje extra voor Ottie mee."

Melchior dronk een flinke slok cola uit een geopende fles, onderdrukte een boer en zei:

"Ma... je weet dat ik niet veel met Ottie Pelch op heb. Het is een etter. Ik ben niet van plan mijn eten met hem te delen."

"Komaan, jongen, een beetje meer eerbied voor je medemensen. Ottie werkt ook maar voor zijn boterham. Hij kan het als een vriendschappelijk gebaar zien."

"Ottie lacht met alles en iedereen. Het is een zonde van jouw werk, ma. Heel waarschijnlijk spuwt hij het uit, zelfs al vindt hij het lekker, enkel en alleen maar om de klootzak uit te hangen."

"Let op je taal, Melchior. In dit huis worden dergelijke schadelijke woorden niet gezegd."

Melchior zweeg, plaatste de colafles terug en sloot de ijskast. *Schadelijke* woorden. Schadelijk voor wat? Vloeken was verboden. Ketteren was verboden. Godslastering was verboden. Kwaad spreken over anderen was verboden.

Onkuisheid was verboden.

De jonge Melchior leerde met het verlopen van de jaren hoe hij zichzelf kon aftrekken zonder dat zijn ouders dat te weten kwamen. Het was in die periode van zijn toen nog jonge leven dat hij de afschuwelijke ervaring met Jeffrey Cockroft meemaakte. Hijzelf begon er vroeg aan, hij was toen net twaalf. Ferme zaadlozingen tussen de beddenlakens met de nodige vochtige, onwel riekende plekken als gevolg. Maar ook met de nodige krijsbuien en hysterisch gegil als gevolg. De kleine Melchior begreep zijn moeder niet toen zij zich als een gek gedroeg toen ze voor het eerst zijn nachtelijke activiteiten opmerkte. *Hij heeft zichzelf bevuild, het is zover. Eerst zichzelf, nu komen de sletten!* Zijn vader probeerde haar te kalmeren, maar er ontstond toen zelfs ruzie tussen die twee. Eva wilde er niets over horen. Hij had zichzelf bevuild, hij had verkeerd gedaan, het was... *vuil.* Vuil, blijkbaar synoniem van *verkeerd*, in haar ogen... in Zijn ogen. Nochtans... Hij had het blijkbaar toegelaten?

Toen hij klein was, wachtte hij op een straf. Eva had het hem op het hart gedrukt. Hij moest met die vuile dingen stoppen, want anders zou hij gestraft worden. Maar de jonge Melchior stopte niet. Het bezorgde hem veel te veel plezier. Het deed zelfs 'deugd' en wat kon er nu slecht zijn aan iets dat 'deugd' deed? Later begreep hij dat zijn moeder paniekerig had gereageerd op wat zij zag als het 'ouder' worden van haar overgebleven zoon. Ouder worden betekende voor haar waarschijnlijk dat het moment naderde dat hij ook andere dingen voor zichzelf kon doen... zodat hij haar liefde niet langer nodig had, zodat haar taak als moeder overbodig werd.

De ervaring met Jeffrey Cockroft in de schooldouche had hem wel geschokt, maar dat handelde over iets anders. Hij had daar namelijk afgeleerd blindelings te geloven in de goedheid van de mensen om zich heen. En dat had niets met masturbatie te maken. Dat was gewoon heerlijk. Hij trok zich dagelijks af. Hij leerde de kneepjes om het onopvallend te doen. Wegwerpdoekjes, geurverdrijvers, trekpartijen in open lucht... alles om de toorn van zijn moeder niet op zijn hoofd te krijgen. Maar het bleef verkeerd wat hij deed. Een straf zou ongetwijfeld volgen. Het zwaard bleef boven zijn persoontje bengelen. Eva wist dat haar zoon het bleef doen, dat hij zichzelf bleef bevuilen en Hij ongetwijfeld wachtte tot Zijn geduld op was. Hij gaf zijn schapen altijd het nodige respijt, tot Hij merkte dat zij van geen ophouden wilden weten. Op dat moment kwam Hij tussen. Met een straf. Dat was Eva's overtuiging.

Bij Melchior kwam dat in de vorm van een afschuwelijke acne die zijn gezicht en nek op een heel korte tijd in een afschuwelijk gestolde brij van korsten en pus omtoverde. Dat was het enige moment in zijn leven dat Melchior getwijfeld had. Kwam het nu echt doordat hij zichzelf dagelijks aftrok dat... had God hem nu echt dáárom gestraft? Had zijn moeder gelijk? Waren haar overtuigingen de waarheid en had hij het al die tijd verkeerd voorgehad? Werd hij niet alleen gestraft om de viezigheden waar hij van hield, maar ook om zijn ongelovige gedrag en godslasterende denkpatronen?

Naarmate hij ouder werd, bleven de gevolgen van de acne duidelijk

zichtbaar en verdween de huiduitslag eigenlijk nooit helemaal. Integendeel. Af en toe, naar aanleiding van een voor hem onverstaanbare
oorzaak, werd zijn gezicht (en schouders – soms tot halverwege zijn
rug) aangevallen door een immense massa vieze, geelpuntige uitstulpingen die bij het openbarsten stonken. Zijn gezicht *stonk* dan. Het
was gruwelijk. Het was alsof zijn huid wegrotte. Eva had een lange
tijd gezegd dat hij de enige schuldige was. *Je moet het maar weten, ik*
heb je gezegd dat je ermee moest stoppen. Je draagt nu de gevolgen van je
schuldige gedrag.
Maar Melchior had niet alleen een lelijk gezicht. Wat dan met zijn vervormde voortanden en zijn kleine, magere lichaamsbouw? Wat daarmee? Wat had hij mispeuterd om dat te verdienen?
De dokter brabbelde over een extreem erge vorm van acne die weliswaar eigen was aan de puberteit, maar toch niet in die erge mate.
Pillen en zalfjes werden voorgeschreven. Er kwamen honderdduizend
ontsmettende doekjes en geurende lotions aan te pas. Speciale kruiden werden eveneens aangewend. Zelfs fruit- en modderbaden. Niets
hielp. Melchior wás lelijk en bleef lelijk. Aan zijn gestalte viel niets te
wijzigen. Eens klein, altijd klein. Over die twee voortanden werd niet
gepraat. Voor correcties van die aard hadden de Multchers geen geld.
Melchior was als puber 'het' prototype om gepest te worden. Iets wat
veelvuldig voorviel.

"Ik bedoel enkel dat hij jouw gebak niet zal appreciëren. Ottie vreet
enkel chips en fastfood."
Eva haalde haar schouders op. Ze hield er niet van als iemand haar
tegensprak. Melchior trok nogmaals de deur van de ijskast open. Een
halve fles fruitsap viel hem op. Die had hij daarnet niet opgemerkt.
Eigenhandig geperst uit aangekochte sinaasappelen. Natuurlijk Eva's
werk. Hij haalde de fles uit het rek, draaide de schroefdop los en bracht
de fles in de richting van zijn mond. Eva keek over haar schouder in
zijn richting en haar blik sprak boekdelen. De rand van de flesmond
bleef twee centimeter voor zijn onderlip hangen. Hij kende die blik.
Hij wist wat dat betekende. Hij was weer eens verkeerd bezig. *In dit*
huis wordt niet uit een fles gedronken. Dat is voor dronkaards, voor zuip-
lappen. Hier gebruikt men een glas.
Melchior zette de fles op de tafel. Uit een kast boven de ijskast haalde

hij een glas. Terwijl hij het vulde, vroeg zijn moeder:

"Heb je het laatste nieuws al gehoord?"

Melchior had het waarschijnlijk nog niet gehoord. Het kon niet erg zijn, want dan had hij minstens al flarden aan het pompstation opgevangen. Niet ingaan op wat zijn moeder zei, was 'verkeerd'. Dus – terwijl hij het glas naar zijn mond bracht – zei hij:

"Neen... wat is er gebeurd?"

Hier komt het. Een koud gevoel in zijn maag. Nog voor hij dronk.

"Je herinnert je Yellow Junior nog?"

Ijskoud. Waarom begint zij nu over de school?

Melchior dronk. Het koude fruitsap klokte door zijn slokdarm en kwam in zijn maag bovenop de cola van daarnet terecht. Maar daar was het al ijskoud. De spieren rond dat orgaan trokken zich samen. Yellow Junior. De school!

"Wel?"

Melchior had niet onmiddellijk antwoord gegeven.

"De school, ma. Ik... herinner me de school natuurlijk."

"Nu heet die Yellow Junior and High. Die twee afdelingen zijn samengesmolten, dat weet je toch!"

"Dat weet ik, ma, in mijn tijd waren er enkel kleuterklassen en lager onderwijs."

"Dus nu ook middelbaar. Maar ken je nog leraars van vroeger?"

Melchiors knieën knikten. Hij wilde het lege glas op de tafel neerzetten, maar tien centimeter boven het blad liet zijn hand zijn vracht reeds los. *Leraars? Mijn God... nu al?!* Het glas kwam met een klop op het tafelblad terecht, tuimelde omver, maar brak niet. Eva Multcher draaide zich geschrokken om.

"Wat is er? Zet dat glas rechtop. Je bent zo bleek!"

"Wat gebeurt er?" riep Abe uit de woonkamer boven het geluid van de televisie uit, "is er iets kapot?"

Melchior leunde met beide handen op de stoel voor hem. Hij voelde zich misselijk worden. De gedachte alleen al.

"Alles is in orde, Abe. Melchior liet een glas vallen."

Ze richtte zich, met haar handen in een handdoek verborgen, naar haar vierendertigjarige zoon.

"Wat scheelt er?"

Melchior schoof de stoel achteruit en ging zitten. Koud zweet bedekte zijn gezicht, nek en handen.

"Ik weet het niet... ik voel me ineens niet goed."

Eva haalde haar schouders op en draaide zich terug naar haar bezigheden op het aanrecht.

"Het gaat over een van de leraars. Degene die later onderdirecteur werd. Meneer Blocoft of zoiets."

"Cockroft," zei Melchior met een schurende stem.

"Wat?"

"Zijn naam is Cockroft. Jeffrey Cockroft."

"Ja, dat is het. Meneer Cockroft."

In Eva's ogen was iedereen die ook maar één stapje hoger dan zijzelf op de maatschappelijke ladder stond, het waard om met *meneer* of *mevrouw* te worden betiteld. Zeker mensen die een waardige positie bekleedden. Melchior hoefde de volgende vraag niet te stellen. Hij wist reeds wat haar antwoord was, maar toch stelde hij die.

"Wat is er met hem?"

"Je weet het niet?

"Neen... ik... heb niets gehoord."

"Hij heeft deze voormiddag zelfmoord gepleegd."

Een golf warm en halfverteerd eten stuwde zich vanuit zijn zich samentrekkende maag door zijn slokdarm naar boven. Maar tot effectief braken kwam het niet. Hij proefde enkel een vieze, zure smaak en verbeeldde zich dat zijn mond vol stond met een slijmerige, groene smurrie. Waarschijnlijk was dat ook zo. Zijn ogen traanden. Hij stond op en leunde weer met beide handen op de leuning. Jeffrey Cockroft had zelfmoord gepleegd. Hij wist het. Zijn moeder hoefde het niet te vertellen. Eerst Haylan Rasschino en nu Cockroft.

"Je zegt niets?"

Melchior probeerde te slikken. De smaak was afschuwelijk.

"Wat?"

"Je zegt niets. Je kent hem toch?"

"Hij was onze... gaf sport. In mijn tijd was hij sportleraar."

Eva Multcher startte een gesprek dat veel weghad van een monoloog. Ze verwachtte geen tegenspraak of ondersteuning. Ze uitte enkel waar ze in haar hoofd mee bezig was.

"Ik vraag me af waarom mensen dat doen. Hij had toch een aanzienlijke positie. Hij had het tot onderdirecteur geschopt. Ik ken hem niet persoonlijk, maar ik weet dat hij altijd samen met zijn vrouw naar de kerk kwam. Ze zagen er heel gelukkig uit en..."

Melchior luisterde niet. Het kostte hem moeite om rechtop te staan. Het draaide binnenin zijn hoofd. Eerst Rasschino, nu Cockroft. De juiste volgorde zelfs. *Het lukte dus echt*?! Melchior hoorde de geluiden van de televisie in de woonkamer en de woorden die zijn moeder sprak. Maar alles leek afkomstig uit een andere wereld. Op dat moment was hij op een totaal andere plek. Station Paniek. Daar was hij aangekomen. *Het lukte*! Wat nu? Hij wilde de stoel waarop hij ondertussen leunde, niet loslaten, bang voorover te zullen vallen. Maar hij kon daar ook niet blijven staan. Eva Multcher brabbelde verder, met haar rug naar hem gericht, haar handen klevend van de pudding waar ze mee bezig was. Hij hoorde haar bezig over het feit dat het haar mening was dat er veel anderen waren die het veel meer verdienden om 'weg' te gaan dan brave mensen zoals die meneer Cockroft. Maar Gods wegen waren ondoorgrondelijk en degene die er probeerde een systeem in te vinden, geraakte hopeloos verloren in het onmogelijke labyrint van redenen, oorzaken, straffen en beloningen. Vragen stellen had geen zin, volgens Eva, enkel ondergaan wat op je afkwam. Het kwam uit Zijn hand, daarbij moesten geen vragen gesteld worden. Rechtvaardigheid geschiedde voor Zijn altaar altijd.

Melchior Multcher had absoluut geen oor voor het orakelen van zijn moeder. Hij werkte zichzelf rechtop en wachtte tot het bruisen binnenin zijn hoofd voorbij was. Het duizelen en de dans van de zwarte ballen voor zijn ogen. Dat moest ook nog verdwijnen.

"Wat ga je doen?"

Melchior opende zijn ogen. Dat meende hij toch, maar door het horen van zijn moeders stem vlak naast zijn oor, verdwenen de zwarte bollen op slag. Hij keek opzij en zag dat zij naast hem stond. Aan zijn kant van de tafel. Hij had haar niet zien bewegen.

"Ik heb behoefte aan... verse lucht. Ik loop nog even buiten."

"Je bent zo bleek? Ben je misselijk? Het eten was toch goed?"

Melchior wilde dat ze opzij ging. Waar ze stond, blokkeerde ze de weg naar buiten.

"Het eten was goed, ma. Ik moet even..."

Hij draaide zich om, liep op halfzachte benen om de keukentafel heen en slofte ongemakkelijk tot in de garage. Eva keek hem na en keerde zich hoofdschuddend terug naar de handelingen waar ze mee bezig was. Haar man reageerde vanuit de woonkamer.

"Wat scheelt er met hem?"

"Ik weet het niet, Abe. Jaag je er niet in op."

"Doe ik niet, doe ik zeker niet. Is hij weg?"

"Hij wil een luchtje scheppen."

"Dat kan hij toch binnen ook! Is hier geen lucht genoeg? Ik heb lucht genoeg. Jij hebt lucht genoeg. De kanarie heeft lucht genoeg, waarom moet..."

"Je jaagt je op, Abe, hou je rustig."

"Branieschoppers!"

Eva beet op haar lip. Misschien was het de hoogste tijd dat haar resterende zoon de ware vond. Hij was oud genoeg om op zijn eigen benen te staan en had vast en goed werk. Het zou haar enorm veel pijn doen hem uit de ouderlijke woning te zien vertrekken. Ze wilde ook *hem* niet verliezen. Eva veegde een traan van haar wang weg.

Het begon donker te worden. Melchior Multcher stopte nadat hij de garage was uitgereden en zorgde ervoor dat zijn fietslamp functioneerde. Niettegenstaande zijn hoofd compleet verward was, vond hij dat hij goed gezien moest worden. Hij had nagelaten een vest om te slaan, maar dat was het minste van zijn zorgen. Het was zijn gewoonte niet om tijdens de week er 's avonds nog op uit te gaan, maar dit was een uitzondering. Hij sloeg vanuit Church Street linksaf Splinter Road in en draaide iets verder County Route 332 terug linksop, richting Brandenberg. Hij keek niet eens naar 'zijn' pompen en 'zijn' hok aan de overkant van het kruispunt. Hij had andere zaken die hem bezighielden. Mensen die hem kenden, wisten dat hij niet over een wagen beschikte; anderen beschouwden hem als een sportieveling die er nog enkele kilometers uitperste, ten voordele van zijn gezondheid. Maar Melchior reed snel om een volledig andere reden. Hij wilde zo vlug mogelijk op zijn eindbestemming aankomen. Hij koerste over County Route tot op het kruispunt met Wooden Bridge Road. Daar sloeg hij rechtsaf en racete over de houten brug (waar die weg naar werd genoemd) boven Tongue Creek. Hij haastte zich over het kruispunt met Elm Road die naar dat lelijke gebouw met die grote antenne leidde en vervolgens voorbij dat met Carpenter Street aan zijn linkerkant.

Wat verder stopte hij bij een woning en wierp zijn fiets tegen de gevel. Hijgend duwde hij op de deurbel en bleef duwen. Hij bleef duwen. Het irriterende geluid was hoorbaar tot buiten. Hij bleef toch op de bel duwen. Ineens werd de deur opengetrokken. Een onverzorgde Lorne Dorganson keek hem heel onvriendelijk aan. Melchior schrok en liet de bel los. Het geluid hield op.

"Wat scheelt er met jou?"

Vanwaar hij stond, bereikte hem een naar een mengeling van bier en pizza stinkende adem. Melchior probeerde die te negeren en viel met de deur in huis.

"Eerst Rasschino, nu Cockroft."

Lorne had duidelijk te veel gedronken. Hij stond daar in zijn ondergoed. Een niet heel propere slip en een verkreukeld onderhemd. Op roze sloffen. Stoppelbaard en haar volledig in de war. Zijn ogen stonden waterig, alsof hij in de zetel had liggen slapen. Lorne keek enkele seconden niet-begrijpend naar de persoon die voor hem stond, deed vervolgens enkele onzekere stappen achteruit en zei:

"Kom binnen."

Op hetzelfde moment dat Melchior in Church Street aan de keukentafel ging zitten en wachtte tot zijn invalide vader vanuit de woonkamer de keuken binnensloffte, ontmoetten Raven Daramantez en Will Kamen elkaar bij de ingang van Garland Memorial Hospital. Ze hadden er afgesproken. Raven had eerder die namiddag een uitgebreid telefonisch gesprek gehad met Rachelle Winther, de pathologe, tevens één van haar (intieme) vriendinnen. Rachelle had hen beiden uitgenodigd om de afhandeling van de lijkopening bij te wonen. Ze vond dat er zaken besproken moesten worden. Zaken die hen beiden aanbelangden. Raven wist heel goed waarover Rachelle sprak. Het feit dat ze elkaar af en toe lichamelijk genot bezorgden, betekende niet dat hun werk daaronder kon lijden. Rachelles rapport omtrent het overlijden van Haylan Rasschino was af en wachtte in een van haar schuiven om kenbaar gemaakt te worden. Raven wilde haar vriendin niet in verlegenheid brengen en had haar in de namiddag opgebeld.

"Jij weet de weg, ik volg je... ik vergeet altijd waar ik heen moet, welke kant ik uit moet."

De doolhof onder het ziekenhuis leende er zich inderdaad toe om te verdwalen. Gezien Raven reeds meerdere bezoeken aan Rachelle had gebracht, zowel professioneel als om persoonlijke redenen, ging zij zonder problemen Kamen voor. Hij genoot daarbij van het zicht op haar ravissante kont in de jeansbroek. Kamen vroeg zich af of ze daaronder een string droeg.

"Het is een zelfmoord, Will."

Raven Daramantez had gesproken zonder zich om te draaien. Toch had hij zijn blik van op haar wiegende kont naar de achterkant van haar hoofd verplaatst.

"Natuurlijk is het zelfmoord. De deur was gesloten en..."

"Ik bedoel Haylan Rasschino. Hij heeft het allemaal zelf gedaan."

Kamen vertraagde zijn pas. Raven voelde dat hij haar niet meer volgde, vertraagde ook en draaide zich om. Kamen kwam op enkele meters voor haar tot stilstand.

"Dat is... op z'n minst vreemd. Hoelang ben je daar al zeker van?"

Raven zuchtte. Ze wilde haar collega niet voor het hoofd stoten. Ze wilde niet dat hij de indruk kreeg dat zij zaken achter zijn rug regelde – wat ze in feite wel degelijk had gedaan. Raven voelde zich schuldig.

"Er was ten eerste geen druppel bloed op het dak zelf. Ten tweede: het touw was op een welbepaalde manier aan zijn enkel en aan de ijzeren spijl vastgemaakt. Over de buitenkant van de borstwering. Hij moet dus eerst de knoop aan de spijl geknoopt hebben, vervolgens het touw via de buitenkant over de borstwering hebben gegooid, om die dan aan zijn voet vast te knopen. Daarna is hij bovenop de borstwering gekropen en heeft hij zich daar opengesneden. Dan is hij naar beneden gesprongen. Anders zou het touw aan de spil aan de binnenkant van de borstwering bevestigd zijn geweest en zou die na de sprong rond de borstwering gespannen hangen."

Kamen knikte. Maar Raven was nog niet uitgepraat.

"En daarenboven. Rachelles verslag wijst definitief op zelfmoord."

"Dat ben je zeker?"

"Haar mening ken ik reeds van verleden zaterdag. Ik hield het... probeerde het verslag een beetje... tegen te houden. Sorry daarvoor."

Raven bleef Kamen in het gezicht aankijken. Het kostte haar weinig moeite om het hoofd niet in schaamte te buigen. Kamen haalde de schouders op.

"Waarvoor die sorry?"

"Misschien wilde ik wel dat het een echte moord was, Will. Misschien wilde ik wat actie, wat écht werk. Van zodra ik wist dat het een zelfmoord was, besefte ik dat de kous voor mij af was. Alles ging terug naar jou."

Kamen glimlachte.

"Denk je nu werkelijk dat ik daarop zit te wachten?"

"Je vindt het dus niet erg?"

"Raven... helemaal niet! Eigenlijk moeten we veel meer samenwerken."

"Officieel kan dat niet, Will. Iedereen werkt op zijn eilandje. Moorden zijn voor mij, zelfmoorden voor jou."

"Onofficieel kan toch ook?!"

Raven schonk hem een stralende glimlach. Kamen bedwong zich om haar niet in zijn armen te nemen en te zoenen. Hoe kon iemand zo prachtig zijn?

"Komaan, Rachelle wacht op ons."

Opgelucht door de afloop van het gesprek, ging Raven haar collega voor tot in de snijkamer. De lijkgeur vulde de gangen toen ze de ontleedkamer naderden. Rachelle keek van haar handelingen op toen de deuren werden opengeduwd.

"Ha... eindelijk. Ik naai hem momenteel alweer dicht. Waar bleven jullie?"

Raven en Will probeerden de typische kleverige stank van geronnen en stollend bloed te negeren. Door de mond ademen hielp, maar was niet altijd afdoende. Jeffrey Cockroft lag naakt op zijn rug op de snijtafel. Hij lag in een plas lijkenvocht, vermengd met het vrijgekomen bloed. De hoofdhuid was met ruwe steken op z'n plaats genaaid. Rachelle manoeuvreerde de dikke, kromme naald met daarachter de zwarte draad door het dikke vel van Jeffrey's opengesneden buik.

"Nog even?"

"Doe maar, we wachten wel," zei Kamen.

Rachelle duwde de uitpuilende, gele vetlaag terug in de buikholte, die eerder al gevuld was met alles wat als afval beschouwd kon worden. Proppen watten, alle restanten van de ontlede ingewanden, een gescheurde handdoek, en eerder gebruikte flinterdunne handschoenen. Jeffrey's buik diende als stortbak. Niemand zou daarover klagen. Met twee vingers wrong ze de gele vetpulp terug naar binnen, eer ze de twee huidlappen strak tegen elkaar duwde om die vervolgens met grove steken aan elkaar te naaien. Op Jeffrey's borst en buik vormde zich uiteindelijk een grote I van zwarte steken. De pathologe knipte als laatste handeling de draad los. Daarna bedekte ze het naakte lijk met een van bloed doordrenkt laken. Ze trok haar eigen handschoenen uit, wierp die in een stortkokertje en waste haar handen zorgvuldig. Ondanks alles vond Raven dat haar vriendin er gracieus uitzag.

"Je hebt reeds met Will gesproken?"

Dat was Rachelles eerste vraag.

"Inderdaad. Alles is besproken."

"Dus moet ik niets meer verzwijgen?"

"Helemaal niet. Vanaf nu werken we... samen."

Rachelle draaide de waterkraan dicht, greep een handdoek beet en droogde haar handen.

"Prachtig... zolang er maar geen kinderen van komen."

Beiden glimlachten.

"Goed dan. Haylan Rasschino is een zelfmoord. Jeffrey Cockroft is een zelfmoord. Twee zelfmoorden in hetzelfde dorp, met slechts enkele dagen ertussen. Op zichzelf is dat helemaal niet speciaal of verdacht. Wat wel opmerkelijk is, is de manier waarop ze het gedaan hebben."

Kamen knikte.

"Dat is het minste wat je daarover kunt zeggen. 'Opmerkelijk' vind ikzelf nogal licht uitgedrukt."

"Haylan hakt zichzelf open, beide armen en buik en Jeffrey hier, die verdrinkt zich in zijn bad. Tussen haakjes. Hij is wel degelijk verdronken."

"Dat dacht ik al," zei Kamen.

Rachelle gaf ongevraagd meer uitleg.

"Het water stroomde in zijn maag tot hij zich verslikte. Niemand is in staat om uit een kraan stromend water op te drinken. De epiglottis... de strotklep raakte buiten werking. Het water stroomde de longen binnen, waardoor hij zich nog meer verslikte en vervolgens stikte. Geen adem meer, duizeligheid, hersenbeschadiging, hartstilstand... de ganse santenboetiek. De longen liepen vol en op het moment dat daar niets meer bij kon, daalde een deel terug naar de maag of steeg het terug naar boven. Door de mond en de neusholte. Terug naar buiten. Er zijn eh... aangenamer manieren om jezelf van kant te helpen."

"Was dit... pijnlijk?"vroeg Kamen.

Rachelle zoog adem naar binnen en zuchtte.

"Pijnlijk? Ik weet het hoegenaamd niet. Het is pure paniek omdat de longen zich niet met lucht vullen, maar dat duurt niet lang. Normaal zijn er spastische reacties, maar hij kon zich trouwens nauwelijks bewegen. Hij had – ik heb natuurlijk de foto's gezien – zijn hoofd stevig vastgesnoerd rond de kraan met de plakband. Naar het schijnt gaat het erom dat je enorm duizelig wordt en hevige pijn in de borstkas krijgt. Daarna, hoelang die voelbare pijn duurt, hangt af van mens tot mens, verlies je het bewustzijn. Het hart stopt en je sterft."

Will Kamen knikte. Hij keek bedenkelijk naar Raven, die haar aandacht op iets anders had gevestigd. Hij zag dat naast de achterkant van de snijtafel 'spullen' op de grond lagen.

"Wat is er?"

Raven wees naar wat ze zag.

"Is dat meegekomen uit de badkamer?"

Rachelle knikte.

"Klopt. Alles wat de politiediensten hebben meegebracht, werd hier achtergelaten. Natuurlijk liggen de kleren die hij aanhad erbij, net als de resten van de tape."

"Die plastieken zak."

Kamen begreep waar Raven op doelde.

"Wat is er met die zak? Je hebt die toch al gezien?"

Raven haalde haar schouders op.

"Er is iets wat ik niet kan plaatsen. Er houdt me iets bezig."

"Iets met die zak?"

Will Kamen keek haar tegelijk verbaasd en achterdochtig aan. Was hem opnieuw iets ontgaan? Was zij er nog maar eens in geslaagd iets op te merken waar hij – en de zijnen – gewoon overheen hadden gekeken?

"Ja... toen ik eerder vandaag in de badkamer die zak opmerkte, was er iets dat me niet ging. Ik heb vandaag nog geen tijd gehad om die zaak in Garland op te zoeken, maar morgenvroeg ga ik er zeker langs. Het knaagt!"

"Knaagt? Een domme plastieken zak?"

Bij Will steeg de paniek. Wat was hem verdomme ontgaan? Hij wilde niet nogmaals een belachelijk figuur slaan. Het zou schade toebrengen aan zijn imago.

"Dat is het net, Will, waarom doet die domme plastieken zak me iets?"

8. Haylan Rasschino
Stoer kereltje

Donderdag, 9 november 1981.

1981 was het jaar waarin twee mensen die zichzelf waarschijnlijk wel als wereldleiders (elk op een ander niveau) beschouwden, tot de ontdekking kwamen dat ook zij van vlees en bloed waren. Vlees dat kon worden beschadigd en bloed dat kon worden vergoten. John Warnock Hinckley Jr. was zodanig verliefd op de toen achttienjarige actrice Jodie Foster dat hij haar wilde imponeren door op dertig maart van dat jaar de president van Amerika in Washington door de linkerlong te schieten. Hinckley had zes kogels nodig om Ronald Reagan met de allerlaatste te treffen. Reagan was toen net vier maanden in zijn ambt als president (als opvolger van Jimmy Carter), en was zeventig jaar oud.

Aan de andere kant van de wereld, op het Sint-Pietersplein in Rome, schoot twee maanden later, op dertien mei, de 23-jarige Turk Mehmet Ali Agca de welbekende Karol Wojtyla neer. Paus Johannes Paulus II, de 264ste paus, werd in de buikholte getroffen. Agca handelde waarschijnlijk in opdracht van de Bulgaarse of Russische geheime dienst, hoewel dat nooit bewezen werd. Er was ook sprookjesnieuws. Op de negenentwintigste juli van het jaar 1981 huwden Lady Diana Spencer en Prins Charles. Ondertussen weet iedereen tot welke tragedies dat heeft geleid.

En Natalia Nikolaevna Zakharenko, beter bekend als de Amerikaanse actrice Natalie Wood, stierf op negenentwintig november in mysterieuze omstandigheden tijdens de opnames van de film Brainstorm. Samen met haar echtgenoot (en tevens acteur) Robert Wagner, en in het gezelschap van een vriend des huizes, de acteur Christopher Walken, viel zij over de reling van het jacht waar zij zich samen op bevonden. Ze was maar drieënveertig jaar.

Maar Nathalie's dood liet nog twintig dagen op zich wachten toen Melchior Multcher en Lorne Dorganson het, na heel wat verbaal geweld, voor het eerst lijfelijk aan de stok kregen met een kreng van een kerel:

Haylan Rasschino.

In 1981 was de school in Sedan Street waar Jeffrey Cockroft toen nog turnleraar was, nog niet zo groot als nu. De verbouwingen startten twee jaar later. Opgericht in het begin van de jaren vijftig als een school met een lagere afdeling, op het moment dat het stadspark dat er net naast lag, zijn definitieve vorm kreeg. In '81 waren de gebouwen van de school reeds zwaar aangevallen door de onverbiddelijk knagende tanden van de Tijd. Eind 1982 besloot het stadsbestuur dat de afdeling van het middelbare onderwijs die in *nog* oudere gebouwen gevestigd was, eigenlijk een veel beter onderkomen verdiende. Naast Yellow Junior in Sedan Street lag nog een groot stuk grond braak. Zoals gewoonlijk werd er met verschillende instanties over geld gepalaverd, gepraat, gedebatteerd en ruzie gemaakt. Uiteindelijk, in het prille begin van 1983, kocht Yellowmoon het braakliggende stuk grond aan. Er werden nieuwe gebouwen opgetrokken die in november van datzelfde jaar reeds konden betrokken worden. Begin 1984 werd Yellow Junior dan in Yellow Junior And High herdoopt.

In 1981 was Melchior Multcher een schrielkipje van elf jaar oud. Te klein en te mager voor zijn leeftijd. Zijn gezicht vertoonde reeds de eerste tekenen van de zich manifesterende acne die hem de rest van zijn leven niet zou verlaten. Zelfs zijn tanden stonden toen al ferm naar voren gericht. Zijn verschijning op de speelplaats stond elke keer garant voor gniffelen en nawijzen. Er was slechts één medeleerling die tegen al die tegenkantingen geen enkel bezwaar had. Lorne Dorganson. Net als Melchior was die elf. Samen volgden ze het vijfde studiejaar, en waren al vijf of zes jaren 'vrienden'. Hij kon goed met Melchior overweg. Diens lelijkheid viel hem blijkbaar niet op, of hij trok er zich niets van aan. Lorne was slordig en sloom en paste op een bepaalde manier bij Melchior. Samen vormden ze een team dat zich weinig van de geldende normen en waarden aantrok. Ze hielden zich het liefst van de grote meute afzijdig, haatten elke vorm van sportiviteit of competitiviteit en brachten hun tijd het liefst door met praten over alles en nog wat.

De klas van één jaar hoger was gedomineerd door een boom van een kerel van dertien jaar oud. Haylan Rasschino was zijn naam. Door omstandigheden die kunnen beschreven worden als gevolgen van *niet zo heel erg bekwaam zijn* of *te energiek zijn en te weinig aandacht voor de studies hebben* moest Haylan zijn vierde studiejaar overdoen. Daardoor hing hij nog steeds in de buurt van het 'kleine grut' rond. Haylan was – in tegenstelling tot Melchior – groot voor zijn leeftijd. Groot en stevig gebouwd. Een boomstronk eigenlijk. Het tekort aan verstand (waar volgens hem iedereen van op de hoogte was gezien het feit dat hij een jaar moest overdoen) compenseerde hij door het veelvuldige vertoon van zijn spierkracht. De meeste van die vertoningen waren misplaatst, overdreven en totaal overbodig. Haylan koos dan ook de personen uit die het minste weerstand boden en die hem dus de minste moeite kostten. Kleine kereltjes in lagere jaren, miezerige kereltjes die niet zo groot en sterk waren, onbenullige kereltjes als Melchior. Vooral Melchior Multcher... en dat dwaze kalf dat zich altijd in zijn buurt ophield. Die Lorne Hornanson of zoiets.

Waarom het zo was, waarom het lot hen had uitgekozen om dat schooljaar als pispaal voor het monster Rasschino te dienen, wist geen van beiden. De jaren daarvoor had hij hen met rust gelaten, zijn figuur was hen zelfs niet opgevallen. Zo ging het nu eenmaal in het leven. Wat aanvankelijk (in het begin van het schooljaar) enkel maar uitlachen was, verergerde na enkele weken in echte pesterijen. Meestal als zich anderen in zijn omgeving bevonden – dan had hij tenminste publiek hoewel het eigenlijk allemaal herzenloze meelopers waren – wachtte Haylan zijn twee slachtoffers buiten de poorten van de school op. Binnen de muren hield hij zich nog gedeisd. Op de speelplaats was het uitlachen begonnen, maar de lichamelijke pesterijen voltrokken zich buiten.

Het nieuwe schooljaar was pas anderhalve maand bezig toen Melchior het reeds te verduren kreeg. Half oktober was de ketting van zijn fiets verdwenen. Uiteraard meldde niemand zich als dader van die diefstal. Tot groot jolijt van vele omstanders zette Melchior zich op de fiets en begon in het ijle te trappen waardoor hij bijna ten val kwam. Een week later stond zijn stuur omgekeerd, maar het was zó hard aangespannen dat hij het niet meer normaal kreeg, waardoor hij zijn tocht naar huis in ludieke omstandigheden moest uitvoeren. Zijn fiets was veelal het doel van Haylans 'grappen', want over wie de 'grappenmaker' was, hoefden Melchior en Lorne niet te twijfelen. Haylan liet duidelijk merken – zij het niet met veel woorden – dat hij achter alle schelmenstreken stak. Hij zou later alles ontkennen, maar zolang hij de volgzame meute schapen die hem bewonderden, aan zijn kant had, voelde hij zich oppermachtig. Door wat hij aandurfde met Melchior Multcher als slachtoffer, stond hij in de belangstelling. Dat was zijn uiteindelijke doel.

Gewenning was de oorzaak van het feit dat Haylan steeds grovere streken moest uithalen, wilde hij in de gratie van zijn publiek blijven. Grapjes met de fiets werden afgezaagd en het applaus verminderde. Dus, op een dag in het begin van november van 1981 vond Haylan Rasschino dat het tijd werd om dat vieze kereltje en zijn kleverige vriendje 'persoonlijk' aan te pakken.

"H éla… snotklodder!"
"Niet omkijken, Melchie."

De kleine Lorne greep de kleine Melchior bij de bovenarm en duwde hem verder. Lorne Dorganson wist heel goed dat Melchior ook de stem van Haylan Rasschino had gehoord. Het was een tijdje rustig geweest en Lorne had geen zin om alles opnieuw te laten beginnen. Hoewel hij nog maar elf jaar oud was, besefte hij heel goed dat hij een gevaarlijk spel speelde met een redoutabele vijand als tegenstander. Want in hun ogen was Haylan Rasschino enkel maar dat: een vijand! Iemand die er plezier in vond anderen te pesten en te kleineren. Een sadist, eigenlijk. Lorne, zelf iemand die liever door iedereen met rust werd gelaten, had zich al eerder afgevraagd waarom hij het voor een kluns als Melchior Multcher opnam. Hij was tot het besef gekomen dat hij de waarheid waarschijnlijk nooit te weten zou komen, maar die had waarschijnlijk veel weg van 'niet kunnen verdragen dat iemand onrecht wordt aangedaan'. Misschien was dat wel de grootste drijfveer waarom Lorne zich altijd in de buurt van Melchior ophield. De jongen beschermen tegen het onheil dat hem werd aangedaan, enkel door het feit dat hij lelijk was. Eigenlijk was Melchior zijn enige 'vriend'. Het leek alsof enkel hijzelf met hem kon praten, en dat 'het begrijpen' wederzijds was. Melchior begreep trouwens nooit waar de anderen het over hadden en van zelf grappig zijn had hij ook al geen kaas gegeten. De afgelopen maanden had Lorne zich (misschien ook om persoonlijke redenen) ingezet om de stuntelige Melchior Multcher te vrijwaren van de pesterijen van die bonkige knul die Haylan heette.

Om die reden probeerde hij er die welbepaalde dag Melchior van te overtuigen niet achterom te kijken. Misschien was negeren nog het beste. Misschien hield de reuzenaap het uiteindelijk voor bekeken.

"Niet omkijken! Gewoon verdergaan."

"Het is Haylan weer."

Melchiors stem beefde een beetje. Het magere jongetje was bang. Lorne was wel aan zijn zijde, maar tegen een mastodont als Haylan Rasschino viel weinig te beginnen.

"Verdergaan. Hij zal ons anders weer pesten."

Behalve de zaken met de fiets had hij hen tot op die dag inderdaad enkel nog maar vierkant uitgelachen. Maar diezelfde dag kwam daar verandering in.

"Vetbol! Ik spreek tegen jou!"

"Niet reageren!" siste Lorne.

Hij kneep nu in Melchiors arm en duwde hem vooruit. De stem van Haylan klonk even luid als daarnet, waardoor hij vermoedde dat de kerel hen achternakwam.

"Het schijnt dat jouw vader jouw vader niet is."

Achter hen klonk een gedempt lachen. Haylan sleurde zijn publiek met zich mee.

"Niet luisteren. Gewoon doorgaan."

"Je doet me pijn."

Lorne loste zijn greep op Melchiors elleboog.

"Sorry... maar, ik wil hier ook weg."

"Vetklodder! Degene die jouw moeder geneukt heeft, verkocht pizza's."

Nog meer giechelen. Haylan durfde grof praten. Neuken?! Melchior kende dat als een woord dat hij nooit zou durven uitspreken. Daar was hij van overtuigd. Hij begreep ook niet waarom Haylan dat zei. Wat hadden pizza's nu met hem te maken.

"En haar bovenste tanden staan ook vooruit!" schreeuwde Haylan, "dat is van dikke hondenlullen te pijpen!"

Melchior begreep niet waar hij het over had, maar blijkbaar was hij de enige want iedereen die letterlijk en figuurlijk achter Haylan stond, bulderde van het lachen. Het moment daarop volgde de eerste aanraking. Een zware hand viel op zijn rechterschouder. Een donderende stem klonk bijna naast zijn hoofd.

"Ik ben tegen jou bezig, kloothommel!"

Het leek de tengere jongen alsof een ijzeren klauw zijn botten tot pulp kneep. Om nog meer pijn te vermijden, hield Melchior halt. Naast hem kwam ook Lorne tot stilstand. Hij wist dat hij de strijd verloren had. Deze keer ging Haylan wel erg ver.

"Je bent echt een miezerig kereltje, weet je dat?!"

Melchior voelde zijn hartje tegen zijn maag en ribben bonken. Ook zijn keel voelde droog aan toen hij opkeek naar de kerel die voor hem stond. Hij had alles ter wereld willen geven om niet op dat ogenblik op die plaats aanwezig te zijn. Naast hem bevond zich Lorne Dorganson, maar die hield zich gedeisd. Misschien was dat maar best, want Haylan pompte zich op. Het leek of hij met de minuut breder werd. Melchior probeerde langs hem heen te kijken in de hoop dat een leraar langskwam, maar hij zag enkel Haylans volgelingen die met hun domme, grijnzende muilen op actievolle momenten bleven wachten.

"Ik stelde je een vraag, sul. Geef antwoord. Weet je dat?"

Melchior voelde zijn benen trillen.

"Wat?"

Zijn stemmetje was nauwelijks hoorbaar. Haylans gezicht spleet open in een smerige grijns.

"Het spreekt! Kijk eens aan! Het korstwezen kan spreken."

Iedereen lachte. Melchior bedwong zich om niet te wenen.

"Weet je het? Dat vroeg ik je."

"Wat... moet ik... weten?"

"Dat je echt een miezerig kereltje bent!" schreeuwde Haylan in zijn gezicht.

Melchior reageerde niet onmiddellijk.

"En? Krijg ik nog een antwoord?"

"Ja." Nauwelijks hoorbaar.

"Ja, wat, oen?"

"Ja, ik weet het."

"*Wat* weet je?" tierde Haylan.

"Dat ik... echt een miezerig kereltje ben."

De achterban lachte. Haylan triomfeerde. Hij spreidde zijn armen en draaide grijnzend éénmaal rond zijn as. Er klonk zelfs een kort applaus.

"Hij weet van zichzelf dat hij een kluns is en komt daarvoor uit. Ik vind dat we hem moeten belonen voor die blijk van zelfkennis."

Lorne kwam voor het eerst tussen.

"Laat ons met rust, Haylan."

Geschrokken keek Melchior opzij. Een dergelijke manier van reageren op een dommekracht als Haylan stond gelijk met een poging tot zelfmoord. Heel erg ondoordacht van Lorne Dorganson. Er volgde – zoals Melchior had verwacht – onmiddellijk een reactie. Er klonk een woest snuiven, een dikke arm schoot uit en één seconde later lag de kleine Lorne languit op de grond. Geschrokken en niet goed wetend wat hem overkwam, staarde Lorne om zich heen. Zijn boeken die hij in zijn armen had gedragen, lagen om hem heen verspreid. Sommige nog mooi dicht, andere open, met de bladen naar beneden gericht. Enkele van die bladen waren overgeplooid. Voor iemand die van boeken hield, was dat geen mooi zicht.

Even ondoordacht als Lorne had gesproken, reageerde Melchior op Haylans actie. Lorne had het voor hem opgenomen en daarvan was de jongen nu zelf het slachtoffer geworden. Hij lag nog steeds voorover, en probeerde zich onhandig rechtop te werken.

"Laat ons met rust! Hij heeft jou niets misdaan!"

Melchior schrok van zijn eigen stemvolume.

"Je spuwt op mij, stomme rotzooier!"

Haylan Rasschino schreeuwde de woorden in Melchiors gezicht, sloeg de groene broodtrommel uit zijn handen en gaf de verschrikte jongen een harde duw. Nog harder dan hij Lorne had aangepakt. Melchior tuimelde achterover, viel bovenop Lorne en samen dreunden ze op de grond. Haylan zette zijn zware laars bovenop de broodtrommel en drukte die aan flarden. Zijn achterban reageerde met gemengde gevoelens. Er waren jongens die gilden, anderen applaudisseerden en sommigen keerden zich af. Dit kon volgens hen niet langer zo. Schelden ja, maar zaken kapotmaken en hen lichamelijk aanvallen, ging volgens die paar jongens te ver. Onopvallend trokken zij zich terug en verlieten de woelige menigte.

"Niemand spuwt op mij! Je bent nog niet van mij af, pizzasmoel!"

Haylan schopte op de splinters van de broodtrommel die daardoor in Melchiors gezicht terechtkwamen. Onder hem worstelde Lorne om te kunnen ademen.

"Ga van me af! Ik stik!"

Melchior zag Haylan op zich afkomen en wrong zich nog meer bovenop Lorne. Die begon te gillen.

"Bende snotapen!" brulde Haylan.

De meute lachte. Haylan stak beide armen in de lucht als teken van absolute overwinning. Hij had het gehaald. Hij had succes behaald.

"Loop naar huis, brul tegen jullie moeders!"

Hij schopte nog op Melchiors been, draaide zich toen om en werkte zich een doorgang tussen de zich opdringende jongeren die ondertussen waren samengestroomd om het schouwspel te bewonderen. Iedereen was eigenlijk een beetje bang van de figuur van Haylan. Als iemand anders het slachtoffer van zijn woedeaanvallen werd, was het een plezier om er als toeschouwer bij te zijn. Veilig en ongenaakbaar, zolang je niet al te veel opviel.

Melchior hield het nog uit tot iedereen verdwenen was. Dan ontvouwde hij zich uit de foetushouding waarin hij zich had gekeerd. Onder hem spartelde Lorne zichzelf vrij. Pas toen ze op hun kont zaten, met hun armen op hun knieën, liet Melchior toe dat hij op de gepaste manier reageerde. Er kwamen tranen. Er werd nog niet gesproken. Lorne voelde zich kwaad worden. Hij raapte zijn boeken bijeen, stond op en veegde het stof van zijn broek. Hij keek neer op Melchior die nog steeds met het hoofd op de armen lag. Het feit dat hij weende, maakte Lorne bedroefd.

"Komaan, Melchie, sta op. Hij is weg."

Melchior keek op, zijn gezicht betraand.

"Het is een rotzak."

"Daar heb je gelijk in, Melchie, maar nu moeten we hier weg. Straks komt hij weer voorbij. Ruim je spullen op."

"Mijn broodtrommel…"

"Die is kapot. Niets aan te doen. Komaan!"

Lorne stak zijn hand onder Melchs arm en hielp hem rechtop. Hij wreef zijn kleren schoon en zuchtte.

"Het is een rottige klootzak!" herhaalde Melchior.

"Ik weet het, we moeten hem voortaan uit de weg gaan!"

"We wonen in dezelfde stad, gaan naar dezelfde school en lopen in dezelfde straten. We kunnen hem niet ontlopen, Lorne. Het is iemand die wij ons ganse leven zullen tegenkomen."

"We verhuizen naar Canada,." probeerde Lorne te grappen.

Om hen heen fietsten andere jongens naar huis. Iedereen had ondertussen blijkbaar van de schermutseling gehoord, want velen maakten een ommetje om de 'slachtoffers' te bekijken.

"In Canada wonen er ook Haylans!"

"We maken hem af!" zei Lorne dapper.

"Ik haal zijn ingewanden eruit!" zei Melch door zijn verdriet heen.

Lorne waagde zich aan een glimlach.

"Via zijn reet!"

Melchiors gezicht klaarde nu ook op.

"Met een gloeiende tang!"

De goede stemming kwam terug. Beide jongens hadden een doel, zij het utopisch, maar het zorgde ervoor dat ze zich herpakten. Haylan had hen belachelijk gemaakt, had hen vernederd, had hun eigendom vernield. Maar in hun fantasie schopten ze hem nu kapot. Het maakte dat ze zich beter voelden.

"In zijn dikke kont! Ik hoor hem al schreeuwen!"

"Niet zo luid… straks hoort ie ons nog!"

Lorne keek achterom naar de open schoolpoorten, maar behalve enkele rondhangende jongeren die in de verste verte niet op Haylan leken, viel er niemand te zien.

"Dat hij maar eens nadert! Ik druk zijn ogen eruit!"

Melchior voelde een kriebelend gevoel in zijn borstkas. Het was alsof adrenaline werd aangemaakt, het verdriet en de vernedering van daarnet werden erdoor verzwolgen. Hij voelde zich oppermachtig.

"Ik schop hem in zijn vette kloten!" gromde hij.

"Ik schop hem in zijn *dikke*, vette kloten!" lachte Lorne.

"De rottige klootzak! Hij verdient niet beter!" brulde Melchior opgelucht.

Het duurde nog even eer beide jongens uitgeraasd waren. Naarmate ze zich verder van de schoolpoorten verwijderden, voelden ze zich steeds beter worden. Eigenlijk viel het allemaal nog wel mee en leek de ganse zaak achteraf maar een akkefietje. Met uitzondering van de versplinterde broodtrommel waren ze er nog tamelijk onbeschadigd van afgekomen. Iets wat in de toekomst niet meer zou voorvallen. Het ging namelijk van kwaad naar erger.

Dinsdag, 14 juni 2005.

Vernon LaFolette bevond zich in zijn keukentje toen de deurbel van zijn winkel rinkelde. Dat betekende waarschijnlijk de eerste mogelijkheid van die dag om geld te verdienen hoewel het reeds over negenen was. Hij veegde zijn vingers aan een vaatdoek – hij had net een stukje aardbeientaart verorberd – en depte zijn mondhoeken. Vernon haastte zich naar de winkelruimte. Toen hij de persoon zag van wie hij hoopte dat het een klant was, werd hij twee tegenstrijdige gevoelens gewaar. Blijdschap was het eerste (eindelijk een klant) en teleurstelling was het tweede. Want op veel intimiteit van zo'n aantrekkelijke vrouw hoefde hij niet te rekenen.

Raven Daramantez had de avond ervoor besloten een bezoek te brengen aan *The Workman's Shop* in Garland en hield zich aan haar voornemen. Er was iets met die zak die haar niet losliet. Misschien was in de winkel zelf het antwoord te vinden.

"Goeiemorgen!"

Vernon zuchtte bijna. Zelfs haar stem had een sensueel timbre. Niet alleen haar verschijning wekte ongewone reacties in zijn lichaam op, dat ene woord uit haar mond trilde door zijn hoofd na. Even knipperde Vernon zelfs met de oogleden, zo'n prachtige vrouw ontmoette je nooit in werkelijkheid. Die bewogen enkel over zilveren schermen waarop films werden geprojecteerd, en bestonden volgens Vernon dus niet echt. Maar deze schoonheid bevond zich wel degelijk op nauwelijks twee meter van hem verwijderd.

"Hallo?"

Raven zwaaide met haar hand. Vernon knipperde nogmaals verbaasd met de oogleden. Hij had haar gewoon staan aangapen?!

"Eh... sorry... ik, eh..."

"Je keek naar mij?"

Vernons gezicht gloeide op. Ontkennen had geen zin. Van zijn stuk gebracht, probeerde Vernon de situatie recht te trekken door extreem beleefd te blijven.

"Sorry... waarmee kan ik u helpen, mevrouw?"

Raven kende de reactie van de mannen bij dergelijke omstandigheden. Iedere man reageerde bijna op een identieke manier. Ze wist van zichzelf dat ze voor hen erg aantrekkelijk was en dat haar verschijning meestal veel blikken in haar richting uitlokte. De meeste mannen wilden dat niet toegeven en probeerden dan vriendelijker over te komen dan ze in werkelijkheid waren. Dat kwam bij haar niet over als slijmerig gedrag, maar het was gewoon iets typisch mannelijks. Ze wilden allemaal op een goed blaadje staan. Mannen zijn geilzakken, vond ze, en telkens ze iemand ontmoette die haar stelling in effectieve waarheden omzette, grinnikte ze in haar binnenste.

"Met een beetje informatie."

Ze toonde hem haar dienstinsigne. Blijkbaar werd Vernon geïmponeerd door een buitengewoon mooie vrouw met een politie-insigne. Hij rechtte zijn rug, trok de wenkbrauwen omhoog en gaf als reactie: "Ah?"

"Inderdaad. Ik ben op zoek naar antwoorden."

"Die zijn hier niet te koop!" glimlachte Vernon, en hij besefte tegelijkertijd dat dat niet erg grappig was.

Raven lachte trouwens niet. Hooguit een poging tot glimlach. Net zoals de meeste mannen die zich onwennig in haar gezelschap voelden, probeerde deze kerel – nu hij zijn verbazing te boven was gekomen – hilarisch uit de hoek te komen. Hij sloeg echter de bal volledig mis.

"Een boodschappentas," zei Raven.

Vernons glimlach stierf weg. Hij begreep haar niet. Hij schaamde zich daarover, hij wilde niet als een debiel overkomen. Daarom zocht hij wanhopig naar een manier om zijn onbegrip te omzeilen. Gelukkig wachtte Raven niet op zijn reactie.

"Er spookt iets door mijn hoofd in verband met een tas van uw winkel."

Blij dat hij haar mogelijk kon helpen, dook Vernon LaFolette onder de toonbank en viste een heel pak plastieken zakken naar boven. Het luchtte hem dan ook op dat haar gezicht – dat al zo ongelooflijk mooi en egaal was – nog eens versierd werd met een stralende glimlach.

"Dat is het!"

Raven nam één van de zakken vast, plooide die open en hield die voor haar gezicht. Vernon kon zijn ogen nauwelijks van haar borststreek afhouden toen ze haar armen spreidde, waardoor haar vest openviel.

"Elke klant krijgt dit?"

Vernon knikte alsof zijn hoofd op kogellagers stond.

"Dat klopt, mevrouw. Ik geef zo'n zak aan iedereen mee, hoe klein het stuk ook is dat hij of zij heeft aangekocht. Het is een service van de

zaak waar ik op sta en ik kan me niet inbeeld..."
Raven onderbrak hem. De informatie waar hij haar mee overlaadde, kon haar niets schelen. Ze hield niet van dat imponerende gedrag.
"Er loopt een onderzoek. Iemand heeft hier iets gekocht. Die man is nu overleden. Hij heeft plakband gekocht."
"Plakband?"
Er rinkelde onmiddellijk een belletje, hoewel hij nog even afwachtte. Raven haalde namelijk een kasticket uit haar vestzak dat ze over de toonbank in zijn richting schoof. Zelfs haar vingernagels waren perfect.
"Iemand heeft hier gisteren vijf rollen plakband gekocht. Ik vermoed dat u zich dat nog herinnert?"
Opnieuw dat hevige hoofdknikken.
"Natuurlijk, mevrouw. Ik ken wel de naam van die persoon niet."
"Dat hoeft ook niet. Heeft hij iets gezegd? Of gevraagd? Heb je iets aan die man gemerkt?"
Vernon vroeg zich even af hoe hij alles kon vertellen.
"Hij deed... raar."
"Omschrijf even het woord 'raar'."
"'Raar' als in *ongewoon*. Hij gedroeg zich alsof hij elk moment kon worden... *aangevallen*."
"Aangevallen?"
"Ja, dat was de indruk die ik had. De man was heel schichtig. Hij keek voortdurend angstvallig om zich heen, ook naar het plafond."
"Betreft het deze man?"
Raven had genoeg ervaring om het verschil te kennen tussen veronderstellingen en feiten. De zak in de badkamer betekende niet automatisch dat Cockroft eigenhandig de spullen hier had gekocht. Iemand anders kon dat evengoed gedaan hebben, hoewel het onwaarschijnlijk was dat die zak dan op het moment van de zelfmoord in de badkamer zou liggen. Daarom schoof ze naast het kasticket een foto van Jeffrey Cockroft op de toonbank.
"Deze foto is vijf jaar oud."
Vernon knikte.
"Dat is hem. En inderdaad. Hij zag er gisteren niet alleen ouder uit, maar veel... nerveuzer. Hij was heel deftig gekleed, maar zijn gedrag was op z'n minst bizar. Alsof hij niemand en niets vertrouwde. Net als die andere kerel."

Raven keek op. Haar ogen waren wijdgeopend en Vernon vreesde erdoor te zullen worden opgeslokt. Hij liet zijn blik op zijn toonbank rusten. Hij hoopte dat hij niet te veel had gezegd. De agente herpakte zich en ging er onmiddellijk op in.

"Wie bedoel je?"

"Er is hier nog iemand geweest die op een eh... identieke manier reageerde."

"Dan moet hun gedrag jou erg zijn opgevallen?"

Terugkrabbelen had geen zin. Misschien deed hij haar een plezier met alles te vertellen.

"Mevrouw... iets dergelijks heb ik nooit eerder meegemaakt. Er komen hier vaak vreemde vogels over de vloer, maar de manier waarop die twee zich gedroegen, was werkelijk om..."

Raven vond dat de man te veel taterde. Hij leek wel op een vrouw. Onderbreken dan maar.

"Wanneer is die tweede – of die andere – gekomen?"

Vernon fronste de wenkbrauwen.

"Begin deze maand. Zo'n veertien dagen geleden."

"Weet je nog wat hij gekocht heeft?"

"Ho... touw. De man had touw nodig."

"En hij gedroeg zich zoals de man die de plakband heeft aangekocht?"

"Inderdaad."

Raven vroeg zich af wat ze met die informatie kon aanvangen. In haar hoofd spon zich een warrig web van netelige vragen waar niet onmiddellijk antwoorden op konden gegeven worden. Ze had tijd nodig om de informatie op een rijtje te zetten. Raven had ook geen zin om in zijn gezelschap verder op de zaak in te gaan. Ze wist niet wat dat kleine kereltje dat voor haar stond, wist in hoeverre hij er eventueel bij betrokken was. Ze plooide haar lippen in een extreem vriendelijke glimlach, en richtte zich tot de eigenaar van de winkel.

"Ik dank u voor de informatie. We zien elkaar zeker nog terug. Als ik een foto van die andere man toon, zou je hem mogelijk herkennen?"

Vernon probeerde een even aangename lach en mompelde iets in de aard van: "Dat hoop ik, mevrouw. Ik wil alleen maar helpen."

Hij keek haar wiegende heupen na tot ze zijn winkel verlaten had. Vernon vond het niet voor de eerste maal in zijn leven erg dat hij een kleine, lelijke opdonder was.

9. Lorne Dorganson
Serieuze Gesprekken

Maandag, 13 juni 2005

"Kom binnen"
Lorne draaide zich om en stapte op zijn roze sloffen in de richting van de woonkamer. Hij keek niet of zijn late gast achter hem aankwam. Melchior keek naar links en naar rechts, zich afvragend of iemand hem kon zien binnengaan en zette vervolgens een eerste voet op de drempel. In de halfduistere gang zag hij Lorne Dorganson mompelend verdergaan. Hij had zijn vriend nooit eerder zo toegetakeld gezien. Een onfrisse onderbroek, een totaal verhakkeld onderhemd en *die idiote roze sloffen*?! Melchior vroeg zich één enkele seconde af of het zo laat op de avond nog zin had een gesprek met Lorne aan te gaan, gezien de labiele toestand waarin die verkeerde. Voor hij het wist, stond Melchior op de gang en had hij de voordeur dichtgedaan.
"Kom verder, Melch, let niet op de rommel."
Melchior Multcher liep door de gang en kwam in de woonkamer terecht. Lorne was ondertussen in een sofa neergeploft. Waarschijnlijk lag hij in dezelfde vorm als voor zijn aankomst. Hij knipte het televietoestel – dat zonder geluid had aangestaan – uit en wees naar een andere zetel.
"Blijf niet rechtop staan, Melch. Ga zitten, ik heb moeite om mijn ogen op te richten."
Melchior wist dat Lorne niet erg moest weten van al te propere toestanden, maar de manier waarop hij de afgelopen weken zijn woonkamer tot een ware mestvaalt had omgevormd, liep de spuigaten uit. Niets stond overeind, hoewel niets echt gebroken of kapot leek. Overal lege bierblikjes. Blikjes en platte kartonnen dozen. Sommige waren leeg, in andere stak nog een tot een oneetbaar stuk leder verdroogde pizza.
"Ga zitten, zeg ik!"
Melchior nam in de zetel plaats.
"Ben je... ziek?"

Lorne keek zijn vriend verbaasd aan.

"Ziek? Waarom vraag je dat?"

"Omdat je eruitziet alsof je van plan bent binnen het kwartier dood te gaan!"

Lorne haalde de schouders op.

"Ik heb gezopen. Ik hoefde vandaag niet te werken, overuren of zoiets. Ik heb de ganse dag gezopen."

"Je ziet er niet uit, Lorne."

Lorne snoof en zei:

"Ik heb me niet gewassen, ben sedert gistermorgen niet geschoren en moet nog schijten. Mijn slip is anderhalve week oud en ik weet dat ik uit mijn bek stink als was het een open beerput. Nog iets?"

Melchior Multcher probeerde een glimlach. Hoewel Lorne zijn vriend was, was dat een aspect aan hem waar hij weinig van hield. Lorne was een ferme drinker. En als hij gedronken had, kwam de verwaarlozing die soms dagen aanhield. Vooral als hij in verlof was. Gelukkig voor Lorne diende hij – tijdens de werkdagen – in een deftige en aanspreekbare vorm op QuarTech te verschijnen.

"Morgen werk je weer?"

Lorne knikte.

"Geen probleem, Melch, morgen sta ik paraat. De firma kan op mij rekenen."

"Goed... ik..."

"Waarom ben je hier eigenlijk?"

Blijkbaar was Lorne al vergeten wat Melch hem aan de voordeur had gezegd. Hij bewoog zijn schouders alsof hij zich in die zithouding ongemakkelijk voelde en zei:

"Eerst Rasschino, nu Cockroft."

Lorne keek zijn vriend opnieuw enkele seconden in stilte aan en zei dan ineens heel ernstig, alsof het een melding met een grenzeloze belangrijkheid betrof:

"Ik moet schijten!"

Lorne Dorganson werkte zichzelf op een weinig smakelijke manier uit zijn liggende houding, waarbij Melch onwillekeurig zicht kreeg op de inhoud van zijn onderbroek. Lorne had er helemaal geen erg in dat zijn pik en één bal naar buiten bengelden, stak alles terug op de juiste plaats toen hij rechtop stond en wankelde naar de badkamer. Gelukkig voor

Melch trok hij de deur achter zich dicht, want wanneer er geen bezoek was, deed hij dat niet.

Melchior Multcher doodde het wachten met om zich heen te kijken. Hij probeerde ook geen aandacht te schenken aan de braakneigingen veroorzakende geluiden die hem – ondanks de gesloten deur – toch van uit de badkamer bereikten. Lorne hield duidelijk van elektronische apparatuur. In die ene ruimte stonden naast twee televisietoestellen, een grote stereoketen en nog twee computers met toebehoren opgesteld. Op de salontafel lag nog een gesloten laptop. Overal lagen kleren – of wat er kon voor doorgaan – verspreid.

Melchior vergeleek wat hij zag uiteraard met zijn eigen kamer waar het proper was. Zo verdomd ergerlijk proper, maar daar hield hij van. Voor alles had hij een plaatsje, zodat hij nooit tijd verloor met naar iets te zoeken. Het was geenszins zo slordig en onoverzichtelijk als hier. Eigenlijk vond Melchior het ergerlijk dat... het toilet werd doorgetrokken. Hij bande zijn gedachten weg, want hij wilde niet dat Lorne hem betrapte op het hebben van opmerkingen. Zelfs al waren die innerlijk.

Hij hoorde het water – waarschijnlijk in de wasbak – langdurig lopen en even later verscheen Lorne Dorganson terug in de woonkamer. Hij zag er merkelijk beter uit. Hij droeg nu een gesloten kamerjas van donkergrijze kleur. Hij had zijn gezicht gewassen en zijn haar gekamd. De herboren Lorne Dorganson ging nu gewoon op zijn achterste in de sofa zitten.

"Goed! Dat was dat. Een hele pot vol; het was waarschijnlijk al enkele dagen over tijd. Wat kom je me nu hier in volle paniek vertellen? Als ik de bel zo hoorde gaan, wist ik niet goed wat ik moest denken. Toegegeven dat ik niet echt in staat was om te denken."

Melchior wreef met beide handen over zijn gezicht en kneedde zijn beide ogen vervolgens met de knokkels. Hij richtte zijn gezicht naar zijn vriend op en zei heel rustig:

"Jeffrey Cockroft is dood. Hij heeft zelfmoord gepleegd."

Lorne Dorganson betastte zijn kin. Hij probeerde kalm te blijven, maar Melchior merkte dat hij toch vlugger ademhaalde.

"Toeval, Melch, puur toeval."

Omdat zijn stem niet erg overtuigend klonk, haakte Melchior daar onmiddellijk op in.

"Het *kan* geen toeval meer zijn, Lorne. Eerst Haylan en dan Cockroft.

In die volgorde. Het kan gewoon geen toeval meer zijn. Dat zou je trouwens toch moeten weten, we hebben het zo gepland."

Lorne lachte nerveus en schudde het hoofd. Murmelend zei hij:

"Jezus... wat een onnozel gelul."

"Wat? Ik verstond je niet."

Lorne keek Melch uitdrukkelijk aan en zei heel duidelijk:

"Melch! Het *is* toeval. Het moet er uit, ik loop er al enkele dagen mee rond. Ik moet het je zeggen: wij hebben *niets* te maken met die kerels of wat ze zichzelf hebben aangedaan."

Melchior wist niet onmiddellijk hoe hij daarop moest reageren.

"Maar...?"

Dat was zijn eerste reactie. Hij voelde zich ineens zo verdomd onzeker. Temeer daar Lorne Dorganson nu verslagen met zijn hoofd schudde. Melchior begreep de situatie niet.

"Maar de dolk... je hebt zelf gezegd dat..." begon Melchior wanhopig.

Lorne Dorganson richtte zijn hoofd weer op en keek zijn vriend opnieuw indringend aan. Het maakte Melchior bang. Hij had Lorne nooit eerder op die manier bezig gezien.

"Melchior! Je bent mijn vriend, mijn gabber, mijn klootzakkerige maat! Ik hou verdomme van jou. Maar... je bent zo... naïef!"

"Naïef?"

Iets begon in Melchiors hoofd te spinnen, als werd hij overweldigd door een heel onaangenaam gevoel. Het was alsof hij werd losgeslagen en als een houten plank op een woelige zee werd meegedragen. Zonder houvast, ten prooi aan de willekeur van de graaiende golven. Lorne zuchtte, liet zijn schouders zakken en begon weer met zijn hoofd te schudden.

"Niets van wat ik heb verteld, is waar, Melch. Daar gaat het over!"

De binnenkant van Melchiors borstkas vulde zich met ijzel.

"Wat bedoel je? Heb je gelogen?"

Opnieuw dat verslagen zuchten.

"Jezus, Melch... dat waren geen leugens... het was een... spel."

"Een spel?"

Lorne Dorganson kreeg nogmaals spijt dat hij er ooit mee begonnen was. Hij opende zijn handen als probeerde hij daarmee zijn onschuld aan te tonen. Er trok een kramp door zijn darmen. Lorne kreeg er echt spijt van. Hij had het niet mogen doen.

"Niet echt. Dat is een slechte omschrijving. Het was een... *middel*! Ik had er geen slechte bedoelingen mee, Melch. Ik zei het al: je bent mijn beste maat!"

"Wat heeft dat er verdomme mee te maken?"

Melchior voelde zich kwaad worden. Hij kreeg het gevoel dat Lorne hem op een grootse manier in het ootje had genomen. Beelden doemden in zijn geest op. De veelbelovende gesprekken, het pijnlijke gedoe met de dolk…

"*Alles*! Dat heeft er alles mee te maken!"

"Ik begrijp je niet. Ik begrijp er niets meer van!"

Er viel een onaangename stilte. Lorne keek naar zijn vriend die verslagen achterover in de sofa zat. Melchiors ogen keken naar een punt onder de salontafel.

"Wil je iets drinken?"

Melch richtte zijn blik omhoog.

"Heb je cola?"

"Wil je niets sterkers?"

"Cola."

Lorne stond op.

"Cola dan maar. Ik heb er in de koelkast."

"Mij goed."

Lorne verdween naar de keuken en kwam even later terug met twee glazen gevuld met een donkere vloeistof. Hij plaatste één glas voor Melch op de salontafel en ging weer zitten. Het tweede glas hield hij in zijn hand.

"Drink jij nu ook al cola?"

"Zwaar verstevigd met whisky!"

"Je gaat er nog aan dood, Lorne."

"Iedereen sterft ooit weleens, Melch. Daar zit ik niet mee."

Beiden voelden ze dat het een onaangenaam gesprek was dat nergens naartoe leidde. Melchiors gezicht vertrok toen hij zei:

"Ik dacht dat je m'n vriend was, Lorne."

"Maar dat ben ik! Altijd al geweest en dat zal ik altijd zijn."

"Maar je hebt me belogen. Ik voel me belachelijk gemaakt! Weet je wel wat de afgelopen maanden door me heen is gegaan?"

"Het was niet mijn bedoeling, Melch."

"Wat was jouw bedoeling dan wel, Lorne? Je vertelde me alles, ik voelde me oppermachtig. Ik kon eindelijk wraak nemen. En nu zeg je me dat het flauwekul is?"

"Ik wilde jou een gunst bewijzen."

"Mooie gunst. Zijn het werkelijk allemaal leugens? De test die je moest afleggen? De demon? Die bestaat dus niet?"

Lorne kreeg het moeilijk om rustig te blijven. Hij haalde haastig adem en nipte te vlug van zijn drank.

"Neen, Melch, de demon bestaat niet."

"En de indiaan over wie je me verteld hebt, die Yellow Moon, die bestaat dan ook niet?"

"De indiaan bestaat, maar ik heb hem niet gesproken. Dat was een leugen. Ik wilde het zo goed mogelijk laten lijken."

Melchior wist niet waar hij het had. Hij bevoelde het litteken op de binnenkant van zijn linkerarm. Het was alsof zijn wereld in mekaar stuikte en hij door die onpeilbare, zwarte afgrond werd gezogen. Hij probeerde daarom zichzelf rechtop te helpen.

"Maar toch sterven Haylan en Jeffrey! Na elkaar, in de juiste volgorde! En door zichzelf te doden. Het is geen toeval, Lorne."

Lorne wist niet echt hoe hij het zijn vriend duidelijk kon maken. Hij had gemerkt dat Melchior zijn linkerarm betastte en voelde zich bijna misselijk worden. Misschien was hij inderdaad te ver gegaan. Hij dronk de helft van zijn glas whisky-cola leeg, slikte alles gulzig door en zei:

"Toch wel, Melch, het kan niet anders... herinner je je ons gesprek nog?"

"Welk gesprek bedoel je? Dat vol *leugens*?"

Lorne had Melchior nog nooit kwaad gezien. Hij had er zelfs geen idee van dat zijn vriend ooit kwaadheid op welke manier ook had geuit. Het deed hem daarom pijn dat alles zo uitgedraaid was. Hoe had hij verdomme kunnen weten dat die twee klootzakken zichzelf om zeep zouden helpen? Van toeval gesproken.

"Melch, luister eerst. Het spijt me dat alles jou nodeloos met een bittere nasmaak laat zitten, maar luister en dan zal je me begrijpen. Ik spreek inderdaad over het gesprek dat wij in het begin van dit jaar hebben gevoerd bij de Ladies. Je had het nog eens over jouw verleden, over jouw kloterige leven, herinner je je het nog?"

Melchior knikte. Hij wist het nog.

"Klopt. Ik zei inderdaad dat ik een kloterig leven had."

Vrijdag, 14 januari 2005

" Ik heb een kloterig leven!"
In de Wild Ladies viel er die avond geen ziel te bespeuren. Het was kort na het inzetten van het nieuwe jaar en de meesten hadden hun geld aan goede doelen en voornemens besteed. De bar aan de noordelijke rand van Brandenberg was de favoriete stek van Lorne Dorganson en de plek waar hij Melchior af en toe mee naartoe sleurde. De zwaarlijvige bazin hield zich achter de toonbank op. Ze wist dat ze de meisjes die achterin op betere klanten wachtten, best niet op dat 'leuke' tweetal afstuurde. Het was verloren moeite. Het waren drinkers, vooral die ene. De andere, die puistenkop, die dronk dan nog geen alcohol. Drinkers, geen neukers. Maar het waren vaste klanten en om die reden verdroeg de bazin hun aanwezigheid.
Lorne Dorganson keek van de inhoud van zijn glas naar het gezicht van Melchior Multcher. Dat was niet alleen lelijk, maar nu ook meelijwekkend.
"Wat scheelt er toch met jou?"
Lorne wist best wat er scheelde. Hij kende Melch goed genoeg om te weten dat de kerel weer eens last had van zijn eigen verleden. Heel wat mensen hadden hem in de afgelopen jaren gepest of uitgelachen. Heel wat mensen hadden hem zonder gebruik van lavende eufemismen laten weten dat hij een lelijke opdonder was. Kennissen, buren. Mensen die dicht bij hem stonden. Melchior leed daaronder. Hij had last van de druk van zijn verleden – vooral zijn kindertijd – waarin hij dagelijks met dergelijke mensen werd geconfronteerd. Het kwam er op de duur op neer dat hij zich slecht voelde van zodra iemand *iets te lang* naar zijn gezicht keek. En omdat Lorne zijn enige vriend was, was die dan ook de enige klankmuur die Melchior bezat. Lorne Dorganson ving alles op. Eigenlijk kon het Melchior niet schelen of Lorne al dan niet luisterde, het kwam er voor hem op neer dat hij zijn frustraties kon uiten als het nodig was. Lorne Dorganson kende al die figuren waar Melchior het in zijn klaagliederen over had. Hij kende die omdat hij sommige van de avonturen had meebeleefd. Maar de meeste personen kende hij van

Melchiors vertellingen die zich steeds opnieuw herhaalden. Af en toe – hoewel hij altijd zijn best deed – slaagde Lorne er niet in de aandacht te schenken waar zijn vriend op hoopte. Dat lag dan meestal aan het feit dat hij weer eens gezopen had en hij de indruk had dat iemand de binnenkant van zijn schedelpan met een drilboor bewerkte. Maar die avond van de veertiende januari luisterde Lorne blijkbaar heel goed. Want wat hij die avond zei, veranderde de loop van Melchiors leven voorgoed.

"Ik ben het beu dat iedereen de spot met mij drijft."

"Ik begrijp je, Melch. Maar..."

Lorne werkte zijn zin niet af. Wat hij wilde zeggen speelde al zeker een zestal maanden door zijn hoofd. Het was een onwerkelijk idee, het had geen enkele effectieve waarde, maar was misschien voor een naïeveling als Melchior waardevol genoeg om mee te werken. Lorne had lang getwijfeld en had er zijn vriend al eerder over willen beginnen, maar telkens kwam die aarzeling. Wat als Melchior zijn leugen doorhad? Lorne wilde zijn vriend zeker niet bespotten of beduvelen, temeer daar dat net tot de meest traumatische ervaringen van zijn voorbije leven hoorde. Die avond had hij dan uiteindelijk toch zijn eerste woord gelost: *maar*.

Misschien was het enkel omdat hij het kotsbeu was om steeds maar dezelfde verhalen over pesterijen te moeten aanhoren dat hij met dat idiote plan op de proppen kwam. Lorne hield zichzelf echter liever voor dat het louter om vriendschappelijke bedoelingen ging.

Blijkbaar had Melchior iets meer achter dat ene woord gevoeld, want hij ging er tamelijk rap op in.

"Ja?"

Lorne keek hem over de kleine tafel aan.

"Ja, wat?"

"Je wilde iets zeggen?"

Lorne wilde niet terugkrabbelen. Het kon geen kwaad, het was een fabeltje, Melchior kon er enkel een (mentaal) voordeel uithalen. Melchior bezat niet een hoog volume aan intelligentie en was grandioos naïef, hij zou het verhaaltje slikken. Lorne Dorganson overtuigde zichzelf van de onschuld van zijn plan en zei:

"Ik denk dat ik over een manier beschik die jou kan helpen."

Melchiors hart ging sneller slaan.

"Ah?"

"Maar ik reken op volledige zwijgplicht. Wat ik van plan ben te vertellen, moet tussen jou en mij blijven. Anders ben ik zeker mijn werk kwijt."

Melchior ging rechtop zitten. Hij was één en al oor. Zijn lelijke gezicht glunderde. Alle slechte ervaringen waren ineens verdwenen.

"Het is een vreemd verhaal, Melch, maar ik ben er zeker van dat jij er wel zal bij varen. Jij wel, maar anderen helemaal niet."

"Ik luister!"

Lorne wrong zichzelf heen en weer op zijn stoel. Hij wist blijkbaar niet goed hoe hij er best aan begon.

"Eh... geloof je in spoken?" vroeg hij aarzelend.

Melchiors gezicht klaarde open. Hij lachte niet echt, maar voelde zich niet zeker van zichzelf. De stand van zijn lippen verried dat hij zich ongemakkelijk voelde. Nochtans probeerde hij grappig uit de hoek te komen.

"Sturen we spoken op hen af?"

"Niet direct spoken, maar... iets anders."

Lorne keek over zijn ene schouder. De dikke waardin bewoog zich traag achter de toonbank. Hij richtte zijn blik terug naar voor en zei:

"Melch... beloof je me dat je je bek zal houden? Als er iets uitlekt, hangen we allebei."

"Je maakt me verdomme nieuwsgierig! Waar gaat het over?"

"Beloof het me, Melch!"

Melchior werd nerveus. Lorne deed zo geheimzinnig!

"Ik beloof het, Lorne. Ik zal zwijgen!"

Lorne knikte tevreden. Hij dronk de rest van zijn glas leeg en plaatste het onzacht op de tafel.

"Het gaat over demonen."

"Demonen?"

"Wel... één welbepaalde demon eigenlijk."

"Ja? En?"

Melchior Multcher zat op de rand van zijn stoel en voelde zijn vel op zijn huid tintelen. Waarom bleef Lorne zo mysterieus onduidelijk? Lorne van zijn kant vond het geestig dat Melch zich zo opwond. Hij speelde zijn rol van aangever heel enthousiast en merkte aan Melchiors reacties dat hij goed overkwam. Hij bereikte wat hij wilde bereiken.

"Op QuarTech maken wij software voor computers, dat weet je ondertussen. In de maand mei van vorig jaar, 2004 dus, werden een aantal werknemers, onder wie ikzelf, aangesproken. We waren met zessen. Ik kende er drie van, de andere twee werkten op een ander niveau, één verdieping hoger. Er werd ons gevraagd mee te willen werken aan een bepaald project."

Om de spanning erin te houden, hield Lorne op dit moment zijn mond. Hij stond op en merkte dat Melch hem vol verwachting en bijna ongelukkig aankeek toen hij naar de toonbank stapte. Toen hij even later met een nieuwe pint schuimend bier terugkwam, ging hij glimlachend voor Melch zitten.

"Vertel verder, Lorne. Komaan! Ik spring hier zowat uit m'n vel!"

Lorne had er duidelijk plezier in. De drank bezorgde hem een aangenaam en licht gevoel in het hoofd en hoe verder hij met zijn vertelling ging, hoe beter hij zich voelde. Niets kon stuk, alles was goed. Trouwens, aan Melchiors reactie te zien *kon* hij gewoon niet meer terug.

"Ik heb sedert mei van 2004 toegang tot geheime dossiers."

"Whoo! Dat klinkt interessant!"

"Ssst! Schreeuw nog wat luider, ze hebben je in Canada nog niet gehoord!"

Melchior besefte niet dat hij zijn stem had verheven. Hij trok zijn hoofd tussen zijn schouders en zei met een schriel stemmetje:

"Sorry."

Hij voelde zich opgewonden als een kind. Lorne Dorganson vond zichzelf perfect in zijn rol als mysterieuze held.

"Ik zei *geheime* dossiers. Wat betekent dat het geheim *moet* blijven. Hou dus je bek!"

"Sorry..."

"QuarTech is met meer dan met saaie software voor pc's bezig, Melch. In de kelders van het gebouw... ho, ik druk me verkeerd uit... QuarTech is op een labyrint gebouwd. Rond een soort grafkelder."

"Jezus."

"Onder QuarTech ligt een indiaan begraven."

"Jakkes."

"Hij houdt iets vast waarin een demon opgesloten zit."

'Griezelig."

"Laat me nu eens vertellen, Melch, onderbreek me niet voortdurend!"

"Sorry, maar het is zo spannend!"

"Hou je bek! Op het dode lijf ligt een dolk... *lag* een dolk. Daarin zit dus een demon vast. De dolk is nu in een kluis opgesloten. Met dat mes kan ik je helpen."

Melchior keek hem verward aan, maar hield zijn mond.

"Laat het me kort en niet ingewikkeld houden. De dolk bestaat uit twee delen. Het handvat en het lemmet. Met dat lemmet moet je een kerf in je arm maken. In de wonde moet je vervolgens enkele korrels poeder strooien die zich in het holle handvat bevinden, en daarvoor moet je een stop afdraaien. Daardoor zal een klein gedeelte van de demon in jou terechtkomen."

"En dan ?"

"Daarover gaat het nu. De demon is in staat iemand tot waanzin te drijven en uiteindelijk zelfmoord te laten plegen. Het enige wat jij moet doen, is die 'iemand' aanraken. Niet zomaar aanraken. Ik bedoel: er moet een effectief en echt *huid*contact zijn. Je moet tegelijk werkelijk *willen* dat die man of vrouw door de demon die op dat moment in jou zit, bezocht wordt."

Melchior Multcher keek zijn vriend met grote ogen aan. Zelfs zijn mond hing open.

"QuarTech houdt zich naast computers ook met dát bezig, Melch. Je begrijpt natuurlijk dat het geheim moet blijven. Ik bespaar je de ganse uitleg van de oorsprong van het lijk en de demon, maar geloof me. Als je doet wat ik zeg, zul je wraak kunnen nemen."

"En niemand kan het te weten komen?" vroeg Melch met een onzeker, piepend stemmetje.

"Niemand weet dat we dit gesprek hebben gehad, Melch. Niemand weet dat ik jou de kans geef, en daarenboven... is er iets verdacht aan iemand die zelfmoord pleegt?"

Melchior voelde de zenuwen in zijn buik trillen. Het bloed joeg door zijn aderen. Het leek allemaal zo vreemd, zo onnatuurlijk... zo prachtig! Eindelijk zou hij wraak nemen. De eerste naam die hem voor de ogen kwam, was die van die grove kerel uit zijn jeugd. Haylan Rasschino. Dat zou de eerste zijn. Zonder twijfel. Die moest er als eerste aan geloven.

"En? Wat denk je ervan?"

"Moet ik er over nadenken?"

"Natuurlijk. Ik geef je al de tijd die je nodig hebt."
"Ik heb geen tijd nodig!"

Maandag, 13 juni 2005

" En ik ben daar met mijn ogen open ingetrapt?!"
"Klopt."
"Ik heb mezelf gesneden met die dolk. Ik... voel me zo... belachelijk."
Melchior bevoelde het litteken op zijn linkerarm. Lorne bemerkte zijn
handelingen.
"Sorry, Melch. Ik wilde dat het niet zo'n vaart had gelopen."
"Maar het is toch vreemd dat net die twee..."
"Toeval. Ik weet het, het is bijna onmogelijk dat Rasschino en Cockroft zichzelf om zeep hebben geholpen. Ik was er indertijd zelf bijna
ingetrapt. Bij het begin van het project toch. Maar ik had verdomme
vlug door dat het om een nieuw soort computergame ging. Ik begrijp
eigenlijk zelf niet waarom ze ons dat niet hebben gezegd. Misschien
was het omdat wij het dan rap voor gezien zouden houden en ons weer
met ons eigen werk zouden bemoeien. Ik vermoed dat ze het ganse
scenario in mekaar hebben gestoken om onze nieuwsgierigheid op te
wekken. Maar ik had hen door. Het ging – of gaat – ik weet niet of ze
het dan effectief volledig hebben uitgewerkt – over datgene dat ik je
die avond in *Wild Ladies* heb verteld. Een nu verdwenen indianenstam
heeft zich met magie bemoeid, met alle gevolgen vandien. Het ging er
onze werkgevers over om te zien of wij in staat waren de moeilijkheids-
graad van het spel te negeren. Wij waren proefkonijnen, Melch, niet
meer dan dat. Dachten die hufters nu werkelijk dat ik hun stomme
trucs niet doorhad? Wij moesten op de computer allerhande dossiers
openen en sluiten. Uit die dossiers moesten we info halen, bundelen en
alles samenvoegen tot een bruikbaar geheel. Daarvoor hadden wij codes nodig. Zij hadden ons een hele hoop verwarrende en soms verkeerde informatie voorgeschoteld waarin die codes verwerkt zaten. Maar ik
ben nu eenmaal een computerwizzard, dat weet je ondertussen wel. De
meesten gaven hun pogingen al na een week op en...."
"Een week?"
"Jawel! Hun oefening zat ongelooflijk goed in mekaar. Het was enorm

moeilijk om alle codes te kraken en toegang te krijgen tot de domeinen waar ik heen moest. De programma's waren duidelijk opgesteld door kerels die van wanten wisten. Blijkbaar hadden zij een nieuw spel ineengestoken en wilden ze gewoon weten of iemand van ons in staat was binnen te breken. Ik bleef als enige over... en liet niet af. Het was ingenieus in mekaar geflanst, maar... ze hadden verdomme niet op mijn doorzettingsvermogen gerekend. Ik beet en bleef bijten. Ik wilde niet onderdoen voor die klootzakkerige dasdragers van een paar niveaus boven mij."

"Maar wat was hun bedoeling dan met het mes?"

Melchior bevoelde nogmaals het litteken. Lorne snoof. Hij wreef over zijn gezicht en voelde weer een sneer van schaamte door zijn darmen trekken.

"De dolk?"

"Ik heb er mezelf mee gesneden. Op jouw aandringen! Het deed verdomme pijn."

"Het spijt me, Melch. Ze toonden ons de dolk waarschijnlijk met de bedoeling ons te laten geloven dat het allemaal echt was. De idioten, ze dachten waarschijnlijk dat ik daarin liep. Maar ik was verdomme beter dan zij ooit hadden gedacht. Ik ontdekte zonder dat zij daar enig idee van hadden, zelfs de codes om de kluis te openen waarin de dolk verborgen zat. Ik kraakte die en op die manier kon ik het artefact bemachtigen en meebrengen. Ik ontdekte zelfs meer informatie dan zij mij hadden gevraagd op te zoeken. Ik bezit niet veel fantasie, Melch, en het is dankzij – of in jouw geval *te wijten aan* – mijn kennis van computertechnologie en softwareprogramma's dat ik erin geslaagd ben zowat alles wat mogelijk was uit hun gegevens te halen. Over de demon, over zijn kracht, over wat hij bij de vijanden teweeg kon brengen. Hun nieuwe game zat duidelijk vol gaten. Ik vermoed dat het gewoon hun bedoeling was om te zien of iemand erin slaagde door te dringen tot in de werkingsinstallaties. Ik gebruikte alles om het aan jou zo geloofwaardig mogelijk over te brengen. Ik had de bedoeling jou te overtuigen."

"En Yellow Moon dan?"

"Die bestaat echt. Hij verblijft in een rusthuis in Miles City. De mensen van QuarTech hebben moeite gedaan om het voor ons zo echt mogelijk te maken. Zij lieten ons tapes zien van gesprekken die ze met hem hebben gevoerd over de oude stam en de magietoestanden. En alles om ons te laten geloven dat ze met *echte* dingen bezig waren. Jezus, Melch, ik doorzag gewoon alles. Ze hadden die oude indiaan wat geld in zijn handen gestopt om mee te spelen. Ik heb hem nooit bezocht, ik gebruikte dat enkel om mijn verhaal een beetje te peperen. Geloofwaardiger te maken, net zoals zij met ons hebben gedaan. Ik wilde gewoon dat je me geloofde. Begrijp je nu wat ik bedoel als ik zeg dat het net om die vriendschap draait?"

Melchior keek Lorne Dorganson op een vreemde manier aan. In zijn blik lag tegelijk ongeloof en verwondering. Het aspect kwaadheid leek uit de waaier van emoties verdwenen.

"Dus... alles ging dus enkel maar om een computerspelletje?"

Lorne hief de handen op.

"Ik noem het niet graag zo, Melch. Het was een... gevolg... van de dingen waar ik op dat moment mee bezig was. Jij bent ongelukkig om bepaalde dingen uit jouw verleden, ik had op dat ogenblik in Ladies een grandioze ingeving – zo zag ik dat op dat moment toch – en... wij zijn vrienden. Ik dacht dat ik jou op die manier kon helpen. Er kon toch niets van in huis komen, wie je ook aanraakte. Niemand kon kwaad worden berokkend en het enige doel dat ik voor ogen had, was jou een goed gevoel geven!"

"Dus QuarTech is niet bezig met het oproepen van demonen?"

Lorne glimlachte voor het eerst die avond.

"Wij maken software, Melch. Meer niet. De rest waren allemaal gadgets om de spanning voor de deelnemers er een beetje in te houden. Het was eens iets anders dan teambuilding en samen sporten."

Melchiors schouders zakten naar beneden. Pas op dat moment besefte hij dat hij al de ganse tijd in een pijnlijk verkrampte houding had gezeten. Kwaadheid en frustratie hadden zich samengebundeld en klonterden als een bol spanning achter op zijn rug samen. Zijn hoofd bonsde. Hij richtte zijn blik op Lorne en vroeg:

"Wat als het allemaal *wel* waar is?"

Lorne Dorganson wreef met beide handen over zijn gezicht. Hij duwde zacht in zijn ogen en toen hij zijn handen met een hulpeloos gebaar in zijn schoot liet vallen, zag hij Melchior niet heel duidelijk meer zitten.

"Melch... Hun opzet was zó doorzichtig. Ik trapte er op geen enkel moment in. Ik speelde hun domme spelletje mee en kraakte alle codes die konden gekraakt worden. Hoe die anderen niet tot hetzelfde resultaat kwamen, begrijp ik niet. Komaan, zeg. Ik bereikte het resultaat dat ik wilde bereiken en nog voor ik het systeem volledig doorgrond had, hoefde ik niet meer mee te spelen. Ik werd bedankt voor mijn medewerking aan het project en dat was het. Voor mij was het duidelijk dat ze zich in hun kont gebeten voelden. Ik had alles gekraakt, wat ze niet hadden verwacht. Waarschijnlijk wilden ze niet dat ik hen tot op het bot uitbeende en stopten ze ermee. Dat is het verhaal, Melch. Je gelooft toch niet in spoken?"

"Neen, Lorne… wel in vriendschap!"

"Okay… sorry… ik dacht verkeerd."

"Ik voel me bedrogen, Lorne. Je hebt op jouw manier de spot met mij gedreven! Net dat waar ik het meeste verdriet van voel. Net dat heb je me aangedaan! Ik voel me misbruikt!"

Lorne dacht dat Melch zou wenen.

"Jezus, Melch… ik had enkel goede bedoelingen! Ik meen het… sorry… het spijt me echt dat het zo uitgedraaid is. Ik kan er niets aan doen dat Haylan en Cockroft zichzelf net op dit moment om zeep hebben geholpen!"

Melchior ging rechtzitten.

"Daarom geloof ik niet dat het toeval is."

"Daar gaan we weer!"

Melchiors bovenlichaam veerde naar voren.

"Lorne… ik heb ze aangeraakt. Net zoals je me verteld hebt. Ik heb de energie… of hoe je het ook noemt… voelen overgaan. Ik heb hen zien reageren. Net zoals je voorspeld hebt! En nu zijn ze dood, in volgorde, door zelfmoord! Ook net zoals je gezegd had wat zou gebeuren."

Lorne Dorganson bleef zijn hoofd schudden.

"Het is een game, Melch! Verdomme, je gelooft toch zelf niet dat Quar-Tech met iets dergelijks bezig is? Indianen en demonen? Je gelooft toch al die onzin niet? Je hebt je de overdracht verbeeld."

"Hoe verklaar je dan wat er is gebeurd?"

"Toeval!!" riep Lorne.

"Onmogelijk!" gilde Melch terug.

"Wel, als het zo zit…"

Melch wachtte de rest van de zin af, maar die kwam niet.

"Ja? Wat dan?"

"Als je werkelijk denkt dat het allemaal waar is... doe het dan voor een derde keer!"

Melch zakte weer achterover. Daar had hij nog niet aan gedacht en hij vermoedde dat Lorne die uitspraak ook heel impulsief had gedaan. Melch had echter geen zin om deze keer ongelijk te krijgen. Niet deze keer, niet met Lorne Dorganson, die nog steeds beweerde zijn vriend te zijn.

"Goed! Een derde. En als het lukt, als alles doorgaat... dan... dan..."

"Dan vind ik het heel erg," zei Lorne rustig.

Er volgde opnieuw een netelige stilte die door Melch doorbroken werd.

"Wie nemen we?"

Lorne haalde zijn schouders op. Hij voelde zich enorm ongemakkelijk. Dit was niet de manier waarop hij zijn avond wilde doorbrengen. Dit was niet de manier waarop hij had gehoopt dat zijn interventie in Melchiors leven zou uitdraaien. Hoewel hij overtuigd was van zijn gelijk, had hij geen spijt van zijn nieuwste voorstel.

"Wie verdient het?"

Melchiors ogen glinsterden opeens. Hij hoefde zijn verleden niet af te speuren om mensen te vinden die hem kwaad hadden berokkend om wie hij was.

"Aan wie denk je, Melch? Ik zie het in jouw ogen!"

"Wat dacht je van Khanlowski?"

Lorne fronste de wenkbrauwen.

"De Koe?"

10. Raven Daramantez
Eindelijk verbanden

Dinsdag, 14 juni 2005

"Ik hou van jou!"

Raven Daramantez lag op haar rug in bed. Ze keek naar het plafond en niet naar de man die naakt naast haar lag en met wie ze net had geneukt. Haar geest was niet langer bij de vrijpartij. Hij had zich als een wildeman gedragen, en dat had ze geapprecieerd. Ze hield van echte neukpartijen; ze hield ervan 'genomen' te worden, niet van dat kwezelige gedoe. Maar nu kwam Deke er toch mee op de proppen. Ze werd uit haar gedachten weggerukt en reageerde daarom tamelijk kort.

"Lul niet."

"Ik meen het, Raven. Jij bent de prachtigste vrouw die ik ooit heb ontmoet."

"Lul niet, zeg ik. Jij neukt als de beste. Dat is alles."

"Voel je dan niets voor mij?"

Deke rolde op z'n zij. Het zweet verdampte van zijn huid. Hij keek naar Ravens rechtopstaande tepels. Hij was tien minuten geleden in haar klaargekomen en voelde dat zijn penis opnieuw reageerde.

"Waar heb je het over, Deke? Het is toch niet de eerste keer dat we neuken. Ik dacht dat we een afspraak hadden? Enkel seks! Niets meer!"

Deke boog zich voorover en teutte zijn lippen rondom de dichtstbijzijnde tepel. Met zijn tong bestreek hij de gerimpelde, bruine rand rond het verhoogje van vlees en voelde zijn erectie groeien. Hij duwde zichzelf tegen haar dij aan.

"Dat bedoel ik, Deke, je bent een echte stier. Dat heb ik nodig. Ik wil af en toe gewoon geneukt worden en daar ben jij goed voor. Hou verder je mond!"

Raven gaf Deke een zachte zet. Hij liet zich achterovervallen en keek haar glimlachend aan.

"Ik weet het… maar toch…"

"Je bent daarbij nog een kletskous ook!"

Raven rechtte zich, werkte zichzelf wijdbeens bovenop de liggende Deke en keek hem ondeugend aan.

"Hij is alweer hard?!"

"Dat is enkel dankzij dat sublieme lijf van jou!"

Ravens onderlichaam rustte op dat van Deke en ze rechtte haar rug. Hij hapte naar adem toen hij naar haar spitse borsten keek. Raven was werkelijk een pure schoonheid. Hij begreep nog steeds niet hoe hij – als doordeweekse (getrouwde) bureauflik – erin geslaagd was Raven te verleiden. Of had zij hem verleid? Was hij voor haar charmes bezweken?

Raven bewoog haar onderlichaam van voor naar achteren, zodat haar gezwollen schaamlippen zijn op zijn buik rustende penis streelden.

"Daarom heb ik je graag, Deke. Je bent één van de weinigen die niet in slaapt valt nadat hij zijn kwakje is kwijtgespeeld."

"Je praat als een slet. Je bent brutaal in bed!"

"Ik ben *goed* in bed!"

Raven schoof haar onderlichaam achteruit en boog zich voorover.

"Zeg dat wel!" kreunde Deke.

Heel langzaam liet Raven het puntje van haar tong over zijn stijve pik glijden. Van tussen de beide ballen tot bovenaan de eikel. Vervolgens opende ze haar mond en beet voorzichtig in de hard geworden stam, terwijl ze zijn gloeiende scrotum kneedde. Hij richtte zich op en keek naar haar hangende borsten. Hij zag en voelde haar witte tanden in zijn pik bijten. *Dit is de hemel*, dacht hij, *dit is de hemel.*

Raven ging opeens rechtop zitten en veegde het lange, zwarte haar van voor haar gezicht weg.

"Je bent een beest!" siste ze.

Deke keek haar hijgend aan en hoopte dat ze van geen stoppen wist. Maar Raven stapte uit het bed en verdween naar de badkamer. Deke bleef met zwoegende longen op zijn rug liggen. Zijn lichaam zweette, trilde en sidderde. Dat was niet mogelijk. Zijn penis was een keiharde paal geworden en zijn ballen gloeiden binnenin het scrotum. *Ze is een heks van een wijf!*

Hij hoorde haar een douche nemen. Toen ze vijf minuten later terug in de slaapkamer kwam, droeg ze een lange, groene kamerjas. Ze keek hem vol verwondering aan.

"Je ligt daar nog?"

"Raven… weet je wel wat je me aandoet?"

"Ik neuk je, ik zoen je en ik zuig je te pletter. Bedoel je dat?"

"Dat ook… maar ik ontplof bijna… je begint me te… en je stopt dan plotseling…"

"Niet janken, Deke, er bestaat nog zoiets als werk ook."

Deke kreunde.

"We werken samen, we zijn soms de ganse dag samen… en als we de kans krijgen, duiken we in bed. Dit is hemels."

Raven haalde haar schouders op.

"Is daar iets mis mee?"

"Neen, maar…"

"Waar klaag je dan over?"

Deke zweeg. Zijn erectie slonk zienderogen.

"Sta op, luiwammes! We hebben nog werk te doen."

Deke richtte zich op op één elleboog.

"Werk? Wat bedoel je?"

"Ik wil alle foto's zien van het dak waarop Haylan Rasschino zichzelf heeft gemold."

"Nu?"

Raven keek hem geveinsd verbaasd aan.

"Jezus, Deke, wat scheelt er met jou? Natuurlijk, nu!"

"Het is halfzes."

"Wat dan nog? Soms ben je toch een oetlul! Sta op… maak je klaar… ik rijd."

Even later zat Deke achter zijn computer op het bureel en stond Raven Daramantez achter hem. Haar armen leunden op de bovenkant van zijn bureaustoel. Niets wees erop dat ze net samen het bed hadden gedeeld. Voor de anderen die zich nog in de buurt ophielden, waren Deke en Raven 'gewoon' collega's.

"Ik laad het programma op… ik open het dossier… en voilà! Dertig foto's. Wil je die allemaal zien?"

"Een per een."

Raven boog zich voorover en keek samen met Deke naar de foto's die op het scherm verschenen. Het negen verdiepingen tellende appartementsgebouw op de hoek van Condor Street en Main Street was het eerste beeld dat zij te zien kregen. Een globaal overzicht van de situatie.

Dan de trappenhal. Enkele voor zichzelf sprekende foto's in Dyanna Linthers flat genomen. En uiteindelijk het dak.

"Trager!"

Deke vertraagde het tempo van de verschijnende prenten. Raven boog zich meer naar voren. Ze voelde dat meerdere goedkeurende blikken op haar kont waren gericht… en ze vond dat best amusant.

De ene foto volgde de andere op. Het dak. De leuning, het touw, de knoop, het scheermes…

"Keer terug,"zei Raven ineens.

"Momentje…"

"Twee of drie foto's. Het was die waarop je de borstwering zag en de rest van het dak!"

Deke deed zijn best om zo vlug mogelijk op Ravens vraag in te gaan. De gevraagde prent kwam tevoorschijn.

"Dit hier?"

"Ja! Kijk daar!"

Raven stak haar vinger uit en tikte met een gemanicuurde nagel tegen het glas van het scherm.

"Wat is dat?" vroeg Deke.

De foto toonde de borstwering van heel dichtbij en volledig aan de andere kant van het dak, in een hoek, lag dat iets waar Ravens nagel op tikte.

"Kun je dat item uitvergroten?"

"Wat denk je dat het is? Een stuk papier?"

"Ik hoop dat ik gelijk heb. Vooruit met de geit…geef me een vergroting!"

"Momentje…"

Deke bewoog de muis, selecteerde de witte vlek in de hoek en klikte enkele knoppen aan. Er verschenen grotere versies van het gevraagde.

"Groter!" siste Raven.

"Je jaagt me op! Als je het te groot bekijkt, wordt het onduidelijk!"

"Komaan. Doe maar op! Je breekt er niets mee!"

Deke herhaalde zijn handelingen en zei:

"Het is een zak. Er staan letters op. Is het dat wat je wilt?"

Raven stond ondertussen weer rechtop. Ze glimlachte.

"Dat is het inderdaad. Ik vermoed zelfs dat ik weet wat erop staat."

"Hoe kun jij dat weten?"

Raven grijnsde haar prachtige gebit bloot.

"'*The Workman's Shop* in Garland'. Ik wed met jou voor… wat je maar wilt. De zak is weggewaaid en niemand dacht eraan dat die bij de goederen van Haylan Rasschino hoorde. Of niemand heeft de zak opgemerkt. Ik was erbij, dus ik neem de schuld ook op mij."

Ondertussen had Deke nog enkele pogingen ondernomen. De prent die verscheen, was nu tamelijk onduidelijk, maar toch viel Ravens gelijk niet langer te betwisten.

"Je hebt verdomme nog gelijk ook. Kijk!"

Raven wierp een blik op het scherm dat volledig beheerst werd door een gedeelte van de zak. De letters '*kman's Sh*' waren duidelijk zichtbaar.

"Je bent een krak. Goed, en wat heb je nu bereikt?"

"Dat, Deke, is momenteel ons enig aanknopingspunt tussen de twee zelfmoorden in Yellowmoon. Rasschino en Cockroft hebben beiden hun goederen aangekocht in *The Workman's Shop* in Garland. Is dat niet een klein beetje vreemd?"

Deke kon dat gegeven enkel bevestigen. Raven vroeg zich enkel af wat ze met die nieuwe informatie kon aanvangen. Misschien was een nieuw gesprek met de uitbater van de zaak nodig. Ze keek op haar polsuurwerk. Geen probleem.

"Ik rij er nu nog naartoe. Je weet dat 'ophouden' niet tot mijn woordenbestand hoort. Je moet trouwens nog iets voor mij doen, Deke."

"En dat is?" Hij had die vraag verwacht.

"Zoek meerdere aanknopingspunten tussen Cockroft en Rasschino uit. Spit hun verleden uit, hun werk, hun familiebanden, hun vrienden. Alles wat gemeenschappelijk kan zijn. Er moet iets zijn wat hen bindt. Anders geraak ik er niet vlug aan uit!"

Deke snoof, maar knikte. Raven draaide zich verder zonder enig vertoon van emotie van Deke weg en haastte zich het bureel uit.

Woensdag, 2 maart 2005

"Ben je nerveus?"

Melchior Multcher was nauwelijks in staat zijn zenuwen te kalmeren. Het was anderhalve maand na hun eerste gesprek in *Wild Ladies* in

Brandenberg op veertien januari. Daar had Lorne hem ingewijd in het bestaan van dat geheime dossier en wat dat voor Melchior Multcher kon betekenen. Sinds die avond had Melchior nauwelijks één nacht ongestoord geslapen. Allerlei nachtmerries hielden hem wakker. In de weken die op die eerste keer volgden, had hij samen met Lorne Dorganson het onderwerp nog meerdere malen besproken. Telkens kwam hij tot het besluit dat Lorne misschien wel gelijk had. Als iedereen zweeg, was er niemand die hem iets ten laste kon leggen.

Lorne van zijn kant voelde zich steeds meer schuldig worden. Het was nooit zijn bedoeling geweest dat Melchior zich zo krampachtig in de situatie vastbeet. De jongen was werkelijk door het idee bezeten en Lorne voelde dat hij niet meer terug kon krabbelen. Hij wilde zijn vriend niet met de waarheid confronteren: dat het allemaal een leuke hoop onschuldige zever was. Dus bleef hij het spel, dat hij zelf in gang had gezet, meespelen. Het kon toch geen kwaad. Niemand kon eronder lijden. Hij hoopte enkel nog dat wat ze die avond van plan waren te doen, er Melchior van weerhield door te gaan. Het was Lornes ultieme kans om de ganse zaak te laten varen.

Melchior had zijn vriend de oren van het hoofd gezaagd om meer over het onderwerp te vertellen, maar Lorne had zich bij het essentiële gehouden. Uiteindelijk spraken ze een dag af waarop hij de dolk mee naar huis zou nemen. Zoals hij Melchior had uitgelegd, was het omzeilen van de codes een kolfje naar zijn hand, iets waar de verantwoordelijken van QuarTech helemaal niet op hadden gehoopt. Ze hadden waarschijnlijk niet eens gevreesd dat er iemand in staat was *hun* supercodes te breken. Lorne Dorganson was maar al te fier om te bewijzen dat die 'slimme koppen allemaal samen' het bij het verkeerde eind hadden. De dag waarop beide vrienden hadden afgesproken, was vandaag. Het moment dat Melchior Multcher met pulserende ingewanden in Lornes smerige sofa in zijn woning op Wooden Bridge Road zat en zijn vriend met de bewuste dolk in zijn ene hand voor hem stond.

"Ben je nerveus?" herhaalde Lorne.

"Wat dacht je?"

"Ik zou nerveus zijn, Melch, neem dat van me aan."

"Wat zal het met me doen?"

Lorne was het spelletje eigenlijk al meer dan beu. Het duurde te lang. Het lag op zijn lippen om alles te vertellen. Er was echter iets wat er hem van weerhield. Misschien was het de wanhoop in Melchiors ogen die hij de afgelopen jaren meerdere malen had opgemerkt en die hij nu weer opving. Wanhoop, naast vrees.

"Ik heb je het allemaal al tientallen malen uitgelegd, Melch. Als je verder wilt gaan, dan moet je nu doen wat we besproken hebben. Ik riskeer m'n vel en m'n werk door de dolk uit de kluis te stelen. Wat denk je? Gaan we ervoor?"

"Ik durf niet."

Melchiors onderlip trilde. Lorne haalde zijn schouders op.

"Okay... dat was het dan!"

Melchiors handen schoten omhoog.

"Wacht... wacht... Lorne, ik wil... ik doe het... geef me de dolk."

Lorne Dorganson worstelde met een tweeledig gevoel. Als Melchior het niet deed, was de poppenkast afgelopen. Deed hij het wel, dan stond hem de komende maanden nog heel wat gezaag te wachten. *Waarom gebeurt er niets? Heb je me iets voorgelogen? Ik heb X of Y aangeraakt en er is niets met hen aan de hand? Werkt het misschien niet? Hebben we het wel goed gedaan?*

"Je bent het zeker?"

"Ja, doe me nu niet meer twijfelen! Geef me de dolk!"

"Okay!"

Lorne schoof het wapen uit de lederen schede en overhandigde het aan Melchior. Hij nam het met trillende handen in ontvangst. Het voorwerp was ongeveer vijfentwintig centimeter lang, lemmet en handvat samen. Een smal, lang lemmet en een houten handvat met bovenaan iets wat op een schroefdop leek. Het geheel zag er helemaal niet speciaal uit. Geen versieringen, geen tierlantijnjes, geen bliksemschichten door zijn handen bij de eerste aanraking. Het was een gewone, onopvallende oude dolk. Het hout van het handvat was afgesleten en het lemmet was op bepaalde plaatsen licht gekarteld. Enkel de lederen schede waarin de dolk stak, 'zag' er indiaans uit.

Lorne merkte dat Melchior het wapen met gemengde gevoelens bekeek en bevoelde.

"Wat is hier nu zo speciaal aan? Het lijkt een heel oud ding zonder veel waarde."

"Het symboliseert iets, Melchior, daar gaat het over. En de inhoud ervan is heel belangrijk."

Lorne vond dat hij er beter het nodige gewicht aan toevoegde, want iemand die de dolk in andere omstandigheden voor het eerst zag, zou die nauwelijks een tweede blik waardig gunnen.

"Mijn linkerarm?"

"Melch… we hebben alles besproken. Zowat tienduizend keer, of vergis ik me? Je bent rechts. Daarom neem je de dolk met je rechterhand vast. Doe wat je moet doen, Melch. Ik wil het vanavond nog terugbrengen. Er is momenteel niemand op de firma."

"Ik haat bloed," jammerde Melchior.

"Jezus… je hoeft geen groef van een meter diep in je poot te harken. Jank toch niet zo, een sneetje is meer dan genoeg. Zorg er enkel voor dat je geen slagaders raakt."

Melchior Multcher dacht niet aan zijn ouders of aan zijn verzameling autoboeken op zijn kamer. Hij dacht ook niet aan zijn verleden of toekomst. Het enige wat telde, was het eigenste moment waarop hij met het snode plan worstelde zichzelf te verminken. Dat was de manier waarop hij het zag. Hij woog het wapen met zijn rechterhand en plaatste de scherpe punt ergens halverwege de binnenkant van zijn linkerarm die op zijn dijbeen steunde.

"Hier?"

"Goed, Melch… daar is het goed."

Lorne hoopte dat het vlug voorbij was. De vertoning waarbij Melchior zich zo overdreven gevoelig gedroeg (hoewel hij zich goed in zijn plaats kon inbeelden), verveelde hem.

"Aauw…"

Melchior duwde de punt in zijn dunne huid. Zijn gezicht vertrok toen hij met onvaste hand de dolk in de richting van zijn pols bewoog. De snee was niet diep, maar er verscheen wel een spoor van bloed.

"Aauw… aauw, dat doet… pijn!"

Mietje! Dat had Lorne willen zeggen, maar hij hield zichzelf in bedwang. Nog even en het bespottelijke gedoe was over. Niet voor het eerst wilde hij dat hij er nooit aan begonnen was. Melchior hief de dolk op. Met ogen vol tranen keek hij Lorne aan. Die nam de dolk van hem over en draaide bovenaan het handvat de schroefdop open waardoor bleek dat het handvat hol was en een dun poeder bevatte. Stof bijna.

"Trek nu de wonde open . Ik strooi er wat van de inhoud in."

"Het prikt!"

"Vooruit… hoe vlugger je werkt, hoe vlugger het voorbij is! Hou je adem in. Ik wil niet dat het stof alle kanten op vliegt."

Melchior plaatste de duim en wijsvinger van zijn andere hand aan beide kanten van de bloedende snee in zijn linkerarm en deed wat hem bevolen was. Hij verbeet de pijn toen nog meer bloed uit de breder wordende snee sijpelde en blokkeerde zijn ademhaling. Lorne kantelde de dolk en tikte met één nagel op het handvat. Geel stofpoeder dwarrelde in de rode snee, mengde zich met het bloed en werd erdoor opgezogen.

"Warm…"

"Wat?"

"Het voelt warm aan… geen pijn meer."

Lorne draaide onopvallend met de ogen. Hij vond de manier waarop Melchior het verhaaltje geloofde zowaar pathetisch. Hoe naïef kon iemand eigenlijk zijn? Lorne kantelde de dolk in de omgekeerde richting en draaide er de schroefdop weer op. Hij overhandigde Melchior enkele pleisters die ze hadden klaargelegd. Het gezicht van de jongen was bleek en bezweet. Het moest een hele ervaring voor hem geweest zijn.

"En nu?" vroeg Melchior, nadat hij de nodige pleisters had aangebracht.

Lorne haalde de schouders op.

"Nu drinken we iets. Nu spoelen we de emoties door!"

"Dat bedoel ik niet. Wat volgt er nu?"

Lorne zuchtte.

"Zelfs dat hebben we uitvoerig besproken, Melch. De demon ontwikkelt zich nu in jouw lichaam en verkent dit gebied dat volledig nieuw is voor hem. Hij zal zelf wel het nodige doen als jij iemand aanraakt, die je *wilt* aanraken!"

Melchiors lijf beefde van opwinding. Dit was erger dan hij had verwacht. Niet de wonde die hij in zijn arm veroorzaakte, dat was nog het minste. Dat was al voorbij. Maar wat die verdomde spanning in zijn lijf teweegbracht! Dat was nauwelijks te dragen. En nu nog wachten tot hij iemand kon aanraken, tot hij de kracht had om de volgende stap te zetten.

Melchior had er zich de afgelopen weken van verzekerd dat op deze wereld drie mensen rondliepen die absoluut verdienden door hem te worden aangeraakt. Drie mensen die hem (en zijn ouders van wie hij veel hield) het leven meer dan zuur hadden gemaakt. Ze hadden hem vernederd. Ze hadden misbruik van hem gemaakt. Ze verdienden om te sterven. Hij herinnerde zich ineens de degoutante gebeurtenis met de sportleraar in de winter van 1981.

Woensdag, 12 december 1981

Iets meer dan een maand nadat de ongure Haylan Rasschino de elfjarige Melchior en Lorne net buiten de school op Sedan Street had aangevallen en daarbij in zijn woeste furie die men van hem gewoon was, Melchiors broodtrommel had vernield, ontdekte Melchior dat sommige volwassenen zich anders konden gedragen dan men van hen gewoon was. Zij toonden dan meestal een aspect die men niet van hen had verwacht. Wat hij over meneer Cockroft, hun sportleraar, weleens had gehoord – maar nooit had geloofd – werd die dag bewaarheid. Blijkbaar slaagden sommige mensen erin hun slechte eigenschappen heel lang verborgen te houden.

Op woensdagnamiddagen werd er in Yellow Junior gesport. De twaalf-de december van 1981 kon die welbepaalde volwassene zich niet langer bedwingen. Zijn minder goede behoefte, een kant die hij die namiddag niet onder controle hield, zorgde ervoor dat hij in het geheugen van de jonge kerel gegrift stond en bleef. Daardoor werd hij één van de drie mensen die het volgens Melchior verdienden van de planeet te verdwijnen.

"Melchior Multcher... je loopt als een kindermeisje dat haar regels heeft!"

De negentwintigjarige sportleraar Jeffrey Cockroft – die het later tot onderdirecteur van diezelfde school zou schoppen – stond wijdbeens en met de vuisten op de heupen in het midden van het grasplein waar de leerlingen van Yellow Junior rondliepen. Hij was volledig in het wit gekleed. Pet, hemd en korte broek. Zelfs zijn kousen en pantoffels waren wit. Boven zijn hemd droeg hij, gezien het koude weer, een witte trainingsvest.

Melchior haatte sport. Lopen? Wie liep er nu zo vlug hij kon zonder dat daartoe noodzaak bestond? Was daar nu iets prettig aan? En wat was er het nut van? Het verbranden van calorieën? Melchior was zó mager dat hij daarvan zeker geen overschot te verbranden had. Het kweken van spieren? Melchior was toch niet van plan een bodybuilder te worden, hij wist dat hij daarvoor niet over de initiële lichaamsbouw beschikte. Dus, de elfjarige Melchior Multcher liep altijd als allerlaatste, zelfs nog een gans stuk achter de laatste van de kopgroep. Lorne Dorganson was ook niet van de sportiefste, maar die hield zich meestal in de middenmassa op.

"Multcher!!" schreeuwde Cockroft.

De jongen keek verschrikt opzij. De leraar wees hem aan.

"Je hebt bijna een volledige ronde achterstand. Nog twintig meter en je loopt in de weg van degene die zich écht inspannen! Ga opzij!"

Melchior waagde het niet achterom te kijken, hij hoorde reeds de vele en vlugge passen van de strevers. Hij wipte van de baan op het gras, en hield op met lopen, wat een helse reactie van Cockroft uitlokte.

"Multcher! Niet op het gras!! Je komt er zo niet vanaf," bulderde de leraar.

Als domme reactie wipte de jongen onnadenkend terug op de piste, net op het moment dat de eerste drie lopers op datzelfde punt aankwamen. De eerste miste hem op een haartje na, de tweede kon uitwijken, maar met de derde kwam Melchior in aanraking. Hij kreeg een harde duw in zijn rug en kwam languit, in buiklig, op het gras terecht. Achter hem hoorde hij een hels vloeken. Anderen lachten. Terwijl hij zichzelf rechtop haastte, zag hij Cockroft op zich afkomen.

"Je bent een onnozelaar, Multcher! Je hebt genoeg schade berokkend! Ga naar de douches, ik wil jou hier niet meer zien."

"Maar, ik..."

"De douche!!"

Melchior trok zijn hoofd tussen zijn schouders. De groep lopers was een ferm stuk van hen verwijderd. Niemand van zijn medeleerlingen trok zich wat van de furie van de sportleraar aan. Melchior dacht dat de leraar zijn arm ophief om hem te slaan, maar tot zijn grote verwondering legde Cockroft zijn hand bovenop zijn hoofd. Hij streelde zijn haar en gleed langs zijn wang naar zijn schouder. Toen hij sprak, was Cockrofts stem helemaal niet langer bedreigend of vijandig.

"Ga naar de douches, jongen, jouw knieën zitten onder de aarde. Is alles in orde?"

Melchior begreep niets van de plotse verandering in de gedragingen van de sportleraar. Hij keek op en vroeg zich af wat die glimlach om zijn lippen betekende.

"Ga nu... de anderen moeten nog heel wat rondjes lopen. Neem een douche."

"Eh... ja... meneer."

Melchior Multcher glipte van onder de nog steeds zijn schouder strelende hand en stapte zonder om te kijken naar het gebouw waarin de douches voorzien waren. Hij koos de properste uit, ontkleedde zich en stapte in het bassin. Ondanks de verwarming beet de koude van het porselein in zijn voeten. Melchior opende de kraan en sprong gillend opzij toen het ijskoude water op zijn hoofd en schouders terechtkwam. Dat maakte hij nu elke keer mee als hij een douche op school nam. De jongen probeerde zich rillend zo ver mogelijk uit de buurt van de waterstraal te houden, maar ook niet té ver, want dan kwam hij in aanraking met de koude, witte muurtegels. Zijn magere armen om zijn lichaam geklemd, wachtte de kleine, elfjarige Melchior Multcher tot het water warmer werd. Hij waagde enkele pogingen met een uitgestoken hand en ging uiteindelijk onder het dampende vocht staan, wat hem onmiddellijk een ontspannend gevoel bezorgde. Er was geen zeep of shampoo voorzien. Met beide handen wreef hij over zijn lichaam en door zijn haren.

"En... is alles in orde?"

Melchior schrok op toen hij de stem van de sportleraar achter zich hoorde. Het druisende water had hem belet op te vangen dat er iemand aankwam. Hij bleef staan, maar keek over zijn schouder naar achteren. Meneer Cockroft hield met zijn rug de douchedeur geopend en leunde nonchalant tegen de stijl.

"Is alles in orde, Melchior?" herhaalde hij.

Melchior voelde zich onprettig. Cockroft had dezelfde glimlach als daarnet. Mysterieus, onbepaald... en zeker niet te vertrouwen. Zelfs als kleine jongen voelde Melchior dat de man geen oprechte bedoelingen had, maar hij was te jong om er tegenin te gaan en niet helemaal zeker van zichzelf.

"Draai je eens om."

"Maar meneer..."

"Draai je om, jongen!"

Er lag een gebod in die uitdrukking. Melchior wist niet of hij daar al dan niet diende op in te gaan.

"Komaan, mannen onder elkaar... je bent toch een man? Nietwaar? Draai je om, Melchior!"

De jongen hoopte dat het op hem neerplenzende water als een verhullend gordijn zou werken, want hij had geen zin om naakt voor de man te staan. Niet dat hij zich beschaamd voelde, eerder onbeschermd. Schaamte was iets waar hij weinig moeite mee had. Zijn naaktheid voelde aan als onveiligheid, waar een grote man als Cockroft – met slechte bedoelingen – misschien zou van profiteren. Langzaam verplaatste de elfjarige Melchior Multcher zijn voeten tot hij – nog steeds onder het spuitende water – met zijn voorkant naar de sportleraar gericht stond. Hij hield zijn magere armen tegen zijn borst gedrukt en kneep zijn knieën tegen elkaar. Een tenger, klein kind.

Jeffrey Cockroft leunde iets naar achteren, draaide zijn hoofd opzij en keek op die manier naar de ingang van het douchecomplex. Toen hij terug naar voren keek, waren zijn ogen onmiddellijk gericht op de plaats waar Melchiors benen samenkwamen. Er verscheen een glimlach op zijn lippen. Toen hij sprak, klonk zijn stem geforceerd lief en zacht. Melchior voelde dat er iets verkeerd was, maar kon niet duidelijk bepalen wat er scheelde. Men had nochtans verhalen over de sportleraar verteld. Over zijn handelingen met leerlingen. Maar waren dat verzinsels, of zat er een splinter van waarheid in wat er werd verteld? Melchior was te jong om te beseffen dat hij op dat moment deel uitmaakte van het onderwerp van die verhalen.

"Hmm... je bent een mooie jongen, weet je dat?"

Zelfs toen Cockroft dat op die slijmerige manier zei, twijfelde Melchior. Hij wist dat dat niet waar was. Dat kon hij niet menen. Melchior wist van zichzelf dat hij niet mooi was. Hij kende zichzelf als een magere, kleine jongen met veel opkomende puisten op z'n kop en scheve tanden. Mooi was anders. Waarom vertelde die man dan dergelijke nonsens?

"En... je bent flink geschapen voor jouw leeftijd!"

Geschapen? Waar had hij het over? Melchior begreep niet wat hij met die opmerking bedoelde. Flink geschapen? En waarom keek Cockroft steeds opnieuw naar de ingangsdeur van het gebouw? Verwachtte hij dat er iemand binnenkwam... of vreesde hij het?

"Kom dichter bij mij staan, Melchior."

"Meneer..."

De jongen voelde figuurlijke nattigheid. Maar niettemin ging hij op het bevel in. Van zodra hij uit het bereik van het water was, kreeg hij het koud. Hij omklemde zijn schouders nog meer en toen hij op een meter van Cockroft genaderd was, stapte die plotseling met één been in de douchecabine. Zijn ogen waren wijdopen en zijn tong hing een beetje uit zijn mond. Melchior had die uitdrukking nooit eerder gezien. Voor hij er erg in had, greep Cockroft de geslachtsdelen van de jongen vast. Melchior was te verbouwereerd om zich achteruit te trekken. Sidderend van onbegrip en angst bleef hij staan en voelde – tegelijk met een misselijkmakend gevoel – hoe Cockroft aan zijn kleine penis trok. Dat bezorgde hem helemaal geen opwinding, integendeel.

"Heb je je nog nooit afgetrokken?" vroeg Cockroft met een hese stem.

Hij had ondertussen weer om het muurtje heen gekeken.

"Hé? Heb je het al gedaan?"

Melchior begreep niet waar hij het over had. Hij had zichzelf nooit eerder afgetrokken en wist echt niet wat dat werkwoord inhield. Hij had de andere jongens wel al horen pochen over dat onderwerp, maar hij had zich afzijdig gehouden omdat hij voelde dat het om iets onkuis ging.

"Neen... je bent nog een maagd, ik voel het. Hij begint wel te zwellen, jongen, lekker... kijk, ik zal het je leren!"

Melchior schrok op, maar stapte niet achteruit. Cockroft hield met één hand het scrotum en de penis van de jongen vast en stroopte met zijn andere hand zijn eigen short van zijn middel. Hij spreidde zijn benen iets waardoor de short niet volledig naar beneden zakte. Melchior merkte dat de man een minuscuul kleine slip droeg, die hij vervolgens ook aan de voorkant naar beneden trok. Met tranende ogen en trillende onderlip keek de jongen naar de behaarde, halfharde penis van de sportleraar. De band van de slip duwde de dikke ballen omhoog zodat ze nog groter leken. De man uitte enkele schorre geluiden.

"Kijk, zo moet je dat doen, het doet deugd..."

Cockroft greep zijn eigen lid vast en ontblootte de eikel waardoor de penis hard rechtop kwam te staan. Melchior deinsde achteruit. Hij wist niet dat een pik zo groot kon worden. Cockrofts gezicht liep rood op. Hij pompte zijn voorhuid op en neer en masseerde tegelijk de balletjes van de jongen.

"Kijk... je hebt ook een stijve!"

Melchior keek – naar adem happend – naar beneden en zag inderdaad dat zijn lulletje rechtop stond. Een nietig lichaamsdeeltje in die grote, manipulerende hand. Hij voelde nog steeds geen opwinding, enkel verwondering.

"Streel de mijne, jongen..."

Melchior reageerde niet. Het vreemde – niet heel onplezierige – gevoel in zijn onderbuik baarde hem zorgen. Hij voelde iets wat hij nooit eerder had ervaren.

"Neem hem vast!"

Terwijl hij zichzelf masturbeerde, stak Cockroft zijn heupen naar voren, waardoor de gezwollen eikel bijna tegen Melchior terechtkwam. Hij liet zichzelf los, greep Melchiors rechterpols vast en had weinig kracht nodig om diens hand tot tegen zijn pompende penis te krijgen. Ondertussen kneedde hij nog steeds het lid van de jongen.

"Streel mijn pik, jongen, begin daarmee... eerst met je handen, dan met je tong..."

Cockroft hijgde van opwinding Hij had zijn emoties duidelijk niet meer onder controle. Hij trok Melchiors hand tot tegen de eikel, maar de jongen opende zijn vingers niet. Met grote ogen – totaal verbouwereerd en niet wetend wat hem allemaal overkwam – hield hij zijn vingers tot een vuist gebald. De grote Cockroft haalde gejaagd adem. Zijn brede borstkas ging rap op en neer. De kleine Melchior Multcher bevond zich dichter in de buurt van het wenen dan van het lachen. Dit ging veel te ver, hij wilde dit helemaal niet. Maar hij slaagde er niet in te reageren, hij slaagde er niet in zijn onvrede en wansmaak naar buiten te brengen. Achter hem kledderde het water in het bassin waarin ze stonden.

Ineens liet Cockroft de geslachtsdelen van de jongen los en sloeg zijn vrije hand in diens nek. Hij liet Melchiors pols los en begon zichzelf weer af te trekken.

"Je wilt me niet strelen? Dan maar onmiddellijk likken! Komaan!"

De grote man was beresterk en Melchior had geen enkel verweer tegen die brute kracht. Met grote ogen staarde hij naar de gezwollen eikel op vijf centimeter van zijn gezicht en snoof tegelijk een scherpe geur naar binnen. Hij keek vol ongeloof naar de grove vuist die de huid ruw op en neer schoof, en naar de zware ballen die op en neer bungelden. Dit overkwam hem niet echt. Dit was een vieze droom. Cockroft oefende veel druk op zijn nek uit en duwde hem nog dichterbij. De jongen wilde het niet! Hij probeerde zich vrij te wurmen, wat niet lukte. Hij stak zijn handen naar voren en probeerde zich af te duwen, wat evenmin lukte.

"Lik me, jong... godverdomme... lik me!"

Melchior spande de spieren in zijn nek en ondernam wanhopige pogingen om zover mogelijk van de pulserende eikel in de buurt van zijn mond verwijderd te geraken. Tranen rolden over zijn wangen.

Plotseling hield alle druk op zijn lichaam op. De jongen keek op en merkte dat Cockroft blijkbaar iets gehoord had. Iets wat hijzelf niet had opgevangen. De sportleraar liet de jongen los, borg zijn grote, stijve spul weg en trok zijn short omhoog. Hij wees met een gebalde vuist naar de ineenkrimpende jongen en zei:

"Geen woord over wat hier is gebeurd. Met niemand! Begrepen?"

Melchior reageerde door met ogen vol traanvocht op te kijken. Zijn onderlip trilde en de mondhoeken wezen naar beneden.

"Met niemand! Ik sla je verrot!"

Cockroft trok zich daarop vlug uit het bassin terug en riep naar iemand dat hij eraan kwam. Melchior kon degene die hij als redder beschouwde, niet zien of horen. Blijkbaar had een leerling tijdens het lopen zijn enkel verzwikt en was men naar de afwezige leraar op zoek gegaan.

Pas toen er geen geluid (afkomstig van Cockroft) meer in het gebouw te horen viel, trok een wenende Melchior zich terug onder het warme, stromende water. Hij beschermde zijn borstkas met beide handen en liet zich op z'n magere knieën zakken. Melchior boog het hoofd voorover en liet de wanhoop uit zijn lichaam vloeien onder de vorm van hete tranen. Hij voelde zich vuil, besmeurd en gebruikt. Er woelde zelfs een schuldgevoel door zijn borst omdat hij een erectie had gekregen toen Cockroft hem aanraakte.

Het hete water kledderde op zijn schouders en gebogen rug. De hitte werkte helend, strelend. Het verhullende water bezorgde hem een gevoel van veiligheid.

Hoe het kwam dat het zo was, besefte de jonge Melchior Multcher niet, maar hij wist dat hij net iets had meegemaakt wat hem de rest van zijn leven zou bijblijven. Het ganse proces had nauwelijks twee minuten in beslag genomen, maar had een stempel op zijn toekomst gedrukt. En niet alleen op die van hem.

Dinsdag, 14 juni 2005

Raven Daramantez duwde de deur van *The Workman's Shop* in Garland op Washington Lane open. Vernon stond op anderhalve meter afstand met een bos sleutels in zijn handen, waarschijnlijk om de winkel af te sluiten. Hij herkende haar onmiddellijk. Een schoonheid die je de ganse dag niet uit je gedachten kreeg, vergat je niet zomaar.
"Goedenavond, mevrouw. U was vandaag de eerste en u bent ook de allerlaatste klant."
"Sorry, maar... ik ben een slechte klant. Net zoals vanmorgen koop ik niets. Ik ben hier nogmaals in verband met de tassen."
Vernon LaFolette boog heel plechtig voorover en zwaaide met zijn arm in de richting van de winkelruimte. Raven liep hem glimlachend voorbij en wandelde tot bij de toonbank, wetend dat zijn blikken op haar kont waren gericht. Vernon trippelde haastig achter haar aan, rende rond zijn toonbank en probeerde zo weinig mogelijk te hijgen toen hij voor haar stond. Achteraf vond hij zichzelf belachelijk, maar op dat moment hoopte hij dat hij haar een fraai prentje presenteerde.
"Waarmee kan ik u van dienst zijn, mevrouw?"
Stop met slijmen, wilde Raven zeggen, maar ze hield haar mond. Mannen gedroegen zich in haar bijzijn nu eenmaal zo idioot. Het was iets waar ze had leren mee leven. Uitzonderlijk mooi zijn had zijn nadelen. Het testosteronpeil bereikte vrijwel bij elke kerel in haar buurt enorme hoogtes. Ze werden allemaal verliefd op haar of wilden minstens aan haar lijf zitten. Ze wrongen zich in allerlei bochten om op elk gebied presentabel over te komen, waardoor ze meestal compleet stupide overkwamen. Sommigen verloren zelfs hun waardigheid tijdens hun pogingen om in haar smaak te vallen. Hun gedrag was soms pathetisch, meestal erbarmelijk en soms zelfs afstotelijk.
"De zakken."
"Ja?"
"Ik zit met een probleempje."
Een korte kramp in zijn dikke darm. *Probleempje*. Dat hoorde Vernon

niet graag. Zeker niet uit de fraaie mond van een politievrouw. Hij haatte problemen. Vooral die waar hijzelf of zijn zaak in betrokken kon geraken.

"Ja?" vroeg hij voorzichtig, zijn te kleine hoofd tussen de schouders getrokken.

"Ik heb vanmorgen gesproken over het feit dat iemand overleden is. Hij had plakband gekocht en de zak waarin die waar zat, was van hier afkomstig."

Vernon LaFolette knikte. Hij wist nog niet waar de mooie dame naartoe wilde.

"Dat klopt."

"Nu... mijn probleem is het volgende. Er is nog iemand overleden."

Vernon rechtte zijn rug. Hij had namelijk een erg zwart vermoeden en ervoer een koud gevoel dat langs zijn ruggengraat naar beneden ritselde.

"Je bedoelt toch niet..."

"De man over wie je vanmorgen gesproken hebt. Degene die het touw heeft gekocht."

Vernon wist niet hoe hij het best op die informatie reageerde. Gelukkig voor hem ging Raven verder.

"Er zijn drie zaken waarin het leven of de handelingen van die twee personen gelijklopen."

"En mag ik weten wat die zijn?"

"Natuurlijk. Ze hebben beiden zelfmoord gepleegd en hebben het materiaal dat ze daarbij hebben gebruikt, hier aangekocht. Dat weten we doordat we op de plaatsen van de beide feiten een draagzak van jouw zaak hebben gevonden. Het derde feit is dat ze – en dat gegeven heb ik vanmorgen van jou verkregen – beiden 'raar' deden. "

Vernon kon niet onmiddellijk met die informatie overweg. Hij merkte dat de verschrikkelijk mooie vrouw hem afwachtend aankeek. Haar staren zorgde ervoor dat hij zich ongemakkelijk voelde.

"En... eh... wat kan dat betekenen?"

Raven haalde haar schouders op.

"Net dat *is* het probleem. Ik weet niet wat het betekent. Heb jij er soms enig idee over?"

"Ik?" vroeg Vernon verbaasd.

"Het is enkel een vraag."

Raven merkte dat de verbazing van de man niet geveinsd was. Hij had zijn 'ik-probeer-interessant-over-te-komen' gedrag laten varen. De zaak hield hem dus bezig.

"Ik weet helemaal niets, mevrouw. Toch niet meer dan ik vanmorgen verteld heb. Ik ken geen van beiden en heb hen als klanten behandeld. Behalve het feit dat ze inderdaad 'raar' deden, was er niets abnormaals."

Raven glimlachte vriendelijk naar de verkoper-eigenaar die zich duidelijk niet op zijn gemak voelde. De kleur was zelfs een beetje uit zijn gezicht weggetrokken. Waarschijnlijk voelde hij ook niet meer de noodzaak om zich anders voor te doen dan hij in werkelijkheid (maar) was.

"Rustig... tot nu toe is er niets strafbaars aan het licht gekomen. We hebben twee bizarre zelfmoorden en dat is het. Ik laat mijn kaartje achter. Als er iets is dat je plotseling toch weet of te weten komt en me wilt vertellen... het nummer van mijn gsm staat er op."

Ze viste een kaartje uit haar jaszak en schoof het over de toonbank naar de kleine man, die haar naderende hand met bange ogen volgde. Ze had niet de indruk dat hij meer wist dat hij had verteld. Sommige mannen waren open boeken, deze was één van hen. Hij raapte het kaartje op en las:

Lt. Raven S. Daramantez – Politiedepartement Garland – Afdeling Moordzaken. Daaronder stond haar nummer. Hij vroeg zich af waar de letter 'S' voor stond.

"Tot later."

Raven draaide zich om en voelde zijn blik op haar wiegende kont niet toen ze in de richting van de deur stapte. Dat betekende dat de man met andere zaken bezig was. Goed. Heel goed!

Woensdag, 11 mei 2005

Twee dagen nadat hij Haylan Rasschino had 'aangeraakt', kreeg Melchior de kans om zijn volgende slachtoffer aan te pakken. Die deed zich zomaar voor op de hoek van County Route 332 met Splinter Road, in het warenhuis waar hij veelal boodschappen deed nadat hij zijn werkzaamheden bij de pompen had beëindigd. Melchior had de afgelopen twee dagen tranen met tuiten geweend en liters zweet verloren. De negende mei had hij Haylan Rasschino 'aangeraakt' en die actie had hem serieus overdonderd. Niet alleen de 'aanraking' zelf, maar de voorbereiding en het opbrengen van de moed die daarvoor nodig waren. De avond van de negende had hij in zijn bed liggen beven en schudden als was hij het slachtoffer van een acute griepaanval. Het duurde tot laat in de nacht eer de jongen zijn zenuwen weer onder controle kreeg, zodanig was hij door zijn handelingen in zijn hok aangegrepen.

Nu was het nog maar twee dagen later en op de ene of de andere manier voelde hij zich oppermachtig. Melchior Multcher had er lang over nagedacht – vanaf zijn eerste gesprek met Lorne over dat onderwerp in het begin van dat jaar in de *Wild Ladies* in Brandenberg – en had uiteindelijk aanvaard dat Lornes voorstel dé ultieme manier was om wraak te nemen. Het aanraken van Haylan was dan ook zijn eerste fundamentele stap in dat proces geweest. Hij beschouwde het als een soort onomkeerbare doorbraak. Iets wat niet meer terug te schroeven was. Wat ooit met Haylan zou gebeuren, was twee dagen eerder in gang gezet. En daar had hij voor gezorgd. Hij, Melchior Multcher, die lelijke opdonder die door iedereen werd uitgelachen... de klojo met wie iedereen de spot dreef... het sulletje waarvan men dacht dat dat nooit revanche kon nemen. Wel, ze hebben het verkeerd voor, vond Melchior. Hij had een wapen ter zijner beschikking gekregen dat een grote invloed had op één persoon tegelijk. En dat wapen had hij twee dagen eerder tegen Haylan ingezet. Het gaf hem een machtig gevoel. Melchior Multcher voelde zich voor het eerst in zijn miserabele leven oppermachtig.

Om die reden besloot hij dat Jeffrey Cockroft best de volgende mocht zijn. Die vuile viespeuk die wel onderdirecteur was en nog steeds met het hoofd rechtop liep. Hoeveel jongens had hij in zijn 'carrière' als sportleraar en vervolgens als onderdirecteur aan zijn seksuele frustraties laten deelnemen? Hoeveel hadden het geluk gehad dat – zoals bij Melchior het geval was – er iemand tussenbeide was gekomen? Hoeveel hadden dan *wel* zijn eikel in hun gezicht geduwd gekregen? Was zijn vrouw daarvan op de hoogte?

Melchior Multcher keek van zijn handelingen op. In zijn ene hand hield hij een blik bonen van een bepaalde prijs en in zijn andere een ander blik bonen van een mildere prijs. Omdat hij voelde dat hij niet alleen was, keek hij op.

"Jezus…"

Hij siste die naam omdat hij Jeffrey Cockroft opmerkte tussen de rekken in het warenhuis. Zijn ma had hem gevraagd een aantal zaken mee te brengen en als brave zoon deed hij met plezier wat zijn moeder hem vroeg. Na zijn dienst bij de pompen haastte hij zich naar de overkant van het kruispunt en holde de winkel binnen. Niet dat hij zich hoefde te haasten, maar hij wist niet waar hij alles onmiddellijk kon vinden.

Hij siste ook die naam omdat hij bijna ogenblikkelijk een gevoel van woede en haat in zijn borst voelde opwellen bij het zien van die kerel. Ook omdat hij voelde dat de kans hem zomaar geboden werd. Melchior had de kracht kunnen opbrengen om Haylan aan te raken en besefte dat het hier ook zonder problemen zou verlopen. Daarom siste hij. Als een slang die haar prooi duidelijk maakt dat haar laatste minuut geslagen is.

… Komaan, Melch. Dit is jouw kans…

Het was alsof iemand hem in zijn hoofd moed insprak. Melchior vermoedde dat hij het zelf was, maar tegelijk was daar dat vreemde gevoel, iets wat hij niet onmiddellijk kon bepalen. Trouwens, hij had andere zaken om zich zorgen over te maken.

Jeffrey Cockroft was in het gezelschap van een vrouw, waarschijnlijk *zijn* vrouw. Uiterlijk was het een mooi koppel. Geen enkel probleem. Ze praatten met elkaar, bekeken samen de koopwaar, besloten samen wat ze die avond van plan waren klaar te maken. Beiden deftig gekleed, beiden hoog in aanzien. De onderdirecteur en zijn mevrouw. Bij beiden de schouders achteruit en de kin opgericht. Net iets hoger dan de platte meute om hen heen. Wansmakelijk. Onder dat dure maatpak verschool zich een kinderverkrachter. Niemand wist het, enkel zijn slachtoffers. Niemand deed er iets aan… behalve Melchior.

In zijn hoofd vormde zich heel vlug een plan, want over veel tijd beschikte hij niet. Het was alsof de demon Dae Nhemm hem onderhuids stimuleerde om zijn wraakgevoelens in daden om te zetten. Huidcontact was noodzakelijk, had Lorne Dorganson gezegd. De overdracht *willen* laten doorgaan, was geen enkel probleem.

Melchior had zich nooit eerder zó opgewonden gevoeld. Hij haastte zich dezelfde gang van zijn 'slachtoffer' in en boog zijn gezicht voorover. Hij wilde niet onmiddellijk herkend worden. Jeffrey en zijn vrouw hielden zich bij het rek met koffie op. Blijkbaar waren ze niet van plan veel aankopen te doen, want geen van beiden had een winkelkar. Gelukkig voor het plan van de jongen besloot de vrouw om toch maar enkele pakken koffie en dozen filters mee te nemen. Ze stapelde alles in de armen van haar man. Melchior schoof dichter bij het tweetal zonder echt op te vallen. Ze hadden veel aandacht voor de waren en hun handelingen. Hij zette nog enkele passen dichterbij en draaide zich met zijn magere rug naar hen, zogezegd om rustig iets te bekijken in het tegenoverliggende rek. Maar in tegenstelling met zijn verwachtingen, spanden de zenuwen zich rond zijn maag samen. Hij was dus toch niet zo kalm als hij vermoedde. Hij spitste zijn oren in de hoop iets van het gesprek op te vangen. Melchior wilde niet dat zijn plan in het honderd liep.

"Niet te veel, schat... straks laat ik alles vallen," zei Jeffrey.

Maar zijn vrouw bleef maar stapelen. Verwachtten ze een oorlog misschien? Had hij iets gemist op het nieuws? Het leek wel alsof ze koffie hamsterde. ... *laat ik alles vallen...?* Dat was het! Ineens draaide Melchior zich kort en krachtig – maar met een grote zwaai – om en botste zo tegen de man aan. Jeffrey Cockroft schrok en verloor door de schok alle dozen koffie die op de vloer tuimelden. Zijn vrouw uitte een korte gil en Melchior veinsde verwarring.

"Oh... sorry, meneer... ik had u niet opgemerkt."

"Is niets... is niets..."

Jeffrey keek met gefronste wenkbrauwen naar het gezicht dat hem blijkbaar bekend voorkwam. Natuurlijk was Melchior uiterlijk veel veranderd. De scène in de douche van de school had zich vierentwintig jaar eerder afgespeeld. Al die tijd had het gebeuren de jongen wel achtervolgd. Jeffrey zakte door de knieën, en Melchior volgde hem.

"Laat mij u helpen... het is mijn fout."

"Neen, dank u... ik..."

Jeffrey Cockroft stak zijn hand uit om een eerste doos vast te nemen.

... Dit is het moment, jongen. Toeslaan, een tweede kans krijg je misschien niet...

Melchior reageerde onmiddellijk op de stem in zijn hoofd. Hij nam die hand vast. Jeffrey wilde zich lostrekken, maar de jongen kneep hard in Jeffrey's vingers. Lang genoeg om de donkere en kwaadaardige energie van Dae Nhemm te laten overgaan van zijn lichaam in dat van de onderdirecteur. Opnieuw gleed een warme gloed heel vlug vanuit zijn borst, zijn rechterschouder en rechterarm naar zijn hand. Het was alsof de kracht zich haastte, alsof die had zitten wachten om losgelaten te worden. De overdracht gebeurde heel vlug en krachtig.

… Je begint het te leren, Melch, je doet het goed. We werken goed samen…

Jeffrey reageerde op de overdracht veel heftiger dan op het feit van de aanraking zelf. Het was alsof hij door een lichte elektriciteitsstoot werd getroffen. Hij trok zijn hand terug en keek Melchior verward en geschrokken aan. Beiden waren nog steeds door de knieën gezakt.

"Wat..." begon Jeffrey.

"Ken je me nog? Weet je nog wie ik ben?" fluisterde Melchior.

"Wat is er, schat?"

De stem van zijn vrouw klonk boven hen. Geen van beide mannen reageerde erop.

"Wie... hoe..." stamelde de man, terwijl hij zijn linkerhand aan zijn vest afveegde als kleefde er iets smerigs op. Melchior voelde een kracht door zijn lichaam stromen die hij nooit eerder had ervaren. Ze overspoelde hem met het gevoel van 'er-kan-mij-niets-meer-overkomen'. Hij bracht daarom ook zijn gezicht dichter bij dat van de man. Melchior had graag dat Cockroft later wist uit welke richting in het verleden de pijn kwam.

"Weet je niet meer wat je me aangedaan hebt?"

"Maar..."

"De douche... na het lopen... de twaalfde december van 1981," siste Melchior.

Jeffrey ademde ineens heviger. Met grote ogen keek hij de kerel aan die naast hem geknield zat. Het bloed trok uit zijn gezicht weg. Zijn onderlip – eigenlijk zijn volledige kin – trilde, alsof hij op het punt stond in tranen uit te barsten. Melchior was tevreden. Hij stond grijnzend op, gunde de vrouw geen blik meer, draaide zich om en wandelde nonchalant weg. Achter hem hoorde hij haar tegen haar man bezig.

"Schatje... wat scheelt er, wie was dat? Gaat het om op te staan? Laat me je helpen..."

Melchior voelde zich gewoon super. Hij kocht wat hij moest kopen en verliet de winkel, zonder nog een oogopslag in de richting van het tweetal. Zijn taak zat erop. Mensen die hem even later op zijn fiets zagen langsrijden, vroegen zich misschien wel af waarom die kerel spontaan luidop lachte.

Deel Twee:

Controleverlies

"En dus was het allemaal voorbij. Op dat moment wist ik nog niet hoeveel er voorbij was. Als ik nu terugkijk vanaf deze heuvel van mijn ouderdom, kan ik nog steeds de afgeslachte vrouwen en kinderen zien, opgestapeld en verspreid langs het kronkelende ravijn, zo duidelijk als toen mijn ogen nog jong waren. En ik kan zien dat er iets anders gestorven is in die bloedige modder, en begraven in de sneeuwstorm. De droom van een volk is daar gestorven. Het was een mooie droom... de cirkel van de natie is gebroken en verstrooid. Er is geen middelpunt meer, en de heilige boom is dood."

Black Elk, overlevende van het bloedbad bij
Wounded Knee, Zuid-Dakota, op
29 december 1890

11. Hanna Khanlowksi
De koe

Woensdag, 15 juni 2005

Sommige mensen zijn op een bepaald moment in hun bestaan niet langer opgewassen tegen de tegenslagen en verschuilen zich voor nog meer onheil in de schaduwen van het leven. De ouders van Melchior Multcher waren daar een prachtig voorbeeld van. De wensen en verlangens uit hun jeugd, vooral dan de kinderdroom van Eva, werden de ergste nachtmerries in hun volwassen bestaan. Abraham en Eva Multcher, zestig en negenenvijftig. Beiden op pensioen, na een leven van naarstige arbeid. Abraham had zijn beroepsleven volledig als arbeider in een firma in keukenmateriaal in Brandenberg gesleten, terwijl Eva altijd voor het huishouden had ingestaan. Sedert drie jaar was hij een beetje 'achter'. Hij had eerst een haperingetje aan het hart en dan nog eentje in de hersenen gekregen.

Maar dat was niet de eerste tegenslag. Het feit dat Eva een diepgelovige en praktiserende christen was, weerhield er Hem toch niet van haar te testen. Dat was haar mening. Hij testte haar geloof. In de lente van 1967 door Caspar, hun eerste zoon, zes weken na zijn geboorte een wiegendood te laten sterven. Vervolgens kwam een tweede test. In de herfst van het jaar dat volgde, 1968, werd hun tweede zoon dood geboren. Volgens de gynaecoloog had hij nog geademd, maar Balthazar hield het leven na een kwartier reeds voor bekeken.

En dan. Twee jaar later kwam hun derde zoon ter wereld. Melchior. De derde van de Drie Wijzen. Hij bleef leven maar werd het onderwerp van veel spot. Het was een hel voor Abraham en Eva, want zij hadden – na twee heel pijnlijke mislukkingen – op een pracht van een kind gehoopt. Melchior groeide weliswaar als aangename jongen op, maar hij was... niet mooi.

Mensen keken niet lang naar hem. Niemand wilde staren. Niemand wilde laten blijken dat zijn lelijkheid hen opviel. Maar er waren dan ook anderen.

Hanna Khanlowski was één van hen. De ergste dan nog. Tot overmaat van ramp woonde ze in het huis rechtover dat van de Multchers in Church Street. Een kreng van een wijf. Een gruwelijke roddeltante en een smerige pestkop. Eigenlijk had ze geen enkele reden om over andere mensen kwaad te vertellen. Ze was enorm dik en de jongens uit de buurt hadden haar dan ook de bijnaam 'De Koe' gegeven. Niet alleen haar lichaam deed aan een koe denken. Ze kon je ook aankijken met zo'n dom gezicht. Hanna wist alles over iedereen en spreidde haar kennis meermaals tentoon op de straat. Haar man, Bernie, trok zich meestal in hun woning (of zijn garage) terug en liet zijn vrouw haar gang gaan. Tegen iemand als Hanna die stond te krijsen, had niemand een afdoend verweer. Ze hadden beiden een baan van bankbediende (ook in Brandenberg) achter de rug en genoten nu van een rustiger leven. Maar dat gold niet voor wie dagelijks met haar te maken kregen. Ondanks het feit dat ze ondertussen achtenzestig was, bleef ze felgebekt en zei ze alles *wat* ze wilde zeggen, *waar en wanneer* ze dat wilde. Meerdere keren had ze Eva laten weten dat haar levende zoon misschien beter nooit ter wereld was gekomen. Want 'hoe houd jij het uit met zo'n lelijk kind?' was de vraag die zij haar ooit had gesteld. Naarmate Melchior ouder werd, voelde hij het verdriet in zijn moeders hart. Hij wist dat het haar veel pijn deed wanneer die dikke overbuurvrouw Hanna zo smerig tegen haar tekeerging. Meerdere keren had hij zijn moeder wenend het huis zien binnenkomen. Meerdere keren was er ruzie tussen zijn vader en zijn moeder door wat Hanna in het openbaar had gezegd. Eva reageerde haar frustratie op Abraham af, die vond dat hij dat niet verdiende, en zo verder, en zo verder... Hanna wist van geen ophouden en besefte ook niet dat ze beter haar grote, dikke muil hield. Ze hield er geen rekening mee dat haar gore uitlatingen mensen pijn deden. Zeker mensen zoals Eva, die toch al veel hadden meegemaakt. De kleine Melchior groeide op en kwam uiteindelijk te weten dat hij de oorzaak van zijn moeders verdriet was. Dat, én de manier waarop Hanna naar hem keek. Hij vond het afschuwelijk dat zijn moeder door haar belaagd werd. Hij vond het afschuwelijk dat zijn ouders ruzie maakten om haar brutale bek.

De verwijten en rotopmerkingen hielden jaar na jaar aan. Abraham en Eva konden niet tegen haar op, voelden dat ze het niet langer verdroegen en probeerden daarom zo weinig mogelijk met haar in contact te komen. Om die redenen trokken ze zich zo diep mogelijk in hun eigen leven – een verhullende schaduw van hoe ze vroeger leefden – terug.

Hun enige en overblijvende zoon Melchior voelde zich gedeeltelijk schuldig. Hij was de oorzaak van het feit dat zijn ouders gepest en uitgelachen werden. Hij was de oorzaak van het feit dat zij ongelukkig waren. Hij was de reden waarom zijn ouders problemen hadden. Rechtstreeks, maar ook onrechtstreeks. Ze werden namelijk geconfronteerd met wat hun zoon werd aangedaan.

De pesterijen van Haylan Rasschino bleven jarenlang aanhouden en verergerden met de leeftijd. Wat aanvankelijk kleine feiten waren, groeide uit tot effectief handtastelijkheden en feiten van vandalisme. De groene broodtrommel was het eerste stuk eigendom van Melchior dat eraan moest geloven. Dat was toen 1981 op z'n laatste dagen liep. Melchior bleef dat evenement onthouden, hoewel er in de jaren die volgden, veel ergere feiten werden gepleegd. Geregeld werden op school zijn spullen doorzocht of zelfs gestolen. Meerdere malen werd de lucht uit de banden van zijn fiets gelaten. Onder hoongelach van Haylan en de zijnen blies hij die telkens weer op. Maar eenmaal de daders de banden begonnen te doorkerven, kon Melchior niet anders dan lijdzaam toezien en met zijn fiets aan de hand naar huis wandelen. Tot tweemaal toe verdween zijn fiets. Zijn vest verdween spoorloos. Zijn handschoenen verdwenen spoorloos. Dat, in combinatie met de onophoudelijke verwijten en verbale pesterijen, zorgde ervoor dat Melchior zich niet erg goed in zijn vel voelde. Hij vreesde ook de reactie van zijn ouders telkens hij thuis met doemberichten aankwam. Hoewel hij nog maar een kind was, voelde hij dat zij leden onder het feit dat hij werd gepest. Hij was hun enige zoon, ze hadden er reeds twee verloren en met Melchior verliep blijkbaar niet alles even vlot als ze hadden gehoopt. Nog meer dromen die brutaal vernield werden. Het leven verliep nu eenmaal niet even rooskleurig als zij hadden gehoopt.

Haylan Rasschino en Jeffrey Cockroft pestten hem persoonlijk. Hanna deed zijn ouders leed aan door wie hij was, en dat kwam even hard aan. Zijn levensvreugde was op elk gebied volledig gestremd door wat hij te verdragen kreeg.

Eigenlijk werd Melchiors leven vanaf zijn jeugd volledig bepaald door wat de anderen met hem aanvingen. Rasschino vernederde hem in het bijzijn van anderen in de hoop zelf in de belangstelling te komen.

Cockroft – die hem na die ene keer in de douches nog een keer had aangeraakt – deed het om puur persoonlijke redenen. Door het feit dat de jongen er met niemand durfde over praten – deels uit schrik voor represailles en deels uit schaamte – hield Cockroft hem in zijn macht. Hij deed het met andere jongens eveneens, daar was Melchior van overtuigd, maar waagde het niet ermee naar buiten te komen. Cockroft had hem daardoor volledig onder controle en genoot er duidelijk van. Sarcastische opmerkingen en hoongelach waren niet uit de lucht wanneer zij samen waren.

Maar uiteindelijk nam Melchior dan toch wraak. Op zijn persoonlijke manier. Eerst met Haylan, vervolgens met Cockroft en uiteindelijk ook met Hanna Khanlowski, de Koe.

Toen Lorne Dorganson hem twee dagen eerder had voorgesteld om voor alle zekerheid – en alle misverstanden uit de weg te ruimen – het ganse proces op nog iemand toe te passen, kwam de figuur van de Koe spontaan in hem op. Melchior hoefde niet te zoeken. Hij hoefde zijn verleden niet uit te pluizen om nog met iemand op de proppen te komen die hem pijn had gedaan. De Koe dook zomaar op. Ze verdiende het. Hij hoefde ook geen moeite te doen om een plan in elkaar te steken. Alles kwam echt... zomaar. Dat was Melchiors mening toch. Hij kreeg beelden van een goed bewaarde oldtimer voor zijn geest geprojecteerd, het enige aspect dat hij kon gebruiken. Melchior genoot op dat moment reeds van zijn wraakneming en Lorne was er op datzelfde moment nog heel zeker van dat er niets met die mevrouw zou gebeuren.

Maar zowel voor Lorne als voor Melchior kwam er een erg voelbare en totaal onomkeerbare beweging in het proces. Iets wat ze beiden niet hadden verwacht.

"Dag mevrouw Khanlowksi."
Hanna draaide haar hoofd opzij. Het was een stem die ze nog maar weinig had gehoord, maar die toch iets bij haar opriep. Omdat zij opkeek, richtte de kleine Jack Russell naast haar zijn spitse oren op. De hond keek de jongen die zijn fiets bij het stuur vasthield, met grote ogen aan. De dikke vrouw lag in een oude tuinstoel die duidelijk te lijden had onder haar gewicht. Het fragiele zitmeubel verdween bijna

volledig onder haar overhangende huid- en vetlagen.

De tuin van de Khanlowski's eindigde waar het brede wandelpad achter hun woning op Church Street doorliep. Zij had er duidelijk geen erg in dat wandelaars – zoveel waren het er nu ook niet – zomaar over de haag in hun tuin gluurden. Hanna was iemand die zich weinig aantrok van de mening van anderen. Een anderhalve meter hoge taxushaag zorgde voor een afscheiding. Anderhalve meter. Enkel kinderen konden er met moeite over kijken. Het was zoiets als : *ja, kijk maar, ik heb niets te verbergen, je mag zien waar ik mee bezig ben, ik heb geen geheimen, ik ben mezelf, je neemt me zoals ik ben of je loopt verder...*

Melchior stond op dat wandelpad en vond dat de haag misschien wel twee meter hoger mocht zijn. Het zicht op die zonnende, massieve vleesklomp was wansmakelijk. Hanna was achtenzestig, werkelijk moddervet en gekleed in een roze bikini! Het was ronduit degoutant. Hoewel Melchior niet echt over de nodige kennis beschikte wat de geldende mode en goede smaak betrof, vermoedde hij toch dat Hanna beter rekening hield met de maagsterkte van de wandelaars achter haar woning. Misschien was *zij* wel de reden waarom daar geen wandelaars voorbijkwamen. Het slipje was volledig tussen de vetlagen verdwenen. De beha was nauwelijks in staat de platte, schuin afhangende borsten op te vangen. De helft van de gigantische rechtertepelhof was duidelijk zichtbaar. Het kon haar blijkbaar geen ene moer schelen. Ze draaide haar dikke kop in zijn richting en keek hem door de donkere glazen van haar zonnebril aan.

"Wat mot je?"

Melchior ging op zijn tenen staan om zoveel mogelijk van zichzelf over de haag te laten zien.

"Dag mevrouw, is uw man thuis?"

"Wie ben jij? Wat wil je?"

Het kostte haar duidelijk moeite om haar ene arm op te heffen. De dikke worstenvingers graaiden aan de zijkant van haar hoofd en maaiden de bril van voor haar gezicht weg. Met knipperende ogen keek ze in zijn richting. De hond naast haar stond ondertussen op z'n vier korte poten rechtop. Van diep uit zijn keel klonk een kwaadaardige grom. Het beestje was duidelijk van plan zijn bazinnetje te verdedigen.

"Braddie! Hou je bek!"

Braddie? Brad (Pitt?) Jack Russell keek vluchtig naar Hanna op en dan weer naar Melchior. Het duurde nog eventjes eer haar ogen aan het zonlicht gewend waren. Toen zei ze, duidelijk verveeld:

"Ik ken jou ergens van. Je woont hier in de straat?"

"Jawel, mevrouw. Is uw man thuis?"

"Bernie is er niet. Die is wandelen. Wat mot je? Ik ben aan het zonnen."

Hoewel het al over zevenen was (eigenlijk was Melchior per fiets op weg van zijn hok naar thuis), was het nog echt warm. Hij vermoedde echter dat de zonnestralen weinig effect hadden op de over het vet strakgespannen huid. Maar dat was op dat moment zijn ergste zorg niet. Afgelopen maandag had hij Lorne verteld dat hij Hanna zou aanpakken. Zijn vriend had enkel geknikt, nog steeds overtuigd van zijn gelijk inzake het aspect 'toeval'. Hij had gisteren al willen toeslaan, maar wachtte toch nog tot de dag erna. Hij had niet zoveel last meer van zenuwen als bij Haylan en Jeffrey. Het kwam hem tegelijk vreemd en bijna komisch over, maar Melchior had de indruk dat hij zich verdomd goed in de situatie begon te voelen. Hij had tot op heden op twee personen wraak genomen, zonder dat er hem iets kon worden verweten. Lorne was dus een totaal andere mening toegedaan, maar voor Melchior was de zaak gesloten. Het was geen toeval, wat Lorne hem ook probeerde wijs te maken. Als het nu met Hanna Khanlowski ook nog lukte, dan kon Lorne niet anders dan zijn ongelijk toegeven. Maar hoe dan ook, na Hanna was het voorbij. Dat had hij voor zichzelf uitgemaakt. Haylan, Jeffrey en Hanna. De ergste personen die zijn verleden eigenlijk hadden verpest. De drie personen die ervoor hadden gezorgd dat hij de Melchior Multcher was die daar achter de haag stond en die uiteindelijk kregen wat ze verdienden. Maar daar hield Melchior het bij. Er was trouwens niemand meer tegen wie hij nog haatgevoelens koesterde. Hij had zich tijdens het gesprek met Lorne Dorganson heel slecht op zijn gemak gevoeld toen Lorne zei dat het allemaal maar een spel was. Op dat moment had hij Lorne gehaat. Hij had hem op z'n vieze, dronken smoel willen timmeren. Net omdat hij bleef zeggen dat hij het 'spel' in gang had gestoken uit vriendschap. Belachelijk. Iets dergelijks deed je een vriend niet aan.

"Wel, eigenlijk heb ik uw man niet nodig."

"Wat mot je dan?"

Hanna verhief haar stem en Braddie uitte een korte blaf.

"Bek toe!" snauwde Hanna in de richting van de hond.

"Hij wil zijn territorium beschermen, mevrouw. Hij wil niet dat er jou iets overko.."

"Het is een zak van een hond!" onderbrak zij hem, "hij schijt de tuin vol en pist het gras aan flarden. Ik sla hem nog dood!"

De kleine Braddie keek Melchior treurig aan. Eigenlijk was het een lief beestje, vond hij. Het kortharige lijf trilde van opwinding. Het harde, rechtopstaande staartje wiebelde voorzichtig heen en weer. De ene helft van zijn kop was zwart, de andere kant was wit. Eén wit en één zwart oor. Eigenlijk was het een grappig zicht.

"Waar sta je mee te lachen?"

"Ik vind Braddie een toffe hond."

Hanna fronste haar wenkbrauwen en zei:

"Nu weet ik wie je bent. Je bent Melchior, je woont aan de overkant."

Op haar gezicht lag iets helemaal anders, maar daar gaf ze geen verbale uiting aan. *Jij bent dat lelijke gedrocht van die twee mislukkelingen. Jij bent hun derde kind en je hebt waarschijnlijk alle lelijkheid die over de drie verdeeld had moeten zijn, samen gekregen. Ik lach met jou, ik lach met jouw ouders, ik voel mij goed in mijn dikke vel en ik vind niet dat ik voor iemand moet zwijgen. Zeker niet voor zo'n lelijke klootzak als jij of voor mensen die maar zulke afschuwelijke zeikerds als jij op de wereld kunnen zetten.*

"Dat klopt, mevrouw."

"Wat doe je hier?"

"Ik weet dat Bernie, uw man, een oldtimer in die garage heeft staan."

Hij wees naar een kleine schuur op het einde van de tuin. Het was niet meer dan een groot hok en het zag er versleten en bouwvallig uit. Maar toch omschreef hij het als een 'garage'. Een kwestie van haar niet onmiddellijk voor de voeten te springen.

"Ja… en wat dan nog?"

"Wel… ik ben… aan een werkje bezig over klassiekers. En omdat ik…"

"Maar jij werkt toch aan de pompen op de hoek van Splinter Road?"

Ze wees met de zonnebril in haar hand in zijn richting. Een straaltje zweet kringelde vanuit haar oksel langs haar vette rug naar beneden. Melchior prees zich gelukkig dat hij op een afstand stond. Maar dat kon – gezien zijn uiteindelijke intentie – niet zo blijven. Hij wilde vooral beleefd en voornaam blijven.

"Inderdaad, mevrouw. Dat klopt. Maar het werk waar ik mee bezig ben, gaat over…"

"Maar wat wil je dan?"

"Kan ik de wagen van dichtbij zien, mevrouw? Ik heb enkele details nodig."

Hanna keek hem verbaasd aan.

"Bernie is niet thuis."

"Het is enkel de buitenkant van de wagen, mevrouw, ik heb uw man daarvoor niet nodig. Ik geloof dat het een Chevrolet uit 1957 is. Klopt dat?"

Hanna haalde haar vlezige schouders op. Hij probeerde zijn blik ver van de ontblote tepelhof te houden.

"Ik trek mij van dat wrak niets aan. Bernie houdt er zich mee bezig. Hij rijdt er bijna nooit mee, ik begrijp niet waarom hij dat stuk oud ijzer heeft gekocht. Waarom kom je niet eens terug wanneer hij thuis is?"

"Ik heb heel weinig tijd, mevrouw. Vanavond nog moet ik een eerste versie doorsturen!"

Doorsturen?! Gelukkig had hij Lorne reeds horen praten over het verwerken van gegevens op computers en het doorsturen van volledige documenten, foto's of zelfs films.

"Die poort van dat hok is gesloten. De sleutel ligt binnen."

Melchior zweeg. Het dreigde verkeerd te lopen. De handvatten van zijn fietsstuur voelden klam aan door het zweet in zijn palmen. Het mocht niet verkeerd lopen. Melchior wilde de zaak niet forceren door zich te overmatig en te uitdrukkelijk op te dringen en zocht wanhopig naar wat hem te doen stond.

"Ah wat… ik ga toch dood van de dorst. Ik haal iets om te drinken en als jij dat wrak wilt zien… kom binnen."

Melchior uitte een diepe zucht. Misschien wierp zijn charme-offensief vruchten af. Hij was beleefd gebleven en had niet geprobeerd op haar zenuwen te werken. Melchior liet zijn fiets tegen de haag rusten en veegde zijn handen aan zijn vest af. Hij merkte dat Hanna zich uit haar liggende positie trachtte te werken en haastte zich langs de haag over het wandelpad naar het lage poortje. Hij schoof de hendel open, duwde het poortje open en stapte in de tuin. Braddie – de Jack Russell – holde tot bij de indringer en bleef op een meter van hem staan. Hij trilde op zijn pootjes van opwinding en gromde.

"Braddie! Stomme hond! Laat hem met rust!"

Melchior hoefde zich niet te haasten. Net als Braddie, was ook hij opgewonden. Hij zag hoe de dikke vrouw zich met veel moeite probeerde op te richten en zag zijn kans schoon. Haar man was er niet en dus was er ook niemand die hem van een 'aanraking' kon beschuldigen. En wat dan nog? Iemand helpen mag toch? Hij stapte in de richting van de zwoegende vrouw en probeerde niet op de hond te trappen die om zijn voeten huppelde.

"Kan ik helpen, mevrouw?"

"Wat?" pufte Hanna.

Ze had haar ene been al uit de ligzetel op de grond gezet en probeerde nu haar dikke lijf op te richten. Waarschijnlijk wachtte ze gewoonlijk tot haar man thuis was om op te staan. Die kwam dan ongetwijfeld met een kleine hijskraan om…"

Hanna keek op en zag dat Melchior glimlachte. Omdat ze zijn gedachten niet kon lezen, schonk ze meer aandacht aan zijn uitgestoken hand. *Probeert die magere pink nu de indruk te geven dat hij mij uit die zetel kan trekken?* Heel even voelde Hanna zich schuldig. Misschien was die kerel dan toch zo slecht niet. Lelijk, dat ongetwijfeld. Maar slecht? Misschien had ze niet altijd correct… en daarop gaf ze toe. Ze klauwde haar rechterhand om de rand van de zetel en plaatste haar tweede voet aan de andere kant op de grond waardoor ze met gespreide benen in de zetel zat. Melchior slikte toen zijn ogen ongewild op de plukken dik, zwart schaamhaar vielen die aan beide kanten van de bikinislip naar buiten puilden. Naast oldtimers hield Melchior wel van naaktfoto's. Prenten van mooie, slanke vrouwen, het liefst zonder kleren of *net* niet. Afbeeldingen van gladgeschoren schaamdelen. Prenten van een fijn streepje haar op de onderbuik. Maar dit hier? Wat stak verdomme tussen de benen van die walrus voor hem? Een volledige en nog nooit gesnoeide struik?

Hij slikte toen haar zweterige hand de zijne vastnam. Even was hij vergeten waarom hij daar stond. De blik op het vrijgekomen struikgewas liet hem van zijn taak afdwalen. Maar toen zij hem vastgreep en hij de worstenvingers voelde die zijn pols omsloten, kwam alles ineens terug. Hij wachtte op de 'overdracht', maar die kwam niet. Er kwam *niets*. Niets! Zijn hand hing daar maar, in de greep van haar vette vingers rond zijn pols. Een gevoel van koude ontvouwde zich in zijn borst. Wat ging er verkeerd? Waarom lukte het niet? Hij *wilde* nochtans dat de overdracht zou geschieden?!

"Trekken, jochie!" zei ze.

De stank van vers zweet kwam hem tegemoet toen hij zijn best deed om dat zware geval omhoog te hijsen. Het beeld van de kraan kwam hem weer voor de geest en hij bedwong zich om niet te lachen. Trouwens, hij had alle kracht in zijn lichaam nodig om zelf niet voorover getrokken te worden. Na wat gezwoeg en gepuf stond Hanna voorover. De benen elk aan een kant van de zetel, de vlezige borsten uit de beha puilend. De rechtertepel was nu bijna helemaal zichtbaar.

"Dank je…" zei Hanna terwijl ze haar rug rechtte.

Melchior voelde dat haar greep zich rond zijn pols ontspande en ineens besefte hij wat er verkeerd was. Zij had *hem* vast… en het moest omgekeerd zijn! Daarom reageerde hij heel vlug, eer ze hem volledig losliet. In de kleverige holte van haar vingers draaide hij zijn pols omhoog, opende zijn vingers heel wijd en greep op zijn beurt *haar* pols vast.

De reactie verraste beiden. Hanna schrok van het feit dat ze vastgenomen werd, nu dit niet meer nodig was, maar onmiddellijk ervoer zij iets totaal anders. Dae Nhemm had duidelijk geen moeite om de overdracht te maken. Het was alsof hij dicht bij de poort had zitten wachten om het vleselijke domein van Melchiors arm te kunnen verlaten. Bij Haylan duurde het even, bij Jeffrey ging het al veel vlugger, maar hier nam het evenement nauwelijks een fractie van een seconde in beslag. Het verliep zó vlug dat Melchior er zelf van schrok. Een hittegolf raasde zijn lichaam uit en bonkte zich via zijn vingers in Hanna's arm. Haar hoofd knalde omhoog, haar vettige haarpieken sprongen daardoor alle kanten op en ze keek hem met opengesperde ogen aan. Even maar. Ook haar mond hing een beetje open. Zelfs Braddie merkte dat er iets verkeerd liep. Hij wipte achteruit en liet enkele korte blaffen horen terwijl zijn blik van zijn bazin naar de indringer en terug flitste. Hanna knipperde vervolgens met haar oogleden, keek verward naar beneden, schudde haar hoofd en rechtte haar rug tot ze uiteindelijk rechtop stond. Ondertussen had Melchior haar losgelaten. Het kwaad was geschied. Geen terugweg meer mogelijk. Eigenlijk had hij nu willen weglopen, maar de jongen voelde dat dat verdacht kon lijken. Hanna Khanlowski stond daar nog steeds met gespreide benen. De ene buikrol golvend over de volgende. De stootbanden rond haar hoge heupen puilden over de in haar vel snijdende rand van haar bikini-broekje. De weelderige, zwarte schaamkrullen op de binnenkanten van haar dikke dijen nog steeds goed zichtbaar. Nu priemde de tepel van haar rechterborst zelf al over de rand van de bikini. Melchior probeerde die niet rechtstreeks aan te gapen. Zijn ogen werden trouwens naar de zwarte driehoek tussen haar dijen getrokken. De onderkant van haar broekje vertoonde een donkere streep, daar waar zich haar schaamlip-pen bevonden. Had zij urine verloren tijdens de inspanning om recht-op te geraken? Wat hem nu ook voor het eerst opviel, was de zware beharing onder haar beide oksels. Die immense holtes waren gevuld met donker, ineengestrengeld haar van waaruit nu hele beken zweet in de richting van haar heupen kolkten. Ineens werd hem iets duidelijk. Eigenlijk was Hanna Khanlowski een erg lelijke vrouw. Misschien had ze daar problemen mee en probeerde ze die op hem te projecteren. Misschien haatte ze wel mensen die niet mooi waren, misschien haatte ze zichzelf wel? Misschien waren al haar uitingen van haat wel ver-wrongen reacties van woede om hoe ze er zelf uitzag?!

Blijkbaar was Hanna al over de vreemde ervaring heen toen ze haar ene been over de zetel zwaaide en in de richting van het huis stapte.

"Blijf in de tuin, ik haal de sleutel!"

Melchior deed wat hem bevolen werd en bekeek de weggaande vrouw. Op haar waggelende lichaam viel niets van een bikini te bespeuren, al-les zat verborgen onder huidplooien en vetlagen. Wat dat betrof, stapte daar een totaal naakte vrouw door haar tuin. Melchior wenste dat het Halle Berry was die daar liep. Of Denise Richards. Of…

Melchior voelde ineens dat hij niet langer alleen in de tuin was. Hanna had ondertussen de achterdeur van haar woning bereikt en stapte de stenen trappen ernaartoe op. Hij hoorde gescharrel in het gras en keek om. Daar was Braddie 'Jack' Russell bezig in de grond te krabben. Mel-chior hield van dieren. Vooral van kleine honden. Eva, zijn moeder, weigerde huisdieren te houden en verbood haar zoon zelfs persoonlijk voor het onderhoud van een hond in te staan. *Die brengen enkel maar vuiligheid mee naar binnen! Het zijn vieze beesten, ze likken aan alles en dan smeren ze die tong over je gezicht. Wansmakelijk. Honden horen buiten, mensen binnen.*

"Dag, Braddie!"

Toen hij zijn naam hoorde, hield de hond op met zijn bezigheden. Hij keek op en merkte dat zijn bazin weg was. Hij trippelde om zijn as en berustte in het feit dat hij alleen met de indringer was.

"Braddie... ben jij een lieve hond?"

Melchior zakte glimlachend door een knie. Hij probeerde zijn handelingen zo traag mogelijk uit te voeren, hij wilde de hond niet laten schrikken. Hanna's hond of niet... het was een hond. Melchior bracht zijn rechterhand voorzichtig vooruit maar Braddie deinsde achteruit.

"Komaan, je hoeft niet bang te zijn... Braddie... Brad... komt dat van Brad Pitt? Is jouw bazinnetje een fan van Pitt?"

Melchior keek naar de achterdeur en grijnsde. Hij richtte zijn blik terug op de hond en vroeg – iets stiller nu:

"Geilt ze op Pitt? Denkt ze aan hem als ze met haar vingers door die struik tussen haar benen woelt? Jij zou een goede Bewaker kunnen zijn! Zit ze te kwijlen als ze naar zijn film..."

Braddie richtte zijn oren op, staarde Melchior aan en hield zijn kopje scheef. Een aandoenlijk beeld. Melchior fronste zijn wenkbrauwen. Wat had hij daarnet gezegd? *Bewaker?* De zin die hij luidop had uitgesproken, deinde weg op golven van iets wat op geheugenverlies leek. Een fractie van een seconde later was hij reeds vergeten *wat* hij juist had gezegd. Het beeld van de dikke vrouw die aan de filmster denkt terwijl zij zichzelf vingert, nam opnieuw de overhand.

"Ik denk dat ze kwijlt voor het scherm, Braddie. Anders had ze jou zo niet genoemd."

Hij bracht zijn uitgestoken hand nog iets dichter naar de hond toe. Net zoals iedereen wilde hij het dier aaien. Typisch voor de meeste mensen. Braddie reageerde niet. Hij bleef staan en keek naar de naderende vingers. De hond hoorde de stem van de indringer en voelde waarschijnlijk dat er geen gevaar van de kerel uitging. Hij had trouwens met de bazin gepraat. Er schuilden geen kwade bedoelingen in hem.

"Ja... braaf hondje... strelen? ... ja."

Braddie hield zijn kop schuin. Zijn ene voorpoot hield hij opgetrokken.

"Ja... je bent lief... jaaa..."

Melchiors vingers raakten voorzichtig de zijkant van het hondenlijf aan. En toen gebeurde er iets wat hij niet had verwacht.

Dae Nhemm flitste ongelooflijk snel door zijn arm en drong onwillekeurig het kleine lichaam van het dier binnen. Braddie kromp ineen, uitte een korte gil en deinsde opzij alsof hij door een bij gestoken werd. De hond keek hem even verbaasd aan, draaide zich om en rende met de staart tussen de benen in de richting van de achterdeur. Melchiors hart bonsde in zijn keel. Hij begreep niet wat er gebeurd was. Hij had de hond willen strelen. Hij wilde niet dat er een 'overdracht' plaatsvond. De jongen wist even niet waar hij het had. Dit was helemaal niet voorzien. Dit had helemaal niet mogen gebeuren. Wat waren de gevolgen voor Braddie? Zou hij dit aan Lorne mogen vertellen? Dit was niet voorzien en mocht zeker niet meer gebeu…

"Hallo?"

Melchior schrok uit zijn doemdenken op. Hij merkte dat hij nog steeds op één knie op de grond zat en veerde rechtop. Het was Hanna's stem niet die *hallo* had gezegd. Hij draaide zich onzeker om en merkte dat het de man des huizes was die naar hem toe stapte. Bernie Khanlowski. In zijn ene hand hield hij een bos sleutels en zijn andere stak hij in Melchiors richting uit. De jongen deinsde achteruit. Hij keek bevreesd naar de naar hem gestrekte arm. *Niet nog eens*, niet na wat Braddie was overkomen. Maar voor hij het wist, schudde Melchior de hand van zijn buurman Bernie. Melchior hield zijn adem in… maar er gebeurde niets. Geen overdracht. Dae Nhemm hield zich gedeisd.

"Mijn vrouw vertelde me binnen dat jij en ik dezelfde interesses hebben?"

Bernie grijnsde breed. Eindelijk iemand met wie hij zijn passie kon delen. Melchior was een beetje uit zijn lood geslagen door wat met de hond was voorgevallen. Eigenlijk wilde hij niets liever doen dan op zijn fiets springen en het op een spurtje zetten richting overkant van de straat, naar de veiligheid van zijn eigen kamertje. Maar Bernie Khanlowski zette door.

"Ik weet dat Hanna weinig opheeft met antieke schoonheden, maar ik verneem dat je er een blik op wilt werpen? Ik heb de sleutels al mee. Komaan!"

Hij klopte vrijpostig op Melchiors schouder en troonde hem op die manier mee in de richting van de oude schuur die als garage dienstdeed. Hij wees op de achterdeur en zei:

"Hanna voelt zich ineens een beetje onwel. Ik zeg het altijd: te lang in de zon zitten is nergens goed voor. De hersenen drogen uit, weet je dat?

Echt waar. Slecht voor de hersenen… én voor het hart. Het lichaam krijgt het veel te warm en het hart moet harder pompen om voor afkoeling te zorgen."

Het interesseerde Melchior helemaal niet wat Bernie Khanlowski allemaal bazelde. En die ging maar door terwijl ze de schuurpoort naderden.

"Heel slecht. Oh ja…je krijgt er een mooi kleurtje van. Voor het tijdje dat het duurt, maar de hersenen en het hart, slecht… ze moeten het allemaal maar weten. De dokters blijven waarschuwen! IJdelheid heeft nare gevolgen. Kijk naar Hanna… twee uren in de avondzon. Oh, helemaal niet erg…ik hoor het haar nog zeggen… ik lig nooit buiten op de warmste momenten van de dag, enkel bij de avondzon… laat me zeggen, het is even gevaarlijk… even de sleutel zoeken… en nu ligt ze in de sofa. Pompaf. Natuurlijk… hierzo, nog even en je kunt je ogen laten genieten, jongen… vannacht doet ze geen oog dicht, en houdt mij dan ook nog eens wakker daarbij… ziezo!"

Bernie hield eindelijk zijn mond. Hij opende één deel van de poort. De schuur was groter dan Melchior had gedacht. In het midden stond een lang voertuig onder een beschermend stuk stof dat rondom tot op de stoffige vloer reikte.

"Tata…"

Bernie, de kwieke zeventiger, posteerde zichzelf als een komiek op een podium. Beide benen in spreidstand, de armen wijdopen. En daarbij nog een geforceerde glimlach. Potsierlijker kon nauwelijks. Melchior had last van de temperatuur die in de schuur hing. Of voelde hij zich zweterig om wat er met Hanna én haar hond was gebeurd? Hij stelde zich de dikke vrouw voor, liggend op de sofa, happend naar adem, terwijl Dae Nhemm door haar lichaam raasde. En waar was Braddie?

"Wat wil je weten?"

Melchior besefte dat iemand hem van op een andere wereld een vraag stelde. Misschien antwoordde hij best. Misschien was het belangrijk. Gewoon reageren. Gewoon laten merken dat je er nog bij bent.

"Hé?"

"Hanna vertelde me dat je met een soort werk bezig bent?"

De jongen voelde dat hij in de maalstroom van de kleine leugen verstrengeld zat. Hij kon niet anders dan verder ploeteren. Hij wreef over zijn gezicht en daalde op deze wereld terug. *Concentratie, verdomme,*

Melchie, concentreer je!

"Eh ja... ik ben enorm geïnteresseerd in oldtimers. Momenteel verzamel ik... allerhande gegevens en ik was net bezig met een Chevrolet uit 1957 en zat met een probleem. Tot ik besefte dat jij – mijn eigen overbuur – een dergelijke klassieker in je bezit hebt."

Melchior kwam er vlug in. Hij voelde wat hij moest zeggen om niet uit zijn rol te vallen.

"Heel zeker, jongen. Vraag maar wat je wilt, maar eerst even kijken...."

Bernie Khanlowski plooide heel omzichtig het stoffen doek en ontblootte op die manier glunderend zijn kostbare bezit.

"Ta... ta..."

De aanblik van dergelijke bezielde schoonheid liet Melchior zijn andere kopzorgen vergeten. Toen het doek volledig verwijderd was, gaapte hij onbeschaamd naar wat hem werd gepresenteerd. Bernie Khanlowski schepte heel wat genoegen in de manier waarop de jongen vol verwondering naar zijn eigendom keek. Een ellenlange en onvoorstelbaar imposante slee die uit twee kleuren vervaardigd was. De wanden van het volledige koetswerk, de motorkap, het kofferdeksel en de grote, rechtopstaande vleugels in het bordeaux, het hard-top dak in het wit. Enkele koplampen, een onberispelijk bordeauxkleurig interieur. Banden voorzien van witte randen. Uitpuilende velgen, voorzien van vier spaken...

"Wauw!"

Dat was Melchiors eerste reactie. Gewoon een *wauw*.

"Prachtig, hè?"

Melchior hoefde geen antwoord te geven. De blik in zijn ogen vertelde Bernie genoeg.

"Dit is 'm. Mijn eigenste Chevrolet BelAir Hardtop uit 1957. Ik was tweeëntwintig toen ik hem voor het eerst zag op het negenenveertigste autosalon in Chicago. Ik was er stapelverliefd op. Ik wist toen reeds dat ik ooit een dergelijk voertuig zou bezitten. Nu staat hij hier. En hij is rijklaar. Wil je de motor horen draaien?"

Melchior wist niet of hij op die vraag reageerde. Hij keek gewoon toe hoe Bernie de juiste sleutel zocht en achter het stuur plaatsnam. Hij stak die in het contact en even later werd de ruimte gevuld met een zwaar op de maag liggend grommen. Bernie liet de motor stationair draaien en kwam weer naast hem staan.

"Een V8. Bijna vierhonderd pk. Is dat geen hemels geluid? Of liever…
een *hels* geluid?"

Melchior was gewoon sprakeloos. Hij had al meerdere oldtimers bij de
pompen gezien en al ontelbare in zijn magazines, maar zo dicht in de
buurt van zo'n sublieme pracht staan, bezorgde hem rillingen. Het gedreun van de zware motor trilde door zijn longen, darmen en botten.

"Wat wilde je nu weten?" vroeg Bernie.

"Eh… eh… de…. eh…" stamelde Melchior. Hij was uiteindelijk toch
uit zijn rol gevallen. Hij liet zijn ogen vliegensvlug over de wagen glijden en zei:

"De… lichten."

"De lichten?" vroeg Bernie verbaasd.

"Ja… er zijn er maar twee… ik dacht dat het er vier waren. Nu weet
ik het zeker!"

Melchior vroeg zich niet af of hij overtuigend overkwam. Het kon hem
niet schelen. De Chevy was een pareltje om naar te kijken en te luisteren, maar hij wilde gewoon naar huis. Bernie bleef hem verbaasd
aankijken, maar haalde uiteindelijk zijn schouders op.

"Chevrolet heeft pas vanaf 1958 dubbele koplampen gebruikt. Dat
was het dus?"

"Meneer Khanlowski, uw wagen is prachtig, echt waar. Ik spaar al m'n
geld op om zelf ooit eigenaar van een dergelijk sieraad te worden. Maar
ik weet dat ik dat nooit zal bereiken. Het is één van mijn dromen, mijn
enige eigenlijk. Ik ben er dagelijks mee bezig. Ik ben erdoor geobse-
deerd, en weet zelf niet hoe dat komt. Oldtimers houden me dag en
nacht bezig. Het is vreemd."

Bernie glimlachte breed.

"Ik weet waar je het over hebt, jongen. Ooit stond ik in jouw schoenen. Ooit keek ik met ogen van jaloersheid naar eigenaars van een
Buick, een Mercury of een Dodge. Maar ik wist toen reeds… ooit zit
ik zelf aan het stuur. Nu ben ik er zeventig. Ik heb er meer dan dertig
jaar voor gespaard. Maar hier staat hij, mijn persoonlijke Chevy BelAir.
Achtenveertig jaar oud en als nagelnieuw."

"Hij is gewoon subliem."

"Ik haal hem enkel uit deze schuur als het mooi weer is. Sinds hij in
mijn bezit is, is er nog nooit een druppel regen op gevallen."

"Dat mag ook niet!" zei Melchior vlug.

"Zeker niet!"

Het gesprek over de wagen duurde zeker nog tien minuten. Bernie had ondertussen de contactsleutel weer in zijn handen. De motor was tot rust gekomen. Hij had ook de motorkap geopend. Hun gesprek handelde over het motorvermogen, het verbruik. Over andere oldtimers en andere eigenaars. Over clubs en ritten. Uiteindelijk nam Melchior afscheid en bedankte zijn buurman oprecht voor alles. De man was duidelijk heel fier en Melchior vond dat hij daar het volste recht toe had. Hij liet het doek terug over de wagen glijden en sloot zijn 'garage' af. Hij begeleidde de jongen tot bij zijn fiets die in de haag was achtergebleven en zwaaide toen die wegreed.

Tijdens het rijden besefte de glimlachende Melchior Multcher uiteindelijk opnieuw wat de reden van zijn bezoek aan de Khanlowski's was geweest. De Chevrolet was prachtig. Maar wat hem het meeste zorgen baarde, was de angst in de ogen van Braddie, de hond, toen die door Dae Nhemm overvallen werd.

Lorne? Was dit iets om hem te vertellen? Hij twijfelde nog steeds. Wat Hanna aanging, dat was geen probleem. Het derde slachtoffer was gevallen. Nu enkel nog wachten op resultaat.

"Raven?"

"Ja... wie denk je dat er anders mijn mobieltje opneemt?"

Deke stoorde zich niet aan haar korte reactie. Het was even over achten.

In het naburige Yellowmoon was Melchior Multcher ondertussen thuisgekomen en had zich na een korte begroeting op zijn kamer teruggetrokken. Op zijn moeders aanmaning om aan tafel te komen en samen met hen het avondeten te nuttigen, had hij gezegd dat het even later zou zijn. Hij moest dringend bellen. Zijn vader had erover gemopperd dat die kerels van tegenwoordig altijd wel *iets* tegen *iemand* te zeggen hadden.

"Raven, stoor ik?"

"Deke... als het om seks gaat, nu heb ik even geen zin. Als het om het werk gaat, stoor je mij nooit!"

"Ben je niet alleen?"

"Wat gaat jou dat aan? Jij bent toch ook niet alleen? Je bent getrouwd, verdomme!"

"Ik bel vanop het werk."

"Ah… zo laat nog?"

"Liever hier dan thuis… weer problemen met Narnia."

"Daarover niet tegen mij leuteren. Dat was een van de afspraken. Dat weet je wel, Deke. Neuken is okay. *Neuten* is uit den boze."

"Je bent een harde tante, Raven!"

"Komaan, Deke. We hebben afspraken gemaakt voor we eraan begonnen. Trouwens, zijn jouw huwelijksproblemen het enige waar je me voor opbelt?"

"Ik heb een gelijkenis gevonden tussen Haylan Rasschino en Jeffrey Cockroft."

"Prachtig. En dat is?"

"Een school. Rasschino was er leerling toen Cockroft er turnleraar was. Het is dezelfde school waar hij later onderdirecteur is geworden. Is dat bruikbaar?"

Raven reageerde niet onmiddellijk.

"Hallo? Raven?"

"Ik denk na, Deke, ik denk na. Ik weet niet of die informatie onmiddellijk bruikbaar is. Het is al een ganse tijd in het verleden."

"Misschien is daar ooit iets gebeurd. Ik weet het niet."

"Dat is het juist, Deke. Beiden zijn er niet meer, ze kunnen ons niets vertellen. Blijf je verder zoeken?"

"Zal ik zeker doen, maar nu niet meer. Eh…"

"Wat?"

"Vind je het erg als ik nog eens langskom?"

"Deke, ik heb reeds gezegd dat ik er nu geen zin in heb."

"Komaan, Raven… ik…"

"Afspraken, Deke. Daar houden wij ons aan."

"Je bent niet alleen! Dat is het! Daarom mag ik niet komen!"

"Deke, stop het! Ik meen het!"

Raven hoorde een snuiven.

"Dan ga ik maar naar huis. Misschien eerst iets drinken met Pete."

"Doe dat, Deke. Bedrink je even en ga dan ladderzat naar huis. Dat zorgt enkel voor nog meer problemen."

"Slaap zacht… sorry…"

Raven klapte haar gsm dicht. Rachelle Winther, die naast haar in de sofa zat, streelde zacht de huid van Ravens wang. Ze boog zich voorover en drukte haar lippen tegen Ravens oor.

"Je bent een stuk, Raven. Je bent dodelijk voor sommigen."

Raven draaide haar gezicht naar dat van Rachelle toe en beantwoordde haar blik. De vrouw wilde meer dan een gezellig gesprek, zoveel was duidelijk. Rachelle was iemand die je niets weigerde.

"Deke is lekker om mee te neuken, meer dan dat is er niet."

"Je bent onbevredigbaar."

"Ik hou ervan te genieten… van beide kanten. Je kent dat lied toch?"

Rachelle kon zich niet langer bedwingen en drukte haar lippen kort maar teder op die van Raven.

"Welk lied?"

"Van Robert Palmer… The Best of Both Worlds…"

Rachelle lachte breed.

"Lorne?"

"Ja… wat scheelt er?"

"Ben je bezig?"

"Nu niet meer, je hebt me gestoord. Waarom praat jij zo stil?"

Melchior keek naar de deur van zijn kamer die hij zorgvuldig had dichtgedaan. Hij wilde niet dat zijn ouders zijn gesprek met Lorne over de telefoon hoorden.

"Mijn ouders zitten beneden."

"Die horen je niet, kluns. Wat is er?"

Melchior voelde zich opgewonden. Hij wilde alles vertellen. Over zijn plan (dat geslaagd was), over zijn ontmoeting met Hanna en daarna met Bernie. Over de Chevrolet. En zelfs over de hapering met de hond Braddie wilde hij Lorne inlichten. Maar hij zei enkel:

"Ik heb Hanna aangeraakt."

Lorne kneep zijn ogen dicht en schudde zijn hoofd. De vibraties in Melchiors stem verrieden pure opwinding. Die kerel was er dus nog altijd niet van overtuigd dat het hier om een mislukte grap ging. Over iets wat helemaal niet had mogen gebeuren. Melchior was er dus nog altijd zeker van dat hij juist bezig was en dat wat hij deed, het gewenste resultaat zou opleveren. Lorne bedwong zich om niet te zuchten. Hij vroeg enkel:

"Wat heb je juist gedaan?"

Het speet hem onmiddellijk dat hij die vraag had gesteld want zijn vriend schoot als een spurter uit de startblokken met het ganse verhaal. Alles behalve de hond. Waarom hij er Lorne Dorganson niet over sprak, bleef zelfs voor hem een raadsel. Er was iets dat er hem van weerhield dat ene detail te vertellen. Het was alsof hij zich schuldig voelde. De hond had hem niets misdaan en verdiende die 'straf' niet.

Toen Melchior uitgeraasd was, wilde Lorne niet langer met dat gesprek verdergaan. Hij voelde opnieuw die spijt oprispen. Was hij er maar nooit mee begonnen. Hij dacht aan iets waar hij tijd mee kon winnen, want hij wilde niet dat Melchior hem dagelijks met zijn geleuter lastigviel.

"Luister, Melch, we moeten nu zeker weer drie weken wachten. Als we na een maand geen resultaat hebben, dan geloof je me toch, nietwaar?"

Aan de andere kant van de lijn klonk iets wat op een niet overtuigend grommen geleek.

"Een maand? Dat is lang."

"Jezus, Melch... volgens jouw vertellingen heeft het bij Haylan en Jeffrey toch ook zolang geduurd. Bij de Koe zal het niet anders zijn."

"Da's lang om te wachten."

"Je kunt niet anders... ik leg nu dicht, Melch. Ik wil nog wat naar de buis kijken eer ik ga pitten."

"Slaapwel, Lorne... ik... ben blij dat het gelukt is met Hanna."

"Ik ben blij voor jou."

Lorne wierp het mobieltje van zich af, wreef verveeld over zijn gezicht en goot zich nog een scheut whisky in.

Donderdag, 16 juni 2005

De nacht die volgde op het bezoek van de mismaakte zoon van hun overburen, sliep Hanna Khanlowski hoegenaamd niet. Er waren een paar zaken die haar bezighielden. Allereerst – en dat was nog het allerminste – was er het wegblijven van Braddie. De hond maakte blijkbaar een wandelingetje nadat Bernie die spuuglelijke kerel buiten had gelaten, want hij had Braddie nergens bespeurd. De hond was nog niet teruggekeerd. Het was zeker niet zijn gewoonte om lang weg te blijven, want ondanks zijn vijandige gedrag naar vreemden (en het veelal opzetten van een grote muil), was Braddie een verdomde huismus.

"Die komt wel terug!" had Bernie gezegd.

Daarna had hij zich teruggetrokken in zijn schuur en de rest van de avond met zijn wrak verspild. Hanna had geen respect voor de old-timer en vond het belachelijk dat de passie van haar man blijkbaar extreem werd opgewekt telkens iemand interesse voor de oude wagen toonde. *Opwekken* vond ze het juiste woord, *aanwakkeren* zou verkeerd zijn, want soms keek hij er een gans seizoen niet naar om. Die lelijke buurjongen had hem dus opnieuw het bloed door zijn aderen laten stromen. Bernie zou zich nu weer enkele dagen met zijn wrak bezig-houden en dan... letterlijk en figuurlijk het doek er voor een lange tijd over.

De hond was dus haar ergste zorg niet. Misschien had Bernie wel gelijk en kwam de hond terug naar huis. Wat haar meer zorgen baarde, waren de vreemde dingen die met haar lichaam gebeurden in de loop van de nacht. Vooral toen ze zich in de badkamer bevond en probeerde terug te denken aan het moment waarop die verschijnselen begonnen waren. Hoewel ze het probeerde te negeren, kon Hanna niet omheen de ver-schijning van dat lelijke gedrocht in haar omgeving.

Ze herinnerde zich dat ze in huis de sleutels haalde en dat Bernie net op dat moment thuiskwam. Hanna herinnerde zich tevens dat ze zich enorm draaierig voelde nadat ze haar man had ingelicht over de aanwe-zigheid van die kerel – hoe was zijn naam ook weer...? Melchior... ja... – in hun tuin. *Het licht ging plotseling uit.* Die indruk had ze. Ineens werd alles donker voor haar ogen en ze kon nog net tot op de sofa strompelen. Terwijl ze wijdbeens en hijgend lag te bekomen, hoorde ze stemmen. Hanna Khanlowski wist eigenlijk niet *wat* ze te horen kreeg en nog minder waar de geluiden vandaan kwamen. Terwijl ze vanuit haar positie zicht op haar tuin had en ze Bernie en die lelijkaard in de richting van de schuur zag stappen, ving Hanna het geluid op van mensen die schreeuwden. Was men ergens aan het vechten? Waarom keken Bernie en die buurkerel dan niet om hen heen? Het waren we-zens (mensen?) die gilden en tierden. Ze ving vervolgens daarbij ook nog beelden op van heuse veldslagen. Hoewel heel onduidelijk, werden afschuwelijke taferelen voor haar geestesoog geprojecteerd. Wildemannen die strijd leverden. Oorlogsbeelden waarbij deftig in spartelende lichamen werd gehakt en gestoken met primitieve wapens. Beitels, speren en hakmessen zwaaiden door de lucht en kwamen in reeds gehavende of ongeschonden, zwetende lijven terecht. Het was zeker geen actuele oorlogsvoering. Geen modern wapentuig. Ingewanden spatten in het rond en hompen lillend vlees trilden in het met bloed doordrongen gras.

Hanna begreep niet wat haar overkwam. Het was iets wat ze nooit eerder had meegemaakt. De beelden en geluiden deinden uiteindelijk weg en de vrouw vond zichzelf overdadig zwetend in de sofa terug. Hanna Khanlowski haalde gejaagd adem en rook de stank van haar eigen lichaam. De wenkbrauwen fronsend, werkte ze zich moeizaam rechtop. Blijkbaar moest ze zich tijdens de projectie van de beelden heftig bewogen hebben, want haar rechterborst hing volledig uit de cup van de bikini. De grote tepel wees daarbij naar de vloerbekleding.

Bernie trof zijn vrouw in haar bed aan. Nadat hij de vreemde jongen had buiten gelaten, was hij de woning terug binnengegaan en omdat hij zijn vrouw nergens op de benedenverdieping aantrof, zocht hij haar boven op. Hanna hield zichzelf tussen de lakens verborgen. Op zijn vraag wat er scheelde, zei ze enkel dat ze zich niet goed voelde en dat hij haar met rust moest laten. Bernie Khanlowski was de grillen van zijn vrouw allang beu en maakte van die opdracht geen zaak. Hij haalde zijn schouders op en ging terug naar beneden. Ho nee, de zeventiger had geen enkel probleem om zijn vrouw met rust te laten. Dat deed hij zelfs met plezier.

Het alleen gelaten worden, het bed en de kamer brachten haar echter geen soelaas. Integendeel. Op een bepaald moment vreesde de vrouw dat ze niet langer alleen was. Ze draaide zich van haar linkerzij op haar rug en steunde op de ellebogen om haar hoofd een beetje op te richten. Waarom ze niet bang was, wist ze niet, maar ze was inderdaad niet alleen. Er bewogen zaken door haar kamer. Duistere figuren, donkere schaduwen. Dingen die er helemaal niet hoorden te zijn. Ze bewogen vlug door de kamer heen, als keek ze naar een vreemdsoortige driedimensionale film. Ineens besefte Hanna waar ze naar keek. Een voortzetting van wat ze in de sofa had gezien en gehoord. Veldslagen. Oorlogen. Het wansmakelijk afmaken van mensen. Hanna wist diep in zich dat ze niets met die zaken te maken had. Het waren projecties.

Maar waar die vandaan kwamen, was haar een raadsel. In de donkere, zwarte vlekken zag ze heel duidelijk menselijke figuren. Allen hadden ze wapens bij zich en allemaal… gebruikten ze die tegen zichzelf?!

Buiten hoorde ze haar man die de naam van hun hond riep. Die was dus toch nog niet teruggekomen. Hanna had geen zin om haar man naar boven te roepen en hem te vertellen was er gaande was. Waarschijnlijk zag hij die dingen zelfs helemaal niet. Misschien waren de beelden enkel voor haar bestemd. Misschien waren het zelfs oorlogen die zich nog in de toekomst moesten afspelen.

Terwijl Hanna poedelnaakt onder de lakens lag, zag ze hoe de zwarte figuren zichzelf met messen en beitels bewerkten. Het vlees en de ingewanden die werden versneden waren die van henzelf. Ze werd pas bang toen ze impressies van pijn voelde. Telkens een figuur voor haar zichzelf toetakelde, werd ze een fractie van zijn pijn gewaar. Een mes die in een buik werd gestoken, bezorgde haar een steek tussen de darmen. Een hakmes dat een bovenarm openhakte, liet haar ene arm spastisch trillen. Een bijl die een schedel spleet, zorgde voor korte, maar ziedende hoofdpijn.

Ze ervoer een heel klein gedeelte van wat zij allemaal voelden. Het duurde een vol uur en daarna rolde ze uit het bed, strompelde naar de badkamer en zakte voor het toilet op haar knieën. Om te kotsen. Om te gillen en te roepen en nog meer te kotsen. Ze voelde hoe haar maagwanden zich naar binnen toe samentrokken. De naakte, dikke vrouw omhelsde de toiletpot als was het haar beste vriendin. Een innige omarming die teniet werd gedaan door kotsgeluiden, hoesten en kokhalzen. Haar maag moest allang leeg zijn, maar het kotsen hield niet op. Er volgde bloed. Dik, donkerrood bloed waarin vette klonters dreven. Hanna weende toen ze de drab op het porselein onder haar gezicht zag en hoorde kledderen. Ze voelde geen pijn, waar kwam die smurrie dan vandaan? Het *was* bloed, het *stonk* naar bloed.

Of was het niet van haar? Was het dan van die anderen? Van degenen die zichzelf naar de duvel hielpen? Vochten die kerels hun strijd met zichzelf binnen haar lichaam af? Hanna dacht dat ze gek werd. De meest idiote gedachten spookten door haar hoofd en teisterden haar geest. Dit kon toch niet.

Uiteindelijk hield het kotsen op. Totaal uitgeput zakte Hanna opzij en zakte tussen de toiletpot en de koude, betegelde muur in elkaar. Het was een niet erg appetijtelijk zicht. Haar linkerbeen opgetrokken, het rechter- wees de andere kant op. De overdadig behaarde schaamstreek was een groot, zwart eiland op de rest van haar bleke, moddervette lichaam.

Maar de beelden en de geluiden hielden niet op. Mensen gilden en renden nu door haar woning. Dwars door de muren, als vormden die geen enkele belemmering. Het waren indianen?! Hanna keek vanuit haar bizarre positie naast de pot naar de figuren die zich niet aan haar aanwezigheid stoorden. Of merkten zij haar niet op?! Wat was er in 's hemelsnaam met haar aan de hand? Met grote ogen staarde ze naar de figuren die zowel horizontaal als verticaal renden, zichzelf slaand, zichzelf verminkend. Ze zag er duidelijk die zich in een ravijn wierpen en op de rotsen beneden te pletter sloegen. Eén van hen wrong zichzelf de ogen uit met een klein mes terwijl hij de meest ijselijke kreten uitte. Hij was dwars door de buitenmuur de badkamer binnengerend en holde door de tegenovergestelde muur de hal binnen. Spoken! Het waren spoken. Het kon niet anders. Enkel zij kenden geen enkele vorm van belemmeringen.

Hanna Khanlowski grijnsde groen toen ze meende dat ze het bij het rechte eind had. Spoken. Dat was het. Hun huis was bezeten. De beelden waren bedoeld om haar de stuipen op het lijf te jagen. Enge geesten die haar en haar man uit dit huis wilden; ze had er genoeg films over gezien. Op de gang stond een kerel die zijn armen vilde. Hij tierde met wijdopen mond, en staarde met grote ogen naar wat het mes zijn arm toebracht. Hanna hoorde zijn gillen binnenin haar hoofd. Maar het was niet het gillen van pijn, wel van ongeloof. Terwijl hij zijn arm opende, voelde hij dus geen pijn, maar schreeuwde hij enkel omdat hij niet begreep wat of waarom hij net dát aan het doen was? De kerel werd verdrongen door een andere. Die had een grote steen vast en sloeg die onophoudelijk tegen de zijkant van zijn hoofd. Het bloed spatte uit een enorme wonde en het grootste deel van zijn rechteroor was afgescheurd. Zelfs het rechteroog zat niet erg vast meer in de oogkas. Pas toen de zijkant van de schedel tot een bloederige pulp was geslagen en de steen de hersenen binnendrong, viel de man dood neer.

Een man manifesteerde zich daarop zomaar in de badkamer. Het was duidelijk een roodhuid, nu zag Hanna het werkelijk in detail. Ze trok zich verschrikt in haar hoek terug, want hij stond op nauwelijks één meter van haar verwijderd. De man kwam zó uit de westerns. Lange, zwarte haren, gekleed in vodden die los om zijn lichaam hingen. Het was een indiaan. Geen twijfel mogelijk. Hanna zag dat hij – terwijl hij rechtop stond – zijn eigen knieën met een hakmes kapotsloeg. Hij hakte en hakte en hakte, linker- én rechterbeen...tot de knieschijven loskwamen en op de grond vielen. Met tranende ogen zag ze hoe pezen en spieren aan flarden werden geslagen. Uiteindelijk zakte hij door de afschuwelijke wonden en zakte ineen. Kermend bleef de man liggen, niet in staat zich nog te bewegen. Hanna voelde zijn verwondering en afschuw, niet zijn pijn. Want dat was er blijkbaar niet aanwezig. *Niemand* van hen voelde pijn, maar allen wisten ze heel goed waar ze mee bezig waren: zichzelf kapotmaken. Maar waarom ze het deden, begrepen ze niet... en evenmin hoe ze zich konden verzetten. Vandaar de gevoelens van afschuw, onbegrip en misselijkmakende waanzin.

Wat ze aanvankelijk voor veldslagen had gehouden, waren in feite beelden van volledige stammen die zich aan zelfverminking of zelfdoding bezondigden. Zij kwam er niet uit of de visioenen over éénzelfde of over meerdere stammen handelden. Maar in elk geval betroffen de beelden geen oorlogen. Massazelfmoord. Hanna begreep er helemaal niets van. Waarom kreeg *zij* die beelden te verwerken? Waarom werd *zij* geconfronteerd met die afschuwelijke waanzin?

De feiten van zelfdoding hielden aan. Het uitsteken van ogen, het opensnijden van buikwanden, het verminken van de geslachtsdelen, het openen van aderen... Hanna zag alles, voelde hun waanzin. Eén van hen riep haar naam.

"Hanna?"

De vrouw schrok op. Dat was nieuw.

"Hanna, waar ben je?"

Een stem die ze kende. Toch niet een van hen?

"Hanna?"

In de deuropening verscheen Bernie Khanlowski. De beelden van de zichzelf verminkende indianen werden minder scherp, maar verdwenen niet helemaal. Het was voor Hanna op dat moment duidelijk dat haar man niet kon zien wat zij wel zag. Hij stond trouwens naast een reus van een kerel die zijn keel steeds maar opnieuw oversneed met iets wat op een geslepen steen leek. Van links naar rechts en terug. Het bloed spatte alle kanten op. Slokdarm en luchtpijp werden vernield.

Hanna hoorde het gieren van de lucht die – in een laatste poging tot zelfbehoud – toch nog door de longen naar binnen werd gezogen door de kleine opening die de luchtpijp was geworden. Het verergerde van een eerste kerf over een gapende, bloederige wonde tot het opzijkantelen van het ganse hoofd. Bernie zag dat allemaal niet. Hij stond daar maar, gaapte met openhangende mond naar wat hij zag: zijn naakte vrouw die zich in een wansmakelijke houding tussen de toiletpot en de muur bevond.

"Jezus..."

Dat was zijn eerste verbale reactie nadat hij tot het besef was gekomen dat er iets verkeerds aan de gang was. Daarna kwam hij in actie. Met heel wat moeite slaagde hij erin zijn volumineuze vrouw rechtop te helpen. Hij had er bij haar de afgelopen jaren reeds meerdere malen op aangedrongen iets aan haar gewicht te doen. *Ik voel mij goed in mijn vel*, had ze gezegd, *jij doet toch ook niets aan het feit dat jouw schedel kaal wordt!* Daarmee was het voor Bernie duidelijk dat hij verder geen moeite hoefde te doen.

Hij vloekte, pufte en liet scheten... maar slaagde er uiteindelijk toch in zijn vrouw terug in het gemeenschappelijke bed te krijgen. Met een washandje maakte hij haar met kotsresten bevuilde gezicht en borstkas schoon. Op zijn vraag of hij er een dokter moest bijhalen, zei Hanna dat het niet nodig was. Een goede nachtrust zou er haar wel door helpen. Waarschijnlijk had ze iets verkeerds gegeten. Iets wat haar maag binnenste buiten had gekeerd.

Bernie geloofde haar, hoewel hij net hetzelfde als zijn vrouw had gegeten. Nadat zij zich tussen de lakens had gewikkeld, ging hij terug naar beneden, sloot alles zorgvuldig af en kroop even later zelf in bed.

Naast hem keek Hanna – nu met gesloten ogen – naar de zelfmoordenaars. De slachtpartijen hielden aan, de ganse nacht. In haar lichaam bewoog zich ondertussen iets wat zich wentelde in de waanzin van die anderen. Haar misselijkheid ging niet over, maar bleef als een tastbare klomp in haar maag aanwezig.

In de loop van de dag die op die eerste nacht volgde, was Hanna Khanlowski geen enkel moment alleen. Ze gedroeg zich – maar dat was ze dan ook – de ganse dag kotsmisselijk, maar weigerde pertinent een bezoek van de dokter. Haar Bernie trippelde constant als een nerveuze dienstmeid in haar buurt, niet wetend wat hij nog allemaal kon doen om het zijn vrouw gemakkelijker te maken.

Maar Bernie was niet de enige die zich in de nabije omgeving van zijn vrouw ophield. Naast de zichzelf dodende indianen – de afschuwelijke beelden die zich bleven manifesteren – was daar nu ook een wanstaltelijke figuur die zich tussen de lijken bewoog. Het was Dae Nhemm. Maar hoe ze dat wist of te weten was gekomen, dat ontging Hanna volledig. Het was een man, dat was duidelijk omdat hij naakt was.

Maar hij was afschuwelijk mager en echt afstotelijk lelijk. De botten waren overal onder de grauwe huid zichtbaar. In een lang, smal gezicht gluurden kwaadaardige ogen van diep in donkere kassen in haar richting. Door een smerige grijns op zijn streepvormige lippen ontblootte hij vieze, bruine tanden. Dae Nhemm opende zijn mond een weinig en liet zijn rauwe tong enkele malen heel vlug naar buiten glippen. Het wond haar geenszins op. Hij greep met lange, dunne vingers zijn lange penis vast en bewoog de huid enkele malen van voor naar achteren. Het zich bevinden op een veld van doden en liters vergoten bloed bezorgde hem een seksuele opwinding die hij duidelijk met haar wilde delen. Toen hij zijn hoofd in zijn dunne nek wierp, golfden de vieze, lange haarpieken van op het midden van zijn schedel over zijn ingevallen schouders. Hij genoot van wat hij zag, als was hij tevreden. Had die magere schrielkip misschien iets te maken met het feit dat al die arme donders zichzelf hadden gedood?

Dae Nhemm – of toch een fractie van hem – bevond zich in haar. Daar was Hanna van overtuigd. Het was allemaal begonnen nadat die lelijke opdonder…

Hoe Bernie het ook probeerde, een dokter kon haar niet helpen. Niemand kon haar helpen. Niemand kon de waanbeelden uit haar hoofd verwijderen. Niemand was in staat binnenin haar hoofd te dringen met de bedoeling enkele schakels over te halen.

Tijdens de dag verliet ze de woning niet. Ook de nacht van donderdag op vrijdag bleef ze thuis. Ze hield zich angstvallig binnen de veilige muren van haar woning op Church Street en aanvaardde wat op haar afkwam. De indianen waren er niet langer, maar hadden nu plaatsgemaakt voor totaal andere fenomenen. Die zorgden voor nog meer verwarring. En Dae Nhemm zelf. Die was omnipresent. Overal waar ze keek, was hij of verscheen in haar gezichtsveld. Hij daagde haar uit, grijnsde en loenste naar haar, trok zichzelf op één meter van haar af.

Hij wees op een stoel in de leeskamer waar ze zich op dat moment in bevond. Toen Hanna zijn aanwijzing volgde, merkte ze dat de stoel niet langer een stoel bleef. De vier poten zakten ineen en werden de gelede, harige poten van een insect. De zitting werd een ovaal lijf en even later staarde ze met open mond naar een afschuwelijk beest dat ze nooit eerder in haar leven had gezien. Haar lichaam reageerde alsof ze ten prooi was aan een ganse resem emoties die ze ternauwernood kon verwerken. Het stoelinsect bewoog en kroop langs de muur omhoog. De tientallen ogen die op de rug van het dier bevestigd waren, rolden alle kanten op. Dae Nhemm wees vervolgens naar alles wat er zich in de leeskamer bevond en even later was Hanna's naaste omgeving gevuld met kruipend ongedierte. Ze hoorde het grommen en snuiven, krassen en kriebelen. Grote insectachtigen, kleine slakvormen. Van alles iets, maar niets was echt definieerbaar.

Haar ergernis werd nog intenser toen ze de leeskamer uitvluchtte om vast te stellen dat haar volledige woning gevuld was met wat Dae Nhemm voor haar uit zijn toverhoed had gehaald. Want voor haar *was* de afschuwelijke kerel dát: een tovenaar! Hij kon haar dingen laten zien die er helemaal niet waren, geluiden laten waarnemen die niet bestonden. Donkere vormen gleden over de muren, kleefden aan het plafond of kropen over de vloer in het rond. En naar buiten durfde ze helemaal niet gaan. De tuin was in een woeste jungle veranderd. Bernie was nergens meer te bespeuren en aan Braddie dacht ze zelfs niet langer. Buiten was alles groen. Totaal dichtgegroeid met een overdonderend groen. Van gigantische bladeren en monumentale stammen tot over de grond bewegende, groene slierten, voorzien van scherpe distels. Het geheel zag er verdomd levensgevaarlijk uit. De wereldvreemde begroeiing was dodelijk, maar ook de onvoorstelbare creaturen die er zich in bewogen, hun onmogelijke lijven fragmentarisch verborgen door het mysterieuze, alomtegenwoordige groen.

Hanna zag Bernie niet. Hanna zag Braddie, de hond, niet. Ze was alleen gelaten in het huis. Zij en die andere, dat spook.

Bernie Khanlowski was er wel, maar zij zag hem niet. De man vroeg zich af wat er met haar gaande was. Ze krulde zich in bed op en reageerde niet op wat hij zei of vroeg. Ze staarde met holle ogen dwars door hem heen. Als het niet beterde, zou hij morgen toch – zij het met of zonder haar zin – een dokter laten komen.

Maar omdat Hanna 's nachts niet reageerde – ze bleef in haar foetushouding in bed liggen en reageerde nog steeds niet op zijn aansporingen om te zeggen wat er in 's hemelsnaam toch met haar aan de hand was' – én omdat ze 's morgens stukken beter was, liet Bernie het idee van de huisdokter varen. Zij had al eerder zotte kuren gehad, dit was er maar eentje meer. Dat was een voordeel van al veel jaren samen zijn. Hij kende haar onderhand goed genoeg om te weten dat alles wat zij deed om aandacht te krijgen, uiteindelijk toch van voorbijgaande aard was. Volgens Bernie was zijn vrouw nu weer in een dergelijke fase weggezakt. Hij hoefde enkel maar (weer eens) veel water in de wijn te doen en flink op zijn tanden te bijten om die periode zonder veel mentale kleerscheuren door te komen. Bernie Khanlowski wist dat hij zichzelf in handen diende te houden, wilde hij er zelf niet onderdoor gaan. Hanna had geen hulp aan een man die depressief was. Eén van de nadelen van een langdurend huwelijk: zorg dat je sterk staat of je wordt uiteindelijk meegesleurd in de problemen van de partner.

Inderdaad.
Hanna Khanlowksi voelde zich de vrijdagmorgen beter, hoewel ze zelf niet wist wat ze de avond ervoor had verricht en hoe ze zich in het bijzijn van haar echtgenoot had gedragen. De bewegende vlekken op de muren waren er nog, maar de jungle buiten was verdwenen, de tuin was er terug. Ze sprak met haar man en vroeg hem waar de hond was. Maar in haar hoofd tolde Dae Nhemm. Hij voelde zich oppermachtig. Eerst die brute kerel die ze als Haylan bestempelden – dat was aanpassen. Vervolgens die onderdirecteur, die Jeffrey-kerel – dat ging als iets gemakkelijker, niet vlugger. Maar nu, nu voelde Dae Nhemm pas dat hij op dreef kwam. Hij moest zich aanpassen, want de buitenwereld was grondig veranderd sinds zijn vorige manifestaties. Er waren veel meer stammen en leefden in erg grote gemeenschappen. Er bestonden ook geen tenten meer. Gelukkig leerde de demon heel vlug. Auto's, treinen, televisie. Vroeger bestond dat allemaal niet. Maar het waren

allemaal zaken waar hij mee kon werken. Haylan en Jeffrey waren 'pro-beersels'. Hij had die dikke vrouw pas twee dagen daarvoor betreden en hij voelde nu reeds dat haar tijd gekomen was. Het werd er steeds beter op. Nog enkele *oefeningen* en Dae Nhemm voelde dat hij in staat was uit te voeren waarvoor hij geschapen was.

12. Melchior Multcher
Getuige

Vrijdag, 17 juni 2005

"Je bent merkelijk beter?"

Bernie bleef na het ontbijt aan de keukentafel zitten en richtte een opgeluchte blik op zijn echtgenote. Hij had haar niet horen opstaan, hij had niet eens gemerkt dat ze de badkamer had gebruikt. Blijkbaar had ze zich gewassen en aangekleed. Voor hem zat een totaal andere vrouw dan de Hanna die hij de avond ervoor had meegemaakt. Zij had geen ontbijt genoten, enkel maar een verse kop koffie genuttigd.

Hanna Khanlowski keek haar man aan. Het was een vreemde geworden. Iemand die net als zij in dit grote huis op Church Street woonde. Iemand met wie ze de kamers, de keuken en het bed deelde. Ze deden allang niets meer *samen*. Hij was er gewoon, net als zij. Hanna herinnerde zich de eerste jaren van hun huwelijk niet langer. Dat was verleden tijd en blijkbaar waren er heel weinig momenten die de moeite waren om in de geheugenbanken op te slaan. Wel een heleboel verbale ruzies, nutteloze en vooral oeverloze woordenwisselingen die door de jaren van hun huwelijk heen tot verveling en sleur hadden geleid. En ze werden beiden ouder. Aanvankelijk nog hopend op beterschap, maar uiteindelijk zich neerleggend bij een mislukking. Ach wat, we zijn nu toch getrouwd… beschikken wij over een zekerheid dat het bij iemand anders beter is? Bernie had dikwijls zijn lafheid vervloekt. Hij had haar jaren geleden moeten verlaten, toen het nog zin had. Nu was hij zeventig. Nu had het volgens hem ook geen nut meer. En ze sleepten zich beiden alleen, naast elkaar, verder. Niet samen.

Eigenlijk had Hanna zich door het huwelijk met haar man *gesleurd*, net zoals door haar volledige leven. Haar overgewicht had haar altijd ferm parten gespeeld. Maar nu… nu ze met haar man aan de keukentafel zat, was dat het minste van haar zorgen.

Achter haar man stond Dae Nhemm rechtop. Dat lelijk, uitgemergeld scharminkel stond zichzelf weer af te rukken terwijl hij smerig in haar

richting loerde. Op de muren en over het plafond kropen dezelfde schaduwen van vannacht. In haar achterhoofd hoorde ze nog steeds de doodskreten van de stervenden. Haar man had haar een vraag gesteld. De brave borst was bezorgd om haar. Misschien was antwoorden een manier om haar zinnen te verzetten. Misschien leverde een gesprek wat opluchting op. Hanna vermande zich, probeerde niet langs Bernie heen naar de gesticulerende Dae Nhemm te kijken en vroeg:
"Heb je Braddie gezien?"
Bernie schudde zijn hoofd.
"Hij is sinds woensdagavond verdwenen. Ik begrijp het niet. Hij is nog nooit zolang weggebleven."
"Misschien komt ie wel niet meer terug?"
"Dat denk ik niet. Braddie is een trouw dier. Hij vindt zijn weggetje wel naar huis terug, wees daar maar zeker van."
"Ik ben van niets meer zeker."
"Wat zeg je?"
Dac Nhemm maakte nu stotende bewegingen met zijn heupen. De lange lul die hij niet langer vasthield, wipte op en neer in haar richting.
"Ik zei dat ik helemaal niet zeker ben."
"Hoe voel je je nu? Je *ziet* er toch beter uit?!"
Hanna wachtte even, als zocht ze naar de juiste woorden. Maar in feite probeerde ze de afschuwelijke figuur van Dae Nhemm te negeren. Het kleine, omlijstte schilderij dat aan de muur naast het venster hing, vatte ineens vlam en verpulverde meteen. Zwart stof dwarrelde op het aanrecht.
"Ik voel me... verward."
"Is er iets wat je wilt doen? Of dat je wilt dat *ik* doe?"
Meende haar man dat nu, of wilde hij gewoon vriendelijk zijn? Hoe dan ook, Hanna besefte dat Bernie weinig kon inbrengen tegen de waanzinnige wereld die zich voor haar ogen – en enkel voor die van haar – afspeelde.
"Ben je zeker dat je geen dokter wilt? Je was eergisterenavond zo ziek. Ik bedoel... in de badkamer, al dat kotsen... dat is jou toch nooit eerder voorgevallen?"
Hanna wist dat het geen zin had Bernie te vertellen wat er met haar gebeurde. Ze wist het om te beginnen zelf niet en ten tweede zou hij

haar gek verklaren. Dus leek haar het geven van een bruikbare en aan-vaardbare leugen nog het best.

"Ik heb het je al gezegd, Bernie... ik denk dat ik iets verkeerds gegeten heb. Iets dat op mijn maag is blijven liggen."

Haar man wilde er niet verder op ingaan. Hanna was oud genoeg om zelf beslissingen te nemen. Hij haalde dan ook – als teken van het feit dat hij zich bij de situatie neerlegde – de schouders op. Hij klapte in zijn handen en vroeg een beetje té enthousiast:

"Okay dan... wat staat er op het menu voor vandaag?"

"Ik heb nog geen honger."

"Dat bedoel ik niet. Wat ben je vandaag van plan?"

"Ik weet het niet. Een beetje opruimen en dan zien we wel."

Melchior Multcher hield zich in zijn hok op. Ottie Pelch deed weer zijn best om gans Yellowmoon te laten meegenieten van het Black Metal-gedreun van WXXW. Het was zijn voorlaatste werkdag van de week en het was rustig bij de pompen. Hij vulde de tijd met zijn automagazines en probeerde niet na te denken. Op de momenten dat hij het toch deed, dwaalden zijn gedachten onmiddellijk af naar de Koe. Vanaf het moment dat zij in zijn geest terechtkwam, vroeg hij zich af hoe het haar was vergaan. Wat deed ze? Hoelang zou het duren? Het hield hem bezig... hij probeerde het te negeren.

Op zijn kantoor in QuarTech boog Lorne Dorganson zich over de dingen waar hij mee bezig was. Een nieuw computerprogramma. Niet erg enthousiast ging hij te werk, het was té eenvoudig. Lorne was een enorme a-sociale sloddervos met een hevig drankprobleem, maar op het gebied van computertoestanden was hij een bolleboos. Omdat hij weinig intellectuele inspanningen moest leveren om de handelingen waar hij mee bezig was, tot een goed einde te brengen, hield hij zich tegelijk bezig met te denken aan een manier om het spelletje met Mel-chior een definitieve stop toe te roepen. Dit kon zo niet verder. Er zou Hanna natuurlijk niets gebeuren, daar was hij van overtuigd. Maar Lorne voelde dat Melchior werkelijk bezeten was. Zeker na de zelf-moorden van Rasschino en Cockroft. De kans bestond dus dat hij hem de oren van zijn kop bleef zagen. Dat was iets waar Lorne echt geen graten in zag.

"Ik heb zin om een ritje te maken."

Bernie keek van zijn werkzaamheden op. Hij zat op zijn knieën op een matje en probeerde zo voorzichtig mogelijk een hardnekkig vuiltje van het spatbord van het linkerachterwiel van zijn Chevrolet BelAir te verwijderen. Hij draaide zijn hoofd opzij omdat hij de stem van zijn vrouw had gehoord. Hij had haar de schuur niet horen binnenkomen. Hij had haar al eigenlijk de ganse namiddag niet gehoord. De ganse voormiddag was ze in het huis bezig geweest met opruimen. Maar dan wel op een manier die hij van haar helemaal niet gewoon was. Terwijl hij zich in de studeerkamer ophield en zijn postzegelverzameling op punt stelde, hoorde hij zijn vrouw in de andere vertrekken van hun woning bezig. Ze praatte onophoudelijk. Tegen zichzelf?! Er was anders niemand om tegen te praten. Dat had ze nooit eerder gedaan. Hanna Khanlowski zei weinig thuis. Maar die voormiddag hoorde Bernie haar voortdurend mompelen. *Ga weg... je krijgt me toch niet kapot... doe die dingen van mijn muren weg... van het plafond... ik wil hen niet meer horen schreeuwen... laat het ophouden...*

Bernie begreep niet waar zijn vrouw mee bezig was, of wat er in haar hoofd omging. Hij zag haar ook enkele malen in het ijle grijpen. Wilde zij iets vastnemen dat er niet was? Zag zij misschien dingen die er niet waren? Was ze gek geworden? Of dement? Bestond die mogelijkheid? Het griezelige murmelen bezorgde hem een koud gevoel.

Het middageten – dat hijzelf had klaargemaakt – nam ze met mate tot zich, waarna ze zich onmiddellijk in bed terugtrok. En nu stond ze naast hem.

"Nu nog? Het is zes uur! Met de Chevrolet?"

Bernie wees naar het wiel waar hij mee bezig was.

"Met *mijn* Chevrolet, ja. En ik alleen. Ik wil alleen zijn."

Bernie bracht daar niets tegenin.

"Mij goed. Maar..."

"Maar wat?"

Bernie Khanlowski legde zijn vrije hand op de zwarte band en hielp op die manier zijn zeventig jaar oude benen zichzelf rechtop te hijsen.

"Het is zeker een maand geleden dat je gereden hebt. En je bent ziek geweest, ik weet niet of het aangeraden is om..."

"Ik ben geen klein kind, Bernie. Ik rij even naar Garland en dan kom ik terug."

"Jij bent de baas!"

Hij wees op de autosleutels die ze in haar ene hand hield. Niet dat hij van plan was nog veel tegenwerpingen in de ring te keilen. Als zijn vrouw weg wilde, dan ging ze maar. Twee jaar eerder, in 2003, wilde ze per se een kleine wagen hebben. *Voor persoonlijk gebruik*, zei ze, *kleine wagens zijn 'in'*. Maar haar kennis van merken van voertuigen was totaal onvoldoende en daarom liet ze de keuze van het aan te kopen voertuig volledig aan haar echtgenoot over. Die stelde de toen pas op de markt gebrachte Chevrolet Aveo voor. Hanna verzoende zich daar zonder enig probleem mee. De meeste van haar vriendinnen bezaten ook een persoonlijk voertuig. Toyota, Mitsubishi of Volkswagen. Het kon haar geen ene moer schelen welk merk het was of in welk land het in elkaar werd gestoken, als het maar klein was.

Hanna draaide zich om en stapte naar het tweede deel van de garage. Ze voelde dat Bernie niet erg akkoord ging met haar rij-intenties, maar dat deerde haar niet. Garland was haar doel. Er spookte iets door haar hoofd. Ze *moest* in Garland zijn. Waarom was evenmin duidelijk. In haar handtas die ze dicht tegen haar zij hield, had ze dat ene ding zorgvuldig opgeborgen. Waarom ze het uit de keukenkast had genomen en bij zich hield, wist ze niet. Ze deed het gewoon, terwijl de naakte Dae Nhemm haar handelingen met een smerige grijns op zijn lippen bekeek. Hanna borg het voorwerp in haar handtas weg, en het enige wat ze wist, was dat ze het diezelfde avond nog nodig had.

Totaal verward maakte ze zich klaar. Naar Garland? Ze was al maanden niet in Garland geweest. Waarom voelde ze aan dat ze per se daarheen moest? Ten prooi aan talloze vragen die door haar hoofd spookten en waar ze toch geen antwoord op kon geven, had ze zich in een tweestrijd geworpen. Tegen Dae Nhemm ingaan had geen zin, daar was ze zich van bewust. Dat had ze in de voormiddag – tijdens het opruimen – ervaren. Hij jende haar, hij pestte haar en had er duidelijk plezier aan. De vlekken op de muren bleven, hoe hard ze er ook met een vod op wreef. Kasten, stoelen en klein meubilair veranderden constant van vorm. Het werden kleine of grote beesten die door de vertrekken en gangen kropen. Onmogelijke en ongrijpbare beesten. Ze had het geprobeerd, maar haar grijpende handen waren er zonder enige vorm van contact dwars doorgegleden. Uiteindelijk had zij zich niet langer proberen te verzetten. Dae Nhemm en al die andere gruwelijkheden waren er gewoon.

Hanna Khanlowski stapte in haar kleine Aveo en reed de garage uit. Bernie keek haar niet na. Ze was oud genoeg om te beseffen waar ze mee bezig was. Wat haar betrof, reed ze nu zelfs naar een dokter. Misschien was het gewoon een kwestie van: *ik beslis wel zelf als er een dokter aan mijn lijf komt, jij hoeft dat niet te doen.* Bernie kende zijn vrouw lang genoeg om te weten hoe ze in mekaar stak. Hij hoorde de bescheiden motor van de Chevrolet Aveo aanslaan en boog zich terug naar zijn werkzaamheden aan het achterwiel van de BelAir.

Het was halfzeven toen Hanna haar wagentje op de voorziene parkeerplaatsen op Washington Lane stalde. Dae Nhemm had haar vergezeld. Hij bevond zich ergens in de wagen tijdens de verplaatsing, daar was Hanna zeker van, maar hij manifesteerde zich op geen enkele manier. Misschien verborg hij zich enkel in haar hoofd. Hanna was blij dat ze haar doel had bereikt. Ze was gewoon Garland binnengereden, en alsof enkel haar handen wisten waar ze naartoe moest, reed ze op automatische piloot door de straten tot ze haar Aveo parkeerde. Aan de overkant van de straat was een winkel. Daar moest ze dus naar binnen. Maar met welke reden? Tijdens de rit van Yellowmoon naar Garland had ze vreemde zaken gezien. Normaal was County Route 332 een drukbereden weg tussen Garland en Brandenberg, maar in de minuten die voor haar nodig waren om zich van de ene naar de andere plek te verplaatsen, had ze geen enkel ander voertuig opgemerkt.

County Route 332 was leeg, compleet verlaten. Meer nog. De verspreide woningen, waarvan ze zeker was dat die er moesten staan, stonden er niet. Een totaal leeg landschap, zo vlak als iets, met een einder die bijna onopgemerkt overging in het blauwgrijs van de lucht. Het enge gevoel van eenzaamheid ebde weg toen ze Garland binnenreed.

Hanna Khanlowski werkte haar zware lichaam uit de wagen, sloot die zelfs niet af en liep de straat over. Ze duwde de deur van de winkel open en merkte dat ze in een 'klein' grootwarenhuis voor doe-het-zelvers was aangekomen. Dae Nhemm was haar op de ene of de andere manier voor, want hij bevond zich tussen de rekken aan de andere kant van de toonzaal. Zijn uitgemergelde lijf viel overal uit de toon, vooral door zijn onbeschaamde en vulgaire naaktheid. Hij keek haar uitdagend aan met een blik van: *doe maar wat je wil, vlucht maar zover je wil, mij geraak je toch nooit kwijt.*

Omdat ze haar ogen op de naakte figuur tussen de rekken gericht hield, zag ze het kleine, dikke kereltje niet dat haar richting uitkwam. Ze hoorde hem pas toen hij vlak voor haar stond.

"Goedenavond mevrouw, waarmee kan ik u nog van dienst zijn?"

De zwarte vlekken vloeiden over het plafond en staken zwarte tentakels uit die zich in haar haar wilden nestelen. Het moment zelf dat de vrouw zich met een gezicht vol angst vooroverboog en daarbij kreunde én tegelijk dan nog probeerde naar boven te kijken, wist Vernon LaFolette waar hij aan toe was. Hij hield het niet voor mogelijk. Nog een? Het beeld van de mooie politieagente flitste onmiddellijk door zijn hoofd.

De dikke vrouw probeerde haar waardigheid terug te vinden door zich op te richten en hem met een bezweet gezicht aan te gapen.

"Mevrouw, kan ik helpen?"

"Ja... ik zoek..."

Hanna wist helemaal niet wat ze zocht.

"Ja? U zoekt?"

Vernon herkende de gedragingen van de vrouw. Ogenblikkelijk zag hij de twee anderen terug voor zich. Zij reageerde net eender. Vernon kreeg het ongelooflijk warm. Hanna keek over hem heen naar Dae Nhemm die met een dunne, lange wijsvinger naar iets wees dat voor haar onzichtbaar was. Vanwaar zij stond, zag ze niet waar de enge figuur naar wees. Zonder op Vernon te letten verzette ze haar ene voet en begon in de richting van Dae Nhemm te stappen. Hij stond bij datgene wat zij zocht. Maar eigenlijk *zocht* zij niets! Hanna vervloekte de verwarrende situatie. Wat deed zij in 's hemelsnaam in een winkel als deze?

Vernon LaFolette trappelde achter haar aan. De klanten hadden het die dag niet laten afweten en hij was tevreden over wat er in zijn kassa was terechtgekomen. Hij voelde zich goed, tot de aanwezigheid van die vrouw alles vergalde. Haar gedragingen lieten koude rillingen over zijn ruggengraat lopen omdat ze hem aan die twee anderen deed denken.

"Dat moet ik hebben!" zei Hanna.

Dae Nhemm was er niet meer, maar toen Hanna Khanlowski de voorwerpen zag staan, wist ze het gewoon. Dat was het. Ze wees ernaar en zei:

"Twee, van vijf liter."

Vernon was blij dat zij tamelijk vlug wist wat ze wilde. Dat betekende dat ze heel rap weer buiten was. Hij volgde haar blik. Naar het plafond, naar de grond, tussen de rekken. Was iedereen gek geworden? Of anders... waarom kwamen die gekken bij hem terecht? Waarom wilden zij iets bij hem kopen?

"Goed, mevrouw. Twee jerrycans. Geen enkel probleem. Hebt u een voorkeur inzake kleur? Er staan hier enkel witte, maar in het magazijn staan er blauwe, groene en ook.."

"Wit is goed."

Hanna Khanlowski draaide zich van het rek weg en stapte naar de toonbank. Wat haar betrof, was het gesprek met die dwerg afgelopen. Vernon greep twee jerrycans vast en holde achter haar aan. Ondanks haar zwaarlijvigheid bleef de vrouw hem voor. Af en toe ontweek zij een in haar richting zwaaiende, zwarte tentakel (die hij natuurlijk niet zag, waardoor zij een voor hem totaal idiote en onbegrijpelijke beweging maakte), mompelde ze voortdurend tegen zichzelf en keek onophoudelijk om zich heen.

Hij haastte zich achter de toonbank en plaatste de twee lege, draagbare reservoirs erbovenop. Met een idiote grijns op zijn gezicht zei hij in een poging om grappig te zijn:

"Ik hoef die niet in te pakken waarschijnlijk?"

Hanna Khanlowski reageerde niet. Helemaal niet. Vernons mondhoeken zakten onmiddellijk. Hij presenteerde haar de rekening die ze zonder morren betaalde. Ze greep de handvatten bovenaan de jerrycans vast, sleurde die van de toonbank en haastte zich naar de uitgang.

Wat er hem toe aanzette, wist Vernon niet, maar hij holde achter haar aan en liep zelfs de winkel uit. De dikke vrouw holde over de straat naar de overkant, waar een rij voertuigen naast elkaar gestald stonden. Ze laadde de twee lege cans op de passagierszetel van een Chevrolet Aveo en nam vervolgens zelf achter het stuur plaats. Vernon kreeg een ingeving. Hij memoriseerde de nummerplaat. Hanna reed zonder achterom te kijken uit haar parkeerplaats, manoeuvreerde in het midden van de rijbaan en reed vervolgens in de richting van Yellowmoon weg. Met een zwaarbonzend hart liep de kleine Vernon terug naar zijn toonbank, ritste een stuk papier tevoorschijn en krabbelde de nummerplaat van de Aveo erop.

Hij hoopte dat hij zich niet belachelijk maakte. Iets in hem dwong hem zijn zin door te drijven. Het kaartje van die razend mooie politieagente zat sedert afgelopen dinsdag nog steeds in de jas van zijn overall. Hij had het een paar keer vastgenomen (eraan geroken en het gekoesterd). Vernon viste het eruit, keek er even naar, wierp alle twijfels van zich af en toetste haar nummer in.

De telefoon ging aan de andere kant van de lijn nauwelijks driemaal over. Er werd opgenomen en de stem die zijn ballen deed kriebelen, zei:

"Met Raven Daramantez."

"Eh, goedenavond, mevrouw. U spreekt hier met Vernon."

"Vernon?"

Zij was zijn naam vergeten?

"Jawel, van *The Workman's Shop* op Washington Lane. U hebt mij afgelopen dinsdag tweemaal bezocht. En 's avonds hebt u me het kaartje…"

"Jawel… ik ken uw zaak, maar uw naam ontging me. Is er nieuws?"

Raven was op datzelfde moment in de keuken van haar appartement bezig. Ze was een halfuur eerder thuisgekomen en zag een rustige avond voor zich. Een kleinigheid klaarmaken en verorberen. En daarna een badje nemen en wat lekker lusteloos naar de televisie kijken. Het feit dat iemand haar opbelde, vond ze niet echt bedreigend, wel vervelend. Soms had ze de indruk dat haar werk nooit ophield. Thuis of niet… altijd ter beschikking.

"Eh… ik weet het niet, ik ben niet zeker."

"Zeg maar, Vernon… ik luister."

Haar stem had een even overweldigende klank als haar lichaam sensualiteit uitstraalde. Vernon weerhield er zich van haar naakt voor te stellen aan de andere kant van de lijn, languit in een sofa.

"Eh… er is hier net iemand geweest. In de winkel."

"Ja… en?"

"Ze heeft twee lege jerrycans van vijf liter gekocht."

Raven kneep haar ogen dicht. Onmogelijk! Oh, neen, *hoe erg*. Twee jerrycans?! Van vijf liter dan nog! Even maar had ze zin om haar toestel dicht te klappen. Maar ze haalde diep adem en probeerde haar zucht niet door de hoorn te laten klinken.

"En wat is daar verdacht aan, Vernon?"

"Wel, mevrouw… er zijn twee zaken. Ik had niet de indruk dat zij die twee cans echt nodig had. En ten tweede… ze gedroeg zich heel vreemd."

Raven rechtte haar rug. Dat was iets om op in te gaan. Maar ze bleef achterdochtig.

"Wat bedoel je?"

"Ik moest onmiddellijk aan die twee andere mannen denken. De mannen over wie u me gesproken hebt. Ze gedroeg zich op dezelfde manier."

"Meen je dat nu?"

"Natuurlijk, mevrouw. Dat is de reden waarom ik je bel."

Raven voelde zich schuldig voor haar reactie van daarnet. Vernon deed er verdomme goed aan haar te bellen.

"En ze kocht twee jerrycans. Heeft ze verteld waarom?"

"Neen… ze heeft weinig gezegd. Ze kocht de cans, betaalde en verliet mijn zaak. Ik ben haar naar buiten gevolgd."

Stilte. Raven ontplofte bijna.

"En?"

"Ik heb de nummerplaat van haar wagen genoteerd!"

Bingo!

"Vernon, je bent een kei. Geef maar op!"

Vernon LaFolette voelde dat hij bloosde. Gelukkig kon zij hem niet zien.

"Heb je iets om te schrijven?"

"Altijd! Laat maar komen!"

Raven noteerde de nummerplaat en het merk van de wagen. Ze bedankte Vernon voor zijn waakzaamheid en voor het feit dat hij haar had opgebeld. Ze zou later nog contact met hem opnemen. Vernon voelde zich gevleid. Hij was blij dat hij bij iemand als Raven Daramantez op een goed blaadje stond.

"Met Roge!"
"Raven hier, is Deke er nog?"

"Deke is naar huis. Kan ik iets doen?"

"Ik heb dringend de eigenaar van een nummerplaat nodig."

"Geen probleem. Laat maar komen."

Raven gaf de gegevens door en wachtte geduldig. Het antwoord kwam nauwelijks een halve seconde later.

"Die nummerplaat is uitgeschreven voor een Chevrolet Aveo. De eigenaar is... mag ik?"

"Doe maar."

"Mevrouw Hanna Khanlowski uit Yellowmoon, Church Road 16."

"Weer uit Yellowmoon!"

"Nog iets?"

"Neen, bedankt Roge."

Raven klapte haar gsm dicht. Met beide handen op het aanrecht leunend, overwoog ze wat haar te doen stond. Van een rustige avond voor tv kwam dus duidelijk niets meer in huis. Ze rechtte haar rug, opende het toestel opnieuw en duwde enkele toetsen in. Toen aan de andere kant van de lijn werd opgenomen, zei ze:

"Will... Raven hier. Luister... ik heb..."

Luitenant Will Kamen aanhoorde het volledige verhaal dat Raven hem vertelde. Hij vond dat die Vernon goed had gehandeld en dat ze inderdaad best iets ondernamen. Hij zou er een koppel agenten op afsturen. Raven vond na het gesprek met haar collega uit Yellowmoon dat zij best ook die richting uitreed. Als Vernon niet overdreven had, waren er inderdaad te veel gelijkenissen met Rasschino en Cockroft. Misschien, als ze de vrouw konden onderscheppen eer ze... wat deed?

Ten noorden van de site van QuarTech bevond zich een natuurdomein. Dat was tenminste de omschrijving die het stadsbestuur van Yellowmoon aan het immense stuk braakliggende grond van bijna tien vierkante kilometer had gegeven. Natuurdomein. QuarTech had het ooit opgekocht en van het kleinste deel gebruikgemaakt tijdens de bouw van hun firma en kantoren. Als stortplaats. Er werd niet opgeruimd, er werd niets verplaatst en toen Moeder Natuur besloot dan maar alles zelf af te dekken, liet QuarTech dit met plezier toe. Struiken verhulden wat was gestort, mos overdekte alles wat achtergelaten werd. Iets verder, daar waar nooit werd een vinger naar uitgestoken werd, liet QuarTech de natuur zijn vrije loop. Een nietsvermoedende wandelaar kon zich inderdaad in een onverzorgd en heel slecht onderhouden natuurpark wanen. Hoewel er geen wandelpaden waren, was het een uitstekende plek om zich in het midden van een natuurpark te wanen. Geen wegwijzers, geen andere indicaties die wezen op menselijke interventies. Niets. Enkel bos, stukken open veld en verraderlijke waterplassen.

De vierenveertigjarige jogger die zijn geld verdiende in de boekhoud-afdeling van het stadsbestuur van Yellowmoon en Dawson Venndigo heette, was één van de personen die zich graag in het voorste stukje van het gebied ophield. Hij was nog steeds vrijgezel en een verwoed sport-man. Niet het kijken naar, maar het effectief beoefenen ervan.

Zoals elke vrijdag had hij zich, even voor het beëindigen van zijn saaie dagtaak op kantoor, verkneukeld bij het vooruitzicht dat hij kon gaan joggen. De sportzak stond al sinds die ochtend in de koffer van zijn Dodge Neon. Vanaf het moment hij zijn opdracht beëindigd had, vluchtte hij onmiddellijk zijn kantoor uit en holde naar de parking. De anderen noemden hem dan misschien wel een a-sociale eenzaat, maar hij had geen zin – hij had daar trouwens nooit zin in – om na het werk nog enkele uren 'samen-met-dezelfde-kerels-van-hetzelfde-werk-na-te-babbelen-in-dezelfde-kantine-van-hetzelfde-gebouw-over-steeds-maar-opnieuw-dezelfde-zaken'. Dawson vond een ganse week samen met de gabbers meer dan voldoende. Hij zag er de noodzaak niet van in om elke vrijdagavond dan *nog* eens met hen over het werk (en de anderen) te palaveren. Hij kende alle grappen van die week, had alle roddels al meer dan tweemaal gehoord en wilde niet gezellig dronken worden.

Dawson Venndigo werd in het begin door de anderen smalend beke-ken toen hij met het excuus op de proppen kwam dat hij wilde joggen. Nu vroeg men hem zelfs niet meer of hij wilde nablijven. Hij reed de parking van City Hall op Main Street af en onmiddellijk draaide hij Sunset Avenue op. Hij sloeg op het kruispunt met Short Street rechtsaf om iets verder Splinter Road links op te rijden. Het was bijna blinde-lings dat hij het parcours aflegde, omdat hij het 'vrijdagavondjoggen' als vaste waarde beschouwde. Hij stak County Route 332 over, reed voorbij het tankstation van die luidruchtige Ottie Pelch dat aan zijn linkerkant lag en zag daar reeds het futuristische gebouw van Quar-Tech met die enorme antennemast erbovenop. In de winter werd het groene licht in het vooruitstekende gedeelte van het bouwsel reeds in de vooravond ontstoken, wat hem een griezelige aanblik bood. Maar nu was het juni, en klaar tot laat in de avond. Vervolgens reed hij Moon Lane rechtsop, blijven volgen en uiteindelijk linksaf Broadway in. Dat was het allerlaatste stuk. Nauwelijks de omschrijving van een straat waardig. Broadway liep teneinde voor voertuigen, maar niet voor wandelaars of joggers. Dawson parkeerde zijn Neon waar hij die altijd stalde: op een vlakke strook net voor het struikgewas de overhand haalde.

Daar verbaasde hij zich telkens opnieuw over zijn nauwelijks in te tomen enthousiasme waarmee hij aan zijn looppartij begon. Hij vergeleek dat graag met een kind dat lang heeft moeten wachten om iets te mogen doen en uiteindelijk dan toch groen licht krijgt. Zo voelde hij zich telkens hij zijn wagen op het 'natuurlijke' einde van Broadway parkeerde. Dawson hoefde geen schrik te hebben dat hij bij het omkleden gezien werd, want nooit eerder had hij iemand ontmoet.

Vijf minuten later holde hij over het parcours dat hij voor zichzelf had uitgestippeld. Een echte countrycross, dat was het. Over heuvels, door dalen, dwars door plassen... tot hij hijgend en zwetend, maar met compleet gezuiverde longen, weer bij zijn Neon aankwam. Niet alleen zijn longen hadden een totale purificatie ondergaan, ook zijn geest was ontdaan van alle beslommeringen die hij in de voorbije werkweek te verwerken had gekregen. Op die manier verliep elke week. Behalve deze welbepaalde avond. Deze keer bereikte Dawson Venndigo zijn Neon niet zomaar. Er kwam iets tussen. Iets wat hij niet had verwacht.

Dawson vermoedde dat hij toch al halverwege was, toen hij de indruk kreeg dat hij gevolgd werd. Niet dat hem dat parten speelde, niet dat hem dat ervan weerhield om verder te lopen, maar die 'iemand' bezorgde hem een vreemd gevoel van onveiligheid. Dat was iets wat hij nooit eerder gewaar was geworden. Dawson was een pragmatisch ingestelde man die weinig aan fantasie en toeval overliet. Daarom kwamen de gevoelens van onveiligheid hem erg vreemd voor. Beschrijven wat hij juist voelde, kon hij niet. Normaal – alle andere keren dat hij jogde – had hij geen gedachten. Hij zette gewoon de ene stap na de andere en liet de overtollige mentale lading van de voorbije week van zich afglijden. Maar nu was het anders. Iets belaagde zijn vrijheid van handelen. Iets – waarschijnlijk iemand – liep achter hem aan. Dawson had hem of haar nog niet gehoord, het was eerder een kwestie van trillingen in zijn buik en borstkas. Dat dacht hij tenminste, maar eigenlijk ging het om paranoïde gedachten binnenin zijn hoofd. *Werd* hij effectief gevolgd, of *dacht* hij dat alleen maar? Dawson had geen enkele aanleiding om zich belaagd te voelen, maar... Aanvankelijk wilde hij geen blik achter zich werpen, en hij verbood het zichzelf. Maar omdat de netelige gewaarwording aanhield, deed hij het uiteindelijk toch. Aanvankelijk zag hij niets, maar toen hij nogmaals achteromkeek, kreeg hij zicht om wat hem volgde. Wat hij te zien kreeg, stelde hem aanvankelijk gerust.

Het was klein, wit en het holde zeker dertig meter achter hem aan. Laag bij de grond. De struiken beletten dat hij het dier volledig zag. Dat was het dus. Een hond! Dawsons gezicht vertoonde na die vaststelling een scheve grijns. Een kleine, witte hond. Was hij daar nu bang van? Een petieterige (misschien wel nijdige) Jack Russell die hem ternauwernood bijhield?!

Maar... iets klopte niet. Dawson worstelde met enkele vragen. Het was een hond, okay. Maar wat deed die hier en waarom rende die achter hem aan? Hij had hier nooit eerder een loslopend dier ontmoet. Wat moest dat beest van hem? Waarom bleef die op een afstand? En dan nog iets! Dat *iets* dat hij heel duidelijk had gezien, maar weigerde te aanvaarden. Dawson zweette. Van het lopen uiteraard, maar ook omdat hij zich vragen stelde terwijl hij voelde dat hij steeds rapper holde. Die vragen waren er om de waarheid te verdringen. Hij liep niet langer... hij *vluchtte*. Het kon niet, dat was onmogelijk! Dawson hoorde zichzelf kreunen. Hij wilde niet meer achteromkijken, maar toch deed hij het. De hond was hem gevoelig genaderd. Hooguit nog tien meter. Wat hij daarnet ook al had opgemerkt, kon hij nu niet langer negeren. Hij kon de waarheid niet ontkennen en verdringen door zichzelf met domme vragen af te leiden.

De hond – het was duidelijk een Jack Russell – had veel te veel poten! Of waren die dingen die aan beide zijkanten uit het hondenlijf staken, misschien geen poten? Dawson zette er meer vaart achter. Hij aanvaardde dat hij bang werd. De darmen achter zijn buikwand trokken samen en hij voelde hoe zijn aars warm werd. Achter hem gromde het dier. Hij had er ineens geen idee van hoelang hij reeds liep en nog minder hoe dicht hij bij zijn wagen was. Het beest kon geen enkele moeite hebben om hem in te halen, niemand liep trouwens rapper dan een hond. Waarom hield dat dier dan een afstand tussen hen? Om hem op te jagen, of hem tenminste die indruk te geven?

Dawson waagde nog een gejaagde blik achterom. Hij vervloekte zijn handeling. Het dier was niet normaal gebouwd. De achterpoten waren veel dikker en zwaarder dan de voorpoten waardoor het achterste veel hoger van de grond rees dan de voorkant, alsof het zijn dikke kont omhoogstak. Twee kwade ogen hielden hem in de gaten. Dawson Venndigo probeerde te negeren dat hij werd gevolgd. Het lukte hem heel moeilijk, maar het feit dat er een afstand *bleef*, stelde hem enigszins gerust. Maar dat was het enige. De rest was een chaos in zijn hoofd. Niets was normaal. Hij holde het hart uit zijn lijf en toen hij – wat hij herkende als het laatste rechte stuk – de laatste kilometer aflegde, was het met een wild in zijn keel kloppend hart. De smaak van zijn eigen bloed proefde hij achter op zijn tong. Dawson had nooit eerder zo vlug gerend, daar was hij van overtuigd. Het grommende dier volgde hem, daar was hij van overtuigd.

Melchior Multcher telde de laatste minuten van zijn werkdag af. Er waren er nog vijf. Ottie Pelch was een halfuur eerder – om halfzeven – vertrokken en het onuitstaanbare gejank uit zijn transistorradio was samen met zijn vertrek weggestorven. Melchior droeg de verantwoordelijkheid om de pompen af te leggen wanneer hij wegging. Ottie stelde 's morgens de volledige elektriciteitsinstallatie in werking, maar Melchior beschikte over een hendel in zijn hok die enkel de werking van de pompen zelf controleerde. Het was vrijdagavond en hij verwachtte nog een oproep van Lorne. Waarschijnlijk wilde hij diezelfde avond nog naar *Wild Ladies*, hoewel Melchior daar eigenlijk weinig zin in had. Maar op welke manier liet je dat aan een vriend weten zonder hem daarbij te kwetsen? Dat was Melchiors sterkste kant niet. *Neen* zeggen lag niet erg in zijn aard. Altijd toegeven paste beter bij hem, ook al voelde hij er zich door en door slecht bij.

Hij had alles opgeruimd en zijn schamele bezittingen in zijn tas gestopt. Hij overwoog reeds de hendel over te halen, ervan overtuigd dat er niemand meer zou komen, toen hij dan toch nog een voertuig – ongetwijfeld het allerlaatste van die dag – naast de pompen hoorde stoppen. Toen de jongen zich omdraaide, werd alle lucht uit zijn longen binnen de seconde weggezogen. Het leek alsof zijn hersenen binnenin zijn hoofd op slag in volume verdubbelden, zó groot was de druk daarbinnen.

Naast een van de pompen stond een Chevrolet Aveo. De laaghangende zon weerspiegelde op de voorruit, waardoor hij niet kon zien wie er achter het stuur bleef zitten, maar Melchior voelde aan de trillingen in zijn onderbuik dat het Hanna Khanlowski's voertuig was. Hij *wist*

het gewoon. Op benen van pulp stapte hij werktuiglijk zijn hok uit in de richting van de wagen. De bestuurder – het *is* Hanna, sul – stapte niet uit. Het felle licht van de zon zorgde dat hij zijn ogen wilde afschermen. Melchior waagde zich tot naast de bestuurdersdeur, maar bleef er toch zeker één meter vandaan. Er was iets in zijn binnenste dat hem daartoe dwong. Omdat er niet werd gereageerd, vroeg hij met piepende stem:
"Eh... hallo?"

Tijdens het hollen op het allerlaatste stuk tot bij zijn wagen, prutste Dawson Venndigo zijn autosleutels uit het kleine draagtasje dat aan zijn zij hing. Hij duwde met trillende vingers op de knop van de afstandsbediening, maar hij was nog te ver van zijn Neon verwijderd. De vier knipperlichten reageerden niet. Het voertuig bleef gesloten. Vloekend – meer schreeuwend dan vloekend – bleef hij krampachtig duwen. Zijn benen stampten op de grond en droegen zijn zwetende lichaam in de richting van het wachtende voertuig. Nogmaals duwen op de knop. Nog geen resultaat! Zijn angst ging in pure paniek over. Dit was een beangstigend scenario. Dit hield hij niet voor mogelijk. Op de vlucht voor een dier dat op een hond leek! Zijn handen zweetten overdadig, net als de rest van zijn lijf. Hij wilde de sleutels niet verliezen, dat was fataal.
Ineens knipperden de vier knipperlichten van zijn gestationeerde Neon dan toch. De lichten waren een baken van veiligheid. Het stimuleerde hem om de laatste meters nog een tandje bij te steken. Hij hield de autosleutels in zijn vuist geklemd en haalde zwoegend adem. Hij kon het... hij was ervan overtuigd. Rennen, Dawson... *rennen voor je leven en in je wagen duiken*!
Dawson Venndigo bereikte gillend zijn wagen. Net toen hij de kruk van de bestuurdersdeur vastgreep, merkte hij dat de hond hem op twee meter genaderd was. Op dat moment kwam wat hij deed, als een geniale ingeving over. Hij opende de deur niet, maar sprong op en wierp zichzelf languit bovenop zijn Dodge Neon. De hond slipte verder en kwam grommend in het dichte struikgewas terecht. Dawson rolde op zijn rug en probeerde zich zo vlug mogelijk rechtop te zetten. Daardoor kreeg hij zicht op de Jack Russell die zich pisnijdig van tussen de struiken worstelde. Het dier holde niet langer, maar stapte tot bij

de achterkant van de wagen. Dawsons hart hamerde onmogelijk hard en snel toen hij niet anders kon dan aanvaarden dat er daar een klein monstertje stond. Hij keek er met zijn eigen ogen naar en kon daardoor de aanwezigheid van het gruweltje niet negeren.

De achterkant stond bol door de grove achterpoten, waardoor het leek alsof de rest van het lijf naar voren kantelde. Uit de beide zijkanten van het kortharige lichaam ontwortelden zich talloze smalle slierten, die zich alle kanten op slingerden. Dat waren de dingen die hij daarnet voor 'poten' had aanzien. Veel lange en dunne tentakels die zich kronkelend een weg in het ijle zochten. Sommige uiteinden gleden over de grond, kromden zich om het gras, trokken een bundel met wortel uit de aarde en duwden dat in het lijf van de hond zelf. Andere tastten de omgeving boven het dier af, als zochten ze iets om te pakken te krijgen. Dawson had nooit eerder een dergelijk wezen gezien. Behalve de openhangende bek met de lange, messcherpe tanden leek enkel de kop nog steeds op die van een 'normale' Jack Russell. De ene kant was zwart, de andere wit. Een wit en en zwart oor. Het dier – Dawson weigerde er nog langer een hond in te zien – keek hem met een kwaadaardige blik in de donkere ogen aan. Het bleef daar maar staan, terwijl Dawson bovenop zijn wagen bleef zitten. De situatie was tamelijk hachelijk. Dawson Venndigo overwoog wat hem te doen stond. Hij was niet langer buiten adem en probeerde zijn hoofd koel te houden. Hoe kon hij zich uit deze benarde situatie redden? Een deur van de wagen openen en heel vlug proberen achter het stuur te springen? Neen, wat als de hond – het beest! – in zijn wagen sprong? Het beest zelf aanvallen? Dat leek hem nog het allerminst bruikbaar als oplossing. Om hulp roepen? Er was niemand in de buurt om op zijn roepen te reageren. Maar terwijl Dawson zijn kansen en mogelijkheden in overweging nam, kwam de Jack Russell zelf in beweging, waardoor alle verdere hoofdbeslommeringen overbodig werden.

De hond gromde heel diep, trok de lippen weg waardoor nog meer – onmogelijk veel – afschuwelijk lange en scherpe naaldtanden ontbloot werden. Het gaf de indruk dat hij op zijn gespierde achterwerk wilde zitten, maar eigenlijk maakte het dier zich klaar voor een sprong. Net op het ogenblik dat de misvormde Jack Russell zich afzette, vatte Dawson de ernst van die intentie. Hij rolde opzij en zag zijn belager een onmogelijk verre sprong maken. Het moment dat hij languit op de grond naast zijn Neon terechtkwam, hoorde hij het zware bonzen van de hond die via een tussenstop op het kofferdeksel op zijn dak aankwam. Het gladde oppervlak bood geen weerstand aan de krassende klauwen en grommend gleed het dier verder. Dawson scharrelde schreeuwend rechtop en trok de bestuurdersdeur open. Hij wierp zichzelf achter het stuur en trok paniekerig en met grote ogen de deur dicht op het ogenblik dat de hond over de voorruit op de motorkap rolde. Zijn naar adem zuigende longen bezorgden Dawson een tintelend gevoel in de hersenen. Alle spieren in zijn ganse lichaam trilden en hij had moeite om zijn vuist, waarin de autosleutels nog steeds geklemd zaten, te ontspannen. Hij wilde niet opkijken naar de hond die zich ondertussen bovenop zijn motorkap had gesteld en hem door de voorruit met ogen vol kwaadaardig vuur aankeek. Dawson Venndigo had alle kracht in de vingers van zijn ene hand nodig om de sleutels in zijn andere, verkrampte hand los te wrikken. De hond duwde zijn vochtige neus tegen het glas. Dawson hoorde er ook de lange tanden tegen tikken. Niet opkijken! Concentratie! Hij probeerde zijn ademhaling onder controle te krijgen en zijn zenuwen te bedaren. Het duurde even voor hij de sleutel in het contact kreeg. Zijn rechterhand trilde. Toen het uiteindelijk toch lukte, gaf hij overdreven veel gas. Het aanslaan van de motor stemde hem gerust.

De hond zocht zijn evenwicht toen de wagen zich in beweging zette. Dawson vloekte luidop en meerderde vaart. De lelijke hond hield zich bovenop de motorkap – tegennatuurlijk – overeind. Met door haat opgloeiende ogen keek de gemuteerde Jack Russell hem aan. Dat Broadway niet in perfecte staat was, was een eufemisme, maar ondanks het slechte wegdek hield de hond stand. Net voor het kruispunt met Moon Lane, trapte Dawson met beide voeten bovenop het rempedaal. De lange neus van de Neon dook naar beneden en het voertuig kwam slippend tot stilstand. Hier had de hond blijkbaar niet op gerekend. Hij probeerde zijn nagels vruchteloos in het metaal te haken, maar tuimelde achterover en kwam onzacht vóór de wagen op het wegdek terecht. Dawson trapte vervolgens het gaspedaal in en de Neon schoot vooruit. Hij negeerde het misselijkmakend gekraak niet toen hij het linkerwiel over de hond voelde rijden. Het ding hobbelde en stommelde vervolgens tegen de volle lengte van de onderkant van de wagen aan. Hij genoot ervan het enge beest te doden. Het had hem opgejaagd, het had hem verdomd veel schrik aangejaagd.

Dawson draaide Moon Lane rechts op, reed enkele meters verder en stopte. Hij waagde het niet uit te stappen. Hij manoeuvreerde zijn wagen over het wegdek tot hij in de zijspiegel zicht kreeg op het onherkenbare hoopje dat onbeweeglijk op het kruispunt achter hem lag. Hij ademde gejaagd, maar kon nu toch een glimlach – eerder een bijna-misselijke grijns – produceren. Hij was er heelhuids van afgekomen. Dawson voelde dat zijn hart achter zijn borstwand nog steeds erg hard sloeg. Hij reed traag weg van de plaats waar hij stond. Net voor de splitsing, waar hij Moon Lane links opdraaide in de richting van Splinter Road, tuurde Dawson nogmaals in de spiegel. Het lijk van de hond lag er nog steeds. Hij had echter nog steeds geen zin om uit te stappen.

Het volgende wat in hem opkwam, was de vraag wat hem te doen stond. Was het noodzakelijk dat dit voorval aan iemand werd gemeld? Wie hechtte er geloof aan? Maakte hij kans dat hij zich belachelijk maakte door het rond te vertellen?

Dawson Venndigo worstelde met die vragen terwijl hij in de richting van zijn woning reed.

Door het zijraampje zag Melchior Multcher nu duidelijk de dikke vrouw zitten. Ze vulde bijna het volledige voorcompartiment van haar wagentje dat niet groter was dan een Volkswagen Golf. Ze hield haar mollige handen bovenop haar stuur en staarde met een tussen de schouders weggemoffeld hoofd voor zich uit.

"Hallo, mevrouw?" probeerde Melchior opnieuw.

De stilte was irritant. Hij keek om zich heen en bemerkte dat er niemand anders in de buurt was. County Route 332 was volledig verlaten. Zelfs aan de overkant van het kruispunt, op de parking van het warenhuis waarin hij meer dan een maand eerder Jeffrey Cockroft had 'aangeraakt', viel niemand te bespeuren. Melchior voelde zich ongemakkelijk. De onbeweeglijkheid van Hanna en het feit dat hij alleen met haar was, waren de oorzaak van het beklemmende feit dat hij zich niet goed voelde. Het was ook verdomd stil, hij miste ineens het lawaai van Ottie's radiotoestel. Eigenlijk was alles in de buurt niet normaal. Een donkere wolkenband gleed achter de ondergaande zon aan en zorgde voor een koude schaduw over dat deel van Montana.

Melchior wilde naar huis. Hij vertikte het daar nog langer te blijven.

Overwerk was niet aan hem besteed. Hij zette een stap dichter bij de Aveo en was van plan op het zijraam te tikken, toen Hanna Khanlowski heel abrupt haar hoofd in zijn richting draaide. Melchior schrok en deinsde achteruit. Met een aan een versneld tempo hamerend hart merkte hij dat zij hem (beschuldigend?) grijnzend aankeek. Haar linkerhand gleed van het stuur naar de binnenkant van de deur en onmiddellijk daarna schoof het raampje naar omlaag. Ze bleef hem aankijken toen ze met een mateloos ergerlijke stem (stak er zand in haar keel?) aansprak.

"Vul de twee jerrycans."

Het was niet beleefd, het was geen vraag, eerder een eis. Het haar in Melchiors nek stond opeens rechtop en zijn volledige lichaam was overdekt met kippenvel. Er was iets aan die vrouw. Iets wat niet strookte. Haar ogen? Het was alsof die dwars door hem heen keken. Ze herkende hem zelfs niet. Melchior had toch die indruk.

"De jerrycans. Gooi die vol benzine!"

Melchior slaagde er uiteindelijk in zijn blik van dat bleke, vlezige gezicht weg te trekken. Hij merkte dat er twee jerrycans op de passagierszetel stonden. Nu had hij tenminste iets te doen. Het gaf hem de mogelijkheid zijn lichaam weer in beweging te krijgen, want hij besefte dat hij al die tijd als een standbeeld naar Hanna had gestaard. Nog steeds geen verkeer op de 332, nog steeds geen andere mensen in de nabije omgeving. Trouwens, waar moest hij bang voor zijn? Wat kon ze hem aandoen? Toch hoopte Melchior heimelijk dat er een tweede voertuig het terrein opkwam, het zou hem een enigszins veiliger gevoel geven.

Hij liep via de achterkant van de Aveo tot bij de passagiersdeur en opende die. Hanna keek ondertussen opnieuw voor zich uit, beide handen bovenop het stuur. Hij merkte de vleeskwabben aan de onderkant van haar armen. Toen Melchior zich gedeeltelijk in het voertuig boog, sloeg de typische stank van verse urine hem in het gezicht. Het prikte in zijn ogen. Hij greep de twee jerrycans en trok zich vlug achteruit. *Die vrouw is ziek, ze is bleek en heeft zich bezeikt!* Dat was zijn eerste reactie. De jongen voelde zich geenszins schuldig. De 'aanraking' had haar huidige toestand niet veroorzaakt. Hanna Khanlowski was gewoon het slachtoffer van een ziekelijke aandoening, meer niet. Hij plaatste de jerrycans op de grond, vulde die met benzine – zoals ze had

'gevraagd' – en vroeg:
"In de koffer, mevrouw?"
De vrouw bewoog niet. Haar dikke lijf leek op een opgezwollen vlees-bal in de bekrompen ruimte van de Aveo.
"Mevrouw?"
"Gr...gr..."
Meer verstond Melchior niet van het geluid dat uit haar keel kwam. Nu sijpelde ook een straaltje vloeibare snot uit één van haar neusgaten. Melchior wilde zijn hoofd voor geen geld terug in de binnenruimte van de wagen steken. Niet alleen de geur van urine bereikte zijn neus, hij snoof nu ook allerhande zweetgeuren op.
"In de koffer, mevrouw? Ik plaats de jerrycans in de koffer. Is die open?"
"Naast mij zetten."
Melchior had haar deze maal duidelijk begrepen. Samen met de drie woorden was een gele klodder speeksel uit haar mond op haar blouse terechtgekomen.
"Mij goed, maar de geur van benzine zal..."
"Naast mij!"
Dat klonk als een haaienbek die dichtklapte. Melchior verspilde niet langer moeite en hees de cans op de passagierszetel. De ene op de zetel, de andere ervoor, op de vloermat. Daar lag ook haar handtas, waar-van de inhoud opengestrooid lag. De irritante urinegeur was erg pe-netrant.
"Neem het geld..."
Hij keek op en zag dat Hanna met een mollige vinger naar haar brie-ventas wees die tussen de andere spullen op de vloermat lag.
"Excuseer?"
"Neem het geld voor de benzine!"
Omdat hij geen minuut langer met de combinatie van die vieze geuren wilde geconfronteerd blijven, ritste Melchior de brieventas van op de vloer weg en haastte zich rechtop. Hij las de verschuldigde geldsom luidop af, viste de nodige biljetten voor dat bedrag uit de brieventas en legde die haastig weer neer. Hij toonde haar de biljetten, maar de vrouw had blijkbaar geen enkele interesse in hoeveel dollars hij uit haar brieventas had gehaald.
"Deur dicht!"

Melchior Multcher trok zich – niet zonder tegenzin – achteruit en gooide de passagiersdeur van de Aveo dicht. Hanna draaide de contactsleutel om, schakelde en reed op een heel onveilige manier County Route 332 op. Zonder vertragen, zonder om zich heen te kijken of zelfs een richtingaanwijzer te gebruiken, reed Hanna Khanlowski de 332 op. Gelukkig voor haar was er nog steeds geen ander verkeer. Melchior keek haar een ogenblik na, haalde vervolgens zijn magere schouders op. Hij draaide zich om en stapte in de richting van zijn hok. Pompen uitschakelen en naar huis fietsen. Dat betekende dus het einde van zijn werkdag.

Melchior was toch die mening toegedaan. Hij had er op dat moment echter nog geen idee van hoe zijn volledige bestaan nog diezelfde avond zou veranderen.

Luitenant Will Kamen had ondertussen – na de oproep van Raven – telefonisch contact met zijn korps opgenomen. Zonder veel uitleg te geven, had hij gevraagd om uit te zien naar ene Hanna Khanlowski die met haar Chevrolet Aveo op de baan was. Hij eiste dat ze terplaatse werd gehouden en dan wilde hij onmiddellijk gecontacteerd worden. Hij wenste ook dat iemand naar haar woning op Church Street reed om na te gaan of ze daar al niet terug was opgedoken. Er vertrok onmiddellijk een patrouillevoertuig, maar dat deed de woning aan op het moment dat zij naast de pompen op Ottie Pelchs benzinestation stond. Tevens het moment waarop zij zichzelf in haar wagen bepiste omdat Dae Nhemm voorovergeleund op de achterbank zat en met zijn magere handen in het mollige vlees van haar grote borsten graaide. Ze voelde zijn grove, vuile nagels over haar tepels krassen. Zijn stinkende adem bereikte haar neusgaten. Ze snoof ongewild de stank van verderf op. Het maakte haar misselijk.

Bernie Khanlowski had zich aanvankelijk verwonderd over de aankomst van de twee politiemensen en had als enige informatie kunnen geven dat zijn vrouw met haar wagentje vertrokken was en nog steeds niet thuisgekomen was. Hij zou hen of het bureel onmiddellijk opbellen mocht ze opduiken. Vervolgens had bezorgdheid hem overvallen en hij had de agenten met vragen bestookt waar zij geen antwoorden op konden geven. *Nee, wij weten niet wat er aan de hand is. Neen, wij weten niet waarom we moeten komen kijken of uw vrouw er is. Neen, er*

is nog niets gebeurd. Neen, er is geen enkel vermoeden van een verkeerson-
geval of van wat dan ook. Ja, wij begrijpen dat dit een vervelende situatie
voor u moet zijn, meneer, maar... Ja, u kunt eventueel meer informatie
bekomen bij onze luitenant Kamen, op het bureel zelf.
En daarmee bedoelden de agenten Will Kamen, maar die wist zelf nauwelijks iets. Hij wachtte op meer informatie van ofwel zijn agenten op
het terrein, ofwel van Raven, die volgens hem ook op de baan was.
En dat was luitenant Raven Daramantez inderdaad. Kamen had haar al
laten weten dat Hanna Khanlowski nog steeds niet thuis was. Dus reed
ze zomaar in Yellowmoon rond en gaf haar ogen de kost. De vrouw
Khanlowski had in Garland twee lege jerrycans gekocht. Wat was ze
daarmee van plan? Was ze er effectief iets mee van plan of reageerde
iedereen die bij de zaak betrokken was (zijzelf inbegrepen), een beetje
paniekerig? Die LaFolette- kerel had haar wel gezegd dat ze zich op
dezelfde manier als de andere twee had gedragen, maar was dat ook zo?
Misschien had hij het zich verbeeld. Misschien had hij – nerveus als
hij was – dingen gezien die er niet waren? Een overreactie op wat hij
eerder had meegemaakt? In sommige situaties konden mensen soms
vreemd tekeergaan. Maar toch was Raven er niet gerust in. Achter het
stuur van haar Dodge Stratus vroeg zij zich af waarom ze zich op een zo
opdringerige manier vastbeet in een zaak die niet eens de hare was. Het
waren twee zelfmoorden. Dit was Kamens werk, niet dat van haar. Was
er misschien iets wat haar bezighield en wat ze compleet over het hoofd
had gezien? Iets wat ze nog niet had opgemerkt? De enige bruikbare
link tussen de twee (straks misschien drie) personen was de doe-het-
zelf-zaak in Garland. En *hoe* bruikbaar was die informatie dan wel?

Melchior Multcher begroette zijn ouders kort bij zijn thuiskomst
even voor halfacht. Eva was – zoals meestal – in de keuken
bezig en Abraham keek naar de televisie waarvan het geluid stilstond.
Dat typische beeld had zich jaren geleden in zijn lenzen gebrand en
Melchior vermoedde dat hij zich te pletter zou schrikken indien het
anders was bij zijn thuiskomst. Moeder in de keuken, vader voor tv.
Eva zei dat het eten binnen de tien minuten klaar was. Abraham gromde een onduidelijke groet vanuit de andere kamer. Melchior Multcher
deed wat hij elke avond deed: hij plaatste zijn draagtas naast de keukentafel tegen de muur (zijn moeder laadde er alles uit), liep vervolgens

de trap naar zijn kamer op. Daar wierp hij zijn vest op zijn bed en liep door naar de badkamer. Eventjes verfrissen. Het bekende, tot op heden ononderbroken patroon waarin hij zich veilig rondwentelde.

Die vrijdagavond – de avond van de zeventiende juni – verliep het echter helemaal anders.

Melchior bekeek zijn pokdalige gezicht in de spiegel boven de lavabo. Hij had het net met zuiver water gewassen en afgedroogd. Jaren geleden was hij opgehouden met het uitproberen van poedertjes en zalfjes. Niets hielp. Hij bekeek zichzelf elke avond. Niet dat hij schaamte voelde, niet dat hij afkerig was voor wat hij zag. Er was hoop. Misschien kwam alles nog 'mooi'. Misschien kwam er ooit een medicijn op de markt dat zijn bloed zuiverde waardoor zijn huid er minder als de klare kant van de maan uitzag. Vroeger maakte hij het op die 'spiegelmomenten' enkel erger door op veel plaatsen te knijpen. Het bezorgde hem nu maagpijn wanneer hij terugdacht aan de momenten dat hij nerveus en krampachtig bezig was zijn eigen gezicht te pijnigen met zijn onreine nagels. Toen was hij nog de verkeerde mening toegedaan dat het verwijderen van het gele pus uit de gigantische puisten verbetering bracht. Omdat er geen positieve verandering in het spiegelbeeld te zien was, hield hij er dan ook mee op. Na het jarenlange uitduwen van die gele huiduitstulpingen begreep hij uiteindelijk dat dat niet de juiste manier was om het probleem op te lossen. Veelvuldig reinigen met zuiver water – geen zeep – leek hem nog de beste methode om de zaak niet erger te maken.

Die vrijdagavond *bekeek* hij zichzelf enkel. Normaal schonk hij er geen aandacht aan, maar wat hij zag, boeide hem matig. Daarom hoorde hij dat buiten op straat een auto stilviel. Bezoek? Dat was héél ongewoon! Melchior liep tot bij het raam en tuurde door de gaatjes van het rolluik dat altijd naar omlaag was. De badkamer bevond zich namelijk aan de straatkant.

Melchior merkte dat de Chevrolet Aveo met de dikke Hanna Khanlowski achter het stuur aan de overkant stilstond. Dát was erg ongewoon. Hanna reed altijd via de achterkant hun eigendom op. Nooit eerder had zij aan de voorkant van hun woning op Church Street stilgehouden. Melchior voelde hoe zijn maag zich samentrok. Onmiddellijk daarna vroeg hij zich af waarom dat gebeurde. Er was daartoe toch geen enkele reden. Er was toch niets verdachts aan het feit dat die vrouw voor haar eigen woning stopte. Waarom dan die nervositeit? Misschien was het omdat Hanna Khanlowksi zich vreemd gedroeg? Of omdat ze er nog uitzag als toen ze bijna drie kwartier eerder bij zijn benzinepompen had gestaan? Had zij al die tijd rondgereden? Of misschien omdat ze haar stuur bleef vasthouden en star voor zich uit bleef kijken, net zoals ze bij de pompen had gedaan?

- Je weet toch wel wat er zal gebeuren?! Zeg nu niet dat je het niet weet! Je bent nu zelf toeschouwer! Ben je niet blij? De eerste twee heb je niet bezig gezien! -

Melchior probeerde de stem in zijn hoofd te negeren. Het was erg vreemd, alsof iemand anders gebruikmaakte van zijn vermogen om woorden binnenin zijn hoofd te formuleren. Want eigenlijk waren dat zijn gedachten niet. Hij *was* niet blij. Hij *wilde* geen toeschouwer zijn. Maar hij vermoedde wel wat Hanna van plan was.

Melchior wist niet hoelang hij door de gaatjes van het rolluik had staan kijken eer Hanna zich bewoog. Maar uiteindelijk kwam er toch beweging in. Melchior voelde nogmaals dat de zenuwen zich rond zijn maag opspanden.

- Goed kijken, nu gaat het beginnen! -

De dikke vrouw liet het stuur uiteindelijk los en boog zich opzij als wilde ze zich plat op de passagierszetel leggen. Vanwaar hij stond, had Melchior een uitstekend zicht op de binnenkant van de wagen. De twee jerrycans stonden nog steeds op de plaatsen waar hij die had gedeponeerd. Eén op de zetel, de andere op de vloermat onder het dashboard. Hij zag dat ze zich langsheen de can op de zetel perste in een poging zichzelf nog dieper naar de vloermat te wringen. Melchior stelde zich vragen bij haar vreemde gedrag.

- Natuurlijk, haar handtas ligt daar, dat weet je toch nog – je hebt het geld uit de brieventas gehaald. Ze probeert haar handtas te nemen, en loopt daarvoor niet om de wagen heen. Ze stapt niet uit, loopt niet rond het voertuig en opent de passagiersdeur niet. Weet je al waarom ze zoveel moeite doet? Waarom neemt ze niet op een gemakkelijkere manier wat ze nodig heeft? -

Het duurde even voor Hanna erin geslaagd was zich terug rechtop te wringen. Haar gezicht was bloedrood van de inspanning. In haar hand had ze een klein voorwerp, maar Melchior stond te veraf om te zien wat het was.

- Weet je al waarom zij in de wagen blijft zitten? Weet je wat zij eigenlijk doet? -

Melchior had problemen met die innerlijke stem. Sprak iemand anders hem aan? Hij bleef toekijken en zag dat ze het voorwerp naast haar op de passagierszetel legde. Goed. Tot op dat moment leek alles nog aanvaardbaar. Maar wat ze vervolgens deed, was volledig ongeregeld. Met haar ene hand draaide ze de dop van de jerrycan op de passagierszetel rond tot zij die in haar hand hield. De dop wierp ze achteloos naar achteren. Vervolgens schoof ze – weer niet zonder moeite (Melchior kon er zich de puffende en kreunende geluiden bij inbeelden) – de jerrycan opzij. Ze boog terug opzij en sleurde de tweede can van op de vloermat tot naast de eerste op de passagierszetel. Weer draaide ze er de dop af en wierp die achter zich. Op dat moment kreeg Melchior een zwaarbewolkt vermoeden, maar hij reageerde nog niet. Hij haalde gejaagd adem en voelde hoe zijn blaas zich spande. Een heel slecht moment.

Hanna verplaatste daarop haar rechterhand naar de buurt van haar linkerschouder. Het kostte haar veel moeite om met haar dikke vingers het ding vast te grijpen waar die op zoek naar waren. *Wat is er verdomme met die vrouw aan de hand? Waarom beweegt zij zich zo moeilijk?* Melchiors maag verkrampte opnieuw. Hij voelde zijn knieën trillen. Zij handelde niet normaal. *Door mijn aanraking? Zo vlug reeds?* Enge gedachten die door zijn hoofd spookten.

- Ben je niet blij?-

Iemand anders stuurde hem die gedachten... hij vroeg zich dat niet af. Hanna Khanlowski gedroeg zich niet zoals hij haar kende. Niet toen ze bij de pompen stond en evenmin nu ze voor haar woning stond. Hij zag hoe haar vingers zich rond de clip van de veiligheidsgordel sloten. Het kostte haar zichtbaar enorm veel moeite om de gordel open te trekken, over haar grote borsten heen te sleuren en rechts naast haar in de houder vast te klikken. *Ze is gestopt! Ze staat stil! Waarom doet ze dan nu pas de gordel om? Wat scheelt er toch met haar?* Melchior stond gedeeltelijk voorovergebogen en steunde met beide handen op de knieën.

Hij meende dat een stem hem riep. Zijn moeder? Was het eten klaar? Melchior negeerde het geluid. Zeker toen zijn ogen registreerden wat Hanna vervolgens deed. Haar handelingen knepen zijn keel dicht. "Jezus... wat..."

Hanna worstelde met de jerrycan en trok die omver. Melchior zag hoe ze de volledige inhoud

- Benzine, jongen, je hebt er die zelf ingepompt! -

over haar benen, schoot en buik goot. Daarop ging het heel vlug. Nog steeds reageerde Melchior niet. Erg aangeslagen door wat hij zag, voelde hij hoe zijn longen zwoegden om lucht binnen te krijgen. Met de tweede jerrycan haalde Hanna nog ergere toeren uit. Ze manoeuvreerde die tot tegen het dak van de wagen. Ze boog haar hoofd diep voorover en goot de inhoud over haar beide schouders, nek en ook het hoofd dat ze tegen het stuur duwde. Melchior zag de benzine uit de can klokken en zich over haar lichaam verspreiden. Hij meende zelfs de geur te ruiken, maar dat was pure verbeelding. Toen de tweede can leeggegoten was – haar haar waren druipende slierten die tegen haar gezicht kleefden – liet ze die achteloos vallen. Dan greep ze het kleine voorwerp dat ze daarnet opzij had gelegd en nam dan met beide handen weer het stuur vast.

Melchiors hart sloeg enkele malen over toen Hanna haar hoofd naar links draaide en haar ogen opsloeg. *Ze kijkt naar mij! Ze ziet mij staan!* Melchiors benen veranderden in boter, hij had de meeste moeite om rechtop te blijven. Hij had het echter bij het rechte eind. Hanna keek naar het venster in de woning van de Multchers, waar Melchior voorovergebogen achter stond. Ze grijnsde met een afschuwelijk verwrongen mond in zijn richting. Waarschijnlijk besefte ze op dat moment reeds dat ze van plan was haar leven te beëindigen. Hanna hield nu het kleine voorwerp tussen duim en wijsvinger van haar rechterhand vast. Ze toonde het hem, en hield het dicht tegen het gesloten raam van haar voertuig. Melchior herkende het als een aansteker. Hanna wist dat Melchior naar haar keek, ze wist dat hij zag wat ze in haar natte hand hield.

"God...."

Zijn ergernis was tweeledig. Eerst en vooral was daar het gruwelijke besef dat Hanna van plan was zichzelf in brand te steken. Ten tweede worstelde Melchior met het feit dat zij wist dat hij haar bezig zag. Het was gewoon zo. Zij *wist* dat hij haar begluurde.

- Natuurlijk! Ze wil dat je het ziet. Ik wil dat je het ziet. Je verdient het. -

Hoe was dat mogelijk? Zowel van zijn als van haar kant? Wie sprak er hem in zijn hoofd aan?

"God..."

Melchior wist niet wat hem te doen stond. Door de gaatjes van het rolluik keek hij naar Hanna die met die afschuwelijke grijns op haar kletsnatte gezicht naar hem keek en met de aansteker zwaaide. Hij duwde zich opeens van op de vensterbank weg, draaide zich om en holde naar beneden. Hij wist niet echt wat hij van plan was, maar iets in hem zei dat hij dit niet mocht toelaten. Hij had haar 'aangeraakt', hij had de kracht van de demon voelen overgaan, maar dit... dit ging te ver. Hij wilde er niet zó *dicht* bij betrokken zijn. Hanna nodigde hem duidelijk uit om als toeschouwer te fungeren. Cockroft en Rasschino hadden het gedaan zonder dat hij er weet van had. Het was alsof Hanna hem opzocht, als wilde ze dat hij lijfelijk meemaakte dat hij in zijn opzet was geslaagd. Ze had zelf bij hem benzine getankt, ze kon dat evengoed ergens anders gedaan hebben. Het was dus wel degelijk haar bedoeling dat hij het ganse proces persoonlijk meemaakte. Toen hij de keuken binnenstormde, keek zijn moeder verbaasd op.

"Melchior... ik heb al vier keer geroe..."

Hij reageerde niet op haar woorden en holde langs haar heen naar buiten.

"Wat scheelt er met hem?" vroeg Abraham.

"Ik weet het niet, Abe, laat hem..."

"Het eten is verdomme klaar! Hij moet aan tafel komen!"

"Jaag je niet op, Abe, hij komt wel!"

Eva en Abraham bogen zich terug over hun bord terwijl hun zoon door de hall naar buiten rende. Melchior holde het voetpad op. Hanna Khanlowski keek hem indringend aan, zwaaide nog eens met de aansteker en knipte die vervolgens aan. Melchior zag het vlammetje oplichten. Zijn longen trokken zich nu pijnlijk samen, alsof die ineens alle verse lucht weigerden. Het dikke lichaam van de nog steeds naar hem kijkende vrouw was heel even overdekt met een doorzichtige, blauwe schijn. Hanna's ogen en haar mond sperden zich wijdopen. Onmiddellijk daarop werd de vrouw binnenin de kleine Chevrolet Aveo volledig omgeven door een kolkende storm van laaiend vuur.

"Jezus...." schreeuwde Melchior.

Totaal ontredderd wipte hij van het ene op het andere been, terwijl hij met ogen vol schrik naar de wild bewegende vrouw in de wagen keek. Ze had zich vastgegordeld! Hij hoorde haar schreeuwen, hij zag

haar dikke armen in het bijtende vuur bewegen. Zelfs de kleine wagen schommelde door haar heftige manoeuvres. Ineens knalde haar elleboog door het zijraam. Het vuur zoog lucht naar binnen en daardoor kreeg het nog meer kracht. Hij hoorde haar geschreeuw. Haar ene hand hing even naar buiten. Het was reeds verkrampt en zwartgeblakerd. Hanna was onzichtbaar door het om haar heen vretende vuur. Melchior zag wel afzonderlijke delen van de vrouw bewegen. Armen die zwaaiden. Een hoofd dat ronddraaide als stond het los tussen de schouders. Hij wist helemaal niet wat hem te doen stond. Het geluid van het bulderende vuur overstemde zelfs zijn geest. Een wagen stopte naast hem. Hij had die niet zien aankomen. Iemand stapte uit. Een bejaarde man met een grove baard en een knalrode bodywarmer.
"O God... de brandweer!"
"Ze heeft benzine over zichzelf gegoten. Ze stak zichzelf in brand!" zei Melchior. Hij hield zijn ogen op de wrikkende vrouw. Ze schreeuwde niet langer. Was ze al dood? Hanna bewoog nog steeds. Of waren het enkel nog stuiptrekkingen? Was ze gestikt?
"Heb je de brandweer verwittigd? En de hulpdiensten?" schreeuwde de man naast hem. Hij moest zijn stem verheffen. Het laaiende vuur ging als een brullend monster tekeer. Nu bewoog Hanna niet meer. De vlammen verteerden nu ook de binnenkant van de wagen en golfden door het open raam naar het dak. De achterruit knalde kapot en de vlammen vluchtten nu ook via die weg naar buiten. Hanna's lichaam was één zwarte, bewegingloze klomp, af en toe zichtbaar tussen de dansende vuurbanden.
"Eh... neen... ik... "
De man reageerde onmiddellijk. Hij haalde zijn mobieltje uit het zakje aan zijn broekriem en duwde 911. Ondertussen was nog een wagen tot stilstand gekomen. Een vrouw van hooguit dertig stapte uit en hield een klein brandblustoestel in haar hand. Terwijl de man in de gsm schreeuwde, probeerde de vrouw hulp te bieden. Melchior zag dat ze zich voetje voor voetje dichterbij de Aveo begaf en met uitgestrekte arm de brandblusser in de aanslag hield. Toen ze op het hendeltje duwde, spoot ze een straal wit schuim in de richting van het brandende voertuig, maar vrijwel alles belandde op het rokende dak. Haar heldhaftige handelingen leverden geen enkel bruikbaar succes op. De vlammen beten zich door alles wat ze op hun weg ontmoetten. Melchior zag dat

de jonge vrouw zich kokhalzend achteruittrok en toen hij dan ook de stank van verbrand vlees opsnoof, voelde hij hoe zijn maag zich binnenste buiten draaide.

- Wat scheelt er? Ik heb mijn best gedaan om jou op de eerste rij te plaatsen en je reageert op zo'n belachelijke manier?Wat is er aan de hand met jou? Je bent er lijfelijk bij, Melchior. Je voelt de warmte van het verterende vuur. Je ruikt de stank van haar verkoolde huid. Wat moet je nog meer hebben?-

Melchior wist niet waar hij het meest emotioneel op reageerde. Op de stem die hem vanuit zijn binnenste aansprak of op de verwoesting van een mens op enkele meters van hem verwijderd? Hij had inderdaad Hanna aangeraakt. Hij had inderdaad gewenst dat zij een identiek einde als Rasschino en Cockroft tegemoetging om wat zij hem en de zijnen had aangedaan. Hij had het graag morgen in de krant gelezen. Maar er zo duidelijk met de neus op gedrukt worden, had hij helemaal niet verwacht.

Hij probeerde de stem – een rauwe, harde stem die zeker niet de zijne was – te negeren en zich te concentreren op wat er om hem heen gebeurde. Steeds meer bestuurders stopten in de buurt, sommigen lieten hun wagen zelfs midden op straat achter. Steeds meer kleine brandblussers hadden ondertussen nog altijd geen nut. De mensen konden zich wegens de extreme hitte niet dicht genoeg in de buurt van de Chevrolet Aveo wagen die nu volledig in brand stond. De vlammen denderden nu uit de vier wielkassen en hadden zich over de volledige wagen verspreid. Een dikke, zwarte rook steeg triomfantelijk tussen de woningen in Church Street op. Mensen kwamen uit hun huizen en keken verschrikt en ontsteld naar wat er aan de hand was in hun anders zo kalme straat. Eén voor één sprongen de banden kapot en het voertuig zakte op zijn velgen. Iedereen deinsde achteruit voor de extreme hitte.

Melchior merkte dat ook Hanna's man, Bernie, tussen de toeschouwers stond. Met één hand bovenop zijn hoofd en met de andere op de buikstreek, keek hij toe hoe een voertuig net voor zijn huis in brand stond. Omdat hij niet overdreven geëmotioneerd reageerde, vroeg Melchior zich af of hij wel besefte dat het zijn eigen vrouw was die daar opbrandde. De wagen viel niet meer te herkennen als zijnde een Aveo, omgeven als hij was door laaiend vuur en omsloten door kolkende, zwarte wolken.

Sirenes. Uiteindelijk! De mensen keken achterom, want het helende geluid kwam uit de richting van Garland.

Ineens was er paniek. Politieauto's kwamen gierend de straat inge-draaid en ontmoetten een barrière van kriskras gestalde voertuigen. Vier agenten wipten uit hun wagen en schreeuwden dat de brandweer in aantocht was, dat de baan onmiddellijk moest worden vrijgemaakt. Er werd geschreeuwd en gehold. Mannen en vrouwen haastten zich te-rug in hun eigen voertuig en probeerden zich zonder kleerscheuren aan de kant te zetten. Het was een chaotische situatie met claxonnerende, gillende en zich opjagende mensen die allemaal goed wilden doen. De agenten probeerden de situatie onder controle te krijgen, de omstan-ders probeerden zich niet te erg als ramptoerist te gedragen en de be-stuurders probeerden hun voertuig zo vlug mogelijk opzij te krijgen.

- Mooi, hè?Dat is nu eens Chaos! Daar zijn mensen goed in… zich in nesten werken en dan er in paniek proberen uit te geraken. Weet je waar ik goed in ben, Melchior? In het veroorzaken van alle soorten van verplet-terende chaos. Wacht maar af. Dit is nog maar het begin. -

Melchior kneep zijn ogen hard dicht. Hij wilde de stem van Dae Nhemm niet horen. Melchior schrok door dat plotse besef. Dat was het. De demon Dae Nhemm sprak hem in zijn hoofd aan en had er-voor gezorgd dat Hanna bij hem kwam tanken. Hij was degene die ervoor had gezorgd dat zij zich hier – terwijl hij erop stond te kijken – in brand stak.

- Klopt, jongen! Je bent slim. Jij hebt mij bevrijd en in jouw lichaam op-genomen. Beschouw dit kleine schouwspel van menselijke onmacht als een minieme beloning. -

Melchior had geen tijd om te reageren om wat Dae Nhemm zei. Twee grote brandweerwagens draaiden de straat in, die gelukkig net op tijd vrij was gemaakt. De agenten hielden de toeschouwers op een afstand en lieten de brandweerlieden hun werk doen. Melchior werd achter-uitgedrukt. Toen hij achteromkeek, zag hij dat zijn beide ouders net buiten hun voordeur stonden toe te kijken. Ineens voelde hij een vlaag spijt door wat er gebeurde.

- Spijt?-

Het speet hem dat hij had toegegeven aan zijn wraakgevoelens.

- Niet lullen, Melchior. Komaan. -

Het speet hem dat hij Rasschino, Cockroft en nu ook Hanna had laten sterven. Hij was God niet, hij had geen recht om over het leven of de dood van de anderen te beslissen.

- God bestaat niet, sukkel! Een Grote Geest, jawel, en daarbij enkel goede en kwade demonen. Dat zou je nu toch al moeten weten. -

Melchior negeerde weer wat Dae Nhemm zei. Hij keek in de richting van zijn ouders en zag de bezorgdheid in hun ogen. De ogen van zijn o zo typische, moederlijke moeder en de ogen van zijn oude, vermoeide vader. Hij was hun enige resterende zoon. Wat deed hij hen toch aan, wat deed hij zichzelf aan?! Hoever kon deze situatie gaan?

- Je laat me niet in de steek, Melchior. Neem dat maar van mij aan, ik ben een deel van jou. Je geraakt me zomaar niet kwijt. -

Melchior werd bang. De groteske bedoening van al die mensen om hem heen speelden zich precies in een andere wereld af. Toeschouwers, agenten, brandweerlieden. Iedereen hollen en roepen, iedereen druk in de weer, iedereen onder de invloed van voelbare stress. Het vuur, de rook. De spuitgasten spoten een vloeibare combinatie van water en schuim over en in de brandende wagen waardoor de vlammen binnen enkele seconden doofden. Het schuim zorgde voor een overkoepeling waardoor het vuur geen verse lucht kon 'inademen'. Al even vlug als het schuim een grote massa had gevormd, zo vlug loste het op. Nauwelijks drie minuten na de eerste interventie van de brandweermannen keken allen naar een zwart, verhakkeld en rokend wrak.

Het kijken duurde maar even. Onmiddellijk werden enkele zeilen uitgespreid over wat restte van de Aveo, zodat niemand zicht kreeg op wat van de bestuurder overbleef. De toeschouwers werden niet langer op een afstand gehouden: ze werden door de aanwezige agenten weggejaagd. Achter de brandweerwagens stopten enkele burgervoertuigen, waarin een blauw licht op het dashboard prijkte. Melchior zag dat twee mensen in burgerkledij eerst een blik onder de zeilen wierpen om vervolgens met de geüniformeerde agenten en de overste van de brandweer te praten. Even daarna stopte nog een ander voertuig. Een heel mooie, jonge vrouw stapte uit en liep tot bij de andere nieuw aangekomenen. Melchior had al heel wat mooie mensen gezien wat hem af en toe heel ongelukkig maakte. Sommigen waren uiterlijk danig mooi, het volledig tegengestelde van hoe hij eruitzag. Hij kon niet nalaten hen aan te staren, jaloersheid te voelen, hen te willen pijnigen, te vernietigen. Zij waren mooi. Hij niet. Dat kon niet. Het leven was niet eerlijk.

De jonge vrouw in een nauw aansluitende jeans wees naar de verkoolde wagen. De man met de lange jas naast haar hief zijn schouders op. Er volgde een gesprek waarvan hij uiteraard niets opving. De prachtige vrouw met het lange, zwarte haar wond zich duidelijk op. Melchior kon zijn ogen niet van haar afhouden. Eén van de omstanders sprak met een geüniformeerde agent en werd bijna onmiddellijk tot bij de man met de lange jas geleid. Melchior bekeek alles van op een afstand, maar herkende de man als degene die als eerste was gestopt en de hulp-diensten had gebeld. Het was de bejaarde man met de rode bodywar-mer. Het was alsof hij naar een film keek. Hij was inderdaad – zoals Dae Nhemm zei – een toeschouwer. Een autobrand – auto én bestuur-ster – héél efficiënt en levendig in beeld gebracht. Sublieme trucage waarbij je echt twijfelde of er wel trucage aan te pas was gekomen. De jonge vrouw liep tot bij de wagen en trok de deken weg die aan de kant van de bestuurster hing. Ze keek heel even naar binnen, liet de deken vallen en keerde hoofdschuddend terug naar haar gezelschap.

De bejaarde man gaf haar (en die andere kerel) vervolgens een hele uit-leg, draaide zich plotseling om en keek om zich heen, alsof hij iemand zocht. Melchiors hart sloeg enkele malen over tot de man uiteindelijk in zijn richting wees. De man met de lange jas wees hem nu ook aan. Hij draaide zich naar twee geüniformeerde agenten, beval hen iets dat onmiddellijk werd uitgevoerd. Zij kwamen op een holletje in Melchi-ors richting, die heel even overwoog weg te lopen.

- *Weglopen? Waarheen? En waarom? Wie kan jou wat verwijten? Nie-mand! Niemand kan er iets aan doen dat zij met vuur en benzine heeft gespeeld. Blijf staan en zeg hen wat je gezien hebt! En blijf kalm! -*

Melchior wist dat Dae Nhemm gelijk had, maar toch voelde hij de schrik groeien toen hij de twee agenten op zich zag afkomen. Hij keek vluchtig achterom en zag dat enkel zijn moeder nog in de buurt van de voordeur stond. Blijkbaar was het schouwspel voor zijn vader al afgelopen.

"Meneer?"

Melchior had het verwacht, maar schrok merkbaar. De oudste van de twee agenten richtte zich nogmaals tot hem.

"Meneer, hallo?"

Hij zwaaide met zijn hand voor Melchiors gezicht.

"Eh… sorry… ja?"

"Luitenant Kamen vraagt of u bij hem wilt komen. Blijkbaar bent u getuige?"

Getuige? Was hij getuige? Of was hij dader?

"Geen probleem," hoorde Melchior zichzelf zeggen.

Maar eigenlijk was er iets dat er hem bijna toe dwong onmiddellijk te willen schreeuwen dat hij het zo niet had bedoeld, dat het zijn intentie niet was geweest (*toch wel, Melchior, toch wel, net als met die twee anderen*), en dat hij er spijt van had en dat hij wilde dat het nooit gebeurd was en dat… en dat…

Melchior liet zich tot bij de man met de lange mantel leiden. De mooie vrouw stond een beetje van hem verwijderd. Hoe dichter Melchior in haar buurt kwam, hoe intenser hij zich van haar schoonheid bewust werd. Was zij van Spaanse afkomst? Spaans of Mexicaans?

"Goeienavond, meneer, mijn naam is William Kamen. Luitenant bij de politie van Yellowmoon."

Melchior knikte.

"Volgens deze meneer hier…"

Kamen wees naar de man met de grove baard en de bodywarmer.

"… kan jij ons waarschijnlijk meer informatie geven over wat hier juist is gebeurd? Klopt dat?"

"Eh… ja… ik…"

"Je stond hier toen ik er aankwam en zei me dat ze zich met benzine had overgoten!" zei de man met de baard ongevraagd. Kamen gebaarde naar de twee agenten. Hij richtte zich tot de man en zei:

"Meneer, sta me toe dat ik dit hier verder afhandel. Mijn agenten zullen uw identiteit en verklaring opnemen."

Twee geüniformeerden ontfermden zich onmiddellijk over de persoon die Kamen hen aanwees. Hij werd met lichte aandrang weggeleid naar één van de politiewagens. Kamen richtte zich terug naar Melchior. Die probeerde zijn ademhaling onder controle te houden. De vrouw die achter Kamen stond, had nog niets gezegd.

"Meneer, mag ik eerst uw naam?"

"Ik ben Melchior Multcher. Ik woon… daar."

Hij draaide zich gedeeltelijk om en wees naar de plaats waar zijn moeder nog steeds op het voetpad stond. Ze zwaaide in zijn richting. Melchior zwaaide niet terug.

"Klopt het dat u hier als eerste was?"

"Dat klopt, ja."

"En… kunt u me vertellen wat u juist gezien hebt?"

Nu stapte de mooie vrouw dichterbij. Blijkbaar was zij ook erg geïnteresseerd. Toen hij haar voor het eerst hoorde spreken, was zelfs haar stem bedwelmend.

"Kent u die wagen? Hebt u er enig idee van wie de bestuurder is?"

Melchior knikte. Kamen rechtte zijn rug. De vrouw zoog een ferme teug adem in en liet die hoorbaar langzaam ontsnappen.

"Het is mijn overbuurvrouw. Mevrouw Hanna Khanlowski."

"Jezus…" siste de vrouw.

Ze merkte dat Melchior haar verbaasd aankeek, viste vervolgens een lederen tasje tevoorschijn, klapte het open en presenteerde hem de inhoud. Hij keek naar het zilveren embleem van de ene of andere politiedienst.

"Luitenant Raven Daramantez. "

Moordzaken Garland liet ze achterwege. Ze wilde de kerel niet meer dan nodig op stang jagen.

"U kent haar goed?"

Melchior haalde zijn schouders op.

"Goed? Nou, ja... kennen is veel gezegd."

"Mag ik vragen? Wat hebt u juist gezien?"

Nogmaals stak hij de schouders omhoog.

"Ho, waar moet ik beginnen?"

"Bij het begin zou perfect zijn."

Melchior probeerde niet te laten merken dat hij op zijn hoede was.

- Let op wat je zegt, jongen, ze zal proberen meer uit jou te zuigen dan goed voor je is. Het is een teef, een tang van een wijf. Laat je niet vangen. Smelt niet voor haar schoonheid. Vertel gewoon alles wat je weet, maar niets over mij en wat je hebt moeten doen om aan jouw wraakgevoelens te kunnen voldoen. -

Melchior knipperde met de oogleden. Het was de eerste maal dat Dae Nhemm hem zo direct beval. Eigenlijk wilde hij het niet. Hij wilde niet dat iemand hem zei wat hem te doen stond.

- Lul niet, Melchior, zoals ik al zei, ik zit in jou! Ik maak deel van jou uit en daar zal je moeten leren mee leven. Geef nu antwoord op haar vraag, straks wordt ze nog achterdochtig. Straks zal ze iets te weten komen, daar

kan ik niet onderuit, maar het stoort niet. -

"Meneer?" drong Raven aan.

"Ja... eh... zij is vanavond bij mij komen tanken."

"Tanken?"

Melchior besefte dat hij te vlug ging. De vrouw kende hem niet en wist dus ook niet dat hij als pompbediende werkzaam was. Dus gaf hij daarover eerst een korte uitleg.

"... en vanavond stopte Hanna bij de pompen. Ze was m'n laatste klant."

"Merkte u iets aan haar?"

Raven hield de telefonische opmerkingen van Vernon LaFolette in het achterhoofd toen ze hem die vraag stelde.

"Merken?"

"Ja... deed ze raar? Gedroeg ze zich vreemd?"

- Die tang is al op de hoogte van enkele zaken, maar weet helemaal niet wat ze ermee moet aanvangen. Ze heeft enkele losse stukken, maar kan de puzzel niet vervolledigen. Zeg haar gewoon dat Hanna vroeg de cans te vullen. -

"Eh... ze vroeg me enkel om de jerrycans met benzine te vullen."

"Wat u gedaan hebt."

"Natuurlijk, het is een klant. Er is daar toch niets verdachts aan?"

Raven schonk hem een prachtige glimlach waar hij het warm in zijn buik van kreeg. Hoe kon iemand een dergelijk verzorgd en parelwit gebit hebben?

"Helemaal niet, meneer. Die cans stonden nog steeds naast haar?"

- Zie je dat ze iets weet! Waarom zegt ze anders 'nog steeds'. -

"Eh... toen ze het terrein opreed en bij de pomp stopte, stonden die cans naast haar, inderdaad. Eén op de zetel en één op de vloermat."

Kamen mengde zich in het gesprek.

"Ze moet dus een tijdje hebben rondgereden nadat ze uit Garland is vertrokken."

Raven draaide haar hoofd in zijn richting, waardoor haar lange, zwarte haar uitwaaierde. Melchior bedwong zich. Hij wilde zijn hand uitsteken om het te strelen.

"LaFolette zei me dat zij de cans..."

"LaFolette?" vroeg Melchior verbaasd.

De verbazing in zijn stem trok de aandacht van zowel Kamen als Daramantez.

"Ja... Vernon LaFolette. Kent u die man?" vroeg Raven.

"Natuurlijk. Da's een neef van me."

Ravens ogen glinsterden. Eindelijk?! Eindelijk nog één link? Ze keek Kamen aan die in haar richting knikte.

"Wat is er met Vernon?"

"Mevrouw Hanna Khanlowski heeft die twee jerrycans bij hem in Garland gekocht, hooguit een uur voor zij bij u aankwam."

Melchior liet een zucht ontsnappen.

"Oh... is het dát maar? Hij heeft er inderdaad een winkel waar men allerlei zaken kan kopen."

Raven Daramantez zette een stap dichter in Melchiors richting. Hij ving de zoete geur van haar parfum op. Net als haar stem was ook die gewaarwording bedwelmend.

"Wij hebben uw verklaring nodig, meneer. Kunt u ons vergezellen naar onze burelen?"

Melchior keek achterom naar zijn woning. Eva stond nog steeds in de deuropening. Meegaan met de politie? Dat idee stelde hem allerminst op zijn gemak. De zenuwen rond zijn maag spanden zich samen. Plotseling was Dae Nhemm daar.

- *Komaan, zeikerd! Ze nemen enkel jouw verklaring af. Over alles wat je gezien hebt en zo, daar is toch niets aan. Het wordt geen marteluurtje. Ze kunnen jou op geen enkele manier linken met dat dikke wijf of zelfs met die andere klootzakken die gekregen hebben wat ze verdienden. Zo is het toch, niet? Je gaat daar toch mee akkoord, nietwaar? -*

Melchior knikte bevestigend op de woorden van Dae Nhemm binnenin zijn hoofd. Raven reageerde op het knikken.

"Okay, laten we dan gaan."

Melchior nam plaats in de politiewagen nadat hij – met Ravens goedkeuring – eerst zijn moeder had gerustgesteld. Hij voelde zich niet erg veilig, alsof hij op wak ijs schaatste. Even, héél even maar, hoopte hij dat Dae Nhemm hem steunde als hij het moeilijk kreeg.

Voor zij vertrokken, gaf Kamen nog een hele resem opdrachten aan de achterblijvende agenten. Het ging over het weghalen van het lichaam, het verwittigen van de echtgenoot (Bernie was ondertussen – nog steeds onwetend – zijn woning terug binnengegaan), het laten takelen van het voertuig, het weer vrijmaken van de rijbaan en dergelijke praktische zaken meer.

De rest van de avond was voor Melchior Multcher een dubbeltje op z'n kant. Dae Nhemm liet niet meer van zich horen en dat leek hem maar het beste ook. Enerzijds was hij in het allercharmantste gezelschap van de bloedmooie Raven Daramantez die zo verdomd lekker rook, maar anderzijds was hij een beetje op zijn hoede voor de vragen die zij en haar collega Kamen stelden. Vragen waar hij deftig moest op antwoorden zonder zijn verleden en inmenging prijs te geven.
Hij sprak niet over Lorne Dorganson. Hij sprak niet over QuarTech. Hij sprak niet over Dae Nhemm. En zij hadden het niet over Cockroft en Rasschino. Melchior wist niet *hoe* het kwam dat hij het voelde, maar zij hielden zich in, ze verzwegen hem iets. Ervoeren zij van hem hetzelfde? In elk geval lieten ze niets blijken.
Uiteindelijk werd het vriendelijke, informele gesprek in de burelen – hij kreeg zelfs een kop koffie – afgerond met het afnemen van een officiële verklaring. Hij verhaalde over zijn dag, over hoe hij zijn buurvrouw Hanna Khanlowski kende, en over wat hij had gezien vanaf het moment dat zij voor haar woning stopte. Het feit dat ze hem met de aansteker in haar hand wenkte, liet hij achterwege. Raven had haar vest uitgedaan en draafde door het kantoor in een bordeauxkleurige blouse die de contouren van haar lichaam extreem goed benadrukte. Melchior betrapte er zich meerdere keren op dat hij gewoon naar haar prachtig gevormde borsten staarde. Het kon hem zelfs niet schelen dat zij dat merkte. Er níet naar kijken was een zonde, vond hij. Hij probeerde zich in de plaats van haar collega's te stellen. Hoe was het om dagelijks in haar buurt te zijn? Dat hield je als man toch nauwelijks uit?
Uiteindelijk bracht een koppel agenten hem naar huis. Hij had twee kaartjes meegekregen. Dat van Kamen en dat van Raven. Hij mocht hen altijd bellen als hem iets inviel wat hij die avond niet had gezegd.

Raven keek van achter het raam hoe de politiewagen met Melchior Multcher erin wegreed.
"Wat denk je?" vroeg Kamen achter haar.
"Wat ik denk? Ik denk... dat ik niet weet wat ik moet denken."

"Dat klinkt vreemd."

"Will, die jongen is een beetje 'achter'. Goed. Maar wat zijn de feiten tot nu toe? We hebben drie heel vreemde zelfmoorden. De drie slachtoffers hebben allemaal hun materialen waarmee ze zichzelf van kant hebben geholpen, gekocht bij Vernon. De neef van Melchior. Het laatste slachtoffer is 'per toeval' een overbuurvrouw van Melchior. Zij vult haar cans 'per toeval' bij hem en steekt zichzelf 'per toeval' voor zijn neus in brand. Dat zijn de feiten. Wat is de fictie? Weet hij dat ook de anderen bij zijn neef langsgeweest zijn? Heeft de jongen die hier net vertrokken is, iets met de zaak te maken?"

"Dat denk ik niet."

"Dat denk ik ook niet, Will, maar we kunnen niet om het feit heen dat hij en Vernon familie zijn."

"Wat dan nog? Het zijn zelfmoorden, Raven! Duidelijke zelfmoorden. Bij twee van de drie voorvallen zijn er getuigen. Zelfmoorden, zaken die zelfs buiten jouw jurisdictie vallen."

Raven knikte. Will Kamen had volkomen gelijk en zij beschouwde die laatste opmerking niet als belagend. Hij bekeek de zaak heel nuchter, waar zij eigenlijk blij om was.

"Je hebt gelijk, Will. Misschien zoek ik het te ver."

"Misschien wel..."

Raven haakte haar vest van de stoel en wierp die over haar schouders. Ze merkte dat Kamens blik op haar borsten gericht was. *Alle mannen zijn geilaards, ze denken met hun lul.* Ze glimlachte bij die steeds terugkerende gedachte.

"Waarom lach je?"

"Ik denk aan iets..."

Terwijl Raven zich verder in haar vest wrong, zei ze:

"Ik zal toch de eventuele relaties tussen onze kerel hier en de drie anderen laten nagaan. Je weet nooit wat er uit de bus rolt."

Kamen viste een mobieltje uit zijn jaszak. Raven had die niet horen afgaan. De luitenant luisterde knikkend en zei enkel:

"Geen probleem. Zij zullen er zich wel over ontfermen."

Hij klapte het toestel dicht.

"De brandweer heeft de vrouw niet uit het voertuig gekregen. Haar lichaam is in het frame van de zetel gebrand en zit volledig vast. De takeldienst heeft het voertuig, met Hanna er nog in, naar het ziekenhuis in Garland gebracht. In de garage probeert men daar momenteel het lichaam uit het wrak te halen. Daar staan niet zoveel mensen te kijken."

"Ik heb gemerkt dat haar lichaam opengespat was. De ingewanden puilden uit haar buik. Alles is één zwarte, samengekoekte massa. Het was geen prettig zicht."

Raven dacht onmiddellijk aan Rachelle. Haar morgen contacteren stond als eerste punt in haar agenda.

"Lorne?"

Lorne Dorganson zette het videotoestel stop. Nicole Kidman bevroor in haar scène aan de piano in 'The Others'. Hij hoorde aan Melchiors stem dat er weer eens iets scheelde. Het speet hem reeds dat hij had gereageerd op de oproep. Hij viel een beetje op Nicole en vond het spijtig dat hij de film moest onderbreken.

"Ja? Ik kijk naar een film."

"Lorne, dit is belangrijk."

"Wat scheelt er, Melchior? Zit je met een stijve die je niet kwijtgeraakt?"

Melchior zat in kleermakerzit op zijn bed en glimlachte. Typisch Lorne. Hij had iets dergelijks wel verwacht, maar het was hier totaal misplaatst. Beneden hoorde hij zijn moeder in de keuken bezig. Nadat hij was thuisgebracht, had zij hem opmerkelijk ongerust gevraagd of er iets scheelde. *Je bent toch nergens bij betrokken, hè?* Hij had haar gerustgesteld door te zeggen dat hij enkel een verklaring had moeten afleggen. Als getuige. Niets meer. Niets om je zorgen over te maken. Zijn vader lag al een tijdje in zijn bed. Lorne contacteren leek hem nog het beste wat hij kon doen, voordat hijzelf tussen de lakens dook. Melchior betwijfelde of hij die nacht één oog dicht zou doen. Daarvoor was hij té opgewonden. Misschien kon alles vertellen aan zijn vriend voor een kleine opluchting zorgen.

"Ben je dronken?"

"Bel je me daarvoor op? Je bent mijn moeder toch niet?"

"Indien ik je moeder was, had ik je bij de geboorte reeds gewurgd!"

"Lul niet, sukkel, wat scheelt er? Ik ben niet dronken, ik zit al de ganse avond thuis. Ik had eerst gedacht om naar de wijven te gaan, maar omdat ik..."

"Hanna Khanlowski is dood."

Stilte aan beide kanten. Melchior had Lorne heel kordaat onderbroken. Het had duidelijk resultaat. Hij voelde zijn hart tegen zijn ribben slaan. Lorne was merkelijk geschrokken. Zwijgen was niet zijn gewone manier van doen. Hij haalde gejaagd adem en probeerde de gegevens die Melchior hem zo abrupt had overgemaakt, te plaatsen. *Toeval* was het eerste woord dat in hem opkwam, maar daarna twijfel.

"Lorne... ben je er nog?"

"Ik ben er."

Kort. Zonder emotie. Lorne was er. Melchior kon zich zijn vriend bijna voorstellen. Het was een plaatje. Languit in de sofa. Waarschijnlijk een oude kamerjas, onfris ruikende slip en dito versleten kousen. Niets meer. Haar in de war, ongeschoren. Doos half opgevreten pizza en enkele lege bierblikken op het tafeltje voor hem.

"Heb je me gehoord?"

"Ik heb... je gehoord. Wat is er gebeurd?"

Melchior stak onmiddellijk van wal. Het was alsof die vraag bij hem het ventiel losdraaide waardoor alle opgekropte spanning van die vrijdagavond kon wegvloeien. Zonder dat Lorne hem onderbrak, vertelde hij alles wat hij had meegemaakt. Melchior verhaalde het bezoek van Hanna aan de pompen, het vullen van de jerrycans, haar vreemde manier van zich te gedragen. Vervolgens liet hij Lorne weten wat er voor zijn eigen voordeur was gebeurd en wat hij allemaal had gezien (datgene wat hij voor die prachtige agente had verzwegen). Als laatste vertelde hij het vervolg van de zaak in de burelen van de politie in Yellowmoon. De relatie met Vernon LaFolette, zijn neef uit Garland, liet hij evenmin achterwege. Dat was iets wat hij nog steeds zelf niet begreep. Omdat Lorne Dorganson nog niet reageerde, probeerde Melchior het met een rake opmerking.

"Je hebt eergisteren gezegd dat we zeker drie weken moesten wachten. Het gaat vlugger, Lorne. Het is verdomd veel vlugger gegaan. Twee dagen!"

Lorne reageerde nog altijd niet. Met zwoegende longen staarde hij naar Nicole Kidman die nog steeds in de buurt van de piano stond. Het kleine gsm-apparaatje voelde vochtig aan in zijn zwetende handen.

"We mogen..."

"Ja? Wat mogen we?"

Melchior hoopte dat zijn vriend een antwoord op hun probleem wist. Want volgens hem zaten ze effectief met een probleem. 'Ze' waren hijzelf en Lorne. Beiden hadden zich in deze nesten gewerkt. Lorne had waarschijnlijk een inmenging van politiediensten niet voor mogelijk gehouden. Maar nu stonden ze er toch voor.

"We mogen niet in paniek slaan, Melchior."

"Geloof je me nu? Rasschino, Cockroft en nu Khanlowski. Ik heb hen aangeraakt in die volgorde en in die volgorde stierven ze. Zeg me nu niet dat het toeval is!"

"Blijf kalm, Melch."

Lornes stem kwam niet erg overtuigend over. Het was alsof hij met veel moeite een opkomende vlaag van zenuwvernietigende paniek probeerde tegen te gaan.

"Wat moeten we doen?"

"Eh... niets."

"Niets? Helemaal niets?"

Lorne voelde ineens dat zijn verstand weer de bovenhand nam. De eerste emoties waren overwonnen.

"Natuurlijk. Helemaal niets. Je hebt jouw drie ergste vijanden om zeep geholpen. Het is afgelopen."

"Wat bedoel je?"

Melchior begreep niet waar Lorne op doelde. Volgens hem vatte zijn vriend de ernst van de situatie niet.

"Je raakt niemand meer aan en daar houdt het mee op. Hanna was de laatste."

Melchior zette zich rechtop als wilde hij daarmee aantonen dat hij niet akkoord ging.

"Dat denk ik niet, Lorne. Dae Nhemm zit nog steeds in mij. Ik voel hem, hij spreekt mij soms aan. Ik hoor zijn stem binnenin mijn hoofd."

"Komaan, nu ga je te ver."

"Het is zo, Lorne. Hij heeft me... al geholpen om mezelf in de hand te houden. Vooral toen de flikken op mij afkwamen."

In zijn huis op Wooden Bridge Road wreef Lorne met zijn vrije hand over zijn voorhoofd. Hij probeerde niet toe te laten dat zijn hersenen verhit geraakten. Het ging verkeerd. Okay, daar had Melchior een punt. Hij had nooit gedacht dat het zover zou komen, zelfs niet met

Rasschino. Maar de tijd terugdraaien kon hij niet. Over die mogelijkheid nadenken had geen zin. Wat moest er dus wel gedaan worden? Wat waren de opties? Als... dan... zoals een computerprogramma. Gewoon logisch en vooral nuchter nadenken.

"Melchior. Hou je enkele dagen gedeisd. Blijf op je kamer. Raak niemand meer aan, laat de... eh... overdracht niet meer doorgaan. Je zal zien dat het tegen maandag beter gaat."

Melchior voelde aan dat Lorne niet voluit achter zijn eigen voorstel stond. Hij zei dat maar in de hoop hem gerust te stellen. Het klonk ook niet echt overtuigend. Het was Lornes manier niet om op die manier te spreken. Melchior voelde zich ineens zo vreselijk vermoeid en had geen zin om er nog een opmerking over te maken. Het gesprek hier afsluiten leek hem nog de beste optie. Afsluiten en slapen. Morgen was er een nieuwe dag met nieuwe ideeën.

"Okay, Lorne..."

"Nog iets, Melch..."

"Ja?"

"Als je er met mij over wilt praten, bel me op mijn mobieltje. Bel nooit naar mijn werk zelf. Vergeet dat niet. Ik wil dat niet. Dat is heel belangrijk. Je weet maar nooit."

"Goed, geen probleem."

Er werd nog wat over futiliteiten gebabbeld. Uiteindelijk werd er aan beide kanten dichtgelegd. Melchior maakte zich klaar voor de nacht en lag even later al tussen de lakens. Net voor hij insliep, vroeg hij zich af of demonen ook slapen.

Aan de andere kant van County Route 332 vroeg Lorne zich iets anders af. Nicole Kidman was ondertussen van het scherm verdwenen, want het videotoestel had zichzelf uitgeschakeld. Nu was er een tekenfilm voor volwassenen te zien. Lorne keek naar de bewegende beelden zonder te beseffen wat hij deed.

In zijn luie sofa overwoog Lorne Dorganson diezelfde avond nog de mogelijkheid een gesprek te voeren met iemand die iets (of heel veel) van het onderwerp afwist. Misschien kon die kerel hen helpen. Misschien wist hij een remedie, misschien wist hij wat er écht aan de hand was. Toch maar wachten tot maandag, of woensdag. Lorne gaf zichzelf en de situatie (die zichzelf zou uitklaren, dat hoopte hij toch) tot volgende woensdag. Dat waren toch nog vijf dagen waarin héél veel of erg weinig kon gebeuren.

Dan kon een gesprek nogmaals overwogen worden.

Zaterdag, 18 juni 2005

"Ik wil dat je naar m'n wagen kijkt, je zal zien wat ik bedoel. Je denkt toch niet dat ik je probeer te belazeren? Wat behaal ik daarmee?"

Politieagent Danny Lahmian haalde zijn schouders op. Hij zat ermee verveeld dat Dawson Venndigo met iets dergelijks op de proppen kwam. Hij kende de man niet op die manier.

"Dat zeg ik niet, Dawson. Maar je moet toegeven dat jouw verhaal een *sterk* verhaal is. Meestal komt zoiets uit de mond van een zatlap."

"Ik heb de ganse nacht geen oog dichtgedaan. Het zat me op de hielen. Het sprong op mijn wagen en ik heb het doodgereden. Het viel me aan, Danny. Je moet terplaatse gaan en het ding bekijken. Het was een heel vreemd beest."

Danny Lahmian had een uitgebreide kennissenkring en Dawson Venndigo was er een van. Eén van degenen die hij bijna als vriend beschouwde. Maar nog niet helemaal. Vrienden waren personen die je volledig vertrouwde en aan wier woorden je nooit twijfelde. Vrienden waren mensen aan wie je je huissleutel toevertrouwde als je er een weekendje op uit trok. Maar nu kwam Dawson hem thuis – op een vrije zaterdag – opzoeken met een griezelverhaaltje! Een lelijk beest dat op een hond leek, had hem de avond ervoor door de struiken achternagezeten en aangevallen? Moeilijk te geloven. Maar wat probeerde Dawson dan te bereiken door met zoiets naar buiten te komen. Hij maakte er zich enkel belachelijk mee. Nochtans, als een van de boekhouders van de stad kon hij zich nauwelijks veroorloven met zo'n straffe verhalen voor de dag te komen. Als hij inderdaad de ganse nacht niet had geslapen, zag hij er verdomd nog heel fris uit. Wat dan misschien betekende dat hij inderdaad met zware hartkloppingen in bed had gelegen.

"Danny, je kent me toch?!"

"Dat wel... maar..."

"Maar wat? Je beseft toch wel dat ik me heel idioot opstel als dit allemaal gelogen is. Denk nu toch eens na..."

"Kalm, jongen.."

Dawson wrong zijn hoofd van de ene naar de andere kant op zijn schouders, alsof hij de gespannen zenuwen wilde ontspannen. Hij wreef vervolgens met beide handen over zijn gezicht en masseerde even zijn voorhoofd. Daarna keek hij Danny ernstig aan.

"Ik ben niet kalm, Danny! Ik weet wat ik gezien heb, ik weet wat ik meegemaakt heb. Het... ding ligt daar nog. Je moet gaan kijken wat het is."

"Ik heb je nog nooit zo opgewonden gezien, Dawson... je maakt me bang!"

Dawson wees met beide handen naar de agent, die achteruitdeinsde.

"Bang! Dat is het, Danny. Ik was daar bang. Ik heb gerend voor mijn leven. Bekijk mijn wagen en je zal zien dat ik niet lieg."

Danny Lahmian haalde zijn schouders op en stond van de stoel op. Hij wees naar buiten en zei:

"Okay... is het nog steeds de Neon?"

Dawson knikte. Hij draaide zich om en liep door de hal naar de voordeur. Hij keek niet of zijn vriend hem volgde, wat waarschijnlijk wel het geval was. Dawson opende de deur en stapte gezwind de oprit op tot naast zijn voertuig. Hij voelde de zenuwen in zijn buik trillen toen hij zijn vriend op de schade aan de Dodge Neon wees. Het was alsof alle spanning van de voorbije avond ineens terug op zijn lichaam terechtkwam. Maar het bezorgde hem een plezier dat de ogen van Danny Lahmian zich wijd openden toen hij de schade aan het voertuig bemerkte.

"Jezus..."

Met zijn ene hand raakte hij voorzichtig de krassen op het dak en de motorkap van de Neon aan.

"Ben je zeker dat het geen luipaard was?"

"Geloof je me nu?"

"Kan het anders?"

"Wat ga je eraan doen?"

"Wees gerust, Dawson. Ik zal zorgen dat het in orde komt, wees daar maar zeker van... Jezus!"

13. Todd Elleniak
Special Agent

Maandag, 20 juni 2005.

De ganse zondag sloot Melchior zich in zijn kamer op. Hij hoorde beneden hoe zijn onwetende ouders hun zondagse, saaie dag in alle eerlijkheid sleten en zich van geen gevaar bewust waren. De autobrand waarin hun overbuur Hanna Khanlowski was omgekomen, was natuurlijk het gespreksonderwerp van de dag (eigenlijk van het ganse weekend), maar daar hield Melchior zich zover mogelijk vandaan. Die gebeurtenissen, samen met wat volgde op het politiebureel, spookten de ganse zondag door zijn hoofd. Hij verlangde ernaar zijn ogen te kunnen sluiten, ze weer te openen en te zien dat het reeds maandag was. Gewoon maandag. De eerste dag van een normale werkweek. Normaal niet iets om reikhalzend naar uit te kijken, maar in zijn geval betekende werken een onderbreking van zijn gedachtegang. De dag ervoor, de zaterdag, had hij enorm veel energie aan de pompen verbruikt. Massa's voertuigen waren het beton opgereden. Dat had gelukkig zijn gedachten op een ander spoor gezet. Maar de zondag, op zijn kamer, slaagde hij er niet in op te nemen wat hij in zijn automagazines onder ogen kreeg. Zijn blik zag enkel felgekleurde vlekken. Zijn gedachten dwaalden voortdurend af naar wat er de afgelopen dagen allemaal gebeurd was. Melchior zat dikwijls naar zijn eigen handen en armen te staren. Daar was alles begonnen. Het litteken op zijn linkerarm was nog nauwelijks zichtbaar. Hooguit nog een donkere lijn. Hij zocht op een bepaald ogenblik – terwijl hij languit bovenop zijn bed lag – naar een manier om alles ongedaan te maken, maar besefte dat dit onmogelijk was. Wat gebeurd was, daar moest hij de rest van zijn leven mee verder.

Lorne had het even moeilijk om het weekend rustig door te brengen. Enerzijds begreep hij de situatie niet, en anderzijds vond hij het louter toeval. Hij had het verhaal van de test op QuarTech waaraan hij had deelgenomen, van in het begin doorzien. Zo'n verhaal was in elkaar gestoken door kerels die geen benul hadden van wat doorzichtig was of niet. Het kon niet anders. Indianen, dolken en demonen. Voor wie namen ze hem wel? Komaan zeg, hij wist van zichzelf dat hij slordig en soms overdreven nonchalant was wat zijn kledij en omgeving betrof, maar hij had een brein dat nuchter werkte. De overdaad aan alcohol zorgde soms voor een hapering, maar van de test bij QuarTech was hij zeker. Weken daarvoor had hij zich van de alcohol onthouden. Daarom was hij logisch gaan nadenken. Konden die kerels nu echt niet met een minder belachelijk en doorzichtig verhaal op de proppen komen? En dan nog zo'n geheimzinnig gedoe rond die dolk? Alles met codes waar hij zó doorheen keek? De video's, die uitleg? Die indiaan in het rusthuis? Ze hadden zelfs een naam en een plaats opgegeven. Was werkelijk alles gebeurd om de deelnemers van de test om de tuin te leiden?

Of was er iets totaal anders aan de hand? Iets waar zelfs Lorne Dorganson niets van afwist. Voor hem was het ganse verhaal rond de demon en de dolk pure onzin. Maar terwijl Lorne die zondagnamiddag languit in zijn sofa lag en onaandachtig naar het geluidloze televisietoestel keek, bekroop een angstig gevoel van twijfel hem. Het was pure onzin, daar was hij zeker van, maar wat als het een soort dekmantel was voor iets anders? Misschien hadden de kerels van QuarTech de test *opzettelijk* zo belachelijk gemaakt. Misschien was het net de bedoeling dat de deelnemers zich oppermachtig voelden door te beseffen dat ze het filterdunne verhaaltje doorhadden? Kan *dat* hun bedoeling geweest zijn? De deelnemers met de indruk naar huis laten gaan dat ze eigenlijk superieur zijn aan de samenstellers van de test. Zodat ze er niet meer over nadenken... zodat ze zich niet meer inlaten met die domme spelletjes bij QuarTech... terwijl alles in feite een dekmantel was voor iets groters?

Lorne Dorganson kon nu zelfs niet grijnzen om het gekke smoelenwerk van Jim Carrey in Liar Liar. In normale omstandigheden schoof hij bulderend van het lachen onderuit. Maar nu keek hij met een bedrukt gezicht naar het televisiescherm.

Lorne vroeg zich af of hij stom was geweest. Misschien had hij zichzelf laten gebruiken. De dolk en de demon waren onzin, dat stond volgens hem als een paal boven water. Maar wat was er dan werkelijk gebeurd? En maakten hij en Melchior misschien tegen hun wil in deel uit van een moorddadig complot?

Of zocht hij het veel te ver?

Moest alles niet teruggeschroefd worden naar het toeval?

Die zondagnamiddag slaagde Lorne er niet in de last die op zijn geweten rustte, van zich af te schudden.

"Luitenant?" Will Kamen keek niet onmiddellijk van zijn papieren op. Eigenlijk las hij niet. In feite was hij op die eerste werkdag van de nieuwe week in gedachten verzonken na een weekend vol strubbelingen met zijn echtgenote. Zaterdagmorgen was er ruzie ontstaan tijdens het ontbijt en de naweeën daarvan waren uitgedeind tot de zondagavond. De oorzaak van de kibbel was allang vergeten, want tijdens het ruziemaken waren heel wat oude koeien uit de gracht gehaald die de scheefgelopen situatie alleen maar erger maakten. Zowel zijn echtgenote als hijzelf hadden té gevoelsmatig gereageerd op elkaar. Beiden haasttten zich uit het weekend met een gevoel van knagende frustratie.

Kamen hield zich over zijn papieren gebogen. Niet dat hij de indruk wilde geven dat hij zijn documenten (de toegekomen poststukken) bestudeerde; hij had gewoon niet onmiddellijk zin om zich in het werk te storten of zich met de beslommeringen van zijn ondergeschikten bezig te houden. Het was net één van die collega's die hem op zijn eigenste bureel stoorde terwijl hij probeerde de warboel in zijn hoofd te filteren.

"Luitenant?!"

Met iets meer aandrang dan daarnet. Kamen liet zijn paperassen vallen en keek op.

"Ja?"

"Er is een meneer Elleniak die u wenst te spreken."

"Elleniak? Ken ik niet. Wat wil hij?"

"Hij zegt dat hij voor de overste van dit korps komt, en voor niemand anders. Is deftig gekleed, heeft een voornaam uiterlijk en draagt een aktetas bij zich. Net zoals een advocaat er hoort uit te zien."

"Ook dat nog..." mompelde Kamen.

"Binnenlaten of afwimpelen?"

Kamen haalde adem en zuchtte. Wat dan nog?

"Laat maar komen."

"Jips..."

De inspecteur verdween en trok de deur van Kamens bureau achter zich dicht. Even later werd er op het hout geklopt. Driemaal. Zonder aarzeling.

"Ja!" riep Kamen.

De man die binnenkwam, was inderdaad deftig gekleed. Maatpak, hemd en das. Een lederen aktetas onder de ene arm. Kamen schatte hem vijftig, maar met heel wat twijfel. Hij stapte tot voor Kamens werktafel en ging zitten zonder een uitnodiging af te wachten.

"Luitenant William Kamen?"

Kamen kon het accent niet goed plaatsen. Een zuidelijke staat? Misschien. De stem was beheerst en klonk zeker. Hij wist heel goed met wie hij sprak, dus was de vraag louter vertoon van onvermijdelijke beleefdheid. Ofwel wilde de man iets bekomen, ofwel kwam hij klagen. Kamen schudde de uitgestoken rechterhand. De handdruk was kort en krachtig. Waarschijnlijk een advocaat. "Wat kan ik voor u doen, meneer?"

"Goeiemorgen, mijn naam is Elleniak. Todd Elleniak. Special Agent CIA."

Will Kamen rechtte zijn rug.

"CIA?"

De man opende de brieventas die op zijn schoot lag en schoof een dunne bundel papieren over de tafel naar Kamen toe. Bovenop de papieren lag een geplastificeerde kaart. Kamen trok de papieren dichter tegen zich aan, nam de kaart eerst op en bekeek wat erop gedrukt stond. Veel stempels, veel handtekeningen.

"Wat heeft de CIA te zoeken in een stadje als Yellowmoon, meneer Elleniak?"

"Ik merk dat u twijfelt aan de echtheid van de legitimatiekaart?"

Kamen reageerde niet op het irriterende antwoord op zijn vraag. De man had zijn vraag met een vraag beantwoord. Was de elementaire beleefdheid van daarnet reeds verdwenen?

"Helemaal niet, maar wij krijgen niet alle weken bezoek van iemand van Washington. Om eerlijk te zijn: ik heb nooit eerder een kaart als deze gezien. Ik vertrouw u dus op uw woord. En ik herhaal mijn vraag: wat brengt de CIA naar hier?"

Todd Elleniak glimlachte.

"Zoals u waarschijnlijk van de kaart hebt kunnen aflezen, oefen ik de funcite van Special Agent bij de Afdeling Speciale Zaken uit."

"Een speciale agent bij een speciale dienst?"

"Dat klinkt inderdaad blasé, ik geef het toe, luitenant, maar geloof me, ik kom niet zonder grondige reden naar Yellowmoon."

"Ik ben benieuwd."

"Het is mijn opdracht u bij te staan in het onderzoek naar de drie bizarre zelfmoorden die zich sedert de tiende dag van deze maand hebben voltrokken."

"Wat heeft de CIA..."

"Momenteel kan ik u daar weinig informatie over geven, luitenant. We spreken hier over de personen wier identiteit op de papieren op uw bureau vermeld staan. De heer Haylan Rasschino heeft zich op een aparte manier verhangen op tien juni. Op dertien juni, slechts drie dagen later, pleegt de heer Jeffrey Cockroft zelfmoord door zich op een aparte manier te verdrinken in zijn eigen bad. En heel recent, op zeventien juni, steekt mevrouw Hanna Khanlowski zichzelf in brand in haar eigen voertuig."

Kamen had de tijd niet om de papieren op te rapen en te bekijken. Elleniak kende duidelijk de zaak waar hij mee belast was.

"Wij hebben inderdaad drie... eh... bizarre zelfmoorden gehad. Dat klopt. Maar ik zie niet in waarom dit in aanmerking komt om..."

"Gezien het zelfmoorden zijn, valt dit onder de bevoegdheid van de lokale politie. U bent de korpschef, dus richt ik mij noodgedwongen tot u."

Kamen voelde een haat groeien tegen de persoon van Todd Elleniak. Hij werd niet graag onderbroken en dat kereltje in zijn maatpakje had hem dat al enkele keren gelapt sinds hij hier vijf minuten eerder binnengekomen was. Tijd om te reageren.

"Meneer Elleniak, één minuutje."

Hij duwde een knop van het telefoontoestel in. Een doffe toon werd driemaal hoorbaar. Daarna de stem van één van zijn collega's.

"Chef?"

"Johnny... kom eens..."

"Ogenblikkelijk, chef, zonder verwijl! Koffie nodig, chef?"

Kamen glimlachte niet. Elleniak wel.

"Vriendschappelijke sfeer. Het is waarschijnlijk prettig op zo'n manier om te gaan met ondergeschikten en andersom."

Kamen wilde dat Johnny Loomer niet op die manier had gereageerd. "Hier werken wij samen, meneer Elleniak. Vriendschap en vertrouwen zijn daarbij een aangename ondersteuning."

Elleniak bleef vriendelijk glimlachen. Kamen voelde dat de glimlach schijn was. Een masker waarachter hij zijn vermeende superioriteit kon verbergen. De deur van zijn bureel werd geopend en Johnny Loomer stapte gezwind tot aan zijn tafel.

"U hebt me nodig, chef? Zwart met twee klontjes?"

Kamen nam de kaart van zijn werktafel en gaf die aan Loomer.

"Wil even de identiteit van deze heer checken, en ook controleren wat op de kaart staat."

Hij keek vluchtig naar de glimlachende man op de stoel naast hem, knikte naar Kamen en verliet het bureel.

"U vertrouwt me dus toch niet, luitenant?"

"Vriendschap en vertrouwen, zoals wij die in ons korps kennen, zijn opgebouwd met en ondersteund door ervaring. Wij kennen elkaar en weten wat wij van elkaar mogen verwachten. In uw geval beschik ik niet over de nodige en voor mij correcte gegevens. Dus is een elementaire controle noodzakelijk. Misschien is een aangename samenwerking mogelijk."

Kamen was fier op zichzelf. Hij had zonder hapering kunnen antwoorden. Blijkbaar had dit effect, want de man had hem nu niet onderbroken en reageerde op een verrassende manier.

"Luitenant, ik begrijp uw standpunt en vind uw controle inderdaad noodzakelijk. U zal tot de vaststelling komen dat mijn geloofsbrieven zonder enige twijfel kunnen worden aanvaard. Tevens zal u vaststellen dat mijn opdracht een enorme graad van bevoegdheden met zich meedraagt. Bevoegdheden waar een grenzeloze verantwoordelijkheid uit voortvloeit. Ik stel het dus uitermate op prijs van u en uw korps elke vorm van medewerking te krijgen."

Een ferme mond vol hoogdravende woorden, maar Will Kamen liet zich niet imponeren.

"Meneer Elleniak... indien alles wat u zegt, waar is, zullen wij inderdaad moeten samenwerken."

Kamen had de nadruk op 'moeten' gelegd. Elleniak was het duidelijk gewoon dergelijke machtsspelletjes met woorden te spelen. Hij knikte beleefd en schonk zijn gastheer nogmaals een vriendelijke glimlach. Er viel geen spoortje van aarzeling of twijfel in zijn houding op te merken. Kamen vreesde daarom dat de kerel heel goed wist dat hij gelijk had. "Een samenwerking die noodzakelijk is, zoals zal blijken. Ik vorm niet alleen de voorbode, maar ik ben tevens het hoofd van deze onderneming. Vermoedelijk heb ik me daarnet verkeerd uitgedrukt, of zijn mijn woorden niet correct ingeschat. Het is niet mijn opdracht u 'bij te staan' in het onderzoek. Wij nemen alles over. Het feit dat ik hier in persoon verschijn, betekent helemaal niet dat…"

Er werd op de deur geklopt. Kamen haastte zich om 'binnen' te roepen. Daarmee kon hij de woordenvloed van zijn pedante gast eindelijk onderbreken.

"Binnen!"

Johnny Loomer duwde de deur open. Hij liep tot bij het bureaumeubel en legde de kaart erbovenop.

"Geen enkel probleem. Meneer Elleniak is wie hij beweert te zijn."

"Dank je, Johnny."

Kamen had eigenlijk niets anders verwacht. Elleniak zat onbeweeglijk op zijn stoel en wachtte een reactie van de luitenant af. Die kon nu niet anders dan zich verslagen neerleggen bij de situatie. Kamen bekeek de kaart nog even, zuchtte en zei toen:

"Okay… zo staan de zaken dus. Jij bent dus de baas vanaf nu?"

Todd Elleniak stond op.

"Enkel in deze zaak, luitenant."

"Goed… dan is het maar zo. Wat kan ik voor u doen?"

"Mij vertellen waar de drie lichamen opgebaard liggen."

"Het Garland Memorial Hospital."

Elleniak viste een gsm uit het tasje aan zijn riem. Hij opende het klepje en drukte één enkele toets in. Kamen werd verrast door de manier waarop de man te werk ging. Weinig woorden, onmiddellijk actie. Hij sprak drie woorden in het draagbare telefoontoestel in en klapte het dicht.

"Garland Memorial Hospital."

Hij raapte de papieren en zijn kaart van Kamens tafel en borg die weg. Dan zei hij:

"Luitenant. Mijn wagen staat op de parking van dit gebouw. Maar ik ben niet erg vertrouwd met de wegeninfrastructuur in dit deel van de States, dus… u brengt me daarheen?"

"Is dat een vraag?"

"Neen."

Luitenant Will Kamen voelde zich gedegradeerd tot chauffeur van de grote baas. Op de weg van het politiekantoor van Yellowmoon naar het ziekenhuis in Garland werd niet gesproken. Kamen bestuurde het voertuig en Todd Elleniak zat als een stomme pop naast hem. Kamen was eigenlijk blij dat er geen conversatie was, want in feite voelde hij zich heel bekrompen. Hij had de man tientallen vragen willen stellen, maar betwijfelde of hij een antwoord zou krijgen. Iemand van de CIA die in Yellowmoon verschijnt om het onderzoek naar drie zelfmoorden over te nemen? Dat wijst toch op iets heel aparts.

Er stond hem nog een verrassing te wachten. De ruimte rond het mortuarium was hermetisch afgesloten. Hij telde zeker tien zwarte bestelwagens. Overal bevonden zich stoere kerels in zwarte maatpakken. Bij elke wagen, bij elke deur en op elke hoek van het gebouw. Enkele burgers stonden in een groepje naast een grotere bestelwagen. Kamen liet onwillekeurig zijn voet van het gaspedaal op de rem glijden en de wagen kwam midden op het wegdek tot stilstand.

"Wat is er hier...."

"Luitenant."

Kamen draaide zijn hoofd opzij en keek naar zijn passagier.

"Wat is hier aan de..."

"Luitenant. Ik ben niet van plan tweehonderd meter te voet te gaan. Wil zo vriendelijk zijn verder te rijden."

Kamen gehoorzaamde als een klein kind. Zonder er bij na te denken. Hij negeerde zelfs het gevoel van onbelangrijkheid dat zich in zijn maag nestelde. Stapvoets reed hij dichter en kwam bij de eerste zwarte bestelwagen aan.

"Stop hier maar."

Kamen stopte. Elleniak zwaaide de deur open en stapte uit. Onmiddellijk kwamen twee kerels naar hem toe. Ze waren opgewonden. Kamen haastte zich uit zijn voertuig, maar was te laat om te horen wat er werkelijk werd gezegd. Elleniak draaide zich om.

"Luitenant... u volgt me?"

Elleniak wachtte niet op Kamens reactie en stapte naar de bewaakte gebouwen. Will Kamen – nog steeds onder de indruk van de drukke vertoning – holde als een bang hondje achter hem aan. Hij vroeg: "Luister even… mag ik weten wat hier aan de hand is?"

"Geen enkel probleem, luitenant. Gelukkig hebben we er spoed achter gezet. Er is nog niemand besmet."

"Besmet?! Waar heb jij het in 's hemelsnaam over?"

"Een besmetting, luitenant. Zoals… bij een virus. Dat begrijpt u toch?"

"Ik begrijp er niets van."

Ondertussen hadden ze – zich tussen de zwarte bestelwagens en de stoere kerels door wringend – de toegangsdeuren van het mortuarium bereikt. Elleniak duwde die open en stapte met Kamen in zijn kielzog het gebouw binnen. Daar wachtte de luitenant een tweede verrassing. Het gebouw was gevuld met tal van personen die zich in een soort knalrode ruimtepakken bevonden. Sommigen met helm, anderen hadden die al afgezet maar droegen een masker rond de nek. Er heerste een drukte van jewelste. Meetapparatuur op tafeltjes, draagbare sweep-toestellen, het kwetteren van onverstaanbare stemmen via allerlei radiokanalen. Sommigen haastten zich, anderen slenterden. De meesten hielden clipboards in hun handen met daarop lijsten, namen en andere gegevens. Kamen keek met open mond om zich heen. Wat was hier verdomme aan de hand? Een chemische oorlog? Een vrouw, verscholen in een rood drukpak, kwam met de helm onder haar ene arm bij hen.

"Meneer Elleniak. Mijn naam is Veronique LaGuest. Ik ben de verantwoordelijke van het antivirale testteam."

"Goedemorgen, mevrouw. Naar ik daarnet vernomen heb, is de situatie veilig."

"Dat is de beste manier om het te omschrijven. Wij hebben iedereen die in aanraking is gekomen met de lichamen gescand, en er is niemand besmet. Er kwamen trouwens hooguit drie personen in aanmerking. Gelukkig is alles nog goed verlopen. Geen enkele vorm van contaminatie. Anders hadden wij uiteraard zelfs u niet binnengelaten zonder beschermend pak. Of misschien zelfs in het geheel niet. Met of zonder pak."

Elleniak lachte. Volgens Kamen net iets te overdadig. Maar hij had andere zaken aan zijn hoofd. Het liefst wilde hij Raven op de hoogte brengen van de onwerkelijke toestand hier, maar er gebeurde zoveel dat hij er niet aan dacht zijn mobieltje te grijpen om haar op te bellen.

Vooral toen Elleniak zijn volgende – en erg verrassende (eigenlijk zat die kerel vol verrassingen) – stap zette.

"Goed, wat mij betreft, mogen de lijken verplaatst worden. Ik geloof dat alle voorzieningen reeds getroffen zijn?"

Veronique LaGuest knikte.

"Inderdaad. Alles werd geregeld. Er wordt natuurlijk een volledig verslag opgesteld, en dat krijgt u op uw bureel gepresenteerd."

"Het stelt mij reeds gerust dat alles in orde is. Wat volgt, is pure administratie. Doe het rustig aan, mevrouw LaGuest. Ondertussen zijn de gemoederen bedaard."

Will Kamen voelde zich letterlijk en figuurlijk aan de kant geschoven. Alles werd zomaar boven zijn hoofd en zonder zijn tussenkomst uitgevoerd. Hij voelde zich voor de zoveelste maal die dag een onbeholpen, klein kind dat stilzwijgend getuige mocht zijn van een grootse onderneming van een grootse meneer naast hem. Voor hij kon reageren, richtte Elleniak zich tot hem.

"Voor mij is het hier afgelopen, luitenant. Laat ons terug naar uw bureel gaan."

Kamen voelde dat hij pisnijdig werd. Hij haalde diep adem en was van plan op een misschien wel ongepaste of onbeschofte manier te reageren toen Elleniak – alsof hij zag wat Kamen zinnens was – zijn ene hand opstak.

"Minuutje."

Hij viste zijn gsm uit het tasje.

"Met Elleniak."

Hij draaide zich niet weg van Kamen, die zich met ingehouden adem probeerde in te houden.

"Geen problemen. De lijken worden nu overgebracht. Geen besmetting. Alles is en blijft clean."

Iemand trok aan Kamens mouw. Hij draaide zich om en keek in het bezorgde gezicht van de pathologe Rachelle Winther.

"Will, wat is er aan de hand?"

Haar bezorgdheid was op haar stem overgeslagen. Hij haalde zijn schouders op en gebaarde naar de man die achter hem stond en nog steeds telefoneerde.

"Hallo, Rachelle... jij weet evenveel als ik... hij is de baas momenteel."

"Wie is die man?"

"CIA."

"Wat?!"

Bezorgdheid die overging in verwarring.

"CIA? Wat hebben die kerels hier te zoeken?"

"Ik weet het niet, Rachelle! Blijkbaar heel veel, maar hij laat niets los. Hij heeft de nodige papieren en neemt het ganse onderzoek over. Zelfs de lijken worden nu verplaatst. Dat heb ik net vernomen."

"Waarheen?"

Kamen schaamde zich dat hij nogmaals de schouders moest ophalen.

"Ik weet het niet."

"Jezus... was me dat een overrompeling. Ik ben er nog van geschrokken. Die zwarte bestelbussen stopten hier, mannen en vrouwen in die hygiënische pakken holden binnen en liepen rechtstreeks naar het mortuarium. Iedereen die in de buurt was, werd opgepakt en moest naar de grote vrachtwagen die verderop staat. We werden gescand. Vooral de luchtwegen, longen en het zenuwsysteem werden bekeken. Het duurde hooguit een kwartier. Wat is er aan de hand, verdomme?"

"Mag ik?"

Kamen en Winther keken opzij naar Elleniak die zich tot hen had gericht. Hij draaide zijn gezicht naar Rachelle en vroeg:

"U bent?"

"Rachelle Winther, forensisch pathologe. Mijn naam staat al op jullie lijsten. Ik ben clean."

Elleniak schonk haar een ijzige glimlach.

"Daar twijfel ik niet aan, dokter. In het andere geval was u besmet en had u zich hier niet in openlucht bevonden."

"Ik heb de leiding over dit mortuarium en ik wil absoluut weten wat er aan de hand is."

Kamen schrok van de directheid van Rachelle Winther. Over de reactie van Todd Elleniak was hij nog meer verbaasd. Hij had iets anders verwacht.

"En daar hebt u volkomen recht op. Als wetenschapper begrijpt u ongetwijfeld dat ik in eerste instantie absoluut zeker wilde zijn dat er zich geen contaminatie had voorgedaan. Eerst de testen, daarna de gesprekken. De testen zijn voorbij, nu de gesprekken. Wat wenst u te weten, dokter Winther?"

Rachelle spreidde haar armen en wees naar de drukte.

"Alles, wat dacht je wel?"

"Op alles kan ik geen antwoord geven. Het ligt wel in mijn bevoegdheid u en luitenant Kamen een gedeelte van mijn kennis over te brengen."

"Zeg nu toch gewoon waar het over gaat! Waarom deze show?"

Elleniak keek geveinsd beteuterd.

"Dit is geenszins een show, dokter. Het is bloedernstig. Heel wat levens hangen af van onze bevindingen... die gelukkig negatief zijn."

"Prachtig... maar weten we nog niets meer?"

Kamen had de indruk dat Elleniak getraind was om rond de pot te draaien en op de zenuwen te werken van degenen die iets wilden te weten komen. Hij had geen zin om tussen te komen, maar dat was (gelukkig voor hem) ook niet nodig.

"De lijken worden uit uw mortuarium verwijderd."

"Waarheen?"

"Dat is één van de aspecten van dit onderzoek waar ik niet kan over uitweiden. Trouwens, de lichamen vallen niet meer onder uw bevoegdheid. Eén zorg minder."

"Maar wat is de reden?!"

Kamen zag dat Winther zich enorm opwond. Nog even en zij zou de verkeerde dingen roepen, waardoor Elleniak het gesprek zou stopzetten. Op die manier zou zij niets vernemen en kon hij vertrekken met een vette grijns op zijn gezicht. Kamen haatte Special Agent Todd Elleniak meer en meer.

"Dokter, u hebt de ontplooiing van onze diensten opgemerkt en meegemaakt. Wij werken enorm efficiënt en accuraat. U moet duidelijk begrijpen dat wij een dergelijk machtsvertoon niet zonder extreem noodzakelijke reden op de been kunnen krijgen. Alles is voorbereid. Tot in de puntjes."

Elleniak had weer *iets* gezegd. Veel te weinig om er wat dan ook mee aan te vangen. Rachelle kneep haar ogen halfdicht. Kamen verwachtte een uitbarsting. Ze richtte zich echter niet langer tot de CIA-kerel, maar wel tot hem.

"Is Raven hiervan op de hoogte?"

Kamen had geen tijd om te antwoorden. Elleniak was hem voor.

"Wie is Raven?"

"Raven Daramantez, Luitenant Daramantez werkt bij de Moordafdeling, hier in Garland."

"Dit is een zaak voor Yellowmoon, luitenant. Dit heeft zelfs niets met een moord of moorden te maken, pure zelfmoord. Die zich trouwens niet in Garland hebben voorgedaan. Vanwaar haar interesse?"

"Wij helpen elkaar soms."

"Zoals in deze gevallen?"

Kamen knikte. Hij voelde zich op z'n vingers getikt en begreep niet waarom hij het allemaal zomaar verdroeg. Waarom liet hij Elleniak voortdurend op z'n kop zitten?

"Dus, ook u voelde dat er iets vreemds was aan deze zelfmoorden?"

Ineens klonk Elenniaks stem vriendelijker. Kamen liet zijn adem in een langgerekte zucht ontsnappen.

"Daar komt het op neer. Er was inderdaad iets speciaals aan deze zaken. Wát juist wisten we niet. Omdat wij – in Yellowmoon – niet met absolute zekerheid konden vaststellen, zeker niet wat het eerste geval betreft, of het louter om zelfmoord ging, werd Raven erbij gehaald. Toen we dan geconfronteerd werden met Cockroft en nog later met Khanlowski, bleef Raven geïnteresseerd."

Elleniak glimlachte.

"Wat bewijst dat zij een uitstekende medewerkster is. Trouwens, ik ben jullie nog wat uitleg verschuldigd, nietwaar?"

"Eindelijk…" siste Rachelle Winther.

Rondom het drietal was het erg druk. Iedereen was in de weer om wat die ochtend haastig werd opgesteld, weer af te breken. De grote, zwarte vrachtwagen waarin de leden van het mortuarium werden gescreend op besmetting, was ondertussen vertrokken. Op straat ontdeden alle leden van het team zich van hun beschermende pakken. Gewone mensen, mannen en vrouwen die lachten en grappen maakten, kwamen eruit tevoorschijn. De illusie van de nerveuze toestand van daarnet was volledig verdwenen. Lijsten werden verzameld en apparatuur werd in speciale boxen opgeborgen. Zonder omhaal vertrokken de meeste van de bestelwagens eveneens. Nauwelijks tien minuten nadat met de afbraak was begonnen, lag de omgeving van het Garland Memorial Hospital er weer bij zoals vóór de aankomst van de mensen van het medische inspectieteam. Special Agent Todd Elleniak keek om zich heen en knikte tevreden.

"Eindelijk een beetje rust. Goed, uitleg dus."

"Inderdaad... ik sta op springen!"

"Geduld is een grote deugd, dokter... wij houden de heer Haylan Rasschino al een tijdje in het oog. Heel veel informatie kan ik uiteraard niet geven, omdat dat mijn bevoegdheid niet is. Ik hoop dat jullie dit binnen ons gezelschap houden?"

Kamen en Winther dachten beiden onmiddellijk aan Raven, maar toch knikten ze.

"Wij houden Rasschino dus al enkele maanden in het oog. Ons vermoeden dat hij zich bezighoudt met terrorisme – of afgeleiden daarvan – is de afgelopen weken jammer genoeg waar gebleken. Indachtig de aanval op en het instorten van de torens van het World Trade Center, begrijpen jullie ongetwijfeld dat alles wat met terrorisme te maken heeft – of er zelfs maar naar ruikt – bovenaan de lijst met erg verdachte zaken komt.

We spreken in dit geval dan specifiek over een biologische oorlogsvoering. Meer bepaald: Rasschino had contacten met leden van een buitenlandse beweging die een dodelijke vloeistof had ontwikkeld. Bij aanraking werkt die in op het zenuwstelsel. Het slachtoffer krijgt af te rekenen met waanbeelden en gruwelijke voorstellingen waar hij alleen getuige van is. Sommigen zien enkel bewegende vlekken, terwijl anderen te maken krijgen met taferelen die heel echt overkomen en waarbij monsterachtige creaturen zich gewoonlijk erg vraatzuchtig gedragen. Eigenlijk komt het erop neer dat hij of zij uiteindelijk gek wordt en er jammer genoeg een einde aan maakt. En dan nog liefst op een erg opvallende manier.

De eigenlijke bedoeling is de vloeistof in onze steden haar dodelijke werk te laten doen. De overdracht geschiedt door aanraking. Huidcontact. Ook met zweet, speeksel, sperma. Ik ben besmet, ik raak jou aan en je bent ook besmet. Zo werkt het. Eigenlijk heel eenvoudig en enorm efficiënt. Degenen die onmiddellijk waanbeelden krijgen, houden het onmogelijk lang uit. Zij worden kierewiet en plegen op een spectaculaire manier zelfmoord waardoor hun nabestaanden of mensen die het hebben zien gebeuren, op hun beurt beginnen te twijfelen aan de realiteit.

Rasschino heeft een gerechtelijk verleden. Hij was een geschikte persoon om voor terroristen ons land te infiltreren. Ik geef jullie geen details over zijn manier van werken of over de wijze waarop hij ge-

contacteerd werd. Dat is bijzaak. Het komt erop neer dat hij in het bezit was van een experimenteel – en totaal onafgewerkt – specimen van de vloeistof. Het werd door ons als het 'CBS-Liquidium' boven de doopvont gehouden. CBS: Chaos By Suicide. Waarschijnlijk was het zijn opdracht de vloeistof op enkele willekeurige slachtoffers uit te proberen. Onze vermoedens daaromtrent zijn dus jammer genoeg uitgekomen. Om de ene of de andere reden heeft hij Jeffrey Cockroft en Hanna Khanlowski uitgekozen. Een man en een vrouw, om zeker te zijn dat het op beide geslachten dezelfde uitwerking had. Wij houden al maanden alle berichten omtrent bizarre zelfmoorden in het oog, en zeker die plaatsen waar zich meer dan één feit voordoet. Yellowmoon viel natuurlijk binnen die categorie. De man was enorm nonchalant en heeft zonder veel voorbereiding zijn taak vervuld. Hij heeft zijn twee slachtoffers uitgekozen in het dorp waar hijzelf woonde, dus hoefden wij niet lang te twijfelen. Blijkbaar is hij daarbij nog heel onzorgvuldig geweest en is hijzelf het slachtoffer van zijn wandaden geworden. Enerzijds maar goed ook, maar anderzijds stelt ons dat voor enkele problemen. Hij kon ons op het spoor brengen van de plaats waar het Liquidium wordt aangemaakt. Misschien kende hij zelfs mensen die aan een tegengif werkten. Hoe dan ook, op hem kunnen we niet meer rekenen, dus zullen we onszelf moeten behelpen. De drie lichamen worden overgebracht naar een plaats waar zij aan een heel intensief onderzoek zullen worden blootgesteld. Het is onze taak ons land te beschermen tegen elke vorm van oorlogsvoering. Ook van binnenuit. Wij willen een tegengif ontwikkelen. Indien dit CBS-Liquidium ooit in productie komt en op onze steden wordt losgelaten, moeten we voorbereid zijn. Haylan was in de ogen van de vijand enkel een experiment. Misschien slechts één van de vele. Wij kunnen geen risico's meer nemen. Begrijpt u nu onze haast en noodzaak tot geheimhouding?"
Zowel Will Kamen als Rachelle Winther reageerden nauwelijks. Elleniak liet hen daarvoor ook weinig tijd. Hij keek Kamen aan en vroeg:
"Luitenant, brengt u me terug naar het kantoor?"
"Natuurlijk."
Het klonk als een instemmend gemompel. Hij draaide zijn hoofd opzij toen – als bij toeval – de drie lichamen na elkaar op draagberries uit het mortuarium werden verplaatst naar de laadruimte van de grootste van de achtergebleven bestelwagens. Het transport werd begeleid

door enkele mannen in het zwart. Heel waarschijnlijk zwaarbewapend, maar dat was niet zichtbaar. De bestelwagen werd afgesloten, en op zijn beurt begeleid door de resterende drie kleinere vans. De ganse colonne vertrok zonder veel omhaal in de richting van Yellowmoon.

Todd Elleniak knikte kort naar Rachelle Winther, stapte triomfantelijk rechtop naar de politiewagen en liet daarmee het verwarde tweetal achter. Hij wist dat zij ongetwijfeld met tientallen vragen worstelden. Hij opende de passagiersdeur en nam plaats. Voor hem was de zaak afgehandeld.

Halverwege de voormiddag – op het moment dat de zwarte bestelbussen op hun plaats van bestemming aankwamen en ongeveer een halfuur voordat Will Kamen met Raven Daramantez contact opnam – kreeg Melchior Multcher bezoek. Hij had de nacht voordien geen oog dichtgedaan, dat was zijn mening tenminste. De ganse zondag gepiekerd en de ganse nacht niet geslapen. Dat was de afsluiter van een bewogen weekend geweest.

Hij haatte Ottie Pelch. Hij haatte de muziek... het lawaai van Ottie Pelch. Het eerste wat die kerel op maandagmorgen deed, was zijn radio aanzetten om WXXW te ontvangen. Oerluid. Een onophoudelijk schreeuwen. Deathmetal. Ottie Pelch was niet op de hoogte van wat er in het hoofd van zijn medewerker omging. Eigenlijk kon hem dat ook geen ene moer schelen. Die maandagmorgen was het niet anders. Melchiors kop zat vol zorgen en omdat hij meende dat hij heel slecht geslapen had, sloeg het helse lawaai hem als een tornado in het gezicht.

Dan maar de deur van zijn hok dichtdoen. Dat maakte de ruimte waarin hij zich bevond, nog bekrompener, maar dat leek hem nog het minst onaangenaam. De werkzaamheden die voormiddag waren lauw. Nog maar twee voertuigen hadden hun 'inkopen' aan de pompen gedaan. Slechts één van hen had zich in de donkere krocht van Ottie gewaagd. Dat was het enige moment waarop hij het schreeuwen iets stiller had gezet. Maar zodra de man de deur uit was, zette hij de knop terug op tien. Melchior hoopte op meer werk (desnoods evenveel als vorige zaterdag) want hij wilde niet met zijn gedachten alleen zijn. Hij had zelfs even overwogen om een gesprek met Ottie aan te knopen, maar hij was nog nuchter genoeg om te beseffen dat zelfs een *poging* in die richting geen enkele zin had.

Het was omstreeks tien uur toen hij dan toch bezoek kreeg. Maar niet van een klant. De laatste wagen die hij had volgetankt – een oeroude Volvo – was net van het pompterrein gereden richting Brandenberg. Melchior hield de achterkant in het oog en probeerde de seconden te tellen. Hoelang kon hij de Volvo zien eer die volledig uit het zicht verdween? Bezigheidstherapie. Hij deed alles om zijn gedachten weg te houden van het voorbije weekend.

- Melchior?-

De jongen schrok op. Een rilling trok door zijn ruggengraat en hij zette zich rechtop. Hij geraakte onmiddellijk de tel kwijt en het kon hem niet schelen of hij de Volvo al dan niet nog zag rijden.

- Melchior... ik ben terug. Hoe gaat het ermee?-

Melchior Multcher wist dat hij zijn stem niet nodig had om te antwoorden. Dae Nhemm sprak hem aan van ergens diep tussen de kronkels van zijn hersenen. Dus moest hij enkel maar stil blijven zitten en de woorden die hij wilde uitspreken *denken.*

- Ik ben bang. -

Het was eruit. Zomaar. Daarover had hij niet nagedacht.

- Bang? Waarom?-

- Ik wilde dit allemaal niet laten gebeuren.-

- Toch wel!-

- Neen!-

- Toch wel! Je wilde die klootzakken om zeep helpen. We hebben elkaar geholpen.-

- Het moet nu stoppen.-

- Dat denk ik niet.-

Dae Nhemms stem klonk rauwer toen hij die woorden uitsprak. Blijkbaar verdroeg hij geen tegenspraak.

- Weet je wel wat ik vrijdag heb meegemaakt?-

- Natuurlijk! Ik was erbij. Ik ben altijd bij jou!-

Dat ene woordje 'altijd' maakte Melchior bang.

- Ik wil het niet meer. De flikken... ik ben door hen meegenomen. Ze hebben een verklaring van mij afgenomen. Wat als...-

- Wat als wat, Melchior? Wat kunnen zij jou verwijten? Niets. Helemaal niets. Het zijn allemaal klootzakken. Die ene teef was wel de moeite.-

- Je was erbij?-

- Natuurlijk. Ik heb het je toch al gezegd. Altijd.-

- En nu?-

- Nu gaat alles zijn gewone gangetje. Jij vult benzinetanken van auto's en ik doe m'n ding.-

Dat stond Melchior evenmin aan.

- En dat is?-

- Waarvoor ik besta.-

- Ik wil het niet meer. Ik wil dat je uit mij weggaat. Ik wil niets meer met jou te maken hebben.-

De lach die door zijn hersenen scheurde, was draconisch. Melchior kneep zijn ogen dicht en trok zijn hoofd tussen zijn schouders.

- Dat gaat zomaar niet, sukkel. Je hebt me bevrijd en in jou opgenomen. Ik zit daar voor altijd. Ik heb plannen. Jij kunt niet anders dan me daarbij helpen.-

Het wenen stond Melchior nader dan het lachen. Toch waagde hij een tegenzet.

- Wat als ik niet wil?-

- Denk je nu werkelijk dat je een keuze hebt? Ik ben wie ik ben en ik doe waarvoor ik deel uitmaak van dit universum. Jullie hebben een pad betreden waar jullie beter overheen waren gestapt. Er is geen weg terug. Er zijn geen goden, wel demonen. Goede en slechte. Ik ben een van de tweede categorie.-

- Ik wil het niet. Zoek iemand anders! Ik wil dat je me met rust laat. -

- Ho neen! Trouwens, zo gemakkelijk geraak je me niet kwijt. Daarvoor zijn offers nodig en ik ben er mij goed van bewust dat jij niet klaar bent om die te nemen.-

Melchior Multcher probeerde niet langer te luisteren naar de stem in zijn hoofd. Zeker toen Dae Nhemm zijn volgende zet plaatste.

- Heb je nog niets gemerkt de laatste tijd? -

Een simpele vraag waarop Melchior niet onmiddellijk een antwoord wist te verzinnen.

- Wat?-

- Je vermagert, Melch. En je haar groeit vlugger dan vroeger! Zeg nu niet dat je dat nog niet opgemerkt hebt? Probeer me niet wijs te maken dat je de veranderingen in jouw eigen lichaam nog niet hebt opgemerkt? -

Melchior kreeg het nu ijskoud binnenin zijn borst. Hij had de symptomen inderdaad eerder gemerkt, maar die volledig genegeerd. Zijn wangen waren ingevallen en zijn ogen zaten dieper in de kassen. Ook zijn haar groeide enorm vlug. De demon had gelijk. Wat betekende dat allemaal?

- *Weet je wat er gebeurt, Melch?-*

- *Wat is er?-*

- *Ik denk dat je het weet, maar het niet durft inzien!-*

- *Wat moet ik inzien?-*

- *Herinner je je Vernon LaFolette?-*

- *Vernon? Mijn neef? Natuurlijk! De flikken hebben het over hem gehad. Hij heeft spullen verkocht aan… maar hoe weet je dat?-*

- *Dat bedoel ik net, sukkel! Ik heb hen naar daar gestuurd. Jij en Vernon zijn neven. Jullie hebben een link. Die heb ik binnenin jouw hoofd gevonden. Jij vindt Vernon een toffe kerel en je wilt hem nooit een pleziertje ontnemen. Dus heb ik de drie slachtoffers naar hem gestuurd om daar de nodige zaken te kopen. Op die manier houdt hij ook iets over aan jouw wraakneming.-*

- *Ik wil niet dat je je met mijn leven bemoeit.-*

- *Sorry, maar dat gaat niet.-*

- *Ik wil het niet meer! Je moet me met rust laten.-*

- *Vernon opzoeken was een kleine moeite. Ik had er verdomme veel plezier in. Ik moet namelijk nog heel wat leren. De omgeving is veel veranderd bij de vorige keer dat men mij opriep. Er zijn meer mogelijkheden en ik heb enorme plannen. Daarvoor heb ik veel meer in mijn mars dan enkel het afschuimen van jouw geest. Kijk, ik zal je een klein voorbeeldje geven.-*

Melchior wist niet wat hem te wachten stond. Hij greep de randen van de tafel vast en plaatste zijn lichaam in een afwachtende houding. Buiten hoorde hij het hysterische gebleir van WXXW. Door de gesloten deur heen.

- *Ben je klaar?-*

- *Wat…-*

Melchior kreeg in één seconde een loeier van een erectie. Zijn pik zwol zomaar, blijkbaar zonder enige opwinding of reden, in zijn broek op. Melchior schrok van de reactie van zijn eigen lichaam. De erectie was zó hevig dat die pijnlijk was. Hij stond op omdat hij niet anders kon. De stoel waarop hij had gezeten, tuimelde achterover. Hij voelde het kloppen van zijn lid en wriemelde haastig en onhandig zijn voorbroek open. Melchior kon onmogelijk op een andere manier reageren, wilde hij de pijn reduceren. Met grote, angstige ogen stroopte hij zijn slip af en zag dat hij zichzelf nooit eerder een dergelijke stijve had bezorgd. Zijn pik stond keihard rechtop en het bloed klopte door de gezwollen aders die er als purperen kabels bovenop lagen. De ontblote eikel was gigantisch en glom in het schamele licht van het enkele peertje boven zijn hoofd. De voorhuid was tot halverwege naar beneden geschoven en spande er nauwsluitend omheen. Happend naar adem, keek Melchior stomverbaasd naar zichzelf. Het warme gevoel in zijn ballen evolueerde van gezellig en aangenaam naar irriterend. Het was alsof ook die opzwollen. Gelukkig was de deur van zijn hok dicht, wat als iemand hem zo zag staan? Met zijn broek en slip op zijn enkels en een kanjer van een stijve? De inhoud van zijn teelballen kookte. Plotseling, totaal onverwachts en allerminst gewenst, voelde Melchior dat hij klaarkwam. In een natuurlijke reactie greep hij met zijn rechterhand zijn rechtopstaande paal vast. Gloeiend heet! Beenhard. Melchior zakte bijna door z'n knieën, zó overweldigend waren de emoties die door zijn lichaam gierden. Zijn ballen trokken zich samen om vervolgens als het binnenste van een vulkaan te erupteren. Hij hapte naar adem toen hij het dikke vocht onder zijn vingers door voelde pulseren. Melchior Multcher, rechtop staande in de aandoenlijke omgeving van zijn smerige hok, slaakte een bijna wanhopige kreet toen zijn eikel nog meer opzwol en er onmiddellijk daarna een gigantische stroom sperma uit tevoorschijn spoot. Eén, twee... drie dikke, witte, langgerekte kloddders over zijn tafel heen. Zijn ganse onderbuik leek in brand te staan.

Zijn benen konden de emoties van zijn lichaam niet meer aan en Melchior viel, adem naar binnen zuigend, achterover in zijn stoel. De erectie was verdwenen en in zijn ene hand hield hij een schamele penis van normale afmetingen. Hij voelde zijn hart ongewild hard tegen de binnenkant van zijn ribbenkast bonken.

- En?-

Melchior was té uitgeput om te reageren.

- Wat vond je ervan? Krachtig, hè? Ben je al eerder op die manier klaargekomen? -

Melchior zat daar maar. Onderuitgezakt, ogen vol verwarring, openhangende mond. Zijn slip en broek nog steeds rond zijn enkels. Zijn beide armen hingen als lamme, overtollige aanhangsels naast hem. Dat had hij inderdaad nooit eerder meegemaakt. Zelfs niet in zijn heetste fantasieën.

- Begrijp je wat ik hiermee wilde aantonen, Melchior?-
De jongen probeerde zijn mond dicht te klappen, maar zelfs dat lukte niet. Hij kon ook evenmin zijn gedachten ordenen. De gloed in zijn onderbuik, ballen en pik deinden langzaam weg. Hij 'hoorde' dat Dae Nhemm tot hem sprak, maar was nog steeds niet genoeg bij zijn positieven om een reactie te geven.
- Bekijk jezelf, Melchior. Hou jezelf in het oog. Klaarkomen is een natuurlijke behoefte van elke man. Daarvoor zijn jullie geschapen. Het is één van jullie instincten. Gemakkelijk voor mij om het te controleren. Trouwens, er...-
Omdat Dae Nhemm zweeg, hield Melchior zijn adem in.
- Kijk eens door je raam!-
Melchior gehoorzaamde. Hij richtte met moeite zijn hoofd op en voelde de wervels in zijn nek protesteren en kraken. Naast de (gelukkig) nog gesloten deur was een klein raam. Melchior probeerde zijn blik daarop te focussen. Naast de voorste pomp stond een Chrysler Voyager. De man was reeds uitgestapt en naast hem stonden twee kleine kinderen. Ze wezen in de richting van zijn hok.
"Fuck!"
Melchior Multcher reageerde onmiddellijk. Hij sprong van zijn stoel op, stroopte zijn slip en broek onhandig en veel te haastig omhoog waarbij hij de slip scheurde. Vloekend werkte hij zijn onderlichaam dat nog steeds gedeeltelijk verlamd aanvoelde, in zijn broek en haastte zich – de fel ruikende vlekken sperma ontwijkend – naar buiten.
De muziek van WXXW was ergerlijk als altijd.
De zon scheen voluit, het zou een prachtige dag worden.
Dae Nhemm grijnsde binnenin Melchiors hoofd.
En Raven Daramantez nam de hoorn van het telefoontoestel op haar bureel op.

"Met Raven."
"Hey... Kamen hier. Heb je even tijd?"
"Natuurlijk. Heb je nieuws?"
"Dat kun je wel zeggen. Waar ben je?"
"Will... het is maandagvoormiddag. Waar denk je dat ik ben? In Alaska?"
"Je bent op je werk."

"Klopt. Nu je dat weet... wat loopt er verkeerd?"

"Zowat alles. Luister..."

Luitenant Will Kamen vertelde haar alles wat hij de voorbije uren had meegemaakt. Hij vertelde haar over het bezoek van de arrogante CIA-agent Elleniak en over de taak die hij met zich meedroeg. Kamen verhaalde over het wegnemen van de drie lichamen uit het mortuarium in Garland en het screenen van de medewerkers, onder wie de pathologe Rachelle Winther. Raven onderbrak hem niet. Ze nam alles heel nuchter in zich op en toen Kamen uiteindelijk ophield met praten, was haar reactie er duidelijk een van kwaadheid.

"Wat een klootzak! Jezus, Will... was alles inderdaad gerechtvaardigd?"

"Hij kon de nodige papieren voorleggen. Wij hebben uiteindelijk zijn identiteit nagetrokken. Trouwens, het is jammer dat je zijn gevolg niet hebt gezien. Het leek wel een invasie van zwarte mannen in zwarte bestelbussen. Alles moet in de buurt van Garland klaargestaan hebben. Een oplichter is niet tot een dergelijk machtsvertoon in staat."

"Het is en blijft een klootzak!"

"Hij werkte heel efficiënt en kwam toch erg professioneel over."

"Allemaal goed en wel, Will, maar er zitten toch gaten in zijn optreden!"

Raven kon niet zien dat Kamen zijn wenkbrauwen ophaalde.

"Ah? Wat dan wel?"

"Waarom werd niet iedereen, maar dan ook iedereen die met de lijken te maken heeft gehad, aan een test onderworpen? Zoals bijvoorbeeld jij en ik? En al die anderen? Alle brandweermannen? Neen, ik voel mij niet goed bij wat er gebeurd is. Waar zijn de lijken naartoe? Al die geheimzinnigheid. Het ruikt niet lekker!"

"Tja... ik voel me totaal overbodig en gepasseerd. Het was alsof ik er gewoon niet aan te pas kwam. Elleniak regelde alles en hij was duidelijk de baas."

"Ik haat zoiets. Waarom heb je me niet gebeld terwijl hij bezig was?"

"Tja... ik was té verbouwereerd. Trouwens, had je plannen om zijn activiteiten te dwarsbomen?"

Daar kon Raven Daramantez niet onmiddellijk een antwoord op geven. Kamen hoorde dat ze snoof. Hij verbeeldde zich dat haar borsten zich onder haar blouse opspanden.

"En Rasschino in contact met terroristen? Komaan, konden ze het werkelijk niet verder zoeken? Waarom geen buitenaardsen? Het is zo bizar. Zoals je het vertelt, lijkt het me een haastig in mekaar gestoken spektakel, met de enige bedoeling de stommelingen onder ons een rad voor de ogen te draaien. Het is overweldigend, spectaculair, maar vooral... hol. De lijken moesten daar weg, waarheen is een raadsel. Ik vermoed dat Elleniak iedereen op een verkeerd spoor wilde zetten."

"Het onderzoek werd mij ontnomen. Ik weet niet wat ik moet denken, Raven."

"Zit er maar niet over in, Will. Indien ik in jouw schoenen had gestaan, was ik er ook met de ogen open ingelopen. Je kon trouwens niet anders dan meewerken. Maar misschien maakt hij nog een foutje."

"Misschien. Ik weet het niet."

"Gewoon even kijken. Dat bedoel ik."

Nathaniel Duhamel keek naar zijn collega die achter het stuur van hun patrouillevoertuig zat. Danny Lahmian durfde diens blik niet retourneren. Zijn handen wrongen zich om het lederen stuur van de twee jaar oude Jeep.

Het was twee uur dertig die maandagnamiddag. Lorne Dorganson hield zich muisstil bezig met zijn werkzaamheden op QuarTech en Melchior Multcher genoot nog steeds na van het enorme orgasme dat hij eerder die dag had ervaren. Binnenin zijn onderbuik gloeide af en toe nog een nawee op en zijn ballen voelde hij letterlijk tussen zijn benen zitten. Het waren net harde, gezwollen noten. Will Kamen en Raven Daramantez hielden zich met hun eigen gedachten bezig. Kamen voelde zich verward en rusteloos. Raven daarentegen ervoer de strijdvaardigheid die zich van haar gemoed meester maakte. Wat Kamen haar had verteld, klopte niet. Er was iets anders aan de hand. Zij *wilde* weten waar die kerels mee bezig waren. Ze *wilde* weten waarom die drie mensen die gestorven waren, opeens zo belangrijk voor de CIA waren. Het enige probleem waar ze effectief mee worstelde, was hoe ze dat allemaal te weten kon komen.

Een halfuur eerder had Danny Lahmian zijn collega Nathaniel, met wie hij die namiddag patrouilledienst had, het verhaal verteld waar Dawson Venndigo hem twee dagen eerder mee had lastiggevallen. Danny kende de sobere nuchterheid van Nathaniel en had een dergelijke reactie gevreesd. Hij had zijn gedachten gefixeerd gehouden op de ernst van Dawson toen hijzelf het verhaal had verteld en op de schade die hij op diens Neon had opgemerkt. Nathaniel Duhamel had hij ingelicht tijdens het eerste halfuur van hun patrouilledienst. Achter het stuur van de Jeep was hij doelloos door Yellowmoon beginnen rondrijden, opzettelijk het gebied rond QuarTech vermijdend. Hij had Nathaniel gedetailleerd op de hoogte gebracht van de gebeurtenissen waar Dawson Venndigo het over had gehad. Hij had hem ook verteld dat hij hem beloofd had eens in die buurt rond te kijken.

"Gewoon even kijken. Dat bedoel ik."

Nathaniel bekeek Danny alsof hij net had gezegd dat zijn moeder van Jupiter afkomstig was en de liefde had bedreven met zijn vader die eigenlijk al tien jaar in het ijs van de Noordpool ingevroren zat.

"Wat denk je daar te zien?"

"Komaan, Nathaniel. Ik weet niet wat ik er moet van denken. Je kent Dawson toch ook?"

"Hij is één van de boekhouders die op de gemeentediensten werken. Dat weet ik, maar ik ken hem niet persoonlijk."

"Het is een toffe kerel. Ik heb hem nooit eerder zo meegemaakt. Ik heb de schade aan zijn wagen gezien. Nathaniel, indien je erbij was geweest, twijfelde je niet aan zijn verklaring."

Nathaniel Duhamel draaide zich terug naar voor. Danny Lahmian was een goede collega, maar nog een beetje 'groen' en daardoor té enthousiast. En dat leidde dan soms tot overhaaste reacties met alle mogelijke nare gevolgen vandien. Danny had één jaar dienst bij het politiekorps, Nathaniel had er negentien jaar opzitten. Nathaniel had dus heel wat ervaring en wist – voelde gemakkelijker aan – hoe hij bizarre situaties best aanpakte. Hij liet Danny achter het stuur van de Jeep Cherokee zijn verhaal vertellen en dacht er het zijne van.

"Danny, ik trek het verhaal van Dawson niet in twijfel. Er is schade aan zijn wagen en hij zal die er waarschijnlijk niet zelf hebben aangebracht."

"Zeker niet!"

"Dus werd zijn voertuig aangevallen of beschadigd."

"Inderdaad!"

"Maar een beest zoals hij heeft beschreven, bestaat niet."

Danny reageerde niet onmiddellijk. En dan, heel voorzichtig:

"Eh... neen."

"Dus... is er iets anders gebeurd."

"Tja... een wild dier dat het braakliggende stuk is binnengetrokken. Weet ik veel wat er allemaal rondloopt in de buurt van de stad."

"Waarom een dier? Waarom geen bende klootzakken die zijn wagen eventjes onder handen hebben genomen terwijl hij aan het joggen was?"

Danny reageerde onmiddellijk:

"Dan kwam hij zeker niet met een bijna niet te geloven verhaal naar buiten. Dawson is er zeker van: het was een beest. Het heeft hem aangevallen! Het zat hem achterna!"

"Het was halfdonker, Danny. Dawson was opgejaagd. Hij is op de vlucht geslagen. Hij was in paniek. *Wat* hij heeft gezien, weet ik niet. Het heeft hem aangevallen – misschien voelde het zichzelf aangevallen en verdedigde het zijn territorium – en sprong het daarna op zijn auto."

"Maar zo'n krassen?!"

"Een wildkat? Een ontsnapte luipaard? Ik weet het niet. Trouwens, hij is er toch overheen gereden?"

"Volgens zijn verhaal wel."

"Dus is het probleem opgelost?"

"Wat bedoel je?"

Nathaniel liet een zuchtje ontsnappen.

"Het beest is dood. Als het een ontsnapt dier is, dan heeft Dawson de moeilijkheden uit de weg geruimd. Zie je het zitten om een luipaard op te sporen en te vangen?"

"Dat lijkt me wel leuk. Een beetje spanning mag wel, vind je niet?"

"Daar heb ik zelfs geen ervaring mee, Danny. Ik ben blij dat hij het heeft doodgereden eer er nog andere slachtoffers vallen."

"Dat wel, Nathaniel. Maar ik vind dat we toch moeten kijken. Misschien ligt het daar nog ergens. Ik mag er niet aan denken dat kinderen dat vinden."

Nathaniel knikte.

"Mij goed."

Nu was het Danny's beurt om te zuchten. Prachtig. Hij was blij dat hij

Nathaniel zover had gekregen. Hij meende dat 'dat met de kinderen' de doorslag had gegeven.

"Waar ligt het… ding?"

"Dawson zei me dat hij het had overreden op de hoek van Broadway met Moon Lane."

"Daar gaan we dan…"

Danny stuurde de Jeep over de houten brug boven Tongue Creek en draaide iets verder rechtsaf, Elm Road in. De hoekige gebouwen van QuarTech doken onmiddellijk in hun gezichtsveld op. Elm Road volgde een gigantisch vierkant rond QuarTech, maar Danny reed rechts Holmen Street op, draaide vervolgens Desert Street linksop en kwam iets verder op de splitsing met Moon Lane. Er was geen ander verkeer. Danny stopte midden op het kruispunt en liet de motor van de Jeep stationair draaien.

"Waarom stop je?" vroeg Nathaniel.

"Zomaar… kijk!"

Danny wees naar links. Nathaniels blik volgde de richting waarin zijn collega wees en zag verderop het kruispunt met Broadway liggen.

"Ja… wat?"

"Niets… er ligt daar niets."

Nathaniel wreef met één hand over zijn gezicht. Hij wilde niet dat Danny merkte dat hij zich ergerde.

"Danny, rij tot daar. Dan kunnen we de plek bekijken."

Danny Lahmian schakelde in 'D' en liet de Jeep tot op het kruispunt met Broadway rollen. Waarom hij het deed, wist Danny niet, maar hij schakelde de motor niet uit toen ze beiden uitstapten. Het was er stil. Aan hun rechterkant lag een uitloper van de groene zone met daarachter County Route 332 naar Garland. Het geluid van het verkeer drong niet door tot op de plaats waar zij stonden. Danny en Nathaniel drentelden even op het lege kruispunt rond en lieten hun ogen over elk plekje op de grond gaan. Het was zelfs Nathaniel die westwaarts in de richting van het einde van Broadway keek.

"Er is hier niets te zien, Danny. Dat kun je ook vaststellen. Geen bloedspatje, geen haartje."

"Tja, dat wel. Ik vind het vreemd."

"Duistere bedoening daarbinnen," zei Nathaniel, terwijl hij in de richting van het natuurdomein knikte.

Danny keek nu ook achterom. Waar Broadway ophield, begon het stuk wilde natuur.

"Dat is eigendom van QuarTech. Eigenlijk mag daar niemand binnen."

"Er mag niet gevloekt worden. Er mag niet geneukt worden met een andere vrouw dan met de eigen echtgenote. Vrijwel iedereen doet het wel. Heel wat wandelaars en joggers maken gebruik van het stuk grond, Danny, dat weet jij toch ook. QuarTech laat het oogluikend toe."

"Jammer dat al die grond er zomaar verwaarloosd bijligt."

"Kwestie van opvatting. Wat heb je liever: een stuk ongerepte natuur of nog maar eens een nieuwe woonwijk?"

"Wat stel je voor, Nathaniel?"

De veertiger overwoog de mogelijkheden. Hij bleef nuchter en logisch.

"Kijk, Danny. Ik twijfel niet aan het verhaal van Dawson Venndigo. Hij heeft de schade niet zelf aan zijn wagen toegebracht. Zo is hij niet. Dus is hem iets overkomen. Iets heeft hem achternagezeten, en datzelfde iets heeft zijn Neon aan repen getrokken. Hij is er hier, op deze plaats – weliswaar naar zijn eigen zeggen – overheen gereden. Maar we vinden niets. Dus…"

Danny begreep nog niet waar Nathaniel naartoe wilde.

"Ja… wat?"

"Dus is het nu gewond. Misschien heeft het zich daarbinnen teruggetrokken en ligt het daar ergens te sterven. Katten reageren ook op die manier."

"Wat als het niet sterft en enorm gefrustreerd is door de verwondingen?"

"Dan is het een oprecht gevaar voor wie zich daarbinnen waagt. Het dier viel Dawson zomaar aan. Nu het gewond is, is het misschien nog honderdmaal gevaarlijker."

"Wat stel je voor, Nathaniel?"

"Dat we in de Jeep stappen en daarbinnen een rondritje doen. Misschien zien we iets, misschien valt het de Jeep aan. Dat zien we dan nog wel."

Danny Lahmian had niet op een dergelijk voorstel gerekend. Hij had eerder verwacht dat Nathaniel zou voorstellen de zoektocht op te geven en terug naar de bewoonde wereld te rijden. De misdaad tiert welig waar mensen wonen, niet op plaatsen waar enkel hagedissen op rotsen rusten of tuimelkruid over de vlakte rolt. Dat had hij van zijn vader geleerd.

Niet dat hij er tegenop zag om op zoek te gaan naar wat Dawson had aangevallen, maar toch was er dat 'iets' wat hem zorgen baarde. Dat ene ondefinieerbare. Datgene wat Nathaniel niet wilde aanvaarden. Het was dat onzekere dat aan zijn gemoed knaagde. *Wat als Dawson Venndigo de volstrekte waarheid had gesproken? Wat als het hier helemaal niet om een panter of een wildkat ging? Wat als Dawson effectief iets ontmoet had dat niet 'normaal' was?* Danny begreep zelf niet hoe hij met die gedachten worstelde. Nathaniel was veel nuchterder. Hij was het die met het idee van een panter of een ander wild dier op de proppen was gekomen. Waarom hij dan nu die vreemde kriebeling in zijn darmen voelde om – zelfs met de Jeep – het domein te betreden, wist hij niet. Het was verdomme toch geen totaal onbekende streek waar hij binnentrok, geen nieuwe planeet die hij moest verkennen?

"Waar denk je aan?"

Danny Lahmian knikte. Vreemd, hij had er wel degelijk zin in, maar tegelijk was er iets dat hem waarschuwde dat hij misschien wel beter in de Jeep stapte en rechtsomkeer maakte. Inderdaad, terug naar de bewoonde wereld, terug naar de heel herkenbare misdaad. Maar hij negeerde dat irritante, innerlijke stemmetje en stapte achter het stuur van de Jeep. Nathaniel wierp nog een laatste blik op de grond, stapte in en zei grijnzend:

"Komaan, Livingstone, we rijden de jungle binnen!"

Danny glimlachte niet en wenste dat zijn collega dat niet had gezegd. Hij stuurde de Jeep Cherokee Broadway op, passeerde het plaatsje waar Dawson Venndigo elke vrijdagavond zijn Dodge Neon achterliet, en volgde het oneffen pad dat naar de groene bebossing leidde. Gelukkig hadden ze een Jeep als patrouillevoertuig. In andere omstandigheden hadden zij zich nooit daarbinnen gewaagd. Er werd niet gesproken. Nathaniel Duhamel hield de omgeving in het oog, terwijl Danny zijn best deed om de Jeep niet in al te veel putten te laten sukkelen of bulten te laten bestijgen. Het erg oneffen pad kronkelde langs poelen, onder overhangende boomkruinen en langsheen ondoordringbaar struikgewas. Immense boomwortels die als gigantische, versteende slangen uit de bodem puilden, boden nauwelijks partij voor de Jeep, die net voor dit soort terrein ontworpen was. Het zonlicht drong met moeite tot bij de bodem door zodat ze voortdurend de indruk hadden dat ze in een mysterieus halfdonker vorderden. Kabbelende beken, metershoge bermen waarin boomwortels een oeroude strijd met het struikgewas hadden verloren en diepe dalen waarvan de bodem vol water stond. Dat waren de obstakels die de beide agenten ontmoetten en overwonnen. Nadat ze zeker een kwartier – aan wandelsnelheid – door de braakliggende eigendom van QuarTech waren gevorderd, was het Nathaniel die de eerste woorden sprak.

"Jezus… hoe groot is het hier eigenlijk wel?"

"Ik heb er geen idee van. Geen enkel idee."

Nathaniel herinnerde zich niet dat hij zich ooit zo diep in dit stukje Yellowmoon had begeven. Trouwens, het was ook nooit eerder nodig geweest, want het was privé-eigendom van de grootste firma van het stadje. *Grootste* was misschien wel een verkeerd gebruikte omschrijving voor QuarTech. *Vreemdste* zou beter zijn. Want als Nathaniel er nuchter – zoals hij was – over nadacht, wist hij eigenlijk erg weinig van dat bedrijf. Hoekig, afgelegen, met een enorme antenne op de betonnen gebouwen. *Iets met computers* had hij eens vernomen. Dat werd verteld. En dan dat groene licht 's nachts? Puur mysterie… dat hing er rond dat bouwsel. Persoonlijk kende hij niemand die er werkte. En waarom deden zij niets met dit enorme terrein waar ze doorheen reden? Bestond er een plan om een immens stuk Yellowmoon onbenut te laten? Iedereen die wilde, mocht het betreden. Er waren geen restricties en er waren nooit eerder klachten binnengekomen. QuarTech had zich nog nooit tot het politiekorps gericht met de vraag toezicht te houden op binnendringers. Blijkbaar kon hen dat dus niet eens schelen.

Het terrein was enorm uitgestrekt en helemaal niet onderhouden. Nathaniel vond dat het zelfs niet op z'n plaats was in dit deel van Montana. Het was meer iets voor de uitgestrekte wouden in de streek van New England, Maine. Hij liet het raam vijf centimeter naar beneden glijden. Danny merkte dat en fronste zijn wenkbrauwen. Vijf centimeter. Kon daar iets doorglippen? Nathaniel ving Danny's reactie op en zag de donkere jungle om zich heen, hij maakte er drie centimeter van.

Hij hief zijn gezicht op en snoof de geur op van de omgeving op die hij onmiddellijk associeerde met een kleur: groen. Groen en vochtig.

Diep, allesoverheersend en opdringerig groen. Dit deel van Montana was normaal droog en ruw, zonder veel dichte bebossing. Zijn gedachten dwaalden af. Nathaniels fantasie sloeg even op hol. Hoelang duurde het eer de natuur weer overheerste als de mens er zijn poten van afhield? Hoeveel jaren waren nodig om alles, maar dan ook alles, onder het mos te verbergen? Hij stelde het zich voor: steden als Los Angeles, Sidney, Parijs of Moskou. Volledig verborgen onder het groen. New York, Harronville, Brussel of Rome. Compleet overwoekerd door struiken en bomen. De mensen verloren hun greep op de natuur, die alles weer opeiste. Enkel zee, zand en groen. Zou dat geen prachtige film kunnen worden? Misschien konden Steven Spielberg of Peter Jackson er eens over nadenken om met dat thema een…

Danny Lahmian moest kiezen tussen een put of een bult. Hij koos voor de bult. De Jeep gromde even, wipte met het rechtervoorwiel omhoog en dook vervolgens terug naar beneden. Nathaniel had hier niet op gerekend en stootte de rechterzijkant van zijn hoofd tegen het zijraam. Alle sciencefictionbeelden vervlogen onmiddellijk.

"Godverd…"

"Sorry! Ik moest kiezen."

Nathaniel kreeg er opeens genoeg van. De dreun tegen zijn hoofd bracht hem opnieuw bij de realiteit: de reden waarom ze daar het aan ploeteren waren.

"Niets, Danny... ik heb nog niets gezien. Denk je nu werkelijk dat we nog iets zullen vinden?"

"Ik… denk het niet… ik…"

"Ik denk het ook niet! Trouwens, we moeten alles doen om niet van de weg af te geraken. Dit is niet de geschiktste manier om te zoeken. Als er iets was, hadden we het al veel eerder moeten zien. De Jeep maakt zoveel lawaai, we schrikken het verdomme af. Dawson is heel waarschijnlijk niet tot hier komen lopen?"

"Neen, hij maakt een ronde die start en eindigt bij zijn auto. Ik denk niet dat hij ooit tot hier is geraakt. Ik denk trouwens niet dat er al iemand tot hier is doorgedrongen."

Nathaniel snoof. Dat vermoedde hij namelijk ook. Het pad was veel te ruw, zelfs om zich te voet over te begeven. Hij wreef op de pijnlijke plek op zijn hoofd en zei:

"Wel, leg Dawson Venndigo uit wat we gedaan hebben. Ik wil terug, dit heeft geen zin."

Danny voelde er ook niet veel meer voor om nog dieper deze wildernis binnen te dringen. Nathaniel had inderdaad gelijk. Dit had geen zin. Ze maakten trouwens te veel lawaai.

"Okay... maar... keren zal hier wel een probleempje worden."

"Niet keren dan maar. Heb jij er enig idee van waar we zijn?"

"Helemaal niet. Kijk, daar splitst het pad!"

Danny stopte de Jeep en wees voor zich uit. Nathaniel zag inderdaad dat het overwoekerde pad waarop ze al een ganse tijd reden, zich in twee richtingen opsplitste. Hij wenste dat ze op een open plaats kwamen, zodat hij hun locatie kon verifiëren. Misschien konden ze een glimp opvangen van de antenne op QuarTech. Dat zou hen tenminste een idee geven van de plaats waar zij zich bevonden. Met de snelheid waarmee ze gevorderd waren, konden ze onmogelijk verder dan twee kilometer diep in het terrein gedrongen zijn.

"Waar wil je heen? Dit deel blijven volgen of afwijken naar links?"

Nathaniel haalde de schouders op.

"Elk voorstel is welkom. Kun je dat nu geloven? Ik loop en rij al negentien jaar in Yellowmoon rond en dit is verdomme de eerste keer dat ik verdwaald ben."

Danny bespeurde geen greintje ergernis bij Nathaniel.

"Ik volg het pad."

"Mij goed. We zien wel waar we uitkomen!"

De volgende tien minuten werd er niet gesproken. Danny concentreerde zich op de handelingen met zijn stuur en Nathaniel probeerde iets in de omgeving te herkennen. Hij mocht er niet aan denken dat net op dit moment de dispatcher hen opriep. Nathaniel kon zich de situatie beangstigend duidelijk voorstellen. *Begeef jullie dringend naar...*

"Kijk nu!"

Danny trapte op de rem. Nathaniel haatte wanneer Danny dat deed. Hij wiegde naar voren en knalde terug tegen de rugleuning van zijn zetel. Hij keek waar zijn jongere collega naar wees en vergat het voorvalletje.

"Is dit de achterkant van QuarTech?"

Nathaniel haalde zijn schouders op. Hij begreep niet goed wat hij zag. Het gebouw in het ondiepe dal voor hen leek anders dan het Quar-Tech-optreksel dat ze al jaren van op Elm Road kenden. Het was even hoekig en in beton opgetrokken. Op het dak stond een antenne die mogelijk nog hoger was dan zijn broertje. Het ganse complex was kleiner, maar zat volledig verscholen in het groen. Op de parking stonden twee zwarte bestelbussen en één grotere. In de ganse omgeving viel niemand te bespeuren. Het pad dat ze volgden, daalde van het punt waar zij zich bevonden, dwars door een klein bos, in de richting van de gebouwen beneden.

"Motor af!" siste Nathaniel.

Danny begreep niet waarom Nathaniel zo kort reageerde, maar deed onmiddellijk wat van hem werd gevraagd.

"Wat scheelt er?"

"Sst! Laat de Jeep achteruitrollen."

"Wat?"

"Geen motor! Handrem los en rollen. Achteruit!"

Danny stelde geen vragen en deed wat Nathaniel van hem verlangde. Hij voelde zich wel verveeld door de situatie. De Jeep rolde over de drassige grond achteruit.

"Okay! Stop hier."

Nathaniel stapte uit en liet zijn deur zacht tegen het slot vallen. Danny Lahmian deed hetzelfde. Hij haastte zich om de achterkant van de Jeep tot bij Nathaniel. Die had zich achter een boom opgesteld die op de rand van de richel stond. Vandaar had hij onbelemmerd zicht op het dal.

"Nathaniel… wat scheelt er? Ik wil weten wat er aan de hand is!"

"Was jij ervan op de hoogte dat daar een gebouw staat?" siste Nathaniel zonder zich om te draaien.

"Ik? Helemaal niet!"

"Ik denk verdomme dat heel weinig mensen dat weten. Wie zou het trouwens in zijn hoofd halen om zo diep in die jungle binnen te dringen? En kijk! Er staat verdomme een loeier van een omheining rond!"

Danny Lahmian stond op zijn tenen om over de schouder van zijn collega mee te kijken. Inderdaad. De betonnen blokken telden slechts één verdieping en vormden een grote U. Rond de gebouwen was er een effen strook, waarschijnlijk asfalt, maar alles was omheind. Drie meter hoog, met weelderig veel gevlochten prikkeldraad erbovenop. Het was dus duidelijk de bedoeling dat daar niemand in kwam. Op alle hoeken waren bewakingscamera's aangebracht. Op de binnenplaats, gevormd

door de twee benen van de U, stonden de bestelwagens opgesteld.
"Hier zijn ze dus naartoe gebracht!"
"Wie?" vroeg Danny.
"Je weet toch wat er deze voormiddag in Garland is voorgevallen?"
"Neen, ik heb heel lang geslapen. Ik was pas om elf uur op. Ik heb eten gemaakt, mezelf klaargemaakt en dan ben ik…"
"Luister!"
Nathaniel vertelde kort dat hij die voormiddag met luitenant Kamen had gesproken. Hij was op het kantoor binnengestapt en had gemerkt dat Kamen niet in zijn gewone doen was. Hij had net een gesprek met Raven Daramantez achter de rug en vertelde hem waar alles over ging. Danny wees vervolgens naar de bestelwagen beneden en vroeg:
"Denk je dat dat dezelfde zijn?"
"Ik durf er mijn allerlaatste kloot op verwedden! Bekijk de omgeving, verdomme. Dit zit hier weggestopt. Zelfs vanuit de lucht zijn de gebouwen met moeite zichtbaar. Er moet een weg daarheen leiden. Een weg die zelfs wij nog niet kennen. Ik vind dit verdomme erg vreemd."
"Maar er kunnen toch nog…"
"Kamen had het over zwarte bestelwagens, waarvan één groter dan de andere. Daarin werden de lijken vanuit het mortuarium in Garland naar een voor hem onbekende bestemming vervoerd."
"Jakkes… dit is dan inderdaad erg… vreemd."
"Ik vind dat Kamen dit moet weten. Wij maken verdomme toch het politiekorps van deze stad uit. Als het werkelijk om een soort virus of een levensgevaarlijke vloeistof gaat, waarom brengen ze die lijken dan Yellowmoon binnen? Waarom zij wij, als politiemacht, er niet van op de hoogte gebracht? Wat heeft QuarTech daarmee te maken?"
"Wie zegt dat die betonnen keet daarbeneden iets met QuarTech te maken heeft? Het kan misschien… kijk!" siste Danny.
Nathaniel en Danny trokken zich achter de dikke boom terug. Danny wachtte even en schoof zijn gezicht langs de stam tot hij zicht kreeg op de personen die daarnet uit de voorkant van het bouwsel waren verschenen.
"Ze stappen in. De twee kleine busjes rijden weg. De grotere blijft staan."
Nathaniel keek nu ook. Hij hoopte dat ze de Jeep niet opmerkten. Een lange poort die deel uitmaakte van de omheining, schoof open en

de twee bestelbussen haastten zich inderdaad van het terrein weg. De poort schoof onmiddellijk weer dicht. De vans verdwenen in noordelijke richting en werden heel vlug door het overheersende groen opgeslokt.

Nathaniel duwde tegen Danny's schouder.

"Die rijden door de jungle in de richting van Garland. Komaan, rij achteruit tot op de splitsing en daar kunnen we keren. Ik denk dat onze luitenant deze informatie heel interessant zal vinden."

Todd Elleniak liep door de felverlichte gang en duwde de deur van een kantoor open. Dat hij zich meer dan twintig meter onder de grond bevond, wist niemand. Enkel de leden van zijn dienst en alle betrokken partijen van QuarTech die met het Project te maken hadden, waren daarvan op de hoogte. De ruimte die hij betrad, was niet meer dan een kleine vergaderzaal. Kale muren, enkele tafels en een aantal stoelen. Meer niet. Vier TL-buizen zorgden voor een onaangenaam licht. Eén van de stoelen was bezet door een vrouw van ver boven de vijftig. Haar gezette lichaam verborg de stoel waarop ze zat volledig. Haar mollige armen lagen op een gesloten map die voor haar op de – voor de rest compleet lege – tafel lag. Haar gezwollen gezicht was overdadig bewerkt met de duurste cosmetica, maar die was niet in staat haar nervositeit te verdoezelen. Een overdaad aan veel te grote ringen ontsierden haar worstvingers waarmee ze heel opvallend aan de rand van de map pulkte. Toen Elleniak voor haar aan dezelfde tafel ging zitten, schraapte ze meerdere malen haar keel.

"Je bent nerveus?"

Nogmaals dat irriterende schrapen.

"Wat dacht je, sta me toe dat ik je zeg dat dit verkeerd loopt."

Todd schonk haar een innemende glimlach.

"Verkeerd? Wat bedoel je met verkeerd?"

"Je weet heel goed waar ik over spreek, Todd."

"Ik denk dat je verwijst naar de drie lijken die ik naar hier heb laten overbrengen?"

"Drie is te veel. Nu moet het ophouden."

"Daar werken we aan, Candice."

"Het Project bestond erin na te gaan of het mogelijk was..."

"Ik weet wat het Project inhoudt. Er zijn er drie. Nou ja, wat dan nog?"

Candice Polchner schraapte haar keel opnieuw. Eén van de nagels van haar linkerhand bleef aan de rand van de map haperen en scheurde gedeeltelijk af. De pijn gaf haar de nodige moed om voor haar mening uit te komen en daarmee tegen Todd in te gaan.

"Het moest bij het oproepen van de demon blijven!"

"Het Project bestaat uit meerdere luiken, Candice, dat weet jij toch ook. Het oproepen was het eerste. Het begin."

"En dan? Het oproepen is geslaagd. Waarom is daar niet alles mee opgehouden? Er zijn onschuldige mensen gestorven."

Todd lachte voluit. Nadat hij bekomen was, richtte hij zich over de tafel in Candices richting.

"Jij weet even goed dat mensen die sterven door het Project, onmogelijk onschuldig kunnen zijn. Jij weet goed waarom. Jij staat aan het hoofd van QuarTech en bent de officiële verantwoordelijke van het Project. Ik ben slechts de controleur en degene die ingrijpt als het extreem verkeerd loopt. Wat tot nu toe nog niet voorgevallen is."

"Ik wil niet dat nog iemand moet lijden. Het Project..."

"Dat is pas gestart, Candice. Stop met rond de pot te draaien. Dae Nhemm werd opgeroepen. Dat was het eerste luik. Bewijzen wat hij waard is, was het tweede. De drie lijken in de koelkasten *zijn* daarvan het bewijs. Luik Eén en Twee zijn afgewerkt. Nu moeten we hem enkel nog opnieuw insluiten. Dan pas zal het Project geslaagd zijn."

Candice Polchner besefte dat Todd Elleniak gelijk had. Ze wist waar ze aan begonnen was. Maar toch bleef er die twijfel.

"*Enkel* nog insluiten? Wat als dat mislukt? Wat als er dingen gebeuren waar wij niets kunnen tegen doen? We weten er namelijk niet 'alles' over, zelfs veel te weinig naar mijn mening! Ik ben aan het Project begonnen... uit winstbejag en drang naar roem, Todd, dat geef ik toe. Naarmate we..."

"Eigenlijk ben ik niet geïnteresseerd in jouw persoonlijke overwegingen, Candice."

De vrouw negeerde de onbeleefde onderbreking.

"Toen we die buitenstaanders erbij betrokken, vond ik dat we te ver gingen. Het had volledig binnen QuarTech moeten blijven. Volledig binnen de mantel. Ik denk dat we een potje opengetrokken hebben waarvan we de diepe inhoud niet kennen."

"Candice. Je moet toch beseffen dat wij niet zomaar onvoorbereid aan een onderneming van dergelijke grootte en intensiteit beginnen. Wij hebben... *ik* heb een volledige carte blanche. Ik mag doen wat ik wil om het Project als een geheel tot een goed einde te brengen. Enkel nog het derde luik. Dan enkele dikke verslagen maken en die overmaken aan de bureaucraten in Washington. Dan zit het er voor ons op wat deze zaak betreft."

"Ik ben er toch niet gerust in, Todd. Wat als..."

"Je denkt te veel, Candice, dat is jouw probleem. Ik heb vrij spel. Dat betekent dat ik veel kan verdoezelen of recht trekken zodat het voor sommigen onverstaanbaar is. Heel wat hoge functionarissen houden hun handen boven het Project, dat weet je toch, nietwaar? Er is veel geld met dit Project gemoeid. Er hangen veel hoge jobs van ons welslagen af."

Candice knikte.

"Je mag zeggen wat je wilt, Todd. Ik ben er met veel enthousiasme en een gerust hart aan begonnen. Ik zag er het nut van in, maar na verloop van tijd heb ik nagedacht. Eigenlijk hoeft het voor mij niet meer. Indien ik eruit kon stappen, zou ik het onmiddellijk doen. Volgens mij... heb jij het goede verloop van het Project niet in de hand."

Het was eruit. Dat was de ene zin die Candice eigenlijk al een ganse tijd had willen zeggen. Toen de bussen de drie lijken meer dan een uur geleden hadden binnengebracht, had een blik op de verhakkelde lichamen in de diepvriezers de doorslag gegeven. Dit ging te ver. Het ganse gedoe lag al een tijd op haar maag, en nu dat nog! Het werd te veel. Todd Elleniak was niet de eerste de beste en het vooruitzicht hem te ontmoeten, woog zwaar op haar. Maar nu was het er eindelijk uit. Candice Polchner had een reprimande van jewelste verwacht, maar niets was minder waar. Special Agent Todd Elleniak liet zich ietwat onderuitzakken en vroeg op een heel rustige toon:

"En als ik vragen mag, waar besluit jij dat uit?"

Nu pas waagde Candice het hem aan te kijken. De ganse tijd had ze naar de afgebroken nagel van haar linkerhand zitten staren. Stelde hij die vraag om de spot met haar te drijven? Uit zijn houding bleek dat niet. Hij wachtte op het antwoord.

"Ik *besluit* dat niet, Todd. Ik heb gewoon een slecht gevoel over wat we doen. Een *voor*gevoel. Noem het vrouwelijke intuïtie. Lach me uit en verwijt me mijn sentimentaliteit, het kan mij niets schelen. Ik kan me niet van de indruk ontdoen dat het slecht zal aflopen. Vraag me niet hoe het komt dat ik dat voel… het is er gewoon. Ik stel geen enkel vertrouwen in Dae Nhemm."

"Dat is jouw volste recht, Candice."

"Wat als hij niet in te sluiten valt?"

"Wat bedoel je?"

Candice snoof. Todd wist goed wat zij bedoelde.

"Wij bemoeien ons met zaken die enkel op legendes en mythes gebaseerd zijn. Op verhalen en overleveringen. Wij beschikken over geen enkel tastbaar bewijs dat de zaken waar wij mee bezig zijn, effectief doeltreffend en verantwoord zijn in onze tijdsgeest. Er doen zich misschien aspecten voor waar wij niet op hebben gerekend, net omdat wij er te weinig concrete informatie over hebben. Er zijn ongetwijfeld zaken die wij niet opmerken omdat wij niet weten dat ze zich voordoen. Wij *zien* die gewoon niet gebeuren! Er is namelijk geen bruikbaar precedent om onze gegevens aan te spiegelen. Misschien is Dae Nhemm zelfs niet in te sluiten!"

Todd ging weer rechtop zitten.

"Dan stoppen we het Project. Ook dat ligt binnen mijn bevoegdheid."

Candice voelde dat ze nerveus werd. Die kerel werkte op haar zenuwen. Reeds vanaf de eerste dag dat ze met hem in zee was gegaan.

"Het Project is in gang gezet, Todd. Het eerste en tweede luik zijn afgewerkt. Ik bedoel gewoon: wat als je er niet in slaagt luik drie tot een goed einde te brengen? Wat als Dae Nhemm zijn taak verder blijft doen?"

Todd vertrok met een onaangename grijns waar een door het leven geharde vrouw als Candice Polchner het ijskoud van kreeg. Wat hij op haar vraag antwoordde, ratelde als een lading ijsblokjes langs haar ruggengraat.

"Wees gerust, Candice. Dae Nhemm en wat hij veroorzaakt, kan en zal Yellowmoon niet verlaten. Zelfs daarvoor heb ik carte blanche. Hoe erg en hoever ik het ook moet laten komen, niemand zal mij vragen stellen. Er zijn daaromtrent toch precedenten, dat zou je wel moeten weten. *Zover* gaat mijn bevoegdheid."

"Wat vertel je me daar allemaal?"
"Net wat ik zeg, luitenant, elk woord is de waarheid."
"Niet dat ik daaraan twijfel, Nathaniel, maar..."
Will Kamen keek verward en overdonderd naar Nathaniel Duhamel die rustig voor zijn kantoormeubel stond. Die had net het ganse verhaal van hun bevindingen verteld. Hij had er geen gras laten over groeien. Zonder omwegen hadden hij en Danny het braakliggende terrein verlaten en zich terug naar het kantoor begeven. Daar had Nathaniel zich onmiddellijk bij luitenant Will Kamen aangeboden om als een opgewonden kind te vertellen wat hij had meegemaakt en gezien. Kamen voelde zelf aan dat Nathaniel niet in zijn normale doen was. Het was duidelijk dat de man iets had meegemaakt dat niet als normaal kon worden beschouwd.
"Wat deden jullie daar eigenlijk?"
"Patrouille. Een vriend van Danny had afgelopen vrijdag in die buurt een confrontatie met een dier gehad dat hij niet onmiddellijk kon thuisbrengen. Danny wilde een kijkje nemen."
Kamen reageerde niet. Hij zat duidelijk verveeld met de nieuwe situatie. Hij tokkelde even met de vingers van zijn rechterhand op zijn bureaublad en zei vervolgens:
"Nathaniel, doe me een plezier. Zeg aan Danny dat hij in alle toonaarden zwijgt over wat jullie daar hebben gezien. Ik wil niet dat er een stampede ontstaat op dat terrein, dat trouwens privé is. Ik wil geen problemen. Momenteel blijft iedereen daar weg, begrepen?"
Nathaniel knikte.
"Komt in orde, baas."
Hij draaide zich om zijn as en verliet Kamens kantoor. De agent was ternauwernood verdwenen of Kamen greep de hoorn van de telefoon en toetste een nummer in. Er werd bijna onmiddellijk opgenomen.
"Met Raven Daramantez."
"Kamen hier. Ga zitten, ik heb nieuws."
Aan de andere kant van de lijn, in de beslotenheid van haar eigen kantoor, glimlachte Raven haar parelwitte tanden bloot. Eindelijk kwam er wat schot in de zaak.
"Ik zit. Kom maar op, Will."
"Luister, Nathaniel Duhamel is hier net buiten. Raad eens wat die van-

namiddag heeft gezien?"

Raven haatte dergelijke spelletjes.

"Weet ik veel... de ontblote achterkant van Elvis?"

Even was er stilte aan de kant van Will Kamen. Raven stelde zich grinnikend Kamens gezicht voor. Verward, niet begrijpend.

"Will... komaan, wat scheelt er?"

Kamen stak onmiddellijk van wal met het verhaal dat Nathaniel hem had overgemaakt. Raven onderbrak hem niet. Maar toen hij uitverteld was, was haar reactie tamelijk furieus.

"Ik ga erop af. Dit kan niet."

"Raven, ik denk niet..."

"Will! Garland is bij deze zaak betrokken. De lijken zijn binnen de grenzen van mijn bevoegdheid weggenomen door een overheidsdienst. Er is nog nergens een officieel rapport dat het om zelfmoord gaat. Wat mij betreft kan een onderzoek waar wij mee bezig waren, niet afgewerkt worden. Ik wil weten wat er aan de hand is."

"Je bent niet de enige, Raven."

"Luister Will, ik ben kwaad. Razend! Ik wil niet dat er dingen achter mijn rug gebeuren. Ik ga er onmiddellijk heen!"

"Raven... misschien is het beter..."

"Ik hou je op de hoogte, Will!"

Raven Daramantez legde dicht. Kamen luisterde nog even naar het irritante geluid aan zijn rechteroor en legde vervolgens ook de hoorn op het toestel. Hij moest het haar nageven: Raven was een harde tante die niet over zich heen liet lopen. Het was bij hem zelfs niet opgekomen een bezoekje aan QuarTech te brengen.

Luitenant Raven Daramantez stalde haar Dodge Stratus tamelijk hardhandig op de bezoekersparking voor de gebouwen van QuarTech. Haar woede was nog steeds niet gekoeld. Eigenlijk begreep ze zichzelf niet. Raven kon moeilijk overweg met haar eigen reactie op wat Kamen haar een kwartier eerder verteld had. Tijdens het rijden had ze geprobeerd wijs te geraken uit alle emoties die door haar heen raasden. Frustratie stond het hoogst op de lijst genoteerd. Maar dat was een overkoepelend gevoel. Onderliggend herkende ze kwaadheid omdat niemand haar had ingelicht. Ergernis omdat ze zich gepasseerd voelde. Nijd omdat ze geen zicht had op wat er in werkelijkheid gebeurde.

Ze knalde de deur van de Stratus dicht. Ervan overtuigd dat ze de bazen van dat betonnen gedrocht de les zou spellen, stapte ze kordaat de brede trappen naar de hoofdingang op. Het bloed bruiste door haar aderen. Deze keer was ze niet van plan zich te laten afwimpelen. Als er inderdaad iets ergs aan de hand was in deze omgeving – wat die CIA-agent volgens Kamen had beweerd – dan moest elke politionele instantie in de streek zeker op de hoogte zijn. Dat was het minste. Al die geheimdoenerij haatte ze. Raven haalde regelmatig adem, ze voelde zich nog steeds kwaad en wilde niet onredelijk overkomen.

Ze bereikte de bovenste trede en stapte onder het uitstekende gedeelte dat 's nachts groen oplichtte, het plateau vóór de deuren op. Op het linkergedeelte van de dubbele deur was een grote letter Q in het glas ingewerkt. Rechts de T. De donkere materie liet haar niet toe naar binnen te kijken. Ze greep de langwerpige houder vast en voelde de koude ervan in haar hand.

Ineens kreeg Raven een ingeving. Zomaar. De vrouw bleef staan alsof ze versteend was. Licht voorovergebogen, haar ene hand om de houder geklemd.

Doe het niet. Ga daar niet binnen. Laat niet in je kaarten kijken.

Kaarten? Wat staat er op die kaarten? Niets. Okay, laat ze dan maar denken dat je 'iets' weet. Niemand kent jou, hou het zo. Blijf uit de buurt van die kerels, zodat ze jou aan niets of niemand kunnen linken. Niemand weet dat je ook bij de zaak betrokken bent. Hou het zo. Dat geeft jou heel wat vrij spel.

Raven vroeg zich af waarom ze zich plotseling zo kalm voelde. Door dat besef? Ze liet de houder los, liet een langgerekte zucht ontsnappen en draaide zich met haar rug naar de glazen deuren. Heel rustig liep ze over het plateau, nam de treden tot bij haar wagen en stapte in.

Met beide handen bovenop haar stuur meende ze dat het de beste ingeving van die dag geweest was. Ze startte haar motor en reed op een slakkengangetje Elm Road af.

14. Melchior Multcher
Paniek

Dinsdag, 21 juni 2005.

Vernon LaFolette hield er niet van zijn gesprek met een klant te onderbreken. Het was even over halftien in de voormiddag. Hij keek achterom naar het telefoontoestel op de toonbank dat luidruchtig om zijn aandacht schreeuwde. De oude man die reeds tien minuten twijfelde over de aankoop van een nieuwe tuinschop, reageerde begrijpend. Hij had er Vernon bij gevraagd omdat hij meer informatie wilde. Vernon was daar onmiddellijk op ingegaan en had de man uitleg gegeven over de verschillende schoppen, het gebruik en het onderhoud ervan en uiteraard de prijzen die enorm verschilden. Net toen de man zijn aandacht op de duurste gevestigd had en uitweidde over de voordelen van een welbepaalde schop, ging de telefoon op de toonbank voor de eerste maal over. Vernon glimlachte nerveus, want hij wilde de man effectief de duurste laten meenemen. Het ijzer smeden terwijl het heet is. Hij probeerde het irriterende oproeplawaai te negeren, maar Vernon zag dat de klant er begrip voor had.

"Neem gerust op, meneer, ik wacht hier wel even."

"Dank u, ik haast me terug, het duurt niet lang."

Vernon holde zo vlug zijn korte, dikke beentjes het toelieten. Hij greep de hoorn vast en bedwong zijn stem.

"The Workman's Shop in Garland. Waarmee kan ik u van dienst zijn?"

"Vernon, het is Melchior."

"Melchior? Je belt op een slecht moment, jongen. Ik ben met een klant bezig."

In zijn naar benzine stinkende hok langsheen County Route 332 in Yellowmoon krabde Melchior Multcher nerveus over zijn kin. Hij had er lang over gedaan om zijn neef op te bellen. Nu hij het eindelijk aandurfde, was het dan op nog een slecht moment? Melchior had geen zin om zich te laten afschepen.

Eerder die ochtend aan de ontbijttafel zei zijn vader hem dat hij meer moest eten. *Je ziet er als een bleke, zieke versie van Magere Hein uit.* Terug in zijn kamer, bekeek hij zichzelf kritisch in de spiegel. Tot zijn eigen ontsteltenis moest hij vaststellen dat zijn vader gelijk had. Hij zag zijn ingevallen wangen, nog steeds bedekt met putten en builen. Hij keek naar zijn ogen die diep in de zwarte kassen lagen. Melchior was niet erg tevreden met wie hij voor zich zag. Toen hij zich in de badkamer opfriste, werd het nog erger. Hij kwam daar tot de vaststelling dat hij op korte tijd inderdaad enorm vermagerd was. Benen en armen als bonenstaken. Nauwelijks nog vel over been. Hij zag er niet uit. Melchior voelde zich nochtans niet ziek. Hij wist dat hij nog steeds evenveel als vroeger at, maar toch was er overduidelijk iets aan de hand met hem.

"Ben je er nog?"

"Eh... Vernon. Kun je even luisteren, het is belangrijk."

"Mijn klanten zijn ook belangrijk, neef!"

"Vernon, stop dat gelul! Luister naar me."

"Ik kan niet momenteel. Weet je wat, ik handel eerst mijn klant af en bel je dan terug. Ik heb je nummer."

Melchior was eerst van plan te reageren, maar bedacht dat het misschien het beste was. Als hij nu aandrong, zou Vernon maar met een half oor luisteren.

"Okay, maar haast je!"

Melchior klapte zijn mobiel telefoontoestel dicht net op het moment dat een grasgroene Toyota naast de pompen stopte. Dat kwam goed uit.

Vernon bracht zijn handelszaak met de oude man tot een goed einde. Die kocht de duurste schop en nam zelfs nog enkele andere zaken mee waarvan Vernon nooit had gedacht dat hij die aan een klant kwijt zou geraken. De oude kraker was vrijgevig, wat Vernon enorm apprecieerde. Zeker voor de eerste klant van die dag. Toen hij de deur uit was, bleef Vernon LaFolette nog even nagenieten van de financiële opsteker. Daarna pikte hij goedgemutst de hoorn op, tikte Melchiors nummer in en wachtte.

"Melchior."

"Vernon hier, waar had je me nu zo dringend voor nodig?"

Melchior haastte zich naar binnen. De Toyota reed County Route op in de richting van Brandenberg. Hij wilde niet dat Ottie zag dat hij telefoneerde. Dat ging die klootzak helemaal niet aan.

"Vern... ik weet niet hoe ik er moet aan beginnen. Je hebt bezoek van de politie gehad?"

"Hoe weet jij dat?"

"Omdat ik erbij betrokken ben!"

"Wat?!"

"Niet bij *betrokken*... ik heb er iets mee te maken."

Het goede gevoel waar Vernon zich daarnet nog in wentelde, zonk heel vlug weg. Hij ging op de kleine kruk achter de toonbank zitten.

"Er is hier inderdaad een heel mooie dame geweest die me allerlei vragen stelde over enkele personen die hier zaken hebben aangekocht. Ik ken hun namen niet. Ze liet haar kaartje achter en heeft me gevraagd haar te bellen als..."

"Haylan Rasschino. Hij kocht touw. Jeffrey Cockroft. Die kocht plakband. En Hanna Khanlowski. Zij kocht twee jerrycans."

Even hoorde Melchior enkel de ademhaling van zijn neef. Dan was hij er terug. Duidelijk meer opgewonden dan daarnet.

"Hoe weet je dat allemaal?"

"Ik heb diezelfde vrouw van de flikken ontmoet. Ik weet alles, Vernon. Die drie mensen hebben zelfmoord gepleegd. Ik heb het de vrouw Khanlowski zelfs zien doen. Ik stond erop te kijken."

"Maar..."

"Ik wil je gewoon iets vragen, Vernon."

"Eh... ja?"

"Die drie reageerden niet normaal, hè. Ze deden *raar*, nietwaar. Ik weet het, Vernon, vraag me niet hoe, dat kan ik niet zeggen. Maar wat ik jou wil vragen: als er in de toekomst nog iemand binnenkomt die op dezelfde manier reageert, verkoop hem dan niets. Begrijp je me? Niets. Helemaal niets. Wat hij ook wil kopen, weiger het! Het is heel belangrijk."

"Melchior, ik weet niet in welke duistere zaak jij betrokken bent, maar de politievrouw heeft me gevraagd haar op te bellen als er nog iemand binnenkomt die – zoals jij zegt – raar reageert. Wat scheelt er? Wat is er aan de hand? Drie mensen kopen bij mij goederen en alledrie plegen ze er zelfmoord mee. Ik voel me daar niet goed bij."

"Jij hebt er niets mee te maken. Meer kan ik momenteel niet zeggen,

Vernon. Maar doe zeker wat ik heb gevraagd. Verkoop hem of haar niets. Helemaal niets."

"Wel... als ik jou daarmee kan helpen, wil ik dat wel doen. Maar als je de tijd of de zin hebt: vertel me dan eens het ganse verhaal, okay?"

"Zal ik doen, neef, zal ik zeker doen. Afgesproken?"

"Ja, maar... mag ik die politievrouw opbellen mocht iemand zich aanbieden?"

"Doe maar, Vernon, bel haar gerust op."

"Okay... afgesproken!"

Aan beide kanten werd dichtgelegd. In Garland bleef Vernon LaFolette verward achter. In Yellowmoon probeerde Melchior Multcher het vibreren van zijn darmen onder controle te houden. De zenuwen gierden door zijn onderbuik. Hij was blij dat hij die vraag aan Vernon had gesteld. De afgelopen dagen had hij met zichzelf geworsteld om een uitweg te vinden. Een eerste stap in die richting had hij gezet. Net toen hij zichzelf wilde feliciteren om het feit dat hij dat had aangedurfd, kreeg hij bezoek.

- Wat ben je van plan, Melch?-

De stem in zijn hoofd voelde aan als een rauwe tong die over zijn hersenen gleed. Melchior wist ondertussen dat het geen zin had te proberen dat geluid te negeren. Dus antwoordde hij maar op wat Dae Nhemm vroeg.

- Ik wil ermee stoppen -

- Ik ben pas begonnen. Jij spreekt al van stoppen?-

- Genoeg, Dae Nhemm. Ik hou op. Vernon verkoopt niets meer. -

- Dat is vlug opgelost, Melch. Maar denk je dat daarmee alles opgelost is? Denk je nu werkelijk dat het zo simpel is en dat ik me zo vlug zal laten afschepen? -

- Ik vertel alles aan de flikken! -

- En die zullen jou geloven? -

Melchior reageerde niet op die laatste vraag omdat hij wist dat Dae Nhemm gelijk had. Niemand zou hem geloven.

- Hou je maar klaar, Melch. Het echte feest begint nu pas! -

Kamen genoot er overduidelijk van dat Raven op en neer door zijn kantoor streulde. Hij was geamuseerd door haar overweldigend mooie lichaam dat zich voor zijn ogen heen en weer bewoog. Kamen sloeg in alle stilte het wiegen van haar heupen, het bewegen van haar kont en het deinen van haar borsten gade. Raven was tien minuten eerder binnengekomen. Ze slaagde er niet in langer dan vijf seconden stil te zitten. Er was duidelijk iets wat haar enorm agiteerde. Terwijl ze van de ene kant naar de andere kant van de ruimte stapte, gaf ze uiting aan haar frustratie.

"... en plotseling hield ik het voor bekeken. Zomaar, voor de glazen deuren."

"En dan ben je weggereden?"

"Inderdaad. Heel rustig. Ik weet niet wat mij die ingeving bezorgde. Misschien is het gewoon mijn vrouwelijk instinct."

Kamen vond dat ene woordje enorm toepasselijk. *Vrouwelijk*. Raven stond nu stil voor zijn bureautafel. De benen lichtjes gespreid, de handen in de heupen. Hoe mooi kon een vrouw wel zijn? Haar jeansbroek was aansluitend, op bepaald plaatsen een beetje te veel zelfs. Maar daar had hij geen moeite mee, integendeel. Haar halflange vest stond open en daaronder droeg ze – zoals meestal – een zijden blouse. Bovenaan genoeg geopend om hem (en waarschijnlijk elke man) enkel de gedachte aan haar volle borsten toe te laten. Zeker toen zij zich vooroverboog en haar handen op zijn tafel plaatste. Zijn ogen rolden bijna uit hun kassen toen hij in haar decolleté keek en merkte dat zij een bordeauxkleurige beha droeg met aan de bovenkant een fijn...

"Je geilt op mijn tieten!"

Kamens gezicht liep rood aan. Hij richtte zijn blik onmiddellijk een kleine twintig centimeter omhoog en zag haar geveinsd kwade blik én glimlach. Hij veerde vanuit zijn liggende positie naar voor en hoestte een brok door.

"Ik vertrouw de zaak niet, Will. Er is een geurtje aan."

Kamen was blij dat Raven niet langer op zijn gedrag reageerde én dat zijn telefoon ging. Hij hoestte nogmaals een brok door en greep de hoorn.

"Met Kamen."

Hij herkende de stem onmiddellijk en voelde er zich niet erg prettig door. Hij knipte met de vingers en duwde op de meeluisterknop. Raven richtte al haar aandacht op het korte gesprek dat volgde.

"Met Todd Elleniak."

"Goeiemorgen, agent Elleniak, wat kan ik voor u doen?"

"Ik ben iets vergeten te vragen, luitenant. Iets heel belangrijks."

"En dat is?"

"Dat u mij onmiddellijk op de hoogte brengt van nog eventuele zelf-moorden in uw stad. Dit is van cruciaal belang. Wij willen uiteraard niet dat het CBS-Liquidium zich toch op de ene of de andere manier uitspreidt. Ik hoop dat u daarmee akkoord gaat?"

"Volledig. Dat komt in orde."

"Dank u."

Er werd dichtgelegd. Raven haalde diep adem en draaide zich om haar as. Kamen betrapte er zich op dat hij nu naar haar in de jeans verpakte kontje zat te staren. Hij richtte zijn ogen gelukkig tijdig naar omlaag. Raven richtte zich terug naar voren. Het was alsof ze zich van hem had weggedraaid om na te denken.

"Verwacht hij dan nog zelfmoorden?"

"Ik weet het niet. Zo te zien wel."

"Hij weet meer dan hij ons heeft willen vertellen, Kamen. Voel je dat niet?"

"Ik weet niet wat ik moet denken, Raven. Ik weet niet wat ik moet doen.

"Het probleem is: wat *kunnen* wij eraan doen? Die Elleniak-kerel *is* een agent van de CIA en hij *heeft* de nodige papieren om ons opzij te zet-ten. We staan voor een gesloten deur."

"En dat haat ik!"

Als een nijdig kind stampte Raven met haar ene voet op de grond. Ka-men merkte dat haar borsten op en neer wipten op het ritme. Ze had gelijk: hij geilde op haar.

H et was op dat moment kwart voor tien in de voormiddag. Blijkbaar moest Ottie Pelch zich niet lekker voelen, want de oorverdovende muziek van WXXW was enkel op de achtergrond hoorbaar. Melchior had zich afgevraagd of Ottie misschien eindelijk doof was geworden en overwoog even om hem dat effectief te vragen, toen een oude Volvo-stationwagen zich naast de pompen parkeerde. Een kerel van ongeveer dertig stapte uit. Vanuit zijn hok, waar Melchior opstond om de klant te bedienen, was er reeds een eerste blik van herkenning. Zoiets van: *ik heb die kerel nog ergens gezien. Ik herken zijn gezicht, maar vraag me niet van waar of wanneer. Vraag me ook geen naam, ik weet niets.*

Melchior verliet zijn hok en stapte op de man naast de Volvo af. Naarmate hij dichter in de buurt kwam, was hij er zeker van dat hij de man kende. Van vroeger, van toen zij kinderen waren. De man prutste de benzinestop open en knikte naar Melchior.

"Gooi hem maar vol."

Melchior meende zelfs dat hij de stem herkende. Hij haakte de pomp uit de houder en deed wat hij al jaren deed: hij vulde de benzinetank van de wagen en wachtte tot de klant zelf het gesprek opende. De meesten wachtten af, betaalden en vertrokken. De toestand van het weer was een welkome start, maar tot een goed gesprek kwam het zelden. Hoewel het op Melchiors lippen lag om er zelf over te beginnen, hield hij zijn mond. Hij had zaken genoeg aan zijn hoofd. Herinneringen ophalen – *het is zeker iemand uit mijn jeugd* – zat er vandaag niet in. Na het tanken betaalde de man wat hem werd gevraagd en stapte terug achter het stuur van de Volvo. Melchior bleef langer dan normaal naast het voertuig staan. Net voor hij – licht voorovergebogen- de sleutel in het stopcontact stak, draaide de man zijn gezicht naar hem toe en knikte een soort bedankje. Dan fronste hij de wenkbrauwen. Even maar. Genoeg voor Melchior om te laten merken dat ook *hij* een fractie van een herkenning verwerkte. De man rechtte zich en draaide zijn raam naar beneden. Zijn linkerelleboog leunde naar buiten en hij keek Melchior vragend aan.

"Ik kan me vergissen, meneer, maar ben jij uit de streek afkomstig?"

Melchior was blij dat de kerel er zelf over begon.

"Inderdaad. Ik ben hier geboren en woon hier nog."

"Je hebt hier school gelopen?"

"Klopt? U ook?"

"Neen, maar... als ik me niet vergis... ben jij... Mullish? Mullchan?"

"Multcher. Melchior Multcher!"

De man klopte met zijn hand op de deur.

"Ik dacht het. Ik ben Clive Haskett."

Nu was het Melchiors beurt om de wenkbrauwen te fronsen. Het gezicht herkende hij, weliswaar in een oudere vorm, maar de naam zei hem niets.

"Clive Haskett?"

Het was alsof hij de naam op zijn tong proefde. Maar de smaak daarvan bracht geen herinneringen naar boven. De man glimlachte.

"Inderdaad. Van zodra ik je zag, wist ik dat ik jou kende. Ik kan me heel moeilijk namen herinneren, maar gezichten blijven mij altijd bij."

Ja, vooral dat van mij.

Melchior was kwaad op zichzelf. *Dat doe ik mezelf aan! Stop daarmee.*

"Ja, maar misschien herinner je je Stephen beter?"

"Stephen Haskett?"

Er rinkelde nog steeds geen belletje.

"Mijn broertje."

Melchior wroette als een op hol geslagen mol door zijn geheugenbanken.

"Clive en Stephen Haskett?"

"De speelvelden naast de school. Sta me toe dat ik je help. Wij woonden – en wonen nog steeds – in Garland. Elke grote schoolvakantie kwamen Steph en ik een ganse week bij tante Oomie logeren. Hier, in Yellowmoon."

Tante Oomie. Die naam zei Melchior wel iets. Plotseling barstten de deuren van zijn herinneringswereld open. Beelden en ervaringen werden naar buiten gedreven en ontmantelden zich binnenin zijn geest. *Tante Oomie.* Mattentaarten. Lekkere geuren. Warme, luie zomermaanden. Droge, hete lucht die de longen verschroeide. Bruingebakken huid. Stoffige zomervakanties die meestal saai waren. Meisjes met lichte blouses en losse haren. Imposante cabriolets die door de straten cruisden. Twee jongens die uit Garland in vakantie kwamen en hem graag in hun gezelschap hadden. Clive en Stephen. Twee toffe kerels die hem niet afwezen omdat hij lelijk was. Hij speelde hun spelletjes graag mee. Op de speelvelden van zijn jeugd.

Melchior voelde zich week worden. Het was de afgelopen jaren zijn mening geweest dat alle herinneringen aan de prettige gebeurtenissen uit zijn jeugd voorgoed uit zijn geheugen leken te zijn gewist. Nu bleek echter dat die dus enkel verborgen zaten onder een dikke, grijze laag slechte ervaringen. Kijken in het gezicht van iemand die hem goede herinneringen bezorgde, was een apart gevoel. Melchior voelde zich gelukkig. Hij was niet het enge kereltje met niets anders dan een donkere toekomst voor zich. Hij had ook zaken om met een positieve ingesteldheid op terug te blikken.

"Je knikt! Je glimlacht! Het komt terug naar boven?"

Clive had er duidelijk zelf plezier in dat hij voor Melchior een prettig moment betekende.

"Jawel. Nu herinner ik het me. Tante Oomie en haar mattentaarten."

"Mmmm... overlekker! Tante Oomie is verleden jaar overleden. Ze was bijna negentig en woonde al een hele tijd niet meer in Yellowmoon." Melchior haalde zijn schouders op. Hij kon onmogelijk alle gezichten uit zijn jeugd bijhouden. Als iemand Yellowmoon verliet, gebeurde dat meestal in stilte, zonder hoge trom. Daardoor viel haar of zijn afwezigheid de meeste blijvers niet op.

"Heel weinig reis ik via deze weg naar huis. Nu moest ik iets in Brandenberg verrichten, maar meestal werk ik meer naar het noorden."

"Hier is niet veel veranderd. De speelvelden naast de school zijn er nog steeds. Soms ga ik er naartoe."

Clive Haskett praatte nog even over hoe hij zijn jeugd met veel plezier in Garland doorbracht maar toch altijd uitkeek naar de vakanties in Yellowmoon. Hij zei dat hij zich de momenten samen met Melchior herinnerde als prettige ervaringen. Melchior van zijn kant probeerde eveneens zaken van vroeger naar boven te halen en aan zijn gast te verhalen. Het gesprek duurde zeker nog een vijftal minuten. Melchior had zich al aan enkele vlugge blikken in de richting van Ottie's winkel gewaagd, maar waarschijnlijk kon het die kerel niets eens schelen dat Melchior een klant bezig hield. Er bood zich trouwens geen nieuwe aan.

"Ik moet er vandoor. Ik heb nog enkele dingen te doen onderweg. Luister, ik weet nu dat ik je hier kan aantreffen. Ik zal Steph je groeten overmaken en misschien komt hij hier ook weleens langs!"

Melchior voelde zich goed bij dat voorstel. Clive hief zijn arm van de deurstijl op en stak zijn hand in Melchiors richting. De jongen bedoelde het goed. Hij sloot zijn vingers om die van Clive... en voelde Dae Nhemm onmiddellijk reageren. Die had zich de ganse tijd afzijdig gehouden. Maar nu barstte een kracht uit Melchiors borst los, flitste door zijn arm en hand en verliet zijn lichaam via de vingers die de hand van Clive omsloten. Alles gebeurde in een fractie van een seconde. Melchior wilde dat helemaal niet. Hij trok onmiddellijk zijn hand terug, maar het was reeds te laat. Melchior merkte het aan Clives blik, maar wilde dat niet laten zien. Hij zag het terwijl hij een afschuwelijk schuldgevoel probeerde te omzeilen met een glimlach, die waarschijnlijk veel weghad van een doodsgrijns. Clives ogen waren ineens dof geworden. De glimlach was er op slag uit verdwenen. Zelfs het bloed leek uit zijn gezicht te zijn weggetrokken. Clive keek Melchior even verward aan, draaide zich toen naar voren, startte de motor en reed van tussen de pompen weg. Zonder nog één woord te zeggen.

Melchior bleef zwaar aangeslagen achter. Hij stond daar maar, niet goed wetende hoe hij met de situatie moest omgaan. Hij had dit helemaal niet gewild.

- Ik heb het je toch gezegd! -

Melchior schrok op van de stem die door zijn hoofd raasde. Hij keek op. Ottie stond achter zijn toonbank en had geen enkele interesse voor de waardeloze persoon die zich tussen de pompen ophield. Melchior haastte zich naar zijn hok en ging achter zijn tafeltje zitten. Alle zenuwen in zijn lichaam rilden.

- Héla! Ben je daar nog? -

- Laat me met rust! -

- Dat heb ik gedaan! Ik heb je toegestaan om een hele hoop zeemzoeterige herinneringen op te halen. Wat een slijmerig gelul was me dat? Ik werd er misselijk van! -

Melchior had de meeste moeite om zijn trillende lichaam onder controle te krijgen. Hij ervoer het als een plotse griepaanval, gepaard gaande met hoge koorts.

- Ik wilde dat niet. Clive heeft me niets misdaan. Ik wilde niet dat... jij in hem terechtkwam! -

Het lachen dat hij binnenin zijn hoofd hoorde, sneed als scherpe messen door zijn hersenen.

- Ik heb je gewaarschuwd, jongen, vanaf nu doe ik wat ik wil. Niet omgekeerd. -

- Maak het ongedaan! Ik wil niet dat hem iets overkomt! -

- Onmogelijk! -

- Ik wil het! -

- Jij hebt vanaf dit moment nog heel weinig te willen! -

- Ik was je daarnet bijna vergeten! Ik wilde hem gewoon de hand schudden. Je deed het opzettelijk! -

- Natuurlijk! Ik hield me stil en sloeg toe van zodra de kans zich voordeed. Je lette niet op! -

Melchior boog voorover en legde zijn voorhoofd op zijn tafel. De zenuwen in zijn buik trokken zich pijnlijk samen. Dit kon niet langer. Hij

had het niet meer onder controle. Dit was niet wat hij zich aanvankelijk had voorgesteld.
- *Dit is nog maar het begin, Melchior. Jullie hebben me gewekt. Jullie*
hebben mij vrijgelaten en nu moeten jullie daar maar de gevolgen van
dragen. -
Melchior wist dat het geen zin had om niet te luisteren.
- *Je bent slecht.* -
Opnieuw dat gierende lachen. Zijn hoofd werd geteisterd door vurige
lichtflitsen. De pijn in zijn buik werd nog erger.
- *Heb je daar even gelijk, Melchior. Maar dat wist ik. Ik heb het eerder al*
gezegd: er zijn goede en slechte demonen. Ik ben één van de laatste soort.
Heel slecht gezelschap voor het menselijke ras. Nu heb ik genoeg geoefend
en begin ik met het echte werk. -
- *Wat... bedoel je?* -
- *Ik ben een demon, Melchior. Ik ben opgeroepen met een reden en heb*
slechts één taak. Dus moet ik die uitvoeren. -
- *Nee... stop het!* -
- *Zo gaat dat niet! Zo gaat dat helemaal niet. Trouwens, je slaat een af-*
schuwelijk figuur. Ga rechtop zitten, je hebt een nieuwe klant!-
De pijn in zijn onderbuik en hoofd verdween op slag. Melchior rechtte
zich en zag, inderdaad dat een Volkswagen naast één van de pompen
was gestopt. Hij probeerde zich te beheersen. Hij stond op, maar voelde dat zijn benen het waarschijnlijk niet lang uithielden.

Zeven minuten later zat hij opnieuw op zijn stoel in het hok. De
vrouw die de Volkswagen bestuurde, had één minuut eerder de
terreinen verlaten. Melchior was diep in gedachten verzonken. WXXW
was enkel nog een irritant zoemen dat hem als het ware vanuit een
andere wereld bereikte. Het was alsof hij er eindelijk in geslaagd was
volledig tot zichzelf te komen. Dit was volgens hem het moment om
Lorne Dorganson op de hoogte te brengen. Dit kon niet langer. Hij
had de zaak op gang gebracht. Hij was er verantwoordelijk voor en had
volgens Melchior de opdracht alles een halt toe te roepen. Hij greep
zijn mobieltje, duwde de noodzakelijke knoppen in en wachtte.
"Met Lorne!"
"Melchior hier. Heb je even, het is... erg."
"Wat? Ik ben op mijn werk bezig. Waarom bel je me hier op?"

"Er is een nieuwe overdracht geweest."

Even stilte. Melchior hoorde snuiven aan de andere kant van de lijn.

"Waarom heb je dat gedaan? Ik had gezegd dat je je moest kalm houden."

Melchior stelde zich onmiddellijk verdedigend op.

"Ik heb niemand opzettelijk aangeraakt. Ik schudde gewoon iemands hand. De overdracht gebeurde zonder dat ik het wilde. Ik kon het niet tegenhouden. Het ging trouwens veel te vlug... en buiten mijn wil om."

Melchior meende dat hij Lorne hoorde vloeken. Omdat zijn vriend niet onmiddellijk verbaal reageerde, vroeg Melchior:

"Wat denk je daarover, Lorne? Ik wil niet dat die man iets overkomt."

"Luister, Melch. Praat er met niemand over. Als die kerel eraan gaat, heb jij er niets mee te maken, okay? Zelfs al komen de flikken jou opnieuw opzoeken, je houdt je mond. Begrepen?"

"Ik vind dit helemaal niet leuk meer, Lorne. Ik wil dit echt niet meer. Ik wil dat Dae Nhemm mijn lichaam en geest met rust laat!"

"Ik ben met iets bezig, Melch. Nog even! Ik probeer te zorgen voor een afs... wacht... er komt iemand aan, tot later. We bellen..."

Melchior wachtte niet tot Lorne het gesprek volledig beëindigd had. Hij klapte zijn gsm dicht en legde die op de vuile tafel voor zich.

Agent Danny Lahmian was een man die altijd probeerde van zijn woord te zijn. Hij had zijn vriend Dawson Venndigo beloofd een onderzoek naar het dier die zijn Dodge Neon had beschadigd, uit te voeren en was dat nog steeds van plan. Het feit dat hij gisteren samen met Nathaniel Duhamel met de Jeep op stap was geweest, maar met lege handen thuis was gekomen, betekende niet dat hij het onderzoek voor bekeken hield. Hij had Dawson beloofd dat hij zou ontdekken waar het om draaide (zeker nadat hij de schade aan zijn voertuig had opgemerkt), en hij was dan ook van plan zijn zelfopgelegde opdracht naar behoren uit te voeren. Op veel enthousiaste medewerking van Nathaniel hoefde hij niet meer te rekenen. Daar was hij zich van bewust. Om die reden had hij zich tot de piepjonge stagiaire Annie Mouhaird gericht. Annie was één van de twee leerlingen van de politieschool in Garland die in het korps van Yellowmoon hun tweede stageperiode liepen. Nu kregen ze de toestemming een dienstdoende agent te vergezellen tijdens een routineopdracht.

Danny beschouwde het zoeken naar een doodgereden dier als een routineopdracht. Hij had het wicht veel minder informatie verschaft dan hij Nathaniel had gegeven en vond dat een wijze beslissing. Op zijn vraag of zij zin had om samen met hem een ritje te maken – hij vertelde haar dat hij iets moest zoeken, en dat vier ogen meer zagen dan twee – ging zij onmiddellijk akkoord. Alles was beter dan daar zomaar in dat muffe bureel zitten wachten tot de wijzers van de klok nog maar eens een volledig toertje achter het glas hadden gemaakt. Trouwens, stagiairs deden er best aan te doen wat hen gevraagd werd. Dat stond goed in stageverslagen die aan de mentoren en leraars werden overgemaakt. De twintigjarige Annie Mouhaird was verre van een imposante verschijning. Net groot genoeg om te voldoen aan de toelatingsvoorwaarden. Eigenlijk was ze klein en tamelijk corpulent. Sommigen vervingen 'corpulent' gewoon door 'dik'. Ze had mollige armen en over haar ganse lichaam lag duidelijk zichtbaar een goed onderhouden vetlaagje. Danny had eerder al opgemerkt dat ze zware borsten had. Haar haar droeg ze gemillimeterd en haar neus was veel te groot. Alle aandacht ging naar die kanjer van een neus. Danny grapte er met de makkers op het werk over dat zij waarschijnlijk nog maagd was. Wie zou zich trouwens aan een relatie met een deegklodder als Annie Mouhaird wagen? De grappen en grollen waren vulgair, van een erg laag niveau en vooral zwaar seksistisch geladen. Maar hem vergezellen, dat mocht ze. Hem van dienst zijn, daar was ze goed voor. Haar gebruiken om zich niet alleen door die jungle te moeten wroeten, daar had hij geen problemen mee. Omdat zij die dag de enige stagiaire was, had hij dan ook geen keuze. Tijdens het rijden uitte ze haar tevredenheid over het feit dat ze eindelijk de baan op mocht.

"Ik vind het enorm prettig dat je me meegevraagd hebt, agent Lahmian."

"Danny... hou het bij Danny."

"Okay, Danny dan maar."

"Dat agent-gedoe hou je voor op school."

"Mij goed. Eh... u zei me dat u naar iets op zoek was?"

Danny knikte. Hij draaide op dat moment de Wooden Brigde Road op. De banden van de Jeep knarsten door het grind aan de zijkant van de weg.

"Klopt. Iemand die ik ken, heeft hier verleden zaterdag een dier gezien."

"Een dier?"

"Een dier, ja. Hij kon het onmogelijk thuisbrengen. Hij vreest dat het
een beest is dat ergens ontsnapt is en zich in het brakke land achter de
firma QuarTech heeft teruggetrokken."

Hij wees naar de contouren van het betonnen gebouw en de gigantische antenne rechts voor hen.

"Is het gevaarlijk?"

"Helemaal niet... hoewel, dat denk ik toch niet. Ik wil gewoon zien
wat het is."

"Oh..."

Annie deed geen moeite om haar desinteresse te laten merken. Het
enthousiasme waarmee ze aan de tocht was begonnen, slonk onmiddellijk. Haar reactie vertelde Danny meer dan genoeg. Wat ze dan wel
had verwacht, daar had hij enkel het raden naar. Maar daar wilde hij
zich zelfs niet mee bezig houden.

"Gewoon uitkijken tijdens het rijden, Annie. Als je iets ziet, dan gil je
maar."

Annie Mouhaird draaide enkel haar hoofd naar rechts en keek uit het
raam.

Met Clive Haskett ging alles vlug. Heel erg vlug. Hoe Melchior het
ook wenste, niemand kon in die tijdsspanne enige reddingsactie
ondernemen. Clive reed net Garland binnen toen hij de zwarte,
gevleugelde vormen door de lucht zag zweven. Aanvankelijk wist de
man niet wat hem overkwam. Hij keek om zich heen, maar zag niemand
anders omhoogkijken. Niemand – er waren verdomme veel mensen
op de been op dat moment van de dag – schonk enige aandacht aan
de gigantische wezens die statig boven de huizen van Garland gleden.
Clive kreeg geen tijd om er zich lang door te laten imponeren. Hij was
namelijk niet langer alleen.

Iets of iemand in zijn hoofd zei hem dat hij een winkel moest binnengaan en een aantal goederen moest kopen. Dae Nhemm wist uiteraard dat Melchior Vernon had ingelicht en wist daardoor ook dat
de agenten Vernon reeds hadden bezocht. Om voortijdige moeilijkheden te vermijden, liet hij Clive binnengaan in een andere winkel

dan *The Workman's Shop*. De zaakvoerster, een vrouw van boven de zestig, schonk weinig aandacht aan het vreemde gedrag van de man in de winkel. Hij gedroeg zich zoals Haylan Rasschino, Jeffrey Cockroft en Hanna Khanlowski vóór hem, maar daar had de vrouw natuurlijk geen weet van. Voor haar was de klant één van de vele waco's die deze aarde bevolkten. Zijn idiote gedrag zorgde voor wat animo waardoor de saaiheid van haar dagen – zij het maar even – doorbroken werd. Wat kon het haar schelen dat hij onophoudelijk om zich heen keek om duidelijk alles in de gaten te houden? Wat kon het haar schelen dat hij aanvankelijk niet wist om welke reden hij haar zaak bezocht en het leek alsof hij op een opdracht binnenin zichzelf wachtte? Hij luisterde naar een innerlijke stem, dacht de vrouw, maar wist niet hoe dicht ze daarmee bij de waarheid zat.

Uiteindelijk, nadat hij een tijdje had staan knikkebollen, kocht hij een sterk touw van twaalf meter lang. Dae Nhemm had vrij spel. Met Rasschino en Cockroft had hij zich een beetje moeten inwerken, met Khanlowski ging het al veel gemakkelijker. Nu was het kinderspel. Hij besloot dat Clive Haskett de laatste was 'om mee te oefenen'. Hij kon daarna eindelijk aan het *grote* werk beginnen.

Clive Haskett wierp het touw in de koffer en reed naar het treinstation van Garland. Daar plaatste hij zijn voertuig mooi in het rijtje. Hij hing het touw om zijn ene schouder, sloot zijn wagen zorgvuldig af en wandelde een eind de straat in. Tussen twee woningen in wurmde hij zich door het struikgewas tot tegen de treinberm. Boven hem zweefden nog steeds de afgrijselijke, zwarte monsters door de lucht. Hij hoopte dat ze geen aandacht voor hem hadden, maar hij had daar maar weinig vertrouwen in. Als hij de enige was die ze opmerkte, had dit toch wel een doel. Maar Clive Haskett stelde zichzelf niet langer vragen. De vreemde stem in zijn hoofd vertelde hem wat hem te doen stond. Clive probeerde de logge beesten te negeren en naar de bevelende stem te luisteren. Het was het enige wat hij *kon* doen. Alsof alle andere waarden uit zijn geest verdwenen waren. Hij had geen herinneringen meer, geen gedachten meer aan zijn gezins- of familieleden en zelfs geen emoties meer. Hij klauterde op de berm. Het enige wat nog telde, was waar hij op datzelfde moment mee bezig was.

Clive bereikte hijgend de rand en richtte zijn blik naar links, in de richting van het station waar meerdere treinstellen op een tiental treinsporen stilstonden. Hij sleurde het touw mee toen de stem hem zelfs vertelde welke trein hij diende te nemen. Wat de opdracht *nemen* op dat moment betekende, wist Clive niet. Dae Nhemm zorgde er zelfs voor dat zijn slachtoffers niet langer in staat waren veronderstellingen te doen. Enkel zijn wil was belangrijk.

Clive Haskett deed wat hem werd ingegeven.

Hij haastte zich tot bij de laatste wagon van een trein en zorgde ervoor dat niemand hem bezig zag. Het ene eind van het touw knoopte hij ergens aan de onderkant vast. Hij verzekerde zich meerdere keren van de stevigheid van de knoop eer hij met het andere eind zijn beide voeten omwond.

Daarna legde hij zich languit op de dwarsbalken. Clive Haskett bleef liggen en vroeg zich niet af waarom hij zoiets deed. Dat kon hij ook niet.

Acht minuten later zette de trein zich in beweging. De volgende halte was het kleine station in Yellowmoon. Toen de trein daar aankwam, was Clive Haskett al dood. Zijn lichaam was niet meer dan een verhakkeld lijk dat nog steeds aan het touw vasthing. Alle bovenkledij was verdwenen. De rechterarm was net boven de elleboog afgerukt en eindigde daar op een rauwe stomp waaruit een versplinterd bot door het gescheurde vlees naar buiten stak. Het lichaam was zó toegetakeld door de wrijving met de stenen, de rails en de houten dwarsbalken dat zelfs het vel en het vlees van de rug en de borstkas volledig verdwenen waren. De linkerarm was op meerdere plaatsen gebroken. De bovenkant van het hoofd was samen met de herseninhoud verdwenen. De schedel was kapotgeslagen op één van de bouten waarmee de rails in de balken vastzaten. Dat gebeurde nadat alle andere vernielingen aan zijn lichaam reeds waren toegebracht.

Eén van de treinwachters vond Clive Hasketts lijk waarna uiteraard pure paniek ontstond. De politie werd ingelicht en was heel vlug ter plaatse. Iedereen die kon verwittigd worden, werd op de hoogte gebracht van de gruwelijke ontdekking in het station van Yellowmoon. Luitenant Will Kamen kwam persoonlijk ter plaatse, net als die onmogelijk mooie agente van Garland, Luitenant Raven Daramantez. Kwade tongen beweerden dat Kamen iets met haar had, maar dat was pure jaloersheid natuurlijk. Kamen belde van bij de sporen naar Special Agent Todd Elleniak. Politiemensen vormden een beschermende perimeter rond het lijk en toen even later – tot grote ergernis van Raven – Elleniak met zijn gevolg aankwam, werd iedereen gevraagd de plaats te verlaten. Iedereen, met inbegrip van alle lokale politieleden en leden van elk korps dat niet van Yellowmoon was. Elleniak had het over mogelijk besmettingsgevaar. Niemand – zelfs Raven niet – waagde te reageren. Als het dan *toch* waar was, dan...

Tientallen foto's werden genomen. Een groep van gespecialiseerde mensen namen stalen van alles en nog wat. Het lijk werd uiteindelijk in een plastieken zak in een van de ondertussen bekende, zwarte bestelwagens gedumpt en uiteindelijk werd de plaats weer vrijgegeven. De ganse actie onder leiding van Special Agent Todd Elleniak nam hoogstens anderhalf uur in beslag.

Mensen die de ganse zaak van op afstand bekeken, vonden het een vreemde situatie. Tientallen geüniformeerde agenten stonden in voor het afsluiten van een enorme cirkel rond de plaats waar een kleine groep – in veiligheidspakken gestoken kerels – zich bezighielden met iets aan de achterkant van een stilstaande trein. Helemaal afzijdig stonden nog andere mensen. Bezig met zich aan de situatie te ergeren, er was een heel mooie vrouw die haar ongenoegen niet onder stoelen of banken stak. Haar gestes waren van die aard dat het overduidelijk was dat zij helemaal niet akkoord ging met wat verderop bezig was.

Voor de bestelwagens in colonne vertrokken, kwam Todd Elleniak Kamen melden dat hij er persoonlijk voor zou instaan dat de familie van de overledene werd ingelicht. Ook alle restanten van de lichaamsdelen en brokstukken zouden worden opgeruimd tussen dit station en dat van vertrek in Garland. Tevens moest nagegaan worden met wie hij vandaag nog in contact was gekomen. Een grondig onderzoek zou misschien uitwijzen dat...

Uiteindelijk werd het Raven allemaal te veel. Voor Kamen haar kon tegenhouden, draaide ze zich abrupt om (ze had al de ganse tijd uit de buurt van Elleniak willen blijven) en plaatste zich op dezelfde hoogte van Kamen.

"... zal misschien uitwijzen dat..."

"Sorry, maar ik ben de mening toegedaan dat je uit je nek lult!"

Elleniak was het niet gewend onderbroken te worden. Toch produceerde hij een stralende glimlach en richtte zich op de vrouw die hem ongevraagd had aangesproken.

"Ik vermoed dat jij luitenant Raven Daramantez bent? Politie Garland?"

"Dat klopt. Maar ik blijf erbij: je lult."

Kamen had zin om zijn hoofd tussen zijn schouders in zijn lichaam te trekken. Dit was nu weer eens typisch Raven. Elleniak bleef glimlachen en zei heel rustig:

"Mevrouw, sta me toe te vertellen dat uw mening hier niets terzake doet."

Raven voelde dat haar gezicht rood werd. Het gloeide op.

"Er zit hier veel meer achter dan je laat blijken, speciaal agent van de CIA. Jouw zogezegde onderzoek zit vol gaten. Het is één grote hoop gelul die wij helemaal niet slikken. Wij zijn niet achterlijk, mocht je dat denken. Haylan heeft niets te maken met daden van terrorisme. Hou ons niet voor de gek! Wij hebben hier zekere bevoegdheden, en als er iets gebeurt, is het noodzakelijk dat wij volledig op de hoogte gehouden worden van...

"Net zoals luitenant Kamen hier, staat iedereen die een actie onderneemt in deze zaak, onder mijn persoonlijk bevel. U dus ook. De onderzoeksbevoegdheden werden luitenant Kamen ontnomen en gezien het hier duidelijk om zelfmoorden gaat, heeft de Moordafdeling van Garland hier eigenlijk niets te zoeken."

"Ik ben niet van plan..."

"U gaat uw boekje te buiten, mevrouw. Ik begrijp uw poging tot inmenging niet. U hebt met deze ganse affaire niets te maken. Ik vind het dus heel ongepast dat u mij de les wilt spellen."

De glimlach was er nog steeds. Raven voelde hoe haar gezicht steeds meer aanliep. Nu haalde ze ook gejaagd adem. Elleniak keek haar onverstoorbaar vriendelijk aan. De kerel was absoluut zeker van zijn zaak.

"Meer nog. Ik wil het woord 'obstructie' nog niet gebruiken, maar u begrijpt ongetwijfeld dat ik in de mogelijkheid ben om uw persoon in een heel slecht daglicht te stellen. Ik geloof niet dat het uw intentie is mijn onderzoek te dwarsbomen of tegen te werken? Of verkiest u dat ik u laat verwijderen?"

De kwaadheid die Raven in haar lichaam voelde, deed haar ogen bijna opvlammen. Ze draaide zich abrupt om en stapte van het tweetal weg. Elleniak richtte zich tot Kamen.

"Zo, dat was dat. Hmm… hevige dame. Goed… de plaats is weer vrij-gegeven. Het lichaam – of wat ervan rest – wordt uiteraard door ons meegenomen voor verder onderzoek."

Kamen kon niets anders doen dan knikken. Hij had geen zin om het onderwerp van de betonnen optreksels in het dal achter QuarTech in het midden te gooien. Kamen had geen zin om door Todd Elleniak op zijn vingers te worden getikt. Het was duidelijk dat de man geen inmenging wilde. Kamen vreesde trouwens dat hij tot heel wat in staat was.

"Okay… ik dacht niet dat het anders zou verlopen."

Elleniak keek naar de wegstappende Raven.

"Ik mag erop rekenen dat jij je hitsige collega in toom houdt?"

"Raven laat zich niet gemakkelijk in toom houden. Ze heeft een eigen wil."

"Net zoals ik, luitenant."

"Dat heb ik al gemerkt."

"Ik heb geen probleem met wat uw opmerking inhoudt, luitenant. Het is mijn taak deze trieste zaak tot een goed einde te brengen. Daarvoor heb ik heel veel armslag gekregen. Héél veel. U brengt mij trouwens op de hoogte van nog meer dergelijke gevallen?"

"Natuurlijk. Heb ik een keuze?"

"Neen."

"Dus… misschien tot later."

Kamen liet Elleniak achter en volgde Raven. Ze reageerde niet op zijn stem toen hij haar naam riep, waarschijnlijk omdat ze met iemand via haar mobieltje sprak. Toen hij haar bereikte, haakte ze net in.

"Ik heb met Vernon LaFolette in Garland gebeld."

Kamen keek haar verveeld aan. Hij wilde haar zeggen dat ze zich niet langer met de zelfmoorden mocht bemoeien, maar kon het niet. Niets of niemand kon Raven Daramantez zeggen wat ze mocht of kon doen. Wanneer hij haar zo zag staan, kwam in hem het beeld op van een nij-dig paard dat absoluut niet wilde getemd worden. Misschien was het beter niet op haar tenen te trappen.

"En wat wist die kerel?"

"Hij heeft niemand over de vloer gehad die touw heeft gekocht."

"En wat betekent dat?"

Raven keek Kamen verbaasd aan.

"Komaan, Will. Rasschino, Cockroft én Khanlowski hebben hun goederen bij LaFolette aangekocht. Alledrie gedroegen ze zich vreemd. Hij heeft me van Hanna op de hoogte gebracht. Van deze kerel, hoe heet ie ook alweer... Haskett... weet hij niets af. Dat betekent dat hij ofwel dat touw reeds in zijn bezit had, of dat hij het ergens anders heeft gekocht."

"Goed, maar dat lost weinig op."

"Het is misschien zelfs geen zelfmoord in de lijn van de drie vorige." Kamen schudde het hoofd.

"Dat kan niet, Raven... niemand maakt er op die afschuwelijke manier een eind aan. Die kerel moet enorm geleden hebben. Kun je je dat voorstellen? Aan een koord door een trein meegetrokken worden?'

Raven zuchtte.

"Misschien heb je wel gelijk, Will. Sorry."

"Sorry is hier niet nodig. Ik besef hoe je je voelt, Raven. Elleniak is veel te machtig. Alles gebeurt boven ons hoofd."

"Ik voel me overbodig! Dat is het! Het is alsof er geen rekening met mij gehouden wordt. Dit is een heel ernstige situatie en wij worden als in de weg lopende schoolkinderen opzijgeschoven. Will, wees nu eerlijk. Wij hebben hier toch ook iets in te zeggen? Dit kan toch niet?"

"Blijkbaar wel!"

"Elleniak is een eikel. Zo'n arrogante zak!"

"Probeer je daar niets van aan te trekken, Raven. Iemand als Elleniak doet wat hij wil. Hij heeft een enorme verantwoordelijkheid en een gigantische ruggensteun. Daar kunnen wij niet tegenop!"

Raven schopte enkele stenen weg. Ze keek op en Kamen verloor zichzelf bijna in haar prachtige ogen.

"Dat ben ik ook niet van plan, Will. Ik ga er niet tegenin, helemaal niet. Ik ga er gewoon omheen. Ik vind het bijvoorbeeld vreemd dat het Todd geen barst kan schelen wat wij hebben ontdekt. Ik bedoel daarmee de aankopen van de goederen in Garland. Hij stelt ons geen vragen, doet geen onderzoeken, laat niets verifiëren en laat ons er volledig buiten. Voor hem zijn onze bevindingen totaal onbelangrijk. Hij legt geen enkele link tussen die Melchior-kerel en zijn neef in Garland. Hij speelt zijn spel op een compleet andere manier, wat mij doet vermoeden dat hij gelogen heeft. Ik wil weten wat er écht aan de hand is."

Nu was het Kamens beurt om te zuchten.

"Raven..."

"Met of zonder jouw hulp, Will!"

Ondertussen was het bijna middag. Melchior hield zich in zijn hok op en probeerde zich te concentreren op het uitzicht op County Route richting Brandenberg. Net toen hij zich bijna bevrijd voelde van alle demonische gedachten, hoorde hij zijn gsm overgaan. De zenuwen in zijn buik spanden zich samen toen hij het toestel tegen zijn oor bracht.

"Hallo?"

"Melchior? Vernon hier. Stoor ik?"

"Eh... neen, wat scheelt er?"

Het feit dat Vernon LaFolette hem belde, deed zijn darmen als kronkelende slangen bewegen. Vernon belde nooit. Dit betekende weinig goeds.

"Ik weet niet wat er scheelt. Ik heb daarnet een gesprekje gehad met die vrouwelijke agente, dat prachtige ding, je weet wel wie ik bedoel."

"Raven?"

"Ja..."

"Wat wilde ze weten?"

"Of ik de afgelopen dagen een touw aan iemand had verkocht?"

"Een touw? Maar dat wist ze toch al? Haylan Rasschino kocht..."

"Neen, die kerel niet. Veel recenter."

Het kronkelen van zijn darmen werd nog erger.

"En? Heb je iemand over de vloer gehad?"

"Neen! Die vrouw met haar jerrycans was de laatste... die raar deed!"

De donkere wolken die in Melchiors hoofd terechtgekomen waren, deinden open. Dat was dan toch goed nieuws.

"Dus, sedert Hanna is niemand meer langsgekomen?"

"Neen!"

"Okay! Dat is heel goed."

"Melchior? Wat is er aan de hand?"

Hij voelde aan het timbre in de stem van zijn neef dat hij zich niet op zijn gemak voelde.

"Niets, Vernon. Alles is onder controle."

"Dat hoop ik."

Nadat er aan beide kanten dichtgelegd werd, liet Melchior zich onderuitzakken. Dan toch even een positieve noot?

Candice Polchner ontving Todd Elleniak deze keer niet in de steriele vergaderzaal, net boven de nog veel koudere diepvriezer. Ze wachtte hem op in haar 'normale' kantoor, op de tweede verdieping van QuarTech. Een plek waar zij door iedereen gezien mocht worden. Ze rilde nog na van wat ze beneden – in het andere complex – had gezien. Todds mannen hadden een vierde lijk binnengebracht, of toch wat er in de verschillende zakken van overbleef. Zij had Todd onmiddellijk opgebeld. Ze eiste dat hij haar ogenblikkelijk de vereiste uitleg kwam geven.

Maar nu ze op zijn komst wachtte, kreeg ze de indruk dat hij haar had ontboden, en niet omgekeerd. Veel tijd om op dat gevoel in te gaan, kreeg ze niet, want Todd deed de deur van haar kantoor open. Hij had niet aangeklopt, hij had zich op geen enkele manier aangemeld. Hij was er gewoon. Candices eerste indruk was dat hij niet in zijn normale doen was. Nerveus? Onzeker? Dat was dan wel de allereerste keer sinds ze hem had ontmoet.

"Er is een vierde dode gevallen."

Dat waren zijn eigen woorden. Het was meer dan een gewone 'melding' van het feit. Candice meende dat ze er een zweem van verwarring in bespeurde. Todd had zich in gezelschap van Will Kamen en die mooie Raven erg ongevoelig gedragen, maar als hij het aan zichzelf durfde toegeven, was er dat kleine haartje dat kriebelde. Hij voelde zich ineens niet zo heel erg zeker meer van de manier waarop hij het Project nog steeds binnen de perken kon houden. Luik Een en Twee waren een succes, dat wel, maar deze vierde kerel… dat was niet voorzien. Hij wist niet of de anderen het merkten, maar hij voelde dat er nu heel wat meer druk op de ketel zat. Er moest voortgemaakt worden met het derde luik, eer er nog meer slachtoffers vielen.

Hij hoestte kort en herhaalde wat hij zo-even gezegd had, maar nu klonk het enkel als een mededeling:

"Er werd een vierde dode binnengebracht. Ik vermoed dat u hierover ingelicht bent?"

Er was geen verwarring meer in Todds gemoed. Hij was opnieuw de oude. Candice knikte.

"Ik heb gezien wat ervan overbleef. Niet mooi. Is het met zekerheid het gevolg van een interventie van Dae Nhemm? Het kan geen 'gewone' zelfmoord zijn?"

"Absoluut niet. Ik heb een voorstel."

"Ik luister."

"Laat ons starten met het derde luik. Nu meteen."

Candice lachte in haar binnenste. Was daar nu dat vleugje paniek? Even spelen…

"En waarom dan wel?"

"Dae Nhemm wordt steeds krachtiger. We mogen het niet verder verkeerd laten gaan!"

Candice fronste haar wenkbrauwen. Had ze dat duidelijk gehoord? *We* mogen het niet 'verder' *verkeerd* laten gaan?

"Wat bedoel je met *we*?"

"Ik bedoel dat we – u en ik – onze verantwoordelijkheid moeten opnemen. De goede afwerking van het Project ligt in *onze* handen."

"Hmm… en wat bedoelde je met 'niet verder verkeerd'? Gaat het dan verkeerd?"

Todd Elleniak voelde dat Candice Polchner hem testte. Hij rechtte zijn rug, haalde diep adem en zei:

"Laat ons er geen doekjes om winden, Candice. Noch jij, noch ik willen dat er nog slachtoffers vallen. Dae Nhemm moet ingesloten worden. Het is vervolgens aan anderen om hem in te zetten voor het doel waarvoor hij opgeroepen werd. Het heeft geen zin verder het lot te tarten."

"Het lot? Todd, jij spreekt over het lot?! Weet jij hoeveel mensen er om zeep zullen worden geholpen als Washington erin slaagt Dae Nhemm effectief in te zetten? Het lot van honderdduizenden is nu reeds bezegeld."

"Niet sentimenteel worden, Candice. Er is geen terugweg mogelijk. Het is een opdracht die wij aanvaard hebben en waar wij al jaren aan werken. Het wordt tijd om er een goed einde aan te breien."

Candice glimlachte.

"Mij goed. Wat staat er dan op het programma?"

"Dat weet je toch: het derde luik. We onderscheppen de persoon die Dae Nhemm in zich draagt en zorgen ervoor dat de demon in Washington geraakt. Daar zullen de anderen er hun handen mee vol hebben. Maar voor ons is de kous hier dan af."

Candice Polchner grijnsde haar grote tanden bloot.

"Ben je nog steeds zo zeker van jezelf, Todd?"

"Nogal, ja…"

"Ik had wel de indruk dat je twijfelde."

"Ik twijfel niet, Candice. Trouwens, waarover moet ik twijfelen? Tot nu toe gaat alles goed en ik ben mijn bevoegdheden nog steeds niet te buiten gegaan."

Daar kwam hij weer met die bevoegdheden aandraven. Candice voelde even die speldenprik van dat slechte gevoel tijdens hun vorige gesprek.

"Hoelang denk je nog nodig te hebben?"

"Ik schat nog enkele dagen. De drager – een kerel die Multcher heet – moet zijn medewerking verlenen. We houden hem in het oog. Daar wordt momenteel grondig aan gewerkt."

Todd loog daarmee een klein beetje, maar dat merkte Candice niet. Ze schudde met haar hoofd dat de tijdsspanne van 'enkele dagen' haar goedkeuring meedroeg. Todd Elleniak knikte en verliet haar bureel. Op de gang grijnsde hij om zijn eigen acteertalent. Candice Polchner was een teef van een wijf. Hij kende trouwens geen enkele andere, maar Candice stak er met kop en schouders bovenuit. Puur om de centen en de eventuele faam die eraan gekoppeld was, was ze ook in het Project gestapt en nu het link werd… dacht ze er als eerste aan eruit te stappen. Maar nu werd naar schuldgevoelens gepolst. Niet dat zij stokken in de wielen kon steken, maar op veel medewerking van haar kant hoefde hij niet meer te rekenen. Integendeel. Indien… *als* het slecht afliep, dan zou zij haar uiterste best doen om de hele zware hamer van de schuld op zijn hoofd te laten neerkomen. Door zich daarnet als een beetje onzeker op te stellen, was zij in de val getrapt. Candice had haar gedachtestroom blootgegeven. Fout… o, zo fout.

Todd grijnsde. Wat zij niet wist, was hoever zijn bevoegdheden reikten. Wat zij niet wist, was dat hij carte blanche had. *Als* het inderdaad verkeerd ging, dat was er natuurlijk een alternatief plan waar zij niet van op de hoogte was. Washington liet nooit volledig in zijn kaarten kijken. Er bestond bij elke operatie een reserveplan… en een tweede reserveplan.

Annie Mouhaird voelde haar maag protesteren. Op het moment dat Raven daar niet zo heel ver vandaan haar intenties aan Kamen kenbaar maakte, was zij het rondrijden in de jungle meer dan kotsbeu. Haar collega Danny Lahmian was het zoeken naar dat dier blijkbaar nog niet moe. Zijn enthousiasme werkte niet aanstekelijk. Integendeel: het enerveerde haar. Haar ingewanden waren door elkaar geschud door het hotsen en botsen over de slechte landweg. Toch dat werkte haar maag blijkbaar goed, want die knorde al een ganse tijd. Hij had haar verteld over het bestaan van de gebouwen, dieper in het gebied, maar daar had ze niet echt oren naar. Annie hield zich – als stagiaire – vooral bezig met het leren oplossen van misdaden. Om die reden had ze zich op de toegangsexamens geworpen. Misdadigers klissen, dat was haar doel. Het zoeken naar een verloren gelopen grote hond die een jogger had lastiggevallen, zag ze niet onmiddellijk als een levensgevaarlijke opdracht. Danny bekeek de zaak helemaal anders. Hij vertelde haar het ganse verhaal van Dawson en zijn Neon keer op keer en besefte niet dat hij er haar enorm mee verveelde. Hij vroeg het zich waarschijnlijk ook niet eens af. Net toen ze van plan was een opmerking te geven die inhield dat ze het eigenlijk niet langer zag zitten om in de Jeep door elkaar geschud te worden, trapte Danny abrupt op de rem. Gelukkig droeg ze haar gordel.
"Heb je dat gezien?"
Zijn stem sloeg over. Annie trachtte zo vlug mogelijk weer bij haar positieven te komen want Danny's gezicht had een bijna belachelijke uitdrukking: openhangende mond, wijdopengesperde ogen en een trillende linkerwang.
"Heb je dat niet gezien?"
Met beide handen bovenop het stuur draaide hij zijn hoofd naar Annie die haar pijnlijke nek masseerde.
"Komaan, Danny, ik werd bijna door de voorruit gekieperd."
"Je zag het niet?"
"Neen, wat had ik moeten zien?"
Annie meende nu dat zelfs zijn onderlip trilde. De korte zin die hij daarop uitsprak, was gedragen door angst en ontzag.
"Het is... groot."
"Wat? Wat is er groot?"
Danny keek opnieuw voor zich uit. Aan de verkrampte uitdrukking

op zijn gezicht te merken, dook wat hij had opgemerkt, ditmaal enkel voor zijn geestesoog op. Dawson Venndigo had niet gelogen, maar had het ook verkeerd voor. Het ding dat hem had achternagezeten en zijn Neon had aangevallen, bestond wel degelijk en was zelfs gegroeid. En wat meer was: het leefde dus nog! Ofwel bestonden er meer van die dingen.

"Ik heb niets gezien, ik keek net naar buiten."

"Ik heb het gezien, Annie. Het ding dat we zoeken. Het stak daar... wat verder... het pad over. Het is... groot."

Annie kon het ontzag dat Danny voor de verschijning had, niet ontwijken. De agent was danig gefascineerd door wat hij had gezien.

"Wat heb je gezien, Danny? Hoe zag het eruit?"

Danny Lahmian antwoordde niet. Hij hield nog steeds het stuur met beide handen vast en staarde onbeweeglijk voor zich uit.

"Hé! Wakker worden!"

Danny schrok op toen Annie hem een por in de zij gaf. Zijn reactie verraste haar. Hij greep de riotgun uit de houder en stapte haastig uit.

"Komaan, je hebt je wapen?"

Annie knikte. Dit leek er meer op. Na al dat hotsen en botsen in de Jeep wachtte haar misschien een korte jachtpartij op een grote hond. Het feit dat Danny zijn heil zocht bij de riotgun, betekende dat er misschien wel geschoten werd. Eindelijk eens iets anders dan de vervelende schietoefeningen op de schietstand van de school. Ze wilde wel dat Danny haar iets meer informatie gaf over het dier. Toen ze opkeek, was haar collega namelijk al bijna tussen het dichte struikgewas verdwenen.

"Danny... wacht op mij!"

"Komaan, zeg!"

Danny wachtte tot Annie Mouhaird hem had bereikt. Hij keek achter zich en merkte dat de Jeep al niet meer zichtbaar was.

"Wat zoeken we eigenlijk?"

Danny temperde zijn stemgeluid tot een hees fluisteren.

"Ik heb het maar in een flits gezien. Het was... zo groot als een koe. Het moet het ding geweest zijn waar Dawson mij over heeft verteld. Het kan niet anders. Het is gegroeid."

Annie keek hem aan alsof hij haar net had verteld dat hij op water kon lopen.

"Weet je eigenlijk wel goed wat je zegt, Danny? Zo groot als een koe? Was het een beer die je hebt gezien?"

"Neen... praat stiller. Helemaal geen beer. Luister, er gebeuren hier vreemde zaken. Stel je maar eens voor: wat als er geheime proeven aan de gang zijn in die gebouwen waar niemand weet van heeft? Experimenten met DNA bij dieren? Wat als er zo'n gemuteerd beest ontsnapt is?"

Annie had moeite om haar grijns te bedwingen. Meende Danny nu werkelijk wat hij zei? Als ze enkel op de uitdrukking op zijn gezicht afging, was hij er inderdaad van overtuigd dat hij de waarheid vertelde.

"Je hebt te veel slechte horrorfilms gezien, Danny. Je verbeelding slaat op hol."

Danny reageerde niet woordelijk op wat Annie hem zei, maar binnenin zijn hoofd stelde hij zichzelf wel vragen. *Overdrijf ik? Heb ik mij laten opjagen door Dawson? Misschien heeft hijzelf even de bal misgeslagen en werd zijn voertuig helemaal niet beschadigd door een dier. Misschien bevond hij zich op een plaats waar hij niet hoefde te zijn en werd zijn wagen onder handen genomen door de echtgenoot van de vrouw die thuiskwam hoewel hij weg had moeten blijven. Misschien probeert hij zijn misstap op die manier recht te trekken.*

Danny schudde het hoofd, als wilde hij de sluiers van voor zijn geest wegtrekken. Hij duwde het struikgewas verder open en stapte verder. Hij draaide zijn hoofd opzij en over zijn schouder zei hij:

"Hoe dan ook... er loopt hier iets rond, ik heb het gezien. Beest of niet, ik wil weten wat het is!"

"Mij goed, Danny, maar ik heb..."

Annie zweeg omdat Danny voor haar stopte. Heel abrupt. Ze botste tegen hem op.

"Wat..."

"Ssst!"

Hij deed teken dat ze stil moest blijven. Daarvoor hield hij één arm opgericht. Annie voelde haar hart in haar borstkas hameren. Dit was spannend. Eindelijk iets wat op actie leek.

"Kijk..."

Annie wrong haar lichaam tussen de struiken over dat van Danny die helemaal niet reageerde op de druk van haar zware borsten tegen zijn rug. In normale omstandigheden was het waarschijnlijk anders. Nu

was hij echter te gebiologeerd door wat hij te zien kreeg. Hij wees.
"Wat... ik zie niets..." fluisterde Annie.
"De grond!"
Annie duwde zich nog dichter tegen Danny aan en richtte haar blik omlaag. Vóór hen was een grote open plek, volledig omgeven door dichte struiken. De grond was ontdaan van elk pijltje gras of wortel en glinsterde. Tevens waren flinterdunne draden kriskas net boven het korrelige oppervlak gespannen, als laserstralen die van onder de omringende struiken vertrokken of er aankwamen. Het leek alsof iemand een onregelmatig vierkant van vijf bij vijf meter had bewerkt. Eerst alle struiken en bomen verwijderd en vervolgens de grond zelf volledig vernietigd, verpulverd en omgevormd tot een glinsterlaag.
"Wat is me dat?"
"Sst!"
Annie vroeg zich af waarom ze moesten zwijgen. De *grond* kon hen toch niet horen.
"Wat doen we?"
"Ik weet het niet... dit is heel vreemd. Luister!"
Annie wist niet waarnaar ze moest luisteren, maar ze *luisterde.*
"Ik hoor niets!" zei ze na een tijdje.
"Dat is het net! Ik hoor ook niets. Geen vogel, geen insect, niets. Enkel de wind."
Annie vond dat een mooi en passend woord. Haar hart klopte nog steeds enorm achter haar ribben en ze vroeg zich af of Danny het bonken op zijn rug voelde.
"Voel je de spanning?"
Annie voelde niets, enkel de warmte van zijn lichaam onder dat van haar. Niet dat ze zich erover schaamde, maar als hen iemand zo zag, dan…
"Wat doen we?"
Het meisje verwonderde er zich over dat iemand met toch al een zekere ervaring binnen het politiekorps net haar mening vroeg. *Wat doen we?* Was het aan een twintigjarige stagiaire om over zoiets te beslissen? Wat als ze de situatie verkeerd inschatte en de bal volledig missloeg? Wat als er door haar beslissing zaken grandioos verkeerd liepen?
"Moeten we rekening houden met dat stuk grond?"
Danny probeerde zijn hoofd een beetje opzij te draaien. Hij keek An-

nie recht in de ogen, nauwelijks tien centimeter van de zijne... en besefte dat ze gelijk had. Ze hoefden dat stuk niet te betreden, ze konden ook gewoon een omweg maken. Danny was dan ook niet te hooghartig om toe te geven dat hij daar nog niet aan had gedacht.

"Je hebt gelijk, Annie. Ik heb er geen enkel idee van wat er met dat stuk gebeurd is, maar het ziet er verdomd niet erg gezond uit. Eens we terug zijn, zal ik het zeker melden. Iemand moet desnoods maar stalen komen nemen om te zien wat hier aan de hand is. Laat er ons omheen gaan, dat lijkt me veiliger."

Annie rechtte zich op en Danny voelde zich ineens heel wat lichter. Nu pas besefte hij dat het meisje enkele minuten languit bovenop zijn rug had gelegen. Hij loenste naar haar grote borsten en besefte nu pas wat verantwoordelijk was geweest voor die zachte druk op zijn schouders. Als iemand hen op die manier bezig had gezien, weggestoken tussen de struiken... hetzelfde idee waar zij daarnet mee had geworsteld. Annie schikte haar riem rond haar middel en trok haar blouse recht. De bolvorm van de tepels was even onder de stof zichtbaar. Het feit dat zij met haar kledij bezig was, versterkte de indruk dat zij samen iets ondeugends hadden ondernomen. Hoewel hij niet door haar figuur aangetrokken was, voelde hij toch een erectie ontstaan die halverwege de moed reeds opgaf. Dit was niet het moment om aan seks te denken...

"Ik ben klaar," zei Annie, terwijl ze een takje van haar linkerborst wegplukte.

Danny gromde even en draaide zich van haar weg. Hij wilde niet dat ze de lichte bult in zijn broek opmerkte.

"Komaan, we gaan hierlangs."

Waarom Danny net die kant koos, viel niet te bepalen. Misschien wilde hij het moment dat zijn mannelijkheid letterlijk de kop opstak, volledig negeren door zich met de werkelijkheid bezig te houden. Met de riotgun in beide handen geklemd, wurmde hij zich tussen de struiken door. Annie volgde op enkele passen. Danny probeerde zijn uniformhemd niet te bevuilen, Annie hield haar ogen op het vreemde stuk grond rechts naast hen gericht. Misschien was het haar vrouwelijke intuïtie, misschien was het gewoon angst... maar ze was niet gerust in de situatie zoals die zich op dat moment voordeed.

Zeker toen Danny in zijn enthousiasme niet op de draden lette die tussen de struiken gespannen waren. Flinterdunne draden, waarschijnlijk identiek aan die op de grond. Nauwelijks zichtbaar, behalve voor de ogen van Annie. Zij vatte de weerspiegeling van de zon nadat Danny's aanraking de draden had laten bewegen. Maar op dat moment was het te laat. Wat onmiddellijk daarop gebeurde, gebeurde zo snel en onverwachts, dat zij eerst niet goed besefte wat er voorviel.

Danny Lahmian wurmde zich onbevreesd door de struiken en brak daarbij onwetend de draden die onopvallend tussen de takken gespannen waren. Annie Mouhaird kwam een kleine twee meter achter hem aan.

Rechts van hen brak de hel los. Heel abrupt, heel kort. Maar met een extreem gewelddadig resultaat. Het stuk grond waar ze daarnet samen naar hadden gekeken, was een deksel. Dat klapte een stuk open en een gedeelte van een afschuwelijk ondier puilde uit de put eronder naar buiten. Het beeld brandde zich in Annie's geest, maar ze kreeg geen tijd om daar verder op in te gaan. Van rond de immense, langwerpige, vervormde hondenkop die het deksel omhoogduwde, kronkelden zich ellenlange, smalle, grauwe tentakels over de grond en door de lucht. Die flitsten in de richting van Danny die nooit de kans kreeg zijn riotgun te richten. De tentakels zwiepten door de struiken en wonden zich om Danny's lichaam heen. In een mum van tijd – nauwelijks lang genoeg om met de oogleden te knipperen – werd de agent van tussen de struiken geplukt. Hij reageerde nauwelijks, zo vlug ging het, zo verrast was hij. Bijna volledig omwonden door de zich in zijn huid insnijdende tentakels werd zijn lichaam uit het struikgewas getrokken en kwam het op de grond terecht. Zijn armen werden tegen zijn lichaam geduwd zodat hij zijn vuurwapen dat nog steeds in de holster aan zijn broeksriem zat, niet kon gebruiken. De vangarmen trokken zich terug en Danny werd over de grond in de richting van de put en het monster gesleurd. Hij reageerde het eerst door luidop te gillen toen de misvormde hondenkop zijn lange naaldtanden dwars door zijn uniformbroek in zijn linkerdij plantte. Annie zag hoe het beest zijn kop schudde en een flink stuk uit Danny's linkerbil rukte. Blijkbaar hadden de naalden zich diep genoeg in het vlees gegraven om een slagader kapot te bijten, want het bloed gutste uit de immense wonde. De agent bleef gillen toen zijn lichaam dieper de put werd ingetrokken. Het ondier had zich ondertussen al laten zakken. De kop was verdwenen. Danny's krijsen hield abrupt op. Annie keek met tranende ogen naar de reden waarom.

Hij lag op zijn buik toen hij in de put werd getrokken. Het deksel lag ondertussen al bovenop zijn rug. De snijdende tentakels waren het enige wat nog van het monster zichtbaar was. Het laatste wat zou verdwijnen, was Danny's hoofd, maar dat haperde aan de onderkant van het deksel. De tentakels rukten, maar zijn hoofd bonkte telkens tegen de ruwe rand. Het dier had wel de bedoeling Danny's lichaam volledig in de put te krijgen. Bonk – bonk – bonk... telkens wanneer Danny's hoofd tegen de rand knalde. Annie voelde zijn pijn. Hij bleef schreeuwen. Gelukkig kon ze zijn gezicht niet zien. De laatste 'bonk' was een 'krak'. Annie zag dat de tentakels Danny eerst een stuk terug naar buiten duwden, om hem dan met een onvoorstelbare kracht naar binnen te trekken. Zijn gezicht sleepte over de ruwe grond. De rand knalde een laatste keer tegen Danny's hoofd. De klap was deze keer zó hard dat de achterkant van Danny's schedel explodeerde. Annie's adem stokte in haar keel toen ze zijn hoofd zag openspatten. De schedelpan barstte kapot en de roodgekleurde inhoud spatte alle kanten op. Onmiddellijk daarna verdween het levenloze lichaam in de put en viel het deksel dicht. Een beklemmende stilte nam de plaats in van het dodelijke lawaai van daarnet.

Annie draaide zich niet om. Ze boog zich voorover en kotste alles uit wat ze de afgelopen twaalf uren in haar maag had toegelaten.

Aspirant-agente Annie Mouhaird opende de ogen. Aanvankelijk was ze zich niet bewust van de plaats waar ze zich bevond. Om haar heen waren struiken. Haar rug leunde tegen iets hards. De geur van kots bereikte haar neus en ze wendde haar gezicht af. In de richting van de klaarte. In de richting van het open stuk grond, het deksel. Alles kwam terug. Opeens, als een vloedgolf die zich binnenin haar borst en hoofd ontrolde. Haar ademhaling ging ineens veel sneller, net als het tempo van haar hamerende hart. Ze veerde op van de boom waartegen ze had geleund en dook op haar knieën achter de dichte struiken. Alle herinneringen kwamen ineens terug. De draden, Danny, het deksel en het monster dat gedeeltelijk uit de put tevoorschijn was gekomen. Haar maag trok zich opnieuw samen, maar er was geen inhoud meer om naar boven te persen. Het samentrekken alleen al bezorgde haar helse pijn. Tranen welden in haar ogen op. Om de pijn, om wat met Danny gebeurd was, om de situatie waarin ze verzeild was geraakt.

Ze had dus het bewustzijn verloren nadat ze zich bijna te pletter had gekotst. Ze was onderuitgezakt en was met haar rug tegen de boom gaan zitten. Hoelang was ze afwezig geweest? Annie dacht er niet aan haar uurwerk te bekijken. Haar eigen veiligheid kwam heel abrupt op de eerste plaats.

Radio!?

Ze betastte haar riem, maar besefte tegelijk dat Danny de radio bij zich had gehouden.

Wapen!?

Haar dienstpistool. Okay... maar haar ogen vielen op de riotgun, die op een afschuwelijke afstand van hooguit één meter verderop tussen de struiken lag. Op de plaats waar Danny die had laten vallen toen de tentakels hem bereikten.

Draden?!

Annie probeerde weer bij haar positieven te komen. Haar verstand in te schakelen en na te denken. Niet op haar emoties af te gaan. Ze poogde zich niet te laten overmannen door haar gevoelens. De film van wat Danny overkomen was, speelde zich voortdurend voor haar geestesoog af. Dus... als ze ervoor zorgde geen draden te breken, maakte ze een kans. Annie probeerde haar gejaagde ademhaling in bedwang te houden en speurde haar onmiddellijke omgeving af. Danny had waarschijnlijk alle draden gebroken tijdens zijn eerste worsteling in de struiken, want Annie kon nergens nog iets van die verraderlijke aard ontdekken. Toch nog heel voorzichtig stak ze haar hand in de richting van de riotgun uit, die nauwelijks een armlengte van haar verwijderd lag. Ze twijfelde en liet haar ogen heen en weer flitsen tussen de plaats waar het wapen lag en het deksel. Toch zette ze door. Moedig, vond ze van zichzelf. Ze kon wel wenen toen haar trillende vingers het koude, harde metaal van de loop aanraakten. Heel voorzichtig kromden haar vingers zich om de loop. Tergend traag trok ze het wapen in haar richting. Ze probeerde geen enkel blaadje te raken. Geen obstakel, niets wat de aandacht van het beest in de put onder het deksel kon trekken.

Op haar knieën zittend, koesterde ze een moment later het wapen tegen haar borsten. Ze was zich bewust van de kracht van de riotgun en wist welke schade een dergelijk wapen kon aanrichten. Goed, wat nu? Waar waren ze vandaan gekomen? Kon ze de Jeep in haar eentje bereiken? Vragen die ze zichzelf stelde, terwijl ze haar hart tot bedaren liet komen. Ze durfde niet aan de heksenketel denken waarin ze op het bureel zou terechtkomen. Hoe kon ze zoiets aan de oversten uitleggen? En dat tijdens een stageperiode?! Maar gelukkig nam haar gezonde verstand de overhand. Het eerste wat haar te doen stond, was in één stuk dat bureel bereiken. Wat haar daar te wachten stond, leek haar duizendmaal veiliger dan hier in de buurt van die put te blijven.

Dus stond Annie Mouhaird heel omzichtig op. Ze zorgde ervoor dat haar lichaam tegen niets stootte. Geen takje, geen blaadje. Met de riotgun tegen haar borsten geklemd, draaide ze zich zenuwslopend traag om en zette enkele stappen in de richting vanwaar ze gekomen waren. Hoe verder ze zich van dat duivelse deksel kon begeven, hoe veiliger zij zich zou voelen. Daar was ze van overtuigd. Met haar rug naar de put vorderde ze met de snelheid van een hoogbejaarde huisjesslak. Stap voor stap, voetje voor voetje. Voorzichtig, traag. Het hoofd tussen de schouders getrokken, de ademhaling in bedwang houdend.

Geluid achter haar.

Haar hart viel stil. Haar ogen flitsten open. Met openhangende mond keek ze over haar linkerschouder en zag nog net hoe het deksel bovenop de zwarte put weer dichtviel. Haar blaas reageerde onmiddellijk en verloor alle controle. De angst overmande haar zó erg dat ze zich niet bewust werd van de warme urine die de voorkant van haar broek donker kleurde. Haar enige reactie was een onmiddellijke schreeuw om zelfbehoud. Op benen van warm rubber holde Annie Mouhaird weg. Ineens had ze geen enkele behoefte meer om traag en voorzichtig te zijn. Eventuele draden konden haar wil om te overleven niet kraken. Rennen! Hollen om in leven te blijven. Weg van die afschuwelijke plaats. Ze voelde dat pure paniek haar lichaam omhulde, want achter haar hoorde ze het geluid van iets dat zich, net als zij, heel snel door de struiken bewoog. Annie wilde niet omkijken, ze wilde niet zien wat achter haar aankwam. Ze had het deksel zien dichtvallen. Betekende dat dat het beest er uitgekropen was en haar nu opjoeg? Niet omkijken. Rennen!! Annie perste alles uit haar lichaam. De geluiden die het ding maakte, waren een mengeling van grommen, stampen, hoesten en huilen. Niet omkijken. Gewoon rennen.

Toch haalde Annie Mouhaird het niet. Ze meende de warme adem van het beest op haar rug te voelen en keek toch om. Heel vlug. Maar lang genoeg om alle kracht uit haar benen te laten slaan door het beeld dat zich in haar lenzen brandde. Alsof haar benen ineens uit warme boter vervaardigd waren, zakte zij pardoes in elkaar. De riotgun trok ze dicht tegen haar borst aan en ze vergat zelfs het wapen als wapen te gebruiken. Ze probeerde er zich achter te verbergen.

Omdat ze de dunne, vieze tentakels – het waren net natte, dikke touwen – over haar benen voelde glijden, trok ze die op en wrong zichzelf kreunend en jammerend tegen een boom aan. Daardoor zag ze nog beter wat haar belaagde. Het was groot, zeker zo groot als een koe. Op dat gebied had Danny de bal niet misgeslagen. Een afschuwelijke hondenkop met immense naaldtanden was nauwelijks één meter van haar gezicht verwijderd. De huid leek er afgestroopt. Rauw vlees en spierstrengen lagen tegen de botten gekleefd. De twee grote, donkere ogen waren bollen die uit de kassen puilden. Achter de brede nek staken twee kleine schouders waar de twee originele voorpoten van het oorspronkelijke dier aan bengelden. Het waren nutteloze uitsteeksels geworden. Verder naar achteren ontvouwde zich een dik, gezwollen lijf vol vieze vlekken en haarplukken, dat door zware, brede poten met brede klauwen werd gedragen. Naast de lange naaldtanden in de kwijlende muil, waren de tientallen lange tentakels die heen en weer wiegden, slingerden en kronkelden, het meest beangstigend om naar te kijken. Zij ontsproten allemaal op de rug van het beest. Sommige bewogen als dunne slangen tussen de bladeren en takken op de grond. Andere wiegden als plooibare antennes rechtop en nog andere inspecteerden alles wat binnen hun bereik viel.

Annie Mouhaird wist niet hoe ze moest reageren. Ze wist zelfs niet of ze *kon* reageren. Iets dergelijks was haar nooit eerder overkomen, en op school hadden ze haar niet geleerd met situaties als deze om te gaan. Ze drukte zich enkel zo dicht mogelijk tegen de boom aan en hield de riotgun met bijna verkrampte vuisten vast.

"Doe me niets..."

Haar stem was een hees fluisteren. Niet meer dan dat. Het wanhopig fluisteren van een doodsbang kind. Speeksel droop over haar kin en rekte in slierten op haar blouse. Ze begon onbeschaamd te wenen toen steeds meer tentakels zich om haar benen wonden. De aanraking was heel onplezierig. De meeste bevonden zich bovenop haar kledij, maar enkele waren er toch in geslaagd in de broekspijpen te geraken. Die voelden aan als koude, slijmerige draden die zich over haar huid kronkelden. Dat koudegevoel trilde langs haar ruggengraat tot in haar hersenen. *Dit is niet goed, dit is helemaal niet goed! Ik geraak hier niet meer weg!*

"Asjeblief... doe me niets..."

Het beest reageerde niet op haar fluisteren. Het snoof en blies een afschuwelijke stank in haar gezicht. Annie kokhalsde. Omdat het zijn afschuwelijk lelijke hoofd dichter in haar buurt bracht, stopte Annie met wenen en begon te beven. Ze slaagde er niet langer in het trillen van haar ganse lichaam onder controle te houden. Het was alsof ze een toeval kreeg.

De gigantische klauwen schraapten in de aarde waardoor het beest dichterbij het zielige bundeltje mens kroop. Annie kon niet meer achteruit. Omdat ze haar benen had opgetrokken, konden de tentakels niet voorbij de opgespannen knieën. Annie staarde met steeds maar groter wordende ogen naar de naderende hondenkop. De twee donkere gaten die vooraan op de lange neus stonden, waren vochtig en onderzochten haar benen. Het beest kroop nog wat dichter tot de natte neus zich tegen haar van urine doordrongen achterwerk duwde. Annie kreunde en probeerde zich zo mogelijk nog kleiner te maken. Ze hoorde het gesnuif en voelde het lichte duwen van de bonkige neus tegen haar dijen.

Opeens richtte het beest zich opnieuw op. Annie uitte een korte gil toen de tentakels zich dichter om haar benen wrongen. Het dier draaide zich abrupt om en trok de spartelende vrouw achter zich aan. De riotgun bleef even aan een wortel haperen, en Annie kon niets anders dan loslaten. Ze werd op haar rug meegesleurd. Haar armen waren vrij en ze probeerde zich aan alles wat ze kon vastgrijpen, vast te houden. Wortels van bomen, stelen van planten, brandnetels... gewoon alles waar ze haar vingers omheen kreeg. Maar niets hielp. Alles was glibberig groen, vochtig of niet sterk genoeg om weerstand te bieden.

Uiteindelijk beperkte de gillende Annie Mouhaird zich tot het graven van ondiepe voren met haar scheurende nagels in de grond die onder haar voortgleed.

15. Yellow Moon
Hun eerste gesprek

Dinsdag, 21 juni 2005.

Melchior Multcher besefte pas dat hij bezig bleef met het litteken op zijn linkerarm toen hij zich bewust werd van de warmte die vrijkwam door het onophoudelijke wrijven. Het was halfzeven. Nog een halfuur. Ottie was eerder naar huis vertrokken en Melchior genoot van de stilte. Geen WXXW. Geen hels gejank en geschreeuw. Enkel het geluid van het leven buiten zijn hok. Vogels, het verre blaffen van een hond en auto's die op County Route voorbijzoefden. Hij verwachtte niet veel werk meer en hield zich achter zijn tafel op. Voor hem lag een ongeopend tijdschrift van oldtimers. Het lag er al meer dan twee uren. De brede grille van een Plymouth Fury keek hem grijnzend aan. Zijn gedachten waren niet bij auto's. Hij voelde zich de ganse namiddag verward. Zijn telefonisch gesprek met Vernon had hem enigszins gekalmeerd, maar toch… en Dae Nhemm had ook niets meer van zich laten horen. Ergens baarde hem dat ook zorgen. Bereidde de demon zich in stilte ergens op voor? En als dat zo was, waarop dan wel?

Hou je maar klaar, Melch. Het echte feest begint nu pas!

Die bepaalde zin van Dae Nhemm bezorgde hem een erg onplezierig gevoel. Wat was die rotzak van plan? Melchior schrok op toen zijn mobieltje hem lawaaierig meldde dat iemand hem wilde spreken. Hij nam het kleine toestel op, duwde een knop in en plaatste het tegen de zijkant van zijn hoofd.

"Melch, ik ben het."

"Dag Lorne."

"Ik heb de ganse namiddag nagedacht."

"Ik ook."

"We moeten iets doen."

Melchior knikte. *Daar* was hij zich ook van bewust. Hij had geen ganse namiddag nodig om tot dat besluit te komen. Maar hij liet Lorne dat niet blijken.

"Waaraan had je gedacht?"

"Heb je niemand meer aangeraakt?"

"Niemand."

"Okay, luister. Ik haal je om zeven uur op."

"Maar mijn fiets staat…"

"Stop dat gelul, Melch. Ik haal jou op. We gaan ergens heen en naderhand zet ik jou bij je fiets af. Dat is toch allemaal zo erg niet?"

"Maar mijn ouders… zij zullen…"

Melchior merkte natuurlijk niet dat Lorne zijn vrije hand tegen zijn voorhoofd sloeg. Maar hij hoorde de ergernis wel in diens stem.

"Bel hen op, klungel! Zeg hen dat we nog ergens naartoe moeten."

"Waar moeten we naartoe?"

"Dat zie je straks wel. Zorg dat je klaar bent. Ik duw thuis nog eerst een hap door mijn strot."

Melchior klapte zijn gsm dicht en legde die op het tijdschrift. Hij had er geen enkel idee van wat Lorne nu weer van plan was. Hij hoopte alleen maar dat het zin had.

Op het bureel dacht iedereen dat luitenant Raven Daramantez de baan op was en achter het stuur van haar Dodge Stratus de criminaliteit in Garland bestreed. Niets was minder waar. Raven zat aan een kleine tafel, rechtover Rachelle in *The Black Scorpion*, de enige lesbo-bar in Garland. Daarnet was een vrijpartij op Rachelles appartement – die nochtans erg geil en veelbelovend van start was gegaan (hoofdzakelijk van Rachelles uit) – op een sisser uitgelopen. Raven kon haar aandacht er niet bijhouden. Hoe intens Rachelle Winther ook haar best deed om Raven een status van opwinding te bezorgen, gleed haar vriendin blijkbaar steeds dieper in een gevoel van onrust weg. Uiteindelijk stelde Rachelle voor om Ravens rugspieren te masseren. De jonge vrouw ging op de rand van het bed zitten en haar vriendin plaatste er zich met gespreide benen achter. Normaal zou de zachte druk van Rachelles grote borsten in haar rug haar gek hebben gemaakt, maar vandaag was er iets anders. Dat Rachelles zachte handen af en toe van op haar schouders onder haar armen door haar borsten omvatten, vond Raven niet erg, maar haar lichaam ging niet in op die uitnodigende strelingen. Raven vond de seksuele potentie van haar vriendin fascinerend, en ging daar meestal meer dan gretig op in, maar deze keer was er iets anders.

Blijkbaar voelde Rachelle Winther dat ze met haar goede intenties niet het gewenste resultaat bereikte. Uiteindelijk stelde ze voor om het bed te verlaten en de stad in te trekken, blijkbaar lag er iets op Ravens gemoed. Er was nood aan een babbel.

Toen ze een tijdje stilzwijgend hadden genoten van hun drankje en enkele van hun gemeenschappelijke kennisen hadden ontmoet en begroet, keerde Raven terug op de mislukte vrijpartij van een uur eerder.

"Ik kon het niet, Rach… sorry."

"Dat geeft toch niet… waar ben je mee bezig?"

"Het is zelfs mijn zaak niet. Ik begrijp niet waarom… ik het niet kan loslaten."

"Je bedoelt de affaire van de zelfmoorden?"

"Helemaal. En die Elleniak-kerel. *Vooral* die Elleniak-kerel. Ik haat hem gewoon. Hij doet alles boven onze hoofden en reageert op ons alsof wij enkel maar in zijn weg lopen."

Rachelle leunde over de tafel en streelde Ravens lange, zwarte haar.

"Okay… hij wil het alleen doen, maar dan ligt alle verantwoordelijkheid ook bij hem. Bij niemand anders. Je hoeft je daar toch niet over op te winden?! Het is toch jouw zaak niet."

Raven apprecieerde Rachelle. Ze deed altijd haar best om haar vrienden een goed gevoel te geven. Raven wilde daar niet tegenin gaan, maar had er nood aan zaken recht te zetten.

 "Daar gaat het mij niet om, Rach. Ik heb het gevoel dat hij ons de waarheid niet heeft verteld. Niet aan mij, niet aan jou, niet aan Will Kamen. Er is iets helemaal anders aan de hand dan hij ons wil laten geloven. Het is mijn zaak niet, daar heb je gelijk in, Rach. Maar ik weet niet wat er in me omgaat, ik kan het niet loslaten. Het doet me iets. Ik zie Kamens machteloosheid in mezelf weerspiegeld. Ik wou dat ik hem kon helpen, maar dat kan ik niet."

Rachelle bleef met haar vingers door Ravens haar strelen.

"Het laat me gewoon niet los. Ik ben iemand die graag zelf de touwtjes in handen heeft. Ik verdraag het gewoon om 'gepasseerd' te worden! Trouwens, ik vind dat er een walgelijk geurtje aan het optreden van Elleniak hangt. Dit gaat volgens mijn bescheiden mening om veel meer dan een paar zelfmoorden. En het verhaal waarmee hij komt aandraven over Rasschino en de terroristen… komaan zeg, dat valt misschien nog te gebruiken in een Grisham of een Clancy-boek. Dan nog met dat verschil dat wij geen figuren uit een roman zijn. Wij leven en wonen hier en als er iets verkeerd loopt, dan zijn wij de pineut."

"Hmmm…"

Raven vatte die reactie als een bevestiging op, maar eigenlijk was het een uiting van plezier. Haar geest was zo in beslag genomen door haar gevoelens omtrent de zaak die haar bezighield, dat ze niet eens besefte dat Rachelles vingers heel langzaam nu ook de zijkant van haar gezicht streelden.

"Wat indien er nu eens iets heel ergs verkeerd gaat, en wij…"

Rachelles vingers volgden de lijn van haar wang, langs de kin en terug naar boven. Ineens stopte ze daarmee en trok ze haar hand terug.

"Wat is er?"

"Ik weet niet wat er met me aan de hand is, Raven, maar ik ben vandaag gewoon stapelverliefd op jou. Ik kan m'n handen niet van jou afhouden. Ik heb je nooit eerder zó van slag geweten. Mag ik het zo omschrijven: 'van slag'?"

Raven schonk haar vriendin een hartverwarmende glimlach.

"Je weet heel goed dat ik jouw handen op mijn lichaam apprecieer. Ik vind het lullig dat ik er niet bij ben. De zaak houdt me erg bezig."

"En ik kan met moeite naar jou luisteren. Ik hou m'n lijf met moeite in bedwang."

"Krijg je er dan nooit genoeg van?"

Rachelle grijnsde haar parelwitte tanden bloot.

"Met jou niet, nee."

Raven glimlachte. Vooraleer ze opnieuw haar ergernis over Elleniak wilde spuien, dacht ze even na. Daarop zei ze:

"Ik zwijg erover. Laat ons genieten van elkaars gezelschap. Wij bevinden ons in een aangenaam decor en bij aangename mensen. Sorry dat ik doordram."

"Ik wil jou zoenen!"

"Ben je klaar?"

Melchior had net zijn hok afgesloten. Hij stond nog voor de deur toen hij de stem van Lorne Dorganson achter zich hoorde. Hij borg de sleutels in zijn zak op en draaide zich om. Naast de pompen stond de grasgroene Honda Civic van zijn vriend. De wagen was een oldtimer, die niet behoorde tot de groep waar Melchior ademloos voor op beide knieën zakte. De Civic was meer dan vijfendertig jaar oud en viel net niet uit elkaar. Meer kon Lorne zich waarschijnlijk niet permitteren. Mentaal was Lorne er even erg aan toe als zijn wagen, maar dat liet zich op zijn gezicht niet merken. Dat droeg een totaal open uitdrukking. Glinsterende ogen en een brede glimlach. Niets liet vermoeden dat Lorne het verdomd moeilijk had. Het enige wat misschien opviel, was zijn nervositeit. Maar Melchior had zo'n gedrag bij zijn vriend eerder meegemaakt en dat was dan te wijten aan een zwaar tekort aan de zenuwverdovende alcoholische dranken. Vermoedelijk had hij vandaag ook nog geen druppel aangeraakt.

"Komaan!"

Melchior liep tot bij de wagen. Lorne had zich ondertussen achter zijn stuur laten neerzakken.

"Waarom al die haast?"

"Ik heb een afspraak gemaakt."

Melchior nam naast zijn vriend plaats. Het interieur van de Honda was al even afschuwelijk als het bijna doorgeroeste koetswerk dat waarschijnlijk nog niet vaak een druppel water over zich heen had gehad. Het was gewoon een verlenging van Lornes woonkamer. Overal sigarettenpeuken, vuile vodden die waarschijnlijk wel ooit draagbare kledij waren, lege bierblikken. Er lagen zelfs lege – halflege? – kartonnen bakjes van de meeneemchinees op de achterbank. Het rook er verdomd niet erg appetijtelijk. Tussen zijn voeten lagen enkele stukken versteende pizza op een totaal versleten rubberen mat. Door de ramen naar buiten kijken was vrijwel onmogelijk door een vette waas die erop kleefde. En naar wat er zich nog meer tussen en onder zijn voeten op de vloermat bevond, had Melchior enkel het raden. Hij wilde zijn vriend niet attent maken op het misselijkmakende interieur van zijn wagen. Daarom begon hij over hun uitstap.

"Een afspraak. Waar gaan we heen?"

"Naar Miles City."

Melchior liet zijn schouders hangen. Miles City? Dat was een heel stuk rijden.

"Waarom zover? Kunnen we in Brandenburg niet op de lappen gaan?"

Lorne startte de motor die zonder tegenpruttelen zijn medewerking verleende. Leve de Japanse techniek. Het lijf mocht dan bijna dood zijn, het hart pompte nog steeds.

"Helemaal niet. Ik heb trouwens geen zin in drank vanavond. Mijn hoofd staat op andere zaken."

"Zeg gewoon waar we heengaan!"

"Ik heb een bezoek geregeld met Yellow Moon."

Melchior keek zijn vriend verbaasd aan.

"De indiaan?"

"Inderdaad. Hij verblijft in the *Custer Autumn Hotel.*"

"Een hotel?"

Lorne zuchtte.

"Sufferd! Het is de naam van een rust- en verzorgingstehuis. De kerel is bijna een eeuw oud, hij valt zowat uit elkaar. Ik denk dat zijn vel enkel nog een opvangzak is voor de hoop gruzelementen die nog van zijn ingewanden zijn overgebleven. Ik heb hemel en aarde moeten verzetten om de afspraak te kunnen regelen."

"En waarom juist bij hem?"

Lorne reed tamelijk onvoorzichtig de parking af en hobbelde County Route 332 op in de richting van Garland. Melchior Multcher greep alles vast wat hij te pakken kon krijgen om zich rechtop te houden. Éénmaal op de rechte baan, merkte hij dat Lorne vreemde blikken op hem wierp.

"Wat scheelt er ? Waarom kijk je zo raar?"

"Heb je jezelf al eens bekeken de laatste tijd?"

Melch voelde dat zijn hartslag sneller werd.

"Waarom?"

"Je bent vermagerd! Je haar… wat heb je daarmee gedaan?"

"Niets… helemaal niets…"

Lorne zag dat Melch zijn beide handen tussen zijn dichtgeknepen dijen geklemd hield, waar hij eigenlijk heel blij om was. De reden waarom ze Yellow Moon een bezoek brachten, had enorm veel te maken met de onrust die hij in zijn binnenste voelde woelen. Nu Melchior er zelf ook nog eens over begon, kwam alles zomaar naar boven en deed zweetdruppels op zijn voorhoofd verschijnen.

"Waarom gaan we naar Miles City?"

"Ik heb het je toch al verteld, Melch! Laat je verstand je ook al in de steek? Bij mij thuis vertelde ik je een week of wat geleden over de test die ze ons bij QuarTech lieten doen. Ik vertelde je ook het verhaal dat zij rond die test hebben geweven en over die indiaan… over de video-beelden die ze ons hebben laten zien. Hun gesprekken. Je herinnert je dat toch nog?"

Melchior staarde verward voor zich uit.

"Komaan zeg, het is hooguit een week geleden. Het was belangrijk! Het gesprek ging over het allerbelangrijkste van de ganse toestand. Het spelletje… je voelde je bedrogen… we hadden het over vriend-schap…!"

Melchiors ogen speurden in het stof op het dashboard van Lornes oude wagen naar tekenen van herkenning. Maar niets dreef naar boven. Het was alsof hij niet langer toegang kreeg tot bepaalde herinneringen. Het was er nochtans, hij voelde het ergens steken, maar kon er niet bij. Melchior wilde Lorne niet ontgoochelen en deed alsof hij wist waar-over zijn vriend het had.

"Ja… ik weet het nog. Nu gaan we dus naar die indiaan."

"Inderdaad."

"Wat kan hij ons vertellen?"

Lorne haalde zijn schouders op.

"De waarheid misschien?"

"Waarom denk je dat hij de waarheid kent?"

Nu was het Lorne Dorgansons beurt om even stil te blijven. Hij besefte dat Melchior daar toch een belangrijk punt had. Wat betekende de waarde van wat Yellow Moon hen vertelde? Terwijl ze zonder woor-den Garland op County Route 332 binnenreden, dacht Lorne na. Hij worstelde nog steeds met twee mogelijkheden. Ofwel was en bleef al-les toeval en had hijzelf volledig gelijk, waarbij het nog steeds om een computergame ging dat hij had misbruikt om Melchior op zijn gemak te stellen. Ofwel was er iets vreemds aan de gang. De balans was zestig tegenover veertig.

Voorbij Garland draaide Lorne State Route 59 op. Ook Tongue Creek en Pumpkin Creek vloeiden op die plaats ineen. Toen ze veilig op de 59 zaten, opende Lorne weer het gesprek.

"Luister, Melch. Ik heb nog steeds mijn twijfels… maar ik ben blij dat je je handen thuishoudt."

Melch kneep zijn benen nog dichter tegen elkaar.

"Wat bedoel je daar nu mee?"

"Gewoon wat ik zeg. Ik twijfel."

"Je gelooft me dus toch nog niet?"

"Ik weet niet wat ik moet geloven. Het had allemaal zo'n vaart niet mogen lopen."

"Toch is het zo!"

"Ja… en daarom spreken we met Yellow Moon."

The Custer Autumn Hotel was oorspronkelijk een effectief 'grand-chic' hotel dat in het begin van de veertiger jaren van de voorbije eeuw tot een heus rust- en verzorgingstehuis omgebouwd werd. Het gebouw, nu zestig jaar na de renovatie, droeg nog steeds een groot aantal sporen van zijn voorbije status, maar had al evenveel te lijden van de onvermijdelijke erosie. Niets bleef overeind. Het gebouw niet, de inwoners niet. Het verzorgingstehuis had in de loop van zijn bestaan onder het bewind van veel directeurs gestaan die er allemaal hun stempel hadden op gedrukt. Nu stond al twee jaar een vrouw aan de top van het directieteam. Het gebouw telde een enorm aantal kamers, twee grote refters en een gigantische ontspannings- en sportruimte waar heel wat faciliteiten in ondergebracht waren.

Lorne parkeerde zijn lawaaierige Honda op de parking.

"Ik heb moeten smeken om nu nog binnen te mogen."

"Hebben ze veel uitleg gevraagd?"

"Nogal. Ik heb gevraagd of ze Yellow Moon persoonlijk wilden vragen of hij zin had. Ik vroeg hen of ze hem over 'een dolk met iets erin' wilden spreken. Ik wilde 'iets' loslaten om hem nieuwsgierig te maken. Blijkbaar moet hij onmiddellijk akkoord gegaan zijn. Komaan. Ik wil hem niet laten wachten."

"Ben je nerveus?"

Lorne sloot zijn wagen af, richtte zich op en probeerde zijn schouders te ontspannen. Hij was inderdaad bloednerveus en begreep zelf niet waarom.

"Helemaal niet, komaan… sukkel!"

Lorne grijnsde, maar Melchior voelde dat de grijns niet oprecht was. Het feit dat zijn vriend de spanning in zijn lichaam nauwelijks onder controle hield, betekende dat hij innerlijk met iets serieus bezig was. Iets wat zijn zenuwen onder druk zette. Melch vermoedde dat Lorne veel diepere twijfels had dan hij aan zichzelf durfde toegeven.

In het onthaal kwam een jonge verpleegster hen tegemoet. Lorne legde haar uit wat het doel van hun bezoek was. Zij was blijkbaar op voorhand ingelicht, want ze stelde geen vragen. Met een vriendelijke glimlach op haar gezicht vertelde de verpleegster Lorne hoe zij de kamer van Yellow Moon op de vierde verdieping konden bereiken. Het systeem van kleuren en nummers was niet ingewikkeld, maar enige uitleg leek toch vereist. Lorne volgde de aanwijzingen nauwkeurig op en liep even later met Melchior door de gangen. Het ganse gebouw rook zoals het overal in dergelijke instellingen ruikt: naar een opeenhoping van oude mensen. Melchior herkende de geur uit zijn verleden. De uiterst vervelende momenten dat hij als kind zijn ouders had vergezeld bij bezoeken die werden afgelegd bij hun eigen ouders, kwamen door de confrontatie met de geur eensklaps naar boven. Hij was blij dat Lornes stem hem het herinneren verbood.

"Hier is het!" fluisterde Lorne.

Hij stopte bij een deur en wees naar het naamkaartje dat ernaast tegen de muur bevestigd was. Onder het nummer van de kamer stonden letters op het kaartje. *Yellow Moon*. Melchior twijfelde er niet aan of ze aan het juiste adres waren.

Lorne Dorganson voelde zich niet op zijn gemak. Dit had hij niet voorzien toen hij Melchior inlichtte over het bestaan van de dolk. Melchior voelde dat zijn vriend twijfelde. Het leek alsof Lorne niet goed wist wat hem te doen stond.

"Komaan... klop tenminste..."

"Jaag me niet op."

Lorne kromde zijn vingers, wachtte nog even en klopte toen zachtjes met de knokkels op het hout. Hij vreesde dat hij te voorzichtig was geweest, maar bijna onmiddellijk volgde een reactie.

"Kom binnen, de deur is open."

De zachte stem van een oude man. Weliswaar niet beverig, maar toch niet meer vol energie. Lorne duwde tegen de deur die inderdaad geluidloos opendraaide. Hij gebaarde naar Melchior dat hij hem moest volgen. De kamer die ze betraden, was matig bemeubeld en erg klein: een tafel met twee stoelen, een bed, een fauteuil en een kastje met daarop een klein televisietoestel. Een deur gaf waarschijnlijk toegang tot een badkamertje met toilet. Aan de muren hingen typische indianenspullen. Een dromenvanger, een tomahawk, iets wat op een koppel sloffen leek en enkele kledingstukken die er onbenullig en totaal waardeloos uitzagen. Verder nog een aantal compleet onherkenbare zaken (oud indianenmateriaal waar noch Melchior, noch Lorne de benaming of het doel van kende) die her en der verspreid lagen. Alles leek tot op de draad versleten en zonder kleur. Het enige wat de bekrompen sfeer gelukkig brak, was het grote raam dat uitgaf op een weelderige tuin. Melchior had veel zin om rechtsomkeer te maken. Was dit ook *zijn* toekomst? Was dit de plaats waar hij de laatste dagen van zijn leven moest slijten?

"Kom binnen... blijf daar niet staan."

De man die diep weggezonken in de fauteuil zat, droeg een wollen deken om zijn schouders. Hij wenkte het tweetal met een magere hand. Lorne herkende de kerel niet van op de tapes die men hem in Quar-Tech had laten zien. Hij voelde dat Melch in zijn rug duwde en stapte voetje voor voetje binnen. De oude indiaan bekeek zijn twee gasten, maar van zodra zijn ogen op Melchior Multcher vielen, lieten ze hem een ganse tijd niet los. Het duurde even vooraleer hij opnieuw sprak. Al die tijd stonden Melch en Lorne onwennig rechtop.

"Er is plaats aan de tafel."

Met dezelfde hand wees de stokoude indiaan naar de tafel, nauwelijks één meter bij hem vandaan. Lorne en Melchior namen elk op een stoel plaats. Van zo dichtbij merkten ze dat de man ongelooflijk erg door zijn ouderdom toegetakeld was. Ronduit versleten. Zijn gezicht was een razernij van groeven en kloven. De ogen waren twee kleine, zwarte bolletjes die heel diep in overhangende oogkassen staken. Het waren net spelonken. Het lange, grijze haar was in een staart gebonden die sierlijk op de wollen deken rustte. In die staart waren allerlei kleurrijke versieringen verweven. Melch herkende er veren, pluizen en zelfs – maar daar was hij niet zeker van – nagels van dode dieren in. De beide handen van de oude man lagen op de knop van een wandelstok die hij tussen zijn knieën hield. Die handen waren nog maar eens een weerspiegeling van hoe de tijd hem had toegetakeld. Kromgegroeide vingers, vlekken en nauwelijks nog een spoortje van vet. Yellow Moon was een mager, klein kereltje. Het zweet barstte Lorne uit toen hij zich voorstelde hoe warm het onder die wollen deken was.

"De verpleegster had het vannamiddag over een dolk. Jullie wilden mij vandaag absoluut over een dolk spreken?"

Lorne schraapte zijn keel.

"Eh... het is meer dan dat, meneer."

"Geen meneer. Mijn naam is Yellow Moon. Noem me dan ook zo."

"Eh… geen probleem… eh, die naam, waar komt die vandaan?"

Lorne stelde die vraag om nog even tijd te winnen. De energie om het 'echte' onderwerp aan te snijden, *stroomde* nog niet.

"Mijn moeder heeft mij geworpen terwijl ze met gespreide benen op beide knieën zat en naar een grote, gele maan keek. Ze heeft altijd gezegd dat die maan haar kracht gaf. Vandaar dat ze me naar die maan heeft genoemd. Yellow Moon. Gele Maan."

"Okay... wij... eh... *wonen* in Yellowmoon."

"Misschien heeft degene die voor de naam voor de stad zorgde, inspiratie gevonden toen hij diezelfde maan zag," antwoordde Yellow Moon ongevraagd.

Lorne schraapte nogmaals zijn keel. Hij detecteerde een zweetlaagje aan beide kanten van zijn neus. Haastig veegde hij het irriterende vocht weg. Hij vertikte het naar Melchior te kijken omdat hij wist dat zijn gedrag – wat het ook was – hem nog nerveuzer maakte.

"Wij zitten... ik vermoed... wij denken dat mijn vriend en ik in een netelige zaak verwikkeld zijn."

"Met een dolk?"

Lorne knikte. Melchior zag dat de droge lippen op het verschrompelde gezicht zich in een glimlach probeerden te wringen. Ofwel was het een glimlach, ofwel een uiting van 'dit is niet goed!'.

"Mag ik iets persoonlijks vragen?"

"Geen probleem."

"Hoe oud bent u?"

Lorne keek verbaasd naar Melchior. Wat was het nut van die vraag? Hij begreep niet waarom Melchior de man daarmee lastigviel. Hij was net aan 'het grote onderwerp' begonnen en die klungel onderbrak hem met zo'n nutteloze vraag!

"Ik ben er verleden maand negenennegentig geworden."

"Dat is al een heel stuk levenservaring!"

Yellow Moon lachte, maar het leek op een droge hoest.

"En ik ben pas halverwege!"

Nu uitte Melchior een korte lach die vlug wegebde omdat Lorne onder tafel tegen zijn enkel schopte.

"Over de dolk nu?!" zei Lorne daarop met enige aandrang.

"Mij goed, wat willen jullie weten?"

Lorne verschoof zijn achterste op de stoel.

"Ik werk bij QuarTech. Dat is een computerbedrijf in ons dorp. Men heeft mij en enkele anderen laten meewerken aan een project. Er werd ons opgedragen enkele cijfercodes te ontrafelen. Het was een soort test. Er werden ons beelden getoond waarop jij verscheen. Ik heb gesprekken met jou op tape gezien. Het ging over de dolk."

De oude Yellow Moon bleef onverstoorbaar voor zich uit staren. Lorne vroeg zich af of die kerel wel wist waarover hij sprak. Had de ouwe enige kennis over het voorwerp dat hij als 'tape' vernoemde? Zei een omschrijving als 'cijfercode' hem wel iets?

"Ga verder."

Blijkbaar wel dus.

"In het project dat wij moesten uitwerken, had ik geen enkel vertrouwen. Men probeerde het zo echt mogelijk te laten overkomen, maar ik had al vlug door dat het om een computerspel ging. Eh... je weet toch wat een computer is?"

"Natuurlijk! Tot voor kort surfte ik op het Internet. Nu moeten mijn ogen te veel rusten."

Lorne grijnsde. Hij kon het beeld van de verrimpelde hand bovenop de moderne, draadloze muis nauwelijks vatten.

"Hoe dan ook. Ik ben erin geslaagd de codes van hun spel te breken, waardoor ik ook toegang kreeg tot de kluis waarin de dolk opgesloten zat. Ik vermoed dat zij dat niet hadden voorzien."

"*De* dolk!"

"Inderdaad. QuarTech had zijn best gedaan om het spel zo echt mogelijk te laten overkomen door er allerhande artefacten bij te sleuren. Ik wist heel goed..."

Yellow Moon onderbrak Lorne met een vraag die hem koude rillingen bezorgde.

"Waarom ben jij de ganse tijd over een *spel* bezig?"

Lorne Dorganson slikte. Hij keek naar Melchior wiens gezicht ineens tamelijk zorgelijk stond.

"Hebben er echt mensen van QuarTech met jou gesproken? Of hebben ze je betaald om het verhaal op tape te laten opnemen?"

Yellow Moon hief de wandelstok op en liet hem onzacht op het linoleum neerkomen.

"Er zijn hier mensen gekomen die alles over Dae Nhemm wilden weten. Waar ze vandaan kwamen, weet ik niet. Er werd ook niet over een
firma gesproken. En… ik werd niet betaald."

Melchior Multcher meende dat hij ter plaatse in elkaar stuikte. Die
kerel sprak zomaar over Dae Nhemm. Het begon er dus steeds meer op
te lijken dat Lorne het verkeerd voorhad. Melchior hield beide handen
vlak op het tafelblad. Eigenlijk *duwde* hij beide handen op het blad.
Yellow Moon ging verder.

"Ze kwamen met z'n vieren. Heel deftige mensen. Er was een vrouw
bij. Ik heb hen alles verteld."

Lorne voelde dat de zenuwen zich in zijn keel samentrokken.

"*Wat* heb je hen verteld, Yellow Moon?"

"Je zegt toch zelf dat je de tapes gezien hebt?"

"Wij hebben enkel fragmenten gezien. Jij sprak over een indianenstam
die zich met magie bezighield. Over een demon die opgesloten zat in
een dolk en bepaalde krachten had. Hij kon mensen tot zelfmoord
drijven."

Yellow Moon knikte heel voorzichtig. Harder kon hij niet want Melchior meende dat hij de nekwervels nu reeds hoorde kraken.

"Klopt. *Dae Nhemm.* Zoals ik al zei."

Lorne wreef met beide handen over zijn gezicht. Melchior had moeite
om te blijven zitten. De darmen in zijn onderbuik hobbelden over en
door elkaar. Die indruk had hij toch.

"Waar komt dat verhaal vandaan? Hebben zij dat uitgevonden? Moest
jij dat vertellen?"

De mondhoeken van de indiaan zakten. Lorne had blijkbaar iets gevraagd waar hij niet erg blij mee was. Zijn reactie was dan ook nave-
nant.

"Jullie blanken zijn niet erg bewust van de draagwijdte van ons verleden."

Lorne begreep niet wat de man bedoelde.

"Wat?"

"Het verleden is niet voorbij omdat je het niet meer kunt zien. Bekijk
mij, jonge man. Bekijk de omgeving waarin ik nu verblijf. Dit hier
– alles om mij heen – is mijn heden. Het stelt niet veel voor zoals je

kan zien. Mijn heden is veel ijler dan mijn verleden, dus ben ik blij dat ik dat nog heb. Mensen die een hoge leeftijd hebben bereikt, hebben weinig of geen toekomst meer. Ik ben een van hen en ik heb niets meer om naar uit te kijken, wel om op terug te kijken. Daarom is het verleden voor mij heel belangrijk. Dit allemaal terzijde.

Nu, ik heb niets *moeten* vertellen. Die mensen hebben niets uitgevonden. Ik heb hen alles over Dae Nhemm verteld, net zoals het mij door mijn vader werd verteld. Hij kreeg het te horen van zijn vader en zo gaan we verder het verleden in. Dae Nhemm bestond echt. Zijn naam is eigenlijk *Dae Yak Yajahnan Nhemm* wat je het best vertaalt als: *Slechte ongod die zelfdood zaait.* Dae Nhemm is niet verloren gegaan, hij bestaat nog steeds. Niet in de vorm waarin hij zich vroeger heeft kunnen ontplooien. Dus... het verleden is nu nog steeds van toepassing. Ik heb hen alles verteld wat ik wist. Zij namen alles met een camera op. Ik heb niet gelogen."

"Dat zeg ik ook niet... maar het was toch voor een spel?"

Aan de manier waarop Lorne Dorganson die vraag stelde, wist Melchior dat zijn vriend niet langer wilde verbergen dat hij grote twijfels had. Die werden nog erger toen Yellow Moon opnieuw heel omzichtig ontkennend met zijn hoofd schudde.

"Helemaal geen spel, jongen. De mensen – als we natuurlijk over de zelfde mensen spreken – hebben jou de volledige waarheid verteld. Wat ze jou hebben laten doen weet ik niet, maar het verhaal was niet verzonnen. Ik weet ook niet of het om een computerspel ging dat ze wilden ontwerpen. Maar wat ik hen verteld heb, staat geschreven in de herinneringen van veel van mijn mensen."

Melchior had zich de ganse tijd al afzijdig gehouden, maar nu wilde hij meer weten. Hij zag dat Lorne steeds dieper in mekaar zakte en nam het woord.

"Menee... eh... Yellow Moon, mijn naam is Melchior."

"Goedenavond, Melchior. Kan ik u helpen?"

"Ik denk dat... neen... ik ben er zeker van dat ik Dae Nhemm met me meedraag."

"Dat merkte ik van zodra je mijn kamer binnenkwam. Je begint er zelfs heel goed op te lijken. Die mensen hebben dus de informatie op hun manier misbruikt."

Zowel Lorne als Melchior schrokken zich zowat een bult.

"Jezus... dit is waanzin!" siste Lorne, "het was een spel. Dit kan niet. Ik wilde dit helemaal niet. Ik wilde enkel dat je stopte met mekkeren over het feit dat je een rotleven had!"

Melchiors handen grepen elkaar vast. Yellow Moon ging rustig verder. "Zij vertelden mij dat zij een pseudo-wetenschappelijk werk maakten (of gewoon een boek wilden schrijven) over het mystieke leven van de indianen. Wat het juist moest worden, daar waren ze blijkbaar nog niet uit. De legende rond Dae Nhemm was zeker één van de te verwerken items. Ik zag er geen kwaad in, maar blijkbaar was hun doel iets anders dan een boek. Nu... het probleem van de aanraking kan tijdelijk heel eenvoudig opgelost worden met handschoenen. Het duurt nog wel even vooraleer Dae Nhemm jou kan dwingen die af te doen."

Yellow Moon sprak erover alsof het de gewoonste zaak van de wereld was. *Handschoenen*! Zomaar. De man bleef onderuitgezakt in de fauteuil zitten. Hij keek naar Melchior die niet wist hoe hij het best reageerde. Lorne van zijn kant was nog steeds niet overtuigd.

"Vertel het me!" zei hij opeens.

"Wat moet ik jou vertellen?"

"Over Dae Nhemm. Het verhaal dat je hen hebt verteld."

"De stam droeg de naam Bantheenay. Het waren nomaden en ze verplaatsten zich over de gronden van mijn voorouders als wolven. Niet alleen vermenigvuldigden zij zich heel vlug – blijkbaar waren ze erg vruchtbaar – maar wat erger was: zij waren veroveraars. Deze streek, het zuiden van Montana, behoorde toe aan de Crow-indianen. Ik ben zelf een Crow. Lang voordat de blanke mannen onze gronden kwamen stelen, waren er hier ook al vetes. Tussen de stammen onderling dan wel. Niemand was daar blij mee, maar de ruzies waren er gewoon. Het handelde altijd over betere jachtgronden of betere vrouwen. Jaloersheid bestond toen ook. Het is niet iets wat jullie blanken van over de oceaan hebben meegebracht, wat betekent dat de indianen ook mensen zijn, en geen wilden, zoals jullie dachten. Wij – de Crow – leefden in een tamelijke rust en bemoeiden ons niet met de problemen en de gevechten tussen de anderen.

De Bantheenay was een stam waar niemand graag over sprak. Het onderwerp werd zelfs gemeden. De reden was het feit dat zij zich met de Grote Geest wilden meten. De Grote Geest heeft ons op onze gronden geplaatst en heeft ons leren leven en jagen. Daarom zijn wij hier. Hij heeft ons leren omgaan met de natuur om ons heen. Wij leerden van hem en luisterden naar wat hij ons vertelde. Maar er waren veel indianen. Hij kon die niet allemaal tegelijk in het oog houden. Daarom heeft hij zijn taken onder mindere goden verdeeld. Sommige van hen gedroegen zich niet zoals het hoorde en werden door de Grote Geest verbannen naar het demonenrijk. Maar eigenlijk was dat geen goed idee. De Grote Geest had er niet aan gedacht dat de demonen elkaar zaken leerden. Slechten bij andere slechten plaatsen zorgt ervoor dat zij elkaar onderwijzen. Met demonen loopt dat niet anders. In het rijk was er één die een soort specialisatie voor zijn rekening nam. Zijn naam was – en is – Dae Nhemm. Hij leerde diep in de ziel van de mensen te dringen. Hij leerde hoe hij hen gek kon maken door dingen te laten zien die er helemaal niet waren. Erge dingen, monsters. De mensen die het niet meer aankonden, hielpen zichzelf naar de Eeuwige Jachtvelden. Dae Nhemm werd daardoor een heel gevaarlijke demon.

De Bantheenay kwamen hem op het spoor. Sommigen van hen werkten zich door middel van het roken van drugs tot aan de rand en de oevers van het demonenrijk. Daar leerden ze om te gaan met de wezens die ze daar ontmoetten. Het was een nevelachtige scheidingslijn waar zij onderricht kregen over de demonen en waartoe ze in staat waren. Op die manier werden zij op de hoogte gebracht van het bestaan van Dae Nhemm en verkregen zij inzicht in zijn capaciteit. De kwade inborst van de Bantheenay werd door een dergelijke bondgenoot heel goed gevoed. Er kwamen nog meer en zwaardere drugs aan te pas. De Bantheenay ondernamen nog meer en nu ook specifiek gerichte zoektochten. Ze verlieten de randen en traden het demonenrijk binnen met de wezens als hun gidsen. Er wordt beweerd dat die wezens de geesten van bepaalde van onze voorouders zijn. Van zij die niet 'goed' gestorven zijn en nog wraakgevoelens koesteren tegenover anderen die nog in leven zijn. Niemand weet wat juist is, want na de Bantheenay blijkt niemand meer de oevers te hebben bezocht.

Het duurde maanden eer Dae Nhemm op de proppen kwam. De eersten die hem tijdens hun mentale reis ontmoetten, stierven onmiddellijk. Om die reden duurde het nog een hele tijd eer nog iemand van de stam de reis naar en over de rand durfde maken. Maar uiteindelijk liet Dae Nhemm toe dat hij werd benaderd. Er werden door tussenkomst van de gidsen verdragen gesloten. Dae Nhemm liet zich uiteindelijk oproepen door de Bantheenay op de momenten dat zij hem en zijn kwaad konden gebruiken.

Er was één voorwaarde die altijd moest vervuld worden: Dae Nhemm kon als demon niets verrichten. Het vaste lichaam van een mens moest hem omhullen. Enkel die kon de aanraking op een andere persoon plegen, waardoor het proces van gekmaking van start kon gaan. Iemand moest dus de demon in zich toelaten.

Aanvankelijk verleende niemand zijn medewerking. Velen van hen die reeds op de oevers van de dodenwereld hadden verbleven of er zich zelfs in hadden gewaagd, hielden het voor bekeken. Die reizen betekenden reeds een hoogtepunt in hun beleving. Het schrikte hen af verder te gaan met de dingen waarmee ze bezig waren. Eén lid van de Bantheenay gaf zich na enige tijd als vrijwilliger op. Eagle Eyes was z'n naam. Hij werd heel zwaar onder de invloed van verdovende middelen gebracht. De man werd naar de rand van het demonenrijk gebracht en daar voor dood achtergelaten. De gidsen waakten over hem. De rest van de stam zong en danste rond zijn stervende lichaam. Net toen Eagle Eyes de overstap maakte en het leven op de jachtgronden vaarwel wilde zeggen, stapte Dae Nhemm over de rand. Hij betrad het bijna-dode lichaam op de oevers van het demonenrijk, dezelfde rand tussen het leven en de dood.

Eagle Eyes kwam er weer bovenop, en droeg Dae Nhemm met zich mee. Het duurde weken eer Eagle Eyes er mentaal weer bovenop was. Maar algauw bleek dat het experiment zijn vruchten afwierp. Hij werd ingeschakeld in een vete met een andere stam. De Charquoi. Hoewel hij niet zeker was van zichzelf en eigenlijk niet goed wist wat van hem verwacht werd, bracht Eagle Eyes zijn eerste interventie tot een goed einde. Tijdens een felle ruzie over gedode bizons greep hij (bijna spontaan) een van de stamleden vast en liet hem weer los. Naderhand zou hij gezegd hebben dat het was alsof de demon hem daartoe bevolen had, maar dat kan niet meer op waarheid gecontroleerd worden. Niemand van de Bantheenay en zeker niet van de Charquoi is nu nog in leven. Het verhaal is al heel oud.

Het bericht dat de kerel die Eagle Eyes had aangeraakt, zich kort daarna vreemd begon te gedragen, deed vlug de ronde. Naar het schijnt schreeuwde hij over zwarte wolken en dieren die niet door de Grote

Geest op onze gronden werden gezet. Die dieren lieten zich ook niet doden volgens hem. Toen hij zich uiteindelijk voor een aanstormende meute wilde paarden wierp, was het voor de Bantheenay klaar en duidelijk dat het oproepen van Dae Nhemm zijn vruchten afwierp.

Wat op dat eerste experiment volgde, is afschuwelijk om in detail te beschrijven. Met Dae Nhemm aan hun zijde waren de Bantheenay onoverwinnelijk. Ze leverden strijd zonder zelf ook maar één lid van hun stam te verliezen. Dae Nhemm deed al het vuile werk. Ze verplaatsten zich over de gronden en trokken van stam naar stam. Wat aanvankelijk bedoeld was als een aanzet naar een gemakkelijke overwinning, ontpopte zich tot het ronduit laten uitmoorden van andere stammen. Er wordt verteld dat de Bantheenay zelf verbaasd waren over de intensiteit van Dae Nhemms optreden. Hun doel was enkele leden zelfmoord te laten plegen en daardoor de sterkte van een stam te breken om dan het geschikte resultaat af te wachten om toe te slaan, maar de demon regelde veel meer dan waar zij op hadden gehoopt. Naar blijkt uit de verhalen, waren het afgrijselijke taferelen. Ganse stammen moordden zichzelf uit door Dae Nhemms toedoen. Mannen, vrouwen en kinderen. Niemand bleef gespaard. Maar wat veel erger was: niemand kon de demon stoppen, niemand kon de Bantheenay en Eagle Eyes stoppen."

Yellow Moon reikte naar het kleine tafeltje en nam met een trillende hand een glas vast, half gevuld met water. Hij bracht het voorzichtig tot bij zijn mond en nam een slokje. Het duurde een hele tijd eer het glas weer op zijn oorspronkelijke plaats stond. Lornes ogen hadden het ganse traject van het glas gevolgd. Hij noch Melchior hadden hem tijdens het vertellen onderbroken. Melchior had alles wat Yellow Moon had verhaald, voor zich zien gebeuren, alsof hij naar een breedbeeldtelevisie had zitten kijken. De weidse velden, de immense kuddes bizons, de indianen en uiteindelijk: de slachtingen. Hij geloofde alles wat Yellow Moon hen had verteld. Hij geloofde het ganse verhaal, zonder enige twijfel. Lorne wist niet wat hij moest denken. Er rees ineens een vraag en hij kon niet nalaten die te stellen.

"Dat is het verhaal dat je hen hebt verteld," zei hij.

"Met dezelfde woorden. Samen met het bestaan van de dolk en zijn inhoud."

"Zij hebben jou geloofd?"

Yellow Moon wees met een trillende vinger naar Melchior en zei: "Blijkbaar wel! Anders waren jullie hier niet."

Lorne Dorganson begon zijn geduld te verliezen. Hij wist niet op welk niveau van verantwoordelijkheid hij zich in deze zaak van drie zelf-moorden bevond. Van de dood van Clive Haskett wisten noch Lorne, noch Melchior op dat moment iets af. Lorne was bang dat hij zichzelf (en Melchior met hem) diep in de problemen had gewerkt. Hij had toch gelijk?! Of niet?!

"Maar hoe kan dat? Demonen? Voor mij is dat een grote hoop gelul!"

"Het verleden van mijn volk is geen gelul, jongeman."

"Maar wat hebben ze ons op QuarTech dan wijsgemaakt?"

Yellow Moon hoestte of lachte. Het was niet erg duidelijk.

"De drie mannen en de vrouw die mij kwamen bezoeken, hadden blijkbaar al heel wat opzoekingen gedaan, omdat ze wisten welke vragen ze wilden stellen. Waarschijnlijk hadden zij ook reeds enkele onderzoeken afgewerkt en andere mensen gesproken. Ik heb hen horen vertellen over gebouwen – of bijgebouwen – die zijn opgetrokken op de plaats waar men Eagle Eyes heeft begraven. Van gebouwen boven het graf weet ik natuurlijk niets af. En eigenlijk wist ik ook niet wat zij daarmee bedoelden. Geen enkel van de oude verhalen vermeldt het bestaan van een gebouw. Het graf werd niet aangeduid om het zoveel mogelijk ongemoeid te laten. Als jij en ik inderdaad over dezelfde mensen praten, dan bevatten hun plannen weinig goeds gezien de aard van hun handelingen. Ik dacht aan het boek waarover ze het hadden, maar blijkbaar hielden zij andere mogelijkheden achter de hand. Ik werd dus voorgelogen."

Hij wees nogmaals naar Melchior. Die hield zich afzijdig en voelde zich maar half bij het gesprek betrokken, hoewel hij eigenlijk in het middelpunt van de belangstelling zou moeten staan. Hij was de echte oorzaak van hun bezoek aan de oude indiaan.

"Blijkbaar zijn ze in hun doel geslaagd. Wat hebben de mensen van jouw firma jou dan wel verteld?"

Lorne haalde zijn schouders op.

"Vrijwel hetzelfde als jouw verhaal, maar met andere woorden."

"En dat heb je niet geloofd?"

Lorne spreidde de armen.

"Komaan zeg... wie hecht nu geloof aan zoiets? Ik was ervan overtuigd dat het om een computerspel ging. Dat is trouwens één van de dingen die wij op QuarTech maken."

"Ze hebben jou nochtans de waarheid verteld. Waarschijnlijk waren ook zij – net als jij – ervan overtuigd dat niemand hun verhaal zou geloven. Hoe ben je aan de dolk geraakt?"

Lorne snoof. Hij keek opzij naar Melchior die niet reageerde. Met beide handen nog steeds bovenop het tafelblad, zat hij stijf rechtop. Yellow Moon mocht dan bijna honderd jaar oud zijn, Melchior vond dat hij verdomd goed bij zijn verstand was. Die ouwe rakker had al wijze zaken verteld. Melchior had kerels van zestig ontmoet die er veel erger aan toe waren dan hun gastheer.

"Dat is een lang verhaal," zei Lorne.

"Ik heb tijd en ik heb geen andere activiteiten meer gepland voor vandaag. Straks moet ik nog vijftien kilometer joggen, maar dat kan wachten. Dit is belangrijker."

Lorne produceerde een koude glimlach. Hij mocht die ouwe rukker wel.

"Goed... je hebt erom gevraagd... Naast mij zit..."

Zoals de beide jonge mensen daarnet de oude man hadden laten vertellen zonder hem te onderbreken, liet Yellow Moon het woord aan Lorne Dorganson. Melchior hield wijselijk zijn mond en beperkte zijn inbreng in het verhaal tot een occasionele hoofdknik. Lorne vertelde over zijn relatie met zijn vriend en de ergernis die Melchior Multcher uit zijn verleden met zich meedroeg. Hij beschreef nogmaals hoe hij gevraagd werd mee te werken aan een project bij QuarTech en dat hij vond dat hij het spel tamelijk vlug had doorzien. Hij zei geen geloof te hechten aan wat zij hem hadden verteld. Lorne verklaarde vervolgens zonder veel omhaal dat hij het verhaal uitstekend vond om het aan te wenden om zijn vriend op te beuren. Via de gekraakte codes stal hij de dolk uit de kluis en nam die mee naar zijn huis. Yellow Moon luisterde aandachtig naar de handelingen die Melchior had gesteld om Dae Nhemm in zijn lichaam toe te laten. Toen Lorne het daarna over de drie 'aanrakingen' had, gevolgd door de drie zelfmoorden, trok hij een bedenkelijk gezicht. Hoe het mogelijk was, begreep Melchior niet, maar er verschenen daarbij nog meer rimpels in het perkamentachtige gezicht. Lorne eindigde met:

"... en omdat jij de enige bent met wie ik meende erover te kunnen praten, zijn wij hier terechtgekomen."

"Dat is een gans verhaal," zei Yellow Moon hoofdknikkend.

"Ik geloof jou."

Het waren mee van de eerste woorden die Melchior sprak. Lorne en de oude man keken hem aan.

"Je gelooft me, Melchior, omdat je niet anders kan. Je draagt Dae Nhemm met jou mee, waar je ook gaat en hij neemt je stilaan over."

Melchior slikte en besefte dat hij al een ganse tijd aan het langwerpige litteken op zijn linkerarm krabde. Hij had geprobeerd het te negeren, maar zijn ene hand werd er steeds opnieuw naartoe getrokken. Hij vermagerde zienderogen, zijn haar werd langer en hing in pieken. Zelfs zijn gezicht vervormde. Het werd langer. Zijn vader Abraham had daar al een opmerking over gemaakt.

"Wat moet ik doen? Ik wil hem niet meer in mijn lichaam!"

Melchior klonk als een jammerend kind dat steun zocht bij een volwassene. Hij hoopte overduidelijk dat de indiaan met de juiste oplossing voor zijn probleem op de proppen kwam.

"Om te beginnen draag je voortdurend handschoenen. Dat heb ik al gezegd. Het duurt nog een poos eer Dae Nhemm er volledig zal in slagen zich van jouw geest meester te maken. Ondertussen hoeft er niemand meer om zeep geholpen te worden."

"Ben je niet bang dat ik jou aanraak? Ik weet niet of ik mezelf nog lang onder controle kan houden."

Yellow Moon glimlachte knikkend.

"Ik ben niet bang, jongeman. Je moet je verzetten, momenteel is hij nog niet krachtig genoeg om alles over te nemen. Jouw verzet maakt het hem enkel maar moeilijker. Het is Dae Nhemms opdracht chaos te scheppen, om stammen – desnoods volkeren – uit te roeien. Ik ben er bijna honderd, ik ben alleen. Via mij kan hij heel weinig schade toebrengen aan de mensheid. Hij zoekt zijn doelen en zal wel zorgen dat wat hij veroorzaakt, zichzelf verspreidt. Het is een heel slechte demon. Slecht en erg machtig. Hij heeft jou ingepalmd en naarmate hij sterker wordt, zal hij ook via de geesten van de doden werken. Dae Nhemm heeft heel wat in zijn mars. Sommige van zijn slachtoffers 'sterven' zonder er iets bij te voelen. Anderen, wier geest er nog in slaagt weerstand te bieden, zullen de pijn die ze zichzelf veroorzaakt hebben, wel degelijk voelen en er ook op reageren. Sommigen beseffen heel goed wat ze zichzelf aandoen, maar voelen niets. Het beeld van de zelfverminking maakt hen gek."

"Hij liet me iemand tegen mijn zin aanraken. Ik wenste die mens geen kwaad toe. Ik schudde de man gewoon de hand en Dae Nhemm maakte van de gelegenheid misbruik om de overgang te maken. Ik wilde dat niet."

"Zo begint het. Spreekt hij jou aan?"

"Heel zeker! Hij manipuleert mij. Soms hoor ik hem een ganse tijd niet. Zoals nu. Ik heb het gevoel dat hij zich voorbereidt."

Opnieuw die bedenkelijke uitdrukking.

"Maar... hoe kan ik het definitief verhelpen?"

Yellow Moon antwoordde niet onmiddellijk. Lorne kwam tussen.

"Wat hebben ze indertijd met Eagle Eyes gedaan? Het zelfmoorden is ooit toch gestopt, nietwaar? Hoe kwam zijn lijk onder de grond terecht? Hoe kwam de dolk met Dae Nhemm in zijn handen terecht??"

Yellow Moon keek Melchior niet langer aan. Hij richtte zijn ogen naar een onbepaald punt in de kamer, zuchtte en zei:

"Het is *zijn* lijk niet."

Tijdens de terugrit naar Yellowmoon werd aanvankelijk heel weinig gesproken. De laatste zin die de indiaan uitsprak, deed vragen rijzen. Lorne wilde er onmiddellijk op ingaan, maar een verpleegster kwam hen melden dat hun bezoek meer dan lang genoeg had geduurd. Lorne drong nog aan om een beetje meer tijd te krijgen, maar de vrouw vroeg heel kordaat de kamer onmiddellijk te willen verlaten. Een man van bijna honderd had zijn avond- en nachtrust meer dan nodig. Gesprekken konden later hervat worden.

Lorne en Melchior beseften dat de verpleegster gelijk had, hoewel ze absoluut meer uitleg wilden. Maar als ze in de loop van de week nog eens wilden terugkomen, hielden ze zich beter aan de afspraken. De ouwe indiaan zei lachend dat het toch tijd was om aan het joggen te beginnen.

Ze waren al voorbij Garland toen Melchior als eerste sprak.

"Hij verzwijgt iets."

Lorne veerde uit zijn gedachten op. Hij besefte weer dat hij met de wagen reed en wreef de stress uit zijn ogen. Eigenlijk was hij blij dat er gesproken werd.

"Wat bedoel je?"

"Heb je gemerkt dat hij enkele malen heel bedenkelijk keek? Ik heb de indruk dat hij ons niet alles heeft verteld."

Lorne haalde de schouders op.

"Jezus, Melch... ik weet het niet meer."

"Ik doe wat hij me opgedragen heeft. Ik draag handschoenen. Ik raak niemand meer aan."

"Het lijkt me allemaal zo idioot!"

Melchior schudde het hoofd.

"Wat heb je nu nog meer nodig om te geloven dat we diep in de stront zitten?"

Lorne reageerde daar niet op. Het lachen was hem een tijdje geleden al vergaan.

"Bel me op van zodra je merkt dat er iets aan jou drastisch verandert. Of dat je denkt dat... het ding... iets van plan is. Op mijn mobiele telefoon. Bel nooit naar mijn werk! Vergeet dat niet!"

"Ik wil zo vlug mogelijk weer met hem praten. Hij weet nog meer."

"Ik zal iets regelen," mompelde Lorne.

"Deze week nog."

"Ja..."

Deel Drie:

Totale Chaos

*"Als de laatste Rode Man zal zijn verdwenen,
en de herinnering aan mijn stam een legende
onder de blanken zal zijn geworden, zullen deze kusten
krioelen van de onzichtbare doden van mijn stam, en
wanneer de kinderen van jullie kinderen denken dat ze
alleen zijn op het veld, in de winkel of midden in de stilte
van de toegankelijke bossen, dan zijn ze niet alleen...'
s Nachts wanneer de straten van jullie steden en dorpen stil
zijn en als je denkt dat ze verlaten zijn, dan zijn ze gevuld
met de terugkerende geestenvan hen die hier eens woonden
en nog steeds van dit land houden. De Blanke Man zal
nooit alleen zijn. Laat hem rechtvaardig en vriendelijk
met mijn volk omgaan, want de doden zijn niet machte-
loos. Dood, zei ik? Er bestaat geen dood, alleen een overgang naar andere werelden."*

Opperhoofd Seattle, leider van de Suquamish indianen.
Uit zijn toespraak tot Isaac Stevens, gouverneur van het Washington
Territorium.
Anno 1854.

16. Melchior Multcher
Bezoek

Woensdag, 22 juni 2005.

Melchior Multcher schrok op. Hij was op zijn stoel in zijn hok langsheen County Route 332 ingedommeld. Een stem in zijn hoofd had hem gewekt. Ongetwijfeld was het Dae Nhemm die weer van zich liet horen. Verbaasd keek Melchior om zich heen. Hoelang had hij geslapen? Een blik op zijn polshorloge leerde hem dat het halftien was. Slapen op het werk: een doodzonde! Gelukkig was Ottie Pelch het hok niet binnengekomen. Melchior zette zich rechtop en wreef met zijn ene hand over zijn gezicht tot hij het bloed onder de huid voelde stromen. Hij herinnerde zich niet ooit eerder op het werk in slaap te zijn gesukkeld. Maar hoe kon het ook anders? Gisterenavond was hij thuisgekomen, had nauwelijks iets tegen zijn ouders gezegd en hun morren genegeerd. Het bed en de lakens boden de lichamelijke en mentale rust niet die hij ervan verlangde. Het gesprek dat ze even daarvoor met de oude indiaan in het rusthuis in Miles City hadden afgesloten, lag zwaar op zijn maag. Melchior voelde dat er nog iets anders knaagde: dát wat hij *niet* had gezegd. Het slapen bleef ook uit. Melchior woelde tussen de lakens tot hij diep in de nacht uiteindelijk dan toch het land van de wakenden verliet.

Het ontbijt verliep aanvankelijk in stilte. Toen zijn ma hem vroeg hoe het kwam dat hij zo veranderd was, voelde hij een golf van woede door zijn borstkas snieren. Omdat hij niet onmiddellijk antwoord gaf, zei ze dat ze bang was dat hij de ene of de andere ziekte had opgelopen. De jonge mensen van tegenwoordig letten nergens meer op. Abe beaamde wat zijn vrouw zei en morste voortdurend koffie. Melchior zei enkel dat er met hem niets aan de hand was – *ik ben kerngezond, er is niets aan de hand met mij!* – en verliet de ontbijttafel zonder nog een woord.

Die ochtend in juni, de tweeëntwintigste, was het al vroeg warm. De hitte spreidde zich vrijelijk over de betonnen vlakte rond de pompen en drong het hok binnen. Het geschreeuw van WXXW bereikte hem nauwelijks. Om halfnegen reed de eerste klant het terrein op. Melchior

had zich voorbereid. Vóór hem op tafel lagen twee werkhandschoenen. Hij verborg er zijn handen in en bediende met een gerust hart
de vrouwelijke klant. Terug in het hok – in het warme hok – legde hij
de handschoenen op tafel. Nadat hij op de stoel had plaatsgenomen,
begon Melchior zich loom te voelen. Het onvoldoende slapen en de
warmte eisten hun tol.
De stem van Dae Nhemm wekte hem.
- *Waar ben jij mee bezig?* -
Melchior Multcher schrok uit zijn onderuitgezakte positie in zijn stoel
op. Hij zoog een straal speeksel die bijna tot op zijn borst reikte, terug
omhoog.
- *Laat me met rust.* -
- *Ik heb je bijna een volledige dag met rust gelaten. Ben je niet blij dat ik
terug ben?* -
- *Neen!* -
- *Ik dacht dat je eenzaam werd.* -
- *Ben ik niet. Ga weg.* -
- *Ik ben pas terug. Ik heb me voorbereid. Wat met de handschoenen?* -
Melchior legde er zijn handen op. Het gaf hem een gevoel van rust.
- *Je hebt gisteren een bezoek aan de oude Indiaan gebracht.* -
Melch wist dat het geen zin had te ontkennen.
- *Hij heeft ons alles over jou verteld. Het is zijn idee om handschoenen te
dragen.* -
- *Alles? Heeft hij jou alles verteld?* -
- *Ik weet meer dan genoeg. Ik wou dat wij er nooit aan begonnen waren.* -
De lach van de demon flitste als felwit licht achter zijn ogen. Een kort
gevoel van pijn kwam erachteraan.
- *Te laat! Trouwens, zoals ik al zei: ik heb me voorbereid.* -
- *Waarop?* -
- *Stomme vraag! Je hebt met die ouwe rimpelkerel gesproken, dus moet je
toch weten wat volgt!* -
Melchiors hart begon sneller te slaan.
- *Ik weet het niet.* -
- *Misschien heeft hij jou nog niet alles verteld. Ik voer mijn taak uit. Dat
is alles.* -
De jongen vond het volslagen nutteloos te vragen wat zijn taak in
deze wereld effectief inhield. Melchior was bang van wat de toekomst

bracht.

- Het wordt mooi in deze stad, wees daar maar zeker van! Weet je wat ik gedaan heb? Ik heb met jouw ogen om me heen gekeken. Je hebt me een ferme dienst bewezen door me met je mee te dragen. Daarom heb ik me stilgehouden. Ik heb je zogezegd een beetje vrijgelaten en tegelijk mijn ogen de kost gegeven. Het leven is veel veranderd. Vroeger waren er geen auto's, treinen of huizen. Het maakt er mijn taak niet gemakkelijker op, maar het loont de moeite om me in te zetten. Al die zaken bezorgen me nieuwe mogelijkheden om mee te werken. Ik merk wel dat de mensen zelf nog geen haar veranderd zijn. Het zijn allemaal egoïstische klootzakken. -

- Ik weiger mee te werken aan jouw plan, Dae Nhemm! -

Opnieuw die felwitte lach! Pijn! Melchior kneep de ogen hard dicht.

- Je hebt niet goed naar de ouwe knook geluisterd, Melchior!"-

Het draagbare telefoontoestel van degene die hij opbelde, ging over. De oproeper werd reeds na de derde beltoon nerveus. Toen werd opgenomen, schreeuwde Melch onmiddellijk de naam van zijn vriend.

"*Lorne?*"

"Je hoeft zo niet te roepen! Wat scheelt er?"

"Waar ben je?"

"Ik ben buiten, het is pauze."

"Dae Nhemm is terug. Hij heeft met mij gepraat."

Melchior wachtte met zijn mobieltje tegen de zijkant van zijn hoofd, want Lorne antwoordde niet.

"Lorne?"

"Ik denk na."

"Wat moeten we doen? Ik word echt bang! Hij zei dat hij zich heeft voorbereid."

"Op wat?"

"Ik weet het niet... hij zegt dat ik het *moet* weten."

"Draag je je handschoenen?"

"Die liggen vóór mij op tafel. Ik trek die aan telkens er een klant aankomt."

"Goed zo, vergeet die niet. Op die manier lukt het misschien. Ik probeer met Yellow Moon een nieuwe afspraak voor vanavond te regelen."

"Vanavond?"

"Je wilde hem toch nog zaken vragen?"

"Ja... maar..."

"Hou je gedeisd. Er komt iemand aan."

Melchior hoorde dat zijn vriend het gesprek abrupt afbrak. Lorne klonk nerveus. Waarschijnlijk had hij ook geen oog dichtgedaan.

Ongeveer drie minuten nadat hij zijn eigen kleine mobiele telefoontoestel opzij had gelegd, voelde Melchior Multcher een koudegolf zijn hok binnenstromen. Hij bleef op zijn stoel zitten en hield zijn ogen en gedachten op de twee handschoenen op het tafelblad gericht. Het was alsof de zon ineens achter de wolken verdween en er tegelijk een frisse wind kwam opzetten. Maar de zon was er nog. Melchior werd zich bewust van de koude én van de stilte die intrad. Het gejank van WXXW was er ook niet meer.

Hij voelde zijn hart in zijn keel hameren toen hij zijn hoofd oprichtte en door de open deur naar buiten keek. Naast een van de pompen stond een klein voertuig. Zijn eerste idee was dat het een zwarte wagen betrof, maar Melchior voelde aan het borrelen in zijn darmen dat hij zichzelf wat anders dan de waarheid probeerde wijs te maken.

Naast de pomp stond de zwartgeblakerde Chevrolet Aveo van Hanna Khanlowski.

- *Je hebt je handschoenen niet nodig, Melchior. Zeg haar gewoon gedag, spreek tegen haar, je weet nooit wat je te horen krijgt!* -

Melchior probeerde het demonische grijnzen achter zijn ogen te negeren. Het manifesteerde zich in de vorm van een caleidoscopische kleurenwarreling. Elke kleur vertegenwoordigde een andere vorm van pijnprikkel. Hij stond wankel op, hield zich even aan de tafelrand vast en hield zijn ogen op het zwarte wrak gericht. Waarom kwam Ottie niet naar buiten? Melchior stapte op slappe benen tot in het deurgat. Zijn hart hamerde tegen zijn slokdarm. Dit kon niet.

- *Ben je bang? Ze is dood, Melchior, ze zal jou niets doen!* -

Hij strompelde voorover toen hij zijn hok verliet en hield zich met moeite overeind.

- *Let op, sukkel, straks val je nog op je lelijk smoelwerk! Je hebt toch niet gezopen? Slapen en zuipen op het werk?! Het gaat van kwaad naar erger!* -

Melchior waagde een blik in de richting van de winkel waar Ottie zich achter de toonbank ophield. De deur stond open, maar daarbinnen was het donker. Gewoon zwart. Hij kreeg geen zicht op wat er zich in de winkel bevond. Het was alsof er een zwarte deur dicht was.

- Die kerel kan haar niet zien, Melchior. Dit is tussen jou en Hanna. -

De doodsbange jongen schuifelde over het beton nader. De Chevrolet Aveo was er erg aan toe. De ramen die er nog in staken, waren met roet bedekt, waardoor hij niet kon zien hoe de wagen er binnenin aan toe was. Alle lak was van het koetswerk weggebrand. De vier banden waren weg. De wagen stond op vier doorgeroeste velgen. Melchior wreef over zijn ogen. Dit was een spookbeeld. De wagen was er niet echt. Gewoon een beeld, opgedrongen door de demon in zijn hoofd. Hij probeerde zichzelf daarvan te overtuigen, tot hij naast de wagen kwam.

De film van de brandende Hanna die afgelopen vrijdag met haar arm het zijraam van haar wagen brak, waardoor verse lucht naar binnen werd gezogen en zo het vuur aanwakkerde, speelde zich vliegensvlug voor zijn geestesoog af. De film was ineens afgelopen. Melchior stond naast de bestuurdersdeur.

Het raam was nog steeds kapot. Hanna zat nog steeds achter haar stuur. Melchior vergat te ademem. Hij wist niet of hij daartoe nog in staat was. Binnenin de wagen was alles gesmolten of weggebrand. Het dashboard zelf was één blok tot lange slierten gestolde hoop zwartheid. Van de zetels en het stuur bleef enkel nog het naakte skelet over. Het zwartgeblakerde ding dat achter het dashboard zat, viel nauwelijks nog als een mens te herkennen. Zwarte korsten op opengebarsten vel en vlees. De vormeloze klomp die waarschijnlijk het hoofd was, was opzijgezakt. Het ijzeren skelet van de zetel was in haar rug gebrand en had zich tussen haar ribben en verbrande spieren geweven. Aan de voorkant puilden de ingewanden uit de buikwand, waar die opengespat was. Maar alles was geblakerd en gebraden. Ook de armen die langs het dikke, zwarte lijf hingen, evenals de dikke benen onder het dashboard.

Melchior uitte een gil toen Hanna haar hoofd oprichtte. De modderige klomp kwam heel langzaam van tussen de schouders omhoog. Het duurde een eeuwigheid vooraleer haar verwoeste gezicht hem aankeek. Neus, lippen en ogen waren weggebrand. Alle huid was op de schedel verdwenen. De tong was een dikke, plakkerige brij die tussen de tandspleten naar buiten puilde. Toch hoorde en herkende Melchior haar stem. Het was Hanna Khanlowski die tot hem sprak. Niemand anders.

... "Dag Melchior. Leuk je terug te zien"...

Melchior voelde speeksel uit zijn openhangende mond druipen. Met ogen vol tranen keek hij in het afschuwelijk verminkte gezicht.

- Ze spreekt jou aan, idioot. Kun je niet beleefd zijn? Geef een antwoord. Als een vrouw tot jou spreekt, moet je antwoorden. Heb je dat nooit geleerd? Geen wonder dat je nooit aan een lief bent geraakt! -

Melchior klapte zijn mond dicht. Het werd te veel. Het spook van Hanna vóór hem én de stem van een demon in zijn hoofd.

... "Ik breng jou een bezoek dat misschien wel leerrijk kan zijn. Op deze manier zie je eens van dichtbij wat vuur aan een menselijk lichaam kan aanrichten" ...

Nog steeds slaagde Melchior er niet in te reageren. Het dode ding in de Chevrolet was afgrijselijk. Bepaalde van zijn zintuigen waren afgesloten. Hij rook niets, hoorde niets en zag nauwelijks iets anders dan wat Dae Nhemm wilde dat hij zag.

... "Je slaagt er niet in iets te zeggen? Dat is normaal, want dit is geen gewone situatie. Wij gaan rondspoken, Melchior. Je hebt een proces in gang gezet dat niet te stoppen is. Die boodschap kom ik je brengen. Het spook uithangen en daarmee de mensen de schrik op het lijf jagen. Dat is onze eerste taak, er wacht ons dan nog iets. Iets prachtigs. Wij krijgen meer bevoegdheden, zoals dat heet. Wij zullen ons ding doen en Dae Nhemm dat van hem, wat eigenlijk op hetzelfde neerkomt. Hij heeft ons die bevoegdheden gegeven. Het wordt nog mooi! En allemaal dankzij jou, Melchior Multcher... hij heeft me afschuwelijke beelden laten zien, Melchior. Ik zag hoe ganse stammen – ik denk toch dat het indianenstammen waren – zichzelf afmaakten. Iedereen hakte, sneed en krabde op zichzelf in. Allemaal door zijn interventie. Het leek erop dat hij mij zijn creaties wilde tonen, de dingen waartoe hij in staat was. En als dat inderdaad zo is, dan wordt het hier nog mooi in Yellowmoon. En ondertussen weet ik waar Braddie is. Ons hondje, weet je nog? Je hebt het ook aangeraakt. Het is nu een beetje gegroeid en gevaarlijker geworden. Maar net zoals wij heeft het ook een taak gekregen" ...

- Zie je wel, zij is tevreden. Wat wil je nog meer? -

Een bruin, kleverig sap sijpelde uit een aantal spleten die de nek vormden toen het 'hoofd' zich terug naar voren draaide. Melchior voelde zijn maag protesteren.

Ineens veranderde er heel veel. Het geschreeuw van uitzinnige mensen bereikte hem als een stormwind. Het ging met onuitstaanbare klanken gepaard die door sommigen als muziek omschreven worden. Iemand – één van degenen die het gejoel voortbrachten? – klonk veel luider dan de anderen. Luider en dichterbij.

"Waar sta jij in godsklootzakkerij naar te gapen!?"

Melchior knipperde met de oogleden en schrok uit een droomwereld op. De Chevrolet Aveo met de dode Hanna Khanlowski achter het stuur was verdwenen. WXXW was heel intensief aanwezig en Ottie Pelch stond naast hem aan de pomp.

"Hé, Melch- wezen! Ben je nog op de planeet Aarde?"

Ottie schreeuwde de woorden op nauwelijks drie centimeter van Melchiors linkeroor. Die trok zich achteruit.

"Ben je er nog?!"

"... wat..."

Ottie vloekte en ketterde.

"Wat is er aan de hand met jou, Melch? Moet ik de dokter bellen of voer ik jou onmiddellijk naar het gekkenhuis in Miles City?"

Melchior keek verbaasd om zich heen. Hij ondernam wanhopige pogingen om zichzelf in de werkelijkheid terug te vinden. Hij was danig aangegrepen door Hanna's korte bezoek.

"Waarom..."

"Je staart hier al vijf minuten naar de grond! Vanuit de winkel roep ik en blijf ik roepen. Je reageert niet. Ik kom dichterbij en zie dat je zomaar naar de grond onder je schoenen staat te gapen. Ik roep nog steeds, maar meneer ziet mij niet. Meneer hoort mij zelfs niet. Wat scheelt er met jou? Heb je iets rots gegeten misschien?"

Melchior keek naar zijn handen en vervolgens naar de kleine afstand tussen hem en Ottie. Onmiddellijk schoof hij beide handen onder zijn oksels.

"Sorry..."

Hij draaide zich om en stapte naar zijn hok. Een totaal verbaasde Ottie keek naar zijn gekromde rug.

"Hé, klootzak! Als je ziek bent, ga naar huis. Sterf daar!"

"Sorry..."

Hij stapte zijn hok binnen en ging achter zijn tafel zitten. Ottie keek hem nog even na, spuwde een gigantische klodder op het beton en beende mompelend naar zijn winkel.

Raven Daramantez aanvaardde de koffie die Will Kamen haar presenteerde. Het was even over tienen en niet zo heel ver daarvandaan keerde Melchior Multcher met beide handen onder zijn oksels terug naar zijn hok. Zij droeg een T-shirt, een jeansbroek en korte laarzen. Will had de meeste moeite om niet onophoudelijk naar haar decolleté te kijken. Ze nipte van de koffie.
"Ik word er razend van, Will. Er verandert niets. Er wordt ons niets verteld."
Will Kamen knikte.
"Klopt. Maar na Haskett is er ook geen dode meer gevallen."
"Dat was gisteren, Will, wat nog niet zolang geleden is. Eén dode per dag is meer dan genoeg, denk je niet?"
Will kon enkel beamen dat Raven gelijk had.
"Ik denk dat ik een bezoekje aan QuarTech breng. Nu Elleniak me heeft gezien, hoef ik me niet terug te trekken zoals vorige keer."
"Wat denk je daar te zullen bereiken?"
"Ik stel een massa vragen en hoop dat ze me een massa antwoorden geven."
Raven hield het daarbij. Ze nipte nogmaals van haar koffie. Kamen vreesde dat het bij vragen stellen zou blijven.
"Er is anders niet speciaals gebeurd?"
"Niet dat ik weet. Behalve..."
"Ja, toch iets? Die koffie is bloedheet!"
"Danny Lahmian is gisterenavond niet teruggekomen na een patrouille met een stagiaire."
"Is dat verdacht?"
"Niet in zijn geval. Waarschijnlijk heeft hij het wicht mee in zijn bed getroond. Hij vangt pas deze namiddag zijn dienst aan."
Geen belangrijk nieuws dus. Raven waagde zich voorzichtig aan nog een kleine slok.

Voor de politiestagiaire Annie Mouhaird maakte het geen verschil uit of ze haar ogen opende of gesloten hield. Het bleef pikdonker.

Even vreesde ze dat ze met blindheid geslagen was, maar toen ze na een tijdje onregelmatige vormen onderscheidde, wist ze dat ze niets hoefde te vrezen. Toch niet op dat gebied. Ze rook vochtige aarde en voelde een zachte, natte druk tegen haar rug. Maar bewegen deed ze niet. In welke positie zij zich bevond, wist ze niet, en ook kon ze niet uitmaken wat haar die helse pijn bezorgde wanneer ze haar rechterarm of rechterbeen bewoog. Annie meende dat ze waarschijnlijk lichtelijk achterover tegen een schuine wand lag. Het beeld van het afschuwelijke beest was in haar geest gebrand, maar nu twijfelde ze eraan of het er in werkelijkheid wel was geweest. Een afgrijselijk monster... dat kon toch niet?! Was het misschien iets uit haar kinderfantasie dat zich overdadig echt in haar geest had gemanifesteerd? Wat ze zich echter heel gedetailleerd en kleurrijk herinnerde, was het kapot spatten van het hoofd van Danny Lahmian. Wat daarna was gebeurd, dreef in een waas van grijze mist in haar hoofd rond... hoe dan ook, de situatie waarin ze zich bevond, wees niet op een alledaagse gebeurtenis.

Haar linkerarm kon ze bewegen, maar enkel wanneer ze extreem voorzichtig was. Elke spier die ze vertrok, deed de pijn in haar andere arm of been ontploffen. Het was alsof iemand telkens een mes in haar onderarm of onderbeen boorde, zó intens was de pijn die ze ervoer bij de minste beweging. Achter zich voelde ze vochtige aarde. Koud en nat. Verder durfde ze niet reiken. Ze probeerde rustig adem te halen, want zelfs dat deed pijn. Haar ogen wenden niet aan de duisternis, want er was geen enkele vorm van lichtbron in de buurt. Ook haar hoofd kon ze vrijelijk draaien. Enkel haar rechterarm en rechterbeen zaten dus ergens muurvast. Waarschijnlijk open breuken, vandaar de pijn. Annie Mouhaird bewoog niet.

Rustig ademen. Kalm blijven. Proberen je te concentreren. Zeker niet panikeren en wanhopen. Zolang je nog leeft, ben je nog tot veel in staat. Allemaal methoden en wijsheden die Annie in haar opleiding als politieagente had aangeleerd.

Heel voorzichtig zoog ze lucht in haar longen, opende haar mond en fluisterde:

"Hallo?"

De reactie was onmiddellijk en overweldigend. Iets wat zich heel dicht in haar buurt bevond, gromde en bewoog zich enorm vlug. Hoewel ze niets kon zien – hooguit een vlugge, vage beweging van een zwarte massa tegen een nog zwartere achtergrond – vermoedde ze dat het beest zich op enkele centimeter van haar gezicht bevond. Ze voelde een warme adem op haar huid. Een adem die wansmakelijk slecht rook en haar bijna deed kokhalzen. Annie schrok en probeerde zich zo klein mogelijk te maken. Van die minuscule bewegingen kreeg ze onmiddellijk spijt. De pijn in haar arm en been werd onverdraaglijk. Kreunend en bijna het bewustzijn verliezend, probeerde zij zich overeind te houden. Het zwarte borrelen in haar hoofd hield een tijdje aan.

Ze hoorde dat het beest zich verwijderde. Het bewoog door de aarde, gleed langs de wanden. Annie vermoedde dat ze onder de grond zat, ergens in een soort grot. Uit de reactie van het beest in haar buurt – dus toch geen product uit haar fantasie – besefte Annie dat ze zich het best muisstil hield. *Kalm blijven! Niet panikeren!* Een grapje? Wie bleef er nu kalm in een dergelijke situatie?

Ineens was het daar terug. Annie Mouhaird voelde het. Het kwam van rechts, slepend over de vochtige grond. Het grommen was een erg luidruchtige ademhaling. Annie uitte een korte gil toen ze overal over haar lichaam betast werd. Het beeld van de tentakels die uit het lichaam van het monster in het bos ontsproten, kwam haar voor de geest. Het voelde aan alsof tientallen slangen zich tergend traag over haar huid bewogen. Maar ze kende het gevolg van haar gillen, ze verbeet dus haar angst en hield zelfs haar adem in. De slangendingen gleden over haar gezicht, onder haar kledij, over haar borsten en buik en tussen haar benen. Annie moest zich bedwingen om niet te kotsen.

Na hun onderzoek trokken de tentakels zich blijkbaar terug, want de glibberige aanrakingen hielden op. Het beest bevond zich nog steeds heel dicht in haar buurt. De jonge vrouw was blij dat het donker bleef, dat ze niet zag wat haar belaagde. Het bewoog zich – ze hoorde het – en maakte smekkende geluiden.

Plotseling was er dat heel warme, kletsnatte gevoel op haar beide benen. De scherpe geur van verse urine bereikte onmiddellijk haar neusgaten. *Het bezeikt me*, gilde ze in haar hoofd, *het smerige beest is mij aan het bepissen!!* Annie Mouhaird wilde gillen en spartelen, maar kende de gevolgen. Dus hield ze zich stil en probeerde de vernederingen en de pijn te verbijten. Het beest had een enorme blaas want er stroomden ettelijke liters van het warme, smerig stinkende vocht over haar onderlichaam. Het doorweekte haar broek, en verzamelde zich in haar kousen en schoenen.

Shelley Cockroft bevond zich op datzelfde moment in de wasruimte van haar woning toen ze meende een geluid te horen. Het klotsen van water. Daar leek het op. Ze stopte haar bezigheden aan de wasmachine en hield zich stil. Shelley luisterde intens naar de geluiden die het grote huis op Willow Lane produceerde. Sinds haar man Jeffrey zich nu reeds meer dan een week in de badkamer om het leven had geholpen, betrapte Shelley er zich op dat ze af en toe geluiden hoorde die er vroeger niet waren. 'Vroeger' staat voor: 'toen Jeffrey nog in leven was'. Toen alles nog rozengeur en maneschijn was. Ze had de deur van de badkamer dichtgetrokken nadat de politiemensen alles vrijgegeven hadden en tot op heden was de deur gesloten gebleven. Voor geen geld ter wereld wilde ze daar nog naar binnen gaan. Veel te slechte herinneringen. Gelukkig hadden ze nog een – kleinere – wasruimte op het gelijkvloers. Het was in die ruimte dat ze zich bevond toen ze het geluid hoorde.

Het was nog steeds woensdag, de tweeëntwintigste juni, even voor de middag. Raven Daramantez was allang terug op haar bureel na haar korte, maar onbevredigende bezoek aan Will Kamen. Melchior Multcher zat in zijn hok nog na te bibberen van zijn confrontatie met de dode Hanna Khanlowski. Hij dacht na over wat ze had gezegd over het verkrijgen van meer bevoegdheden en kwam tot het besef dat hij niet wist wat ze daarmee bedoelde. Een tweede bezoek aan Yellow Moon drong zich duidelijk op.

Shelley Cockroft bleef onbeweeglijk staan toen ze meende iets te horen. Licht voorovergebogen, een gedeelte van de vuile was in haar handen, het andere deel reeds in de trommel van de wasmachine. Klotsend water? Alsof iemand met een kletsnatte dweil ergens zacht tegenaan sloeg. Shelley bleef wachten, maar toen ze niets meer opving, rechtte ze haar rug. Vervolgens zakte ze door haar knieën om de rest van de vuile kleren in de machine te stoppen. Ze was daar nog maar net mee bezig, toen ze zich van een andere aanwezigheid in de kleine ruimte gewaarwerd. Het werd er plotseling enorm koud. De huid op haar armen trok zich samen en werd een laag kippenvel.

- Zijn jouw tepels ook hard geworden?-

Een stem die achter haar ogen woorden vormde? Shelley schrok op, stond op en draaide zich om. In het deurgat dat naar de keuken leidde, stond iemand. Die aanwezigheid schokte haar. Enerzijds omdat die kerel daar stond, maar anderzijds omdat ze hem herkende.

"J.. Jeffrey?"

Haar stem klonk klein en bang in de kleine ruimte. Het antwoord kwam opnieuw binnenin haar hoofd terecht.

- Niet helemaal, maar hij is er bij, ja... staan jouw tepels nu stijf of niet?-

Shelley voelde haar benen week worden. Achter haar ogen werd het donker, als trokken opeens zwarte wolken door haar hoofd. De figuur in het deurgat *leek* op Jeffrey, hij *was* het niet. Of wel? *Het is Jeffrey, hij is teruggekeerd*, gilde iemand in haar borststreek. Dat was haar minder nuchtere kant. De man was naakt. De armen bengelden lusteloos langs het lichaam. Het hoofd hing schuin voorover tegen de linkerschouder. Maar... het was een dood iemand. Shelley wilde gillen, maar vond de kracht niet. De huid op zijn lichaam was week en papperig en de kleur was allesbehalve gezond. Zeker toen de geest van Jeffrey Cockroft zijn hoofd ophief en haar aankeek, dacht zijn vrouw dat ze gek van verdriet was geworden.

- Ik kom je neuken, vrouw, net zoals we vroeger veel plezier aan mekaar beleefden! -

De fel dooraderde ogen hadden geen pupillen meer en puilden ongelooflijk ver uit de kassen. De mond bleef openhangen en bewoog niet toen Shelley haar man in haar hoofd hoorde spreken. Het was zijn stem niet. Iemand anders sprak voor hem. De tong was een gezwollen, donkerblauwe klodder die in de mondholte geperst zat. Shelley voelde hoe haar maag protesteerde. Jeffrey bewoog schokkerig in haar richting. Een afschuwelijke geur sloeg in haar gezicht. Haar maag maakte haar ongenoegen nog intenser kenbaar. Shelley Cockroft gilde nu toch voor het eerst.

- Heeft geen zin, vrouw, niemand kan je horen. Alle deuren zijn goed afgesloten. Tegen indringers, zoals hij jou heeft geleerd.-

Shelley knipperde verbaasd met haar oogleden. Het was alsof een tweede figuur zich binnenin de verschijning van haar dode man bevond. Een graatmagere lelijkaard met maar enkele, smerige haarpieken tot op de rug.

- Ja, kijk maar goed, vrouwe, we zijn samen. De geest van jouw man is

mijn transport op deze wereld. Maar toch wordt er vandaag geneukt! -
Ineens stond haar dode man heel dicht tegen haar. Zij was niet in staat zich te bewegen, ze kon geen kant op: de ruimte waarin ze zich bevonden, het washok, was zó klein dat ze geen bewegingsruimte had. Ze was trouwens verlamd door de schrik. Haar gillen ging over in jankend gejammer toen vanuit de geestesverschijning van haar man twee dunne handen tevoorschijn kwamen. Die grepen haar vast en duwden haar tot tegen de wasmachine achteruit. De stank van de dode Jeffrey die eigenlijk niet bewoog, was nauwelijks te dragen. De rottingsgeur bedwelmde haar. De magere, lange vingers graaiden aan haar blouse en scheurden die open. Met enkele ruwe uithalen werd het kledingstuk en vervolgens ook de beha van haar lichaam gescheurd. Vervolgens grepen de vingers met graaiende bewegingen haar beide borsten vast.
- Jeffrey was een gelukzak in zijn tijd, bekijk dat lijf! Heel fraai -
Shelley walgde van de stem, walgde van de tastende handen op haar lichaam en walgde van de nabije aanwezigheid van haar dode man. Dae Nhemm manifesteerde zich iets meer uit Jeffrey tevoorschijn en Shelley deinsde achteruit toen zijn grote, stijve penis tevoorschijn kwam.
- Niet bang zijn, je hebt het altijd graag gehad, je hebt nooit neen gezegd, je hebt jouw man nooit afgewezen. Waarom zou je dat nu doen? Omdat ie dood is? Wel, dan neem ik z'n taak wel over. Hij mag kijken; trouwens, we hebben elkaar al gehad, nietwaar?... -
De dode Jeffrey Cockroft was nu enkel nog een donkere aura rond Dae Nhemm. Een ongaaf gebit bloot grijnzend, stroopte hij zonder veel omhaal Shelley's broek en string van haar lichaam, zakte door zijn magere knieën en duwde zijn gezicht tussen haar benen. De vrouw was versteend van schrik en walging. Ze stond met haar kont tegen de wasmachine en voelde hoe ze gelikt werd. Het kwam niet in haar op te reageren. Ze probeerde gewoon in leven te blijven, te ademen, haar ogen van haar dode man die zich rondom haar verkrachter bevond, af te wenden. Dae Nhemm likte haar van onder naar boven en knabbelde aan haar tepels.
- Die worden toch hard, je bent een geile teef, dat wist ik al -
Ineens duwde Dae Nhemm de vrouw met heel weinig grazioso verder achterover, waardoor ze in zittoestand bovenop de wasmachine terechtkwam. Hij opende haar benen, plaatste zijn armen in de plooien van haar beide knieën en trok haar onderlichaam tegen dat van hem.

Shelley kreunde toen haar bovenlichaam achterover tegen de muur aankwakte. Ze zocht steun aan de rand van de machine en greep die vast. Dae Nhemm had blijkbaar weinig zin om omwegen te maken of ook maar een fractie van wat elementaire galanterie ten toon te spreiden. Hij ramde zijn rechtopstaande pik hard in haar vagina. Shelley kreunde toen ze hem in haar lichaam voelde binnendringen. Het was geen kreun van genot, wel van afschuw. Het was alsof daar een ijskoude pegel in haar lijf werd gestoken. Dae Nhemm startte onmiddellijk een onvriendelijk beukconcert en keek wellustig naar haar grote borsten die golfden op het ritme van zijn stampen. De vrouw voelde zijn door zijn magerheid geprononceerde bekkenbeenderen haar dijen rammen. Shelley liet haar adem in korte stoten ontsnappen, op het tempo van Dae Nhemms stoten.

Nauwelijks één minuut later kwam hij grommend klaar. Zijn zaad was koud. Shelley voelde hoe de binnenkant van haar onderbuik in ijs veranderde. Dae Nhemm trok zich terug. Uit haar en in het lichaam van haar dode man, die weer op de voorgrond verscheen. De snikkende, naakte vrouw liet zich van bovenop de wasmachine op de grond zakken en voelde hoe een ijskoud straaltje smerig plakkend vocht over de binnenkant van haar dijen gleed. Nu pas gaf ze toe aan de walging die ze al de ganse tijd door haar lichaam voelde woelen. Haar maag trok zich samen, leek zich binnenste buiten te keren en tegelijk met een vlaag van hevige pijn gaf de vrouw alles over wat ze de afgelopen uren naar binnen had gewerkt. Dat haar haar in het braaksel terechtkwam, kon haar niet schelen. Dat ze nog steeds poedelnaakt was, evenmin. Nadat het pulseren van haar maag was opgehouden, bleef Shelley dubbelgeplooid op haar ene zij liggen. Verkracht, vernederd en totaal overstuur.

... "Sta op, maak jezelf proper en doe wat van jou wordt verlangd, vrouw"...

De stem in haar hoofd klonk als die van haar man, die nog steeds als een levende dode op een halve meter afstand van haar in de wasruimte stond. Op diezelfde manier had Hanna Melchior aangesproken.

"W... wat?"

Shelley proefde nog steeds het braaksel op haar tong.

"W... wat zeg je?"

... "Dat je een taak te verrichten hebt!" ...

"Een… taak? Waar heb je het over? Ga… weg… je bent er niet meer!"

Shelley draaide haar hoofd terug naar de vloer. Ze hoestte nog wat braaksel door haar slokdarm naar buiten.

… "Dae Nhemm heeft ons niet voor niets zelfmoord laten plegen. Via ons kan hij nu anderen bereiken… en aanraken. Jij bent de eerste. En jij hebt nu ook de gave… ga naar buiten en verdeel zijn kracht!" …

Shelley Cockroft wist niet waar de stem het over had en wilde het eigenlijk ook niet weten. Haar eerste en momenteel enige betrachting was er weer bovenop geraken.

"Laat me met rust, ga weg, je bent niet echt! Ik heb…"

Shelley zweeg omdat ze zag dat ze alleen in het washok was. Ze bleef nog even liggen en pas toen ze van de spanning en opwinding over haar ganse lichaam begon te beven, richtte ze zich wankel op. Ze wachtte tot de duizeligheid uit haar hoofd verdween en sleepte zichzelf vervolgens in de douche. Ze wachtte tot het water de goede temperatuur had en hield de doucheknop heel lang tussen haar benen waarbij ze overvloedig haar schaamdelen spoelde.

Terwijl Shelley even later het warme, helende water op haar verkrampte schouders liet kledderen, vond ze het vreemd dat ze het ganse voorval eigenlijk niet zo heel erg vond. Misschien was het zelfs niet eens voorgevallen. Misschien had ze het zelfs gedagdroomd. Ze miste de lichamelijke activiteiten met Jeffrey enorm, want zij was nog steeds een seksueel erg actieve vrouw. Misschien hadden haar gedachten en verlangens haar een dergelijke – zij het griezelige – dagdroom bezorgd.

Tijdens het afdrogen bekeek ze haar lichaam in de spiegel. Ze was er vijftig, maar had een lijf waar veel vrouwen van dertig heel veel geld zouden voor bieden. Prachtige, grote borsten, smalle lendenen en een kleine, vaste kont. Het werd tijd dat ze op stap ging. Had ze geen taak te vervullen? Shelley trok de kam door haar lange haren en bleef op een narcistische manier naar haar naakte lichaam kijken. Tegelijk vroeg ze zich af wie haar die taak had opgedragen: de opdracht om anderen aan te raken. Ze zag er het nut niet van in, maar wilde er ook niet tegenin gaan. Shelley Cockroft *voelde* gewoon dat ze dat moest doen. Waarom het zo was, vroeg ze zich niet af.

Dus maakte ze zich vol overtuiging klaar.

Iets over tweeën reed een roodkleurig exemplaar van het allernieuwste model Chevrolet Impala de terreinen van William Pelch op. Het glanzende voertuig stopte naast een pomp en een kerel stapte uit. Zijn vrouw bleef rustig in de passagierszetel zitten. De zorgvuldig gehandschoende Melchior Multcher verscheen als een spin uit zijn hok en stevende op de wagen af. Hij had zich vermand, hij had zich rustig gehouden. Het bezoek van Hanna Khanlowski's geest had hij verbannen uit zijn hoofd en hij had zichzelf de opdracht gegeven 'normaal' te reageren in het bijzijn van anderen. Er was niets gebeurd. Hij had niets speciaals gezien. Gewoon doen. Normaal, niet té opgewekt, niet té frivool.

"Hallo!" probeerde hij.

De man knikte. Het was een jonge dertiger. Melchior boog zich voor over en knikte naar de vrouw in de wagen.

"Ho? Hoogzwanger?"

De vrouw knikte en wreef met beide handen op haar bolle buik.

"Hooguit nog veertien dagen. We zijn op weg naar het ziekenhuis in Garland. Een van de laatste controles," zei de man.

Melchior glimlachte vriendelijk en richtte zich tot de echtgenoot.

"Voltanken?"

"Helemaal."

Melchior deed wat van hem verwacht werd. Hij vulde de benzinetank van de Impala en onthield zich van een verder gesprek met de eigenaar van de wagen. Toen de pomp afsloeg, haakte Melchior in en bekeek het bedrag dat op de meter vermeld stond. Op zijn buik droeg hij een draagtasje met daarin wisselgeld. De man haalde de nodige dollars uit zijn brieventas en overhandigde die. Melchior ondernam vervolgens iets waar hij het heel koud van kreeg.

Hij keek naar de uitgestoken hand. Melchior wierp de handschoen van zijn rechterhand af door met een korte zwaai uit te halen. De handschoen tuimelde op het beton. Melchior keek ernaar alsof het ding hem niet toebehoorde. Hij zag ook hoe zijn eigen rechterhand zich vervolgens naar voren richtte en de uitgestoken hand van de man vastgreep. Niet zomaar voorzichtig, wel heel opdringerig. Melchior kon gillen toen hij voelde dat de overdracht zich voltooide. Het duurde nauwelijks een fractie van een seconde. Het was onmiddellijk over, maar het kwaad was geschied. De man had waarschijnlijk niets gemerkt. Hij wachtte gewoon tot Melchior met het wisselgeld over de brug kwam. De jongen wist even niet waar hij het had. Besluiteloos staarde hij naar zijn ontblote rechterhand die de ontvangen dollarbiljetten vasthield.

- Geef hem zijn wisselgeld, Melchior, die man moet naar het ziekenhuis. Dat heeft zijn vrouwtje jou toch verteld. Ze is hoogzwanger! -

Melchior knipperde met de oogleden. De stem van Dae Nhemm was klaar en helder. Veel intenser dan gewoonlijk. Hij mompelde iets, scharrelde in het draagtasje op zijn buik en gaf terug wat te veel was gegeven.

- Nu goed kijken naar wat volgt, Melchior. Ik ben namelijk het spelen beu. Ik heb me genoeg kunnen oefenen. Nu beginnen we met het echte werk! -

Melchior Multcher voelde dat zijn darmen het bijna begaven. Hij wilde de man tegenhouden die in zijn voertuig stapte, maar hij kon nauwelijks bewegen. Melchior had enkel het raden naar wat Dae Nhemm deze keer van plan was. Hij zag dat de man 'bedankt' zei, maar hoorde het geluid niet.

- Blijven kijken, Melchior. Geen voorspel meer, geen spookbeelden meer. Nu onmiddellijk actie! -

De Chevrolet Impala startte en reed traagjes over de betonnen vlakte in de richting van County Route 332. Melchior wilde de man naschreeuwen dat hij moest oppassen, maar waarom? En wanneer? Maar het enige wat hij kon doen, was kijken.

De Chevrolet reed County Route op, richting Garland... maar bleef op het linkerrijvak rijden. Melchior zette het op een lopen, als wilde hij de wagen nog inhalen. Hij schreeuwde onsamenhangend en zag dat Ottie Pelch uit zijn winkel spurtte. De Chevrolet meerdere snelheid. Uit de tegenovergestelde richting kwam een grote bestelwagen. Melchior liep nog enkele meters, maar bleef midden op het rijvak stilstaan. Ottie kwam puffend naast hem staan.

"Heeft die klootzak niet betaald?" hijgde hij.

Melchior zag dat de Chevrolet niet van zijn rijvak afweek, maar de bestelwagen deed dat ook niet. Door de achterruit zag hij dat de vrouw heftige bewegingen met haar armen maakte.

"Wat doet die hufter? Waarom blijft die links rijden?" schreeuwde Ottie die nu ook zag wat er aan de hand was.

De man zat voorovergebogen achter zijn stuur. De vrouw – die heel waarschijnlijk gilde en tierde – wriemelde aan de sluiting van de veiligheidsgordel. Incens boog ze zich opzij, greep het stuur vast en gaf er een hevige ruk aan. Melchior zag alles door de achterruit van de Impala gebeuren. Hij voelde de paniek die binnenin die kleine ruimte aanwezig moest zijn.

De Chevrolet maakte een heel korte zwenking naar rechts. De bestelwagen reageerde op hetzelfde moment. Die probeerde naar links uit te wijken. Een aanrijding tussen de beide voertuigen was daardoor onvermijdelijk.

"God... fuck!" schreeuwde Ottie.

De voorkant van de bestelwagen boorde zich met volle snelheid in de linkerzijkant van de Chevrolet, net in de bestuurdersdeur. De impact was enorm. Het geluid klonk als een donderslag tussen de woningen. Glas en brokstukken spatten alle kanten op. De bestuurder van de bestelwagen droeg blijkbaar geen autogordel, want hij werd over het stuur tegen de binnenkant van zijn voorruit gekatapulteerd. Die vertoonde onmiddellijk een gigantisch spinnenweb. In de laadruimte van de bestelwagen viel alles overhoop. De Chevrolet kantelde even op de twee rechterwielen om vervolgens terug op de vier neer te denderen.

Daarna was het stil.

"Jezus..."

Ottie siste de naam van de figuur die hij nooit had gezien en in wie hij nooit had geloofd. Hij draaide zich om en zette het op een lopen, terug in de richting van zijn winkel.

"Ik bel de hulpdiensten!" schreeuwde hij over zijn schouder naar Melchior, die onbeholpen bleef staan.

- Ga je haar niet helpen, Melchior? Wees galant. Haar man is er geweest, dat is zeker. De toestand van de bestuurder van de bestelwagen is kritiek. Zware schedelbreuk in combinatie met een ferme hersenschudding. Ferme klap tegen zijn voorruit gemaakt. De vrouw leeft nog, maar er is spoed bij. Vooral gezien haar toestand. Er is werk aan de winkel, Melchior. Help haar! -

Melchior zette enkele stappen in de richting van het ongeval. Meerdere mensen, duidelijk geschrokken en aangedaan, liepen in dezelfde richting. Ineens hield Melchior halt. Midden op het wegdek bleef hij staan.

"Je wilt dat ik haar aanraak!" schreeuwde hij luidop. Hij had geen zin om de woorden *in* zijn hoofd te formuleren.

- Dat is je geraden, Melchior. Je bent dus slimmer dan je laat blijken. Dus, je laat die vrouw daar sterven? -

"Ik kan haar niet helpen. Ik ben geen verpleger. Ottie heeft iedereen opgebeld. Ik raak haar niet aan. Ik doe niet wat jij wilt!"

Melchior hoorde een demonisch lachen binnenin zijn hoofd.

- Nu goed, ja, maar straks neem ik jou volledig over en dan zien we wel. Ondertussen werk ik ook via andere kanalen. -

"Laat me met rust! Ga uit me weg!"

- Of wat? Denk je dat je me bang maakt? -

Melchior plooide dubbel van de enorme pijnscheut die door zijn darmen trok. Hij zakte door z'n knieën en stuikte voorover op het wegdek.

- Deed dat pijn? Waarschijnlijk wel, hè! Je bent volledig in mijn macht, knuppel! Of had je dat nog niet door? Ik doe met jou of met bepaalde delen van jouw lijf wat ik wil. Hoe meer je je verzet, hoe pijnlijker het wordt. -

De pijn hield op, net op het moment dat Ottie Pelch hijgend en puffend bij hem aankwam. Hij bekeek Melchior die kreunend rechtop kwam.

"Wat scheelt er met jou?"

"Het gaat... laat me..."

Eigenlijk had Ottie weinig aandacht voor zijn werknemer. Hij richtte zijn blik op de geaccidenteerde wagens en begon in die richting te lopen. Melchior was daar blij om. Hij liep nog steeds dubbelgeplooid toen hij zich omdraaide en naar zijn hok stapte. Hij had net achter zijn tafel plaatsgenomen toen hij meerdere sirenes hoorde. De hulpdiensten waren in aantocht. Misschien zou men de vrouw nog kunnen helpen. Misschien slaagden ze er nog in het ongeboren kind in haar buik te redden.

- Vanaf nu bepaal ik de spelregels, Melchior. -

Melchior greep de rand van de tafel vast. De stem van Dae Nhemm schuurde langs de binnenkanten van zijn schedel.

- Ik vervul de taak waarvoor men mij heeft opgeroepen. -

"Ik heb jou niet opgeroepen."

- Toch wel. Zeker wel! En draag er de gevolgen van! Ik kwam in jou terecht en kon zo mijn eeuwenoude praktijken weer in werkelijkheid brengen. Jij raakte enkelen aan. Zij pleegden zelfmoord. Dat was het begin. Nu gaan we een stapje verder. Ik kan mij nu ook via hun geesten verplaatsen. Zij

dienen als een vervoermiddel. Ik heb jou echt niet meer nodig, als je be-
grijpt wat ik bedoel. Ik kan nu elke kant uit. Het is mijn opdracht om deze
stam – die jij Yellowmoon noemt – tot verdelging te brengen. -
"Dit is mijn stadje. Het is geen stam."
- Wat voor mij geen enkel verschil uitmaakt. Het is een groep mensen die
samenhokken. Ik zaai vanaf nu dood en verderf. Iedereen die 'besmet' is,
kan vanaf nu iemand anders besmetten, want ik ben in elk van hen aan-
wezig. -
"Dat klinkt als een god die bezig is over zichzelf."
- Ho, hoor ik daar een beetje spot in jouw stem, kleine ongelovige? Ik heb
het je al gezegd. Er bestaan geen goden. Enkel de Grote Geest en demonen.
Ik zal niet rusten eer iedereen in deze 'stad' vernietigd is. -
"Dat zal ik niet toelaten!"
- Hoe denk je dan daar tegenin te gaan? -
De spot in Dae Nhemms woorden ontging Melchior niet. Hij zweeg
want hij wist het inderdaad niet. Hij wist gewoon zelfs niet waarover
hij praatte.

Shelley Cockroft had zich opgemaakt. Na de douche was ze luchtig
door het huis gestapt alsof er niets aan de hand was. Het ijskoude
gevoel in haar onderbuik was volledig verdwenen en niets aan haar
verschijning liet vermoeden dat ze daarnet op een afschuwelijk
vernederende manier het slachtoffer van een verkrachting was geweest.
Ze had zich aangekleed en mooi gemaakt. Vervolgens was ze in haar
wagen gestapt en naar het stadspark gereden.
Ze liet haar wagen in Condor Street achter, wandelde het park binnen
en begroette iedereen in haar buurt enorm vriendelijk. Niemand vond
het erg door een dergelijk mooie en attentvolle vrouw te worden benaderd. Wie zou daar trouwens wel om malen? Haar luchtige manier
van doen, spreken en aanraken stoorde niemand. Ze ontmoette een
paar mensen die ze kende, schudde hen de hand of raakte hun arm of
wang aan, nietsvermoedend van wat ze daarmee aanrichtte en in gang
zette. Degenen die haar kenden, vroegen zich heel kort af hoe het mogelijk was dat Shelley Cockroft, nog maar een week weduwe, er reeds
zo frivool gekleed en zo oprecht enthousiast bijliep. Iedereen gaapte
haar aan, want haar fleurige aanwezigheid was werkelijk onmogelijk te
negeren.

Tegen het moment dat ze het park was doorgewandeld en via Condor Street terug bij haar voertuig aankwam, had ze zeker tien mensen aangeraakt.

Het zwarte telefoontoestel links voor hem zoemde. Lorne Dorganson verplaatste zijn ogen van zijn computerscherm via de klok op het apparaat. Het was twintig voor drie. Shelley Cockroft wierp op dat moment in Condor Park de deur van haar wagen dicht en startte een eerste verdelgingsronde door het stadspark.

De rode knop bovenop de balk aan de zijkant van het toestel lichtte op. Lorne fronste de wenkbrauwen. Een buitenlijn? In de jaren dat hij bij QuarTech werkzaam was, had Lorne dat toestel meerdere malen horen overgaan. Eén keer belde de secretaresse van De Baas hem daar persoonlijk op. Toen was het uitstekend nieuws. Het korte gesprek handelde namelijk over felicitaties betreffende een op handen zijnde overplaatsing, met daaraan een flinke promotie gekoppeld. Sedertdien was er veel veranderd. Niet bij QuarTech, maar wel bij hemzelf. Het was het telefoontoestel dat gebruikt werd voor interne communicatie, en het beschikte tevens over één buitenlijn. Jaren geleden had hij het oproepnummer aan enkele van zijn vrienden (onder wie Melchior) doorgegeven. In die periode beschikte hij nog niet over een persoonlijke gsm en toen vond Lorne het maar normaal dat zij hem op zijn werk konden bereiken. Ondertussen was zijn toestand totaal gewijzigd.

Diezelfde telefoon ging weer. Lorne slikte een brok door. Het leek eeuwen geleden dat het rode lichtje nog had opgelicht. In de voorbije jaren belde iedereen hem – op zijn eigen vraag – op zijn persoonlijk, draagbaar toestelletje op. Wie maakte nu nog gebruik van de gewone telefoonlijn? Het feit dat iemand hem via die weg probeerde te benaderen, zorgde voor krampen in zijn onderbuik. Lorne kon de oproep niet negeren. Op de centrale computer zag men ongetwijfeld dat hij werd opgebeld. Hij schraapte enkele malen zijn keel en nam niet zonder aarzelen de hoorn op.

"Hallo?"

Zijn stem was heser dan hij had verwacht. Gelukkig herinnerde hij zich de noodzaak aan geheimhouding, vandaar dat enkele woord. Dit voor het (bijna onmogelijke) geval dat iemand die niets te maken had met zijn activiteiten buiten QuarTech per ongeluk dat nummer intoetste.

Toch was er die (niet onterechte) vrees.

"Lorne?"

De stem aan de andere kant van de lijn herkende hij onmiddellijk. Lorne Dorganson voelde het bloed naar zijn hersenen stijgen. Dit kon niet! Dit was onmogelijk! Dit was tegen al hun afspraken in. Deze ene seconde dat het telefoongesprek duurde, kostte hem zeker zijn werk, zoniet zijn leven. Eigenlijk had hij er rekening moeten mee houden. Eigenlijk had hij Melchior het nummer niet mogen geven. Hij had van hem moeten eisen dat het nummer werd vernietigd. Eigenlijk had hij een heleboel dingen niet mogen doen. Maar hij had die wel gedaan, hij had toegegeven aan zijn hart dat bloedde. Lorne had dit moment wel verwacht, maar niet het onderwerp waarover zou worden gepraat.

"Lorne?" De vraag werd herhaald.

"Eh... ja?"

Ontkennen had toch geen zin. Alle gesprekken werden ongetwijfeld opgenomen.

"Jouw mobieltje werkt niet?! Ik wilde je spreken. Ik... denk dat het verkeerd loopt."

Lorne Dorganson kneep zijn ogen hard dicht. Hij aanvaardde niet dat Melchior hem op die manier wilde bereiken. Toch was het zo. Melchior Multcher was aan de andere kant van de verboden lijn. Nu kostte het hem zeker het leven. Lornes hersenen kookten. Hij voelde een enorme druk achter zijn ogen. Deze toestand was onvoorstelbaar.

"M... Melch?"

"Het loopt uit de hand, Lorne... ik heb het niet meer onder bedwang! Dae Nhemm heeft me volledig in zijn macht. Hij kan me dingen laten doen die ik niet wil."

Lorne Dorganson wilde dat Melchior Multcher zijn bek hield. Het bellen naar dat telefoontoestel was al een zware overtreding. Hij had er hem duizendmaal voor gewaarschuwd. Enkel via de gsm en dan nog enkel bij hem thuis. Nooit naar het werk zelf bellen. En over het probleem spreken maakte de zaak alleen maar erger. Trouwens, de zaak... Lorne beschouwde zichzelf nu reeds totaal verloren. Er bestond geen enkele mogelijkheid meer waarop hij zich in 'de zaak' kon verdedigen. Hij was veel te ver gegaan. Hij had Melchior bij zaken betrokken waar die helemaal niets mee te maken had en die – nu zei hij het zelf – boven zijn hoofd groeiden. Maar het was te laat. Lorne voelde zijn ruggengraat week worden.

"Melch... dat is niet de bedoeling... wat bedoel je..."

Lorne besefte dat hij in de verdediging ging. Niet tegen Melchior Multcher, maar tegen degene die achteraf het gesprek beluisterde. Hij hoorde dat Melch aan een ganse uitleg begon, maar luisterde er niet meer naar. Zijn hand had nauwelijks kracht genoeg om de hoorn vast te houden toen de deur recht tegenover hem ruw werd opengeworpen. Drie mannen renden zijn kantoor binnen en haastten zich in zijn richting. Op hun gezicht stond een kwade en een erg bezorgde blik.

Lorne besefte daarmee dat het veel vlugger ging dan hij ooit had durven denken. De gesprekken op het toestel waar hij mee bezig was, werden blijkbaar niet alleen opgenomen. Hij werd dus ook ononderbroken afgeluisterd. Dat was de enige mogelijkheid waardoor die hollende kerels – hij kende ze allen van naam, Dune, Georges en Kurt – zijn richting uit kwamen. Hij werkte al zeven jaar met hen samen onder de leiding van De Baas die ze nooit zagen. Lorne had De Baas nooit in levende lijve gezien, van de anderen wist hij het niet. Aan de andere kant van de lijn reageerde Melchior.

"Hé... Lorne... waarom zeg je niets?"

Lorne Dorgansons hart stopte met hameren. Zijn misstap was aan het licht gebracht. Waarom moest zijn hart dan nog kloppen? Sterven zou hij toch. Hij reageerde niet meer. Niet op de hollende mannen, niet op wat Melchior hem vroeg.

"Lorne? Ben je daar nog?"

Het volgende wat Melchior hoorde, was een klik. Georges Bannier had de hoorn uit Lornes handen gerukt en die op het toestel geworpen. Het volgende ogenblik werd hij voorover uit zijn bureaustoel getrokken en kwam onzacht op zijn buik op de grond terecht. Hij had het lokaal nooit eerder vanuit die positie gezien. Dat dwaze idee ging door Lorne Dorganson heen toen hij door het zwoegende drietal overmeesterd werd. Dat duurde nauwelijks één minuut. Hij verzette zich niet. Lorne hoorde het gezoem van de airconditioning. Een geluid dat hem nooit eerder was opgevallen. Een zacht, monotoon gesuis, nu lichtelijk overstemd door het hijgen van de drie collega's. Waarom spanden zij zich zo in? Veel moeite hoefden ze niet te doen, want hij protesteerde toch niet.

Trouwens, wat had het voor zin? Lang had hij niet meer te leven, daar was hij van overtuigd. En als alles *echt* slecht ging, dan was de nabije toekomst voor de drie kerels die bovenop hem zaten, ook al op een heel negatieve manier geregeld.

17. Lorne Dorganson
Gevangenschap

Woensdag, 22 juni 2005.

Candice Polchner keek op toen Todd Elleniak haar kantoor binnenstapte. Hij droeg een misselijkmakende grijns op zijn gezicht. Dat zinde haar helemaal niet. Todd was een man die zich in normale omstandigheden erg hoogdravend gedroeg. De grijns betekende volgens haar enkel dat hij nog maar eens een slag had thuisgehaald. Zij verwachtte dan ook een hele uitleg. Wat volgde, was echter een gesprek dat haar verraste. Todd nam ongevraagd plaats op één van de stoelen voor haar bureautafel en legde beide handen op het tafelblad. Hij keek haar aan en het feit dat die grijns niet van zijn gezicht verdween, vond ze ergerlijk. Uit beleefdheid liet Candice dat niet blijken.

"Er komt schot in de zaak."

Dat waren zijn eerste woorden. Blijkbaar vond Todd Elleniak dat heel positief, want zijn grijns vormde zich om tot een milde glimlach.

"Wat bedoelt u daarmee?"

"Lorne Dorganson."

"Ja?"

"Wij hebben hem ondergebracht in de kelders naast het mortuarium."

"Werkt hij mee?"

"Daar hebben nog even de tijd voor, Candice. Het kan hooguit een dag duren eer we degene te pakken krijgen die de demon in zich draagt. Het derde luik van het Project is de afsluiter. Daarna is het afgelopen."

Candice knikte zonder veel overtuiging. Todd had het opgemerkt.

"Je bent er nog steeds niet gerust in?"

Dat was niet echt een vraag. Eerder een vaststelling.

"Helemaal niet, Todd. Dat weet je heel goed. Ik hoop dat je alles onder controle weet te houden. Verleent die jongen zijn medewerking?"

Candice Polchner stelde die vraag omdat ze wist waartoe Todd Elleniak in staat was om zijn doel te bereiken. Hij was iemand die letterlijk over lijken ging.

"Lorne Dorganson is nog een beetje overstuur. Ik benader hem straks heel eerlijk. Je mag er gerust bij zijn als je daar zin in hebt. Ik leg hem alles uit en verlang van hem dat hij een totale medewerking verleent."

"Of anders wat?"

Todd reageerde niet op de dreigende toon in Candices stem.

"Of anders verplichten we hem daartoe."

"Dat dacht ik wel."

"Je hoeft je nog niet op te winden, Candice. Er wordt geen geweld gebruikt. Als hij merkt hoe open wij zijn, zal hij ongetwijfeld inzien dat wat hij ons meedeelt, enkel goede bedoelingen heeft. Het is trouwens ons doel Dae Nhemm opnieuw te bedwingen. We hebben enkel zijn medewerking nodig om Melchior Multcher omzichtig te benaderen. We willen toch niet dat er nog meer 'ongelukken' gebeuren?! Dat is ook een reden waarom we die Multcher-kerel zomaar niet kunnen oppakken."

Candice schudde het hoofd.

"Ik twijfel er nog altijd heel sterk aan, Todd. Dit Project had nooit opgestart mogen worden. We hadden het verleden – *hun* verleden – met rust moeten laten."

Todd Elleniak boog zich over de tafel in Candices richting.

"Daar heb je het even verkeerd, jongedame. Het verleden in het algemeen – niet enkel dat van de indianen – verbergt een schat aan gegevens. Het is aan ons om die op te rakelen, te evalueren en eventueel om te zetten naar bruikbare toestanden. Lukt dit niet, dan blijft het een icoon uit een voorbije periode."

"Dat is *jouw* mening, Todd, niet die van iedereen."

"Best mogelijk, Candice. Maar de ganse evolutie is trouwens gebaseerd op het verbeteren van toestanden die zich vroeger hebben voorgedaan. Dat is net de grondslag van evolueren. Feiten, aspecten of toestanden die zich hebben gemanifesteerd, grondig bekijken en evalueren. Het welslagen van de toekomst hangt af van hoe wij omgaan met lessen die wij in het verleden hebben opgedaan. Het Project is net een heel klein onderdeel van de vorming van het toekomstbeeld. Als wij dat tot een goed einde brengen, is iedereen daarbij gebaat. Dat is niet mijn mening, Candice, het is gewoon een natuurlijk concept dat wij hier in een bruikbaar recept gieten."

Candice voelde aan dat het geen zin had met iemand als Todd Elleniak te willen discussiëren. Hij was onomstotelijk rotsvast van zijn gelijk overtuigd. Tegen zijn mening ingaan was puur tijdverlies.

"Ik stel trouwens voor dat je mij vergezelt tijdens mijn gesprek met Lorne Dorganson. Je zal zien dat er van geweld geen sprake is. Ik zou jouw aanwezigheid trouwens op prijs stellen."

"Waar ik geen probleem mee heb."

Todd knikte kort, stond op en zei:

"Goed dan, laten we gaan."

Luitenant Will Kamen was blij dat Raven hem opbelde. Hij vertelde haar van het zware verkeersongeval op County Route 339 waarbij de bestuurder van een personenwagen omgekomen was. Zijn zwangere vrouw en het kind dat ze in zich droeg, hadden de aanrijding overleefd, net als de bestuurder van de bestelwagen. Toen hij zei dat het gebeurd was in de buurt van het benzinestation waar Melchior Multcher werkte, kreeg hij er onmiddellijk spijt van dat hij de locatie had vermeld. Raven Daramantez stond onmiddellijk op haar achterpoten.

"Alweer? De naam Melchior Multcher duikt hier weer op?!"

Will kneep zijn ogen hard dicht en wreef met zijn vrije hand over zijn gezicht.

"Komaan, Raven. Ik heb enkel zijn naam *vermeld*. Hij kan onmogelijk iets met een verkeersongeval te maken hebben. Trouwens, daar hebben we het al over gehad, wij hebben niets tegen die jongen. We kunnen hem op geen enkele andere manier bij de zaak betrekken dan met het simpele feit dat hij de neef is van Vernon LaFolette. En heel veel is dat niet."

Hij hoorde Raven snuiven.

"Daar ben ik nog zo zeker niet van, Will. Het is toch weer eens verdacht dicht in zijn buurt gebeurd."

"Heb je al een bezoekje aan QuarTech gebracht?"

Will stelde de vraag om van onderwerp te veranderen. Opnieuw dat snuiven.

"Neen, ik heb andere zaken geregeld. Misschien spring ik er vannamiddag binnen, maar ik vermoed dat men mij daar heel weinig uitleg zal willen geven."

"Daar ben ik ook bang van."

Lorne Dorganson voelde zich niet op zijn gemak. Hij was het kind dat betrapt was op het stelen van snoepgoed uit de lokale kruidenierszaak. Hij was de jongen die door boze flikken geklist was bij een inbraakpoging in een wagen. Hij voelde zich een misdadiger die uiteindelijk door een uitvoerende macht gegrepen was en nu op de uitspraak wachtte. Het lokaal waarin hij zich bevond, was allerminst gezellig. Geen ramen, enkel een deur. Een koude, metalen tafel met daarachter één enkele stoel: die waar hij op zat. Bij de deur stonden Georges Bannier en Kurt Immner. Een kwartier eerder hadden die twee kerels hem – laat ons zeggen helemaal niet zachtaardig – door de ellenlange gangen van QuarTech naar hier gebracht. Hij had nooit gedacht dat het gebouw waar hij werkte, zo immens groot was.

Nadat Georges Bannier de hoorn uit zijn handen had getrokken en op het toestel had neergesmeten en hij door Kurt Immner en Dune McCoff op de vloer werd gekwakt, was bij Lorne een beetje het gevoel van realiteit verloren gegaan. Dat Melchior hem ooit op dat 'verboden' nummer zou opbellen, had hij wel gevreesd. Omdat het echter – tot dan toe – nooit was voorgevallen, had Lorne die mogelijkheid naar de verste regionen van zijn doemdenken verplaatst. Maar de reactie die op het gesprek volgde, had hij niet in die orde van gewelddadigheid verwacht. Georges Bannier, Kurt Immner en Dune McCoff kende hij al jaren! Hij had samen met hen gewerkt, koffie gedronken, en gegrapt over de vrouwen. Zij hadden zelfs meegewerkt aan hetzelfde project waar hij zijn medewerking aan had verleend: de kloterij waardoor hij op dat moment in de nu-ben-ik-toch-werkelijk-de-grote-pineut pro-blemen zat. Hij had met hen na de diensturen pinten gepakt. Voor Lorne leek het alsof hij zwaar bij de kloten was gegrepen. Dat drietal moest hem dus al maanden in het oog houden. En toch waren ze hem als 'vriend' blijven behandelen. Was alles misschien een opgezet spel?

"Eh... en wat nu?"

Zijn stem kraste. Hij schraapte zijn keel en herhaalde zijn vraag omdat hij vermoedde dat de woorden niet tot bij het tweetal bij de deur waren geraakt.

"Jongens... wees nu eens serieus. Wat nu?"

Georges Bannier en Kurt Immner bleven onbeweeglijk bij de deur staan. Beide benen lichtjes gespreid, de armen gekruist. Ze reageerden niet op zijn vraag. Lorne schudde het hoofd.

"Kerels... Georges... Kurt... komaan, zeg. Vertel me tenminste wat er gaande is!"

Nog steeds geen reactie.

"Jullie zien er wel belachelijk uit. Zo ken ik jullie niet!"

Er werd op de deur geklopt. Kurt greep de hendel en duwde de ijzeren deur open. Een deftig geklede man en een vrouw die er niet erg jong meer uitzag, kwamen na elkaar het zaaltje binnen. De man leek een heel sportieve zakenman en de vrouw was overmatig opgetut. Veel te veel poeder en schmink op haar gezicht. Veel te veel juwelen. Probeerde ze daarmee de aandacht op haar dikke lijf te omzeilen? Het lukte haar niet. Haar gezicht stond bedrukt. Dat van de man straalde ontzag en zelfzekerheid uit. Ze kwamen tot bij de tafel. Lorne bekeek het zwijgende tweetal en het geheel kwam hem ineens enorm belachelijk over. Dit was een lachertje, dat kon toch niet anders. Hij beperkte zich tot een onschuldige glimlach en vroeg:

"Okay, ik heb de telefoon voor persoonlijke doeleinden gebruikt. Ik geef mijn misdaad toe... en wie zijn jullie? Een boekhouder van de telefoonmaatschappij en een tolk om alles in begrijpelijke taal om te zetten?"

Todd Elleniak keek vluchtig achterom naar Candice Polchner. Hij richtte zich vervolgens naar de zittende Lorne Dorganson en zei:

"Meneer Lorne Dorganson. Ik wens u een goedemiddag ondanks de huidige omstandigheden die er ons toe dwingen u tijdelijk in deze ruimte te houden. De tolk over wie u spreekt, hier naast mij, is uw rechtstreekse overste, mevrouw Polchner, de Directeur-Generaal van QuarTech. Ikzelf ben Special Agent Todd Elleniak, CIA, Afdeling Speciale Zaken."

Lorne Dorganson wilde in de grond wegzakken. Hij vermoedde dat zijn gezicht bloedrood was en waagde het niet zijn blik op te richten. Hij bleef het blad van de tafel bekijken. Zijn hoofd gloeide als brandde er een hels vuur binnenin. Ook zijn ademhaling viel nauwelijks onder controle te houden. Nu kon hij het wel vergeten. Hij wist dat hij de bal nu volledig had misgeslagen.

"Wij zullen uw verkeerde veronderstellingen van daarnet wegwuiven, meneer Dorganson. Ik vermoed dat die geuit zijn de onder invloed van de opgelopen druk tijdens de afgelopen twintig minuten. Uit uw rustige werkomgeving weggesleurd worden om op een voor u onbekende plaats te worden ondergebracht – dan nog onder bewaking van mensen die u meende te kennen – heeft ongetwijfeld een invloed op uw zenuwstelsel. Noch ik, noch mevrouw Polchner zullen aanstoot nemen aan uw opmerking."

"Sorry..."

Dat ene woord was nauwelijks een gemompel, meer een ademstoot die gepaard ging met het produceren van klanken. Toch had Todd het opgevangen.

"Aanvaard."

Lorne hief voorzichtig zijn hoofd op. Hij voelde het bloed nog steeds in zijn slapen kloppen. Georges en Kurt hielden nog steeds de wacht bij de deur. De Special Agent wiens naam hij al vergeten, was stond voor zijn tafel. Naast hem stond de vrouw. De Baas. Na al die jaren ontmoette hij haar en ging verdomme dan nog als een gieter af. Lorne merkte echter dat de vrouw hem geen kwade blik toewierp. Je kon de uitdrukking op haar gezicht bezwaarlijk 'open' noemen. Het was alsof ze zich over alles zorgen maakte. Het minste van haar zorgen was dat ze voor tolk aanzien werd. Lorne zocht wanhopig naar een deftige zin om zijn excuses kenbaar te maken – iets dat meer opzien baarde en effect had dan dat ene gemompelde 'sorry' – maar kreeg daartoe de kans niet. Todd Elleniak kwam terzake.

"Meneer Dorganson. Wij moeten op dit punt een heel ernstig gesprek voeren. Ik hoop dat ik uw aandacht heb?"

Lorne knikte.

"Eh... laat dat meneergedoe maar achterwege. Noem me gerust Lorne."

"Dat beschouw ik als een goed begin... Lorne. Sta me even toe dat ik een beetje 'essentiële' uitleg verschaf."

"Ik luister."

Lorne had niet de indruk dat zijn misstap van daarnet hem kwalijk werd genomen. Het was duidelijk dat de man het woord had en zou blijven houden. De Baas bleef in zijn schaduw. Misschien was hij wel *nog* belangrijker.

"Ik ben van plan u heel veel vertrouwelijke informatie te geven. Die zal u in staat stellen te begrijpen waarom u hier zit en wij hier zijn. Wat u te horen krijgt, zal u ongetwijfeld in hoge mate verbazen. Wat wij van u verlangen, is dat u luistert en achteraf uw volledige medewerking aan dit project verleent."

Lorne knikte.

"Lijkt me redelijk."

De uitdrukking op Todds gezicht veranderde niet.

"Het optrekje waar wij ons bevinden, is een bijgebouw van QuarTech. Het bevindt zich meer landinwaarts, op een plaats waar hoegenaamd nooit niemand komt. Toevallige passanten – en dat zijn er, geloof me vrij, heel weinig – zullen zich niet dicht in de buurt wagen. In de maand mei van vorig jaar werd u, samen met vijf andere werknemers van QuarTech, gevraagd mee te werken aan een project. Klopt dat?"

"Dat klopt."

"Herinnert u zich nog de aankomst van de heren McCoff, Bannier en Immner als werknemers van QuarTech?"

Lorne keek van Todd naar Georges en Kurt die zich onbeweeglijk in de buurt van de deur ophielden.

"Eh... ik... denk dat zij in het begin van het jaar 2002 begonnen zijn, als ik me niet vergis," zei hij voorzichtig.

"Maart 2002 om exact te zijn. Op dat moment was de firma QuarTech – zoals u die kent – reeds twee jaar volledig in handen van de CIA. McCoff, Bannier en Immner zijn net als ik – agenten van de CIA. Ook Mevrouw Polchner maakt dienst uit van onze afdeling. Het was haar taak als overste van dit bedrijf te fungeren, dit naar de buitenwereld toe. U bent hier reeds meerdere jaren werkzaam, zonder die verandering op te merken. Wat u en eigenlijk het merendeel van de werknemers van QuarTech betreft, is er al die jaren helemaal niets aan de hand. U maakte vroeger computerprogramma's en u werkt zelfs vandaag nog steeds aan computerprogramma's. U volgt nog?"

Lorne bekeek de twee kerels bij de deur nu op een heel andere manier. Kurt, Georges en Dune... geheime agenten? Ook terwijl ze alles samendeden... werkten... bier zopen en verdomme geil uit hun nek kletsten?

"Na een grondige studie van alle werknemers, werd u, samen met twee anderen, uitgekozen om deel te nemen aan het Project in mei van vorig jaar. De heren McCoff, Bannier en Immner vervoegden u, voor de schijn. Eén van jullie drieën zou – zonder dat hij of zij het zelf wist – na de test verder aan het Project meewerken."

"Het Project... bedoelt u daarmee de ganse opzet rond de dolk en zo?" Todd hief zijn ene hand op.

"Daar heb ik het straks over. Het komt er voor ons en jou op neer dat u de draagwijdte vat van wat ik vertel. De details zijn niet verantwoordelijk voor het gevolg."

Lorne Dorganson knikte en probeerde verder zijn mond te houden. De man werd duidelijk niet graag onderbroken.

"Wat de mensen u hebben verteld vooraleer u aan de proeven werd onderworpen, was de waarheid en niets anders dan de waarheid. Geen testje, geen nieuw computerspelletje, neen... niets van dat alles."

Todd Elleniak zweeg even, waarschijnlijk omdat hij zag dat Lornes aandacht verzwakte. Hij zag het aan diens ogen die in het verleden op zoek gingen naar beelden. Prenten van deftig geklede mannen die hem, Georges, Dune, Kurt en de twee anderen wier naam hij nog steeds niet kende, uitleg gaven over het Project. Over de indianenstam, over een stuk van QuarTech dat boven een labyrint en het graf van een indiaan met een dolk, werd gebouwd. Over de demon in de dolk en de gevolgen van het manipuleren van de dolk. Ook over de verborgen krachten van de demon. Dat was dus de waarheid? Geen spelletje?

Lorne richtte zijn blik weer op Todd.

"U bent terug?"

Lorne knikte.

"Okay. Het Project bestaat uit drie luiken. Het eerste luik behelsde het vrijmaken van de demon uit de dolk. Het tweede handelde over het peilen naar de bruikbaarheid van zijn gaven. Het derde is het weer inperken van zijn activiteiten én het immobiliseren van de demon zelf. Wij..."

"Maar... dat is toch onzin. Als het geen spelletje was... dat kan toch niet?!"

Todd tikte met een autosleutel op de metalen tafel. Het geluid snerpte tussen Lornes oren.

"Lorne... ik zou het op prijs stellen indien u mij niet onderbreekt. U krijgt straks meer dan genoeg de kans om uw gedachten en gevoelens op een rij te zetten. Maar luister eerst naar wat ik te zeggen heb. Dat zal u een hele hoop vragen en ons een heleboel antwoorden besparen. In dit stadium van het Project is het aspect tijd enorm belangrijk."

"Sorry..."

"Geen probleem. Een indianenstam, de Bantheenay, is er op het einde van de jaren 1800 in geslaagd via zwarte magie een demon op te wekken. Dae Nhemm. Zijn specialiteit was het veroorzaken van zelfmoorden bij mensen. Hij diende in een lichaam van een levende mens te worden ingebracht. Eagle Eyes bood zich uiteindelijk aan. Zijn aanraking zorgde ervoor dat zijn slachtoffers afschuwelijke dingen zagen, gek werden en uiteindelijk zelfmoord pleegden. Dae Nhemms interventie zorgde voor het uitroeien van vijandige stammen, zonder dat er één lid van hun eigen stam gewond werd. Uiteindelijk werd Dae Nhemm op een voor ons nog onbekende manier gedwongen zich in de dolk terug te trekken. Wij begrijpen ook nog de volle waarheid niet rond het skelet van Eagle Eyes dat de dolk vasthield."

"Ik word misselijk...."

"Het is hier nochtans niet warm. Beheers uzelf, meneer Dorganson... Lorne, wij hebben uw hulp nog nodig."

Lorne probeerde het misselijkmakende bewegen van zijn maag onder controle te houden.

"Ik ga verder. Begin 2000 werd QuarTech overgenomen door de CIA. De normale activiteiten van de firma – computerelektronica – werden probleemloos verdergezet. Dit bijgebouw werd opgetrokken, net boven de plaats waar het graf van Eagle Eyes zich bevindt. Naast deze ondergrondse verdieping in dit gebouw is er een klein doolhof. Tijdens onze eerste zoektocht naar het graf van Eagle Eyes hebben wij de resten van een vreemd wezen gevonden. Het bevond zich niet ver van ons doel. Het was gestorven, aan wat dan ook. Het was geen dier dat wij kenden, misschien was het uit de demonenwereld meegekomen. Achteraf – tijdens onze zoektocht naar de waarheid rond dit alles – ontdekten we dat Dae Nhemm, tijdens zijn acties in het lichaam van Eagle Eyes, voor een Bewaker had gezorgd. Dat zal dan dat wezen geweest zijn. Wij hebben er nu weet van dat er zich opnieuw een soort dier in het doolhof bevindt. Dus, Dae Nhemm is er opnieuw in geslaagd een soort Bewaker te scheppen die op een voor ons onbekende manier daarbinnen is geraakt. Alles werd echter goed afgesloten en het doolhof wordt door ons niet meer gebruikt. Toch niet tot we de demon terughebben.

Maar goed: ons doel was het opwekken van Dae Nhemm, kijken wat hij waard is en weer inbinden. Indien zijn activiteiten naar waarde geschat konden worden, kon hij – mits enorme restricties – ingezet worden bij antiterrorisme of zelfs bij oorlogsvoering. Wij organiseerden een soort wedstrijdje waar jij, twee andere medewerkers van QuarTech en tenslotte de drie andere agenten van de CIA (die undercover als medewerkers van QuarTech fungeerden) aan deelnamen. Waar wij op hoopten, is dan ook uitgekomen: één van jullie drie zou wel proberen de dolk te pakken te krijgen. Om welke reden dan ook. Jij hebt zonder dat je het wist, luik één van dit Project in gang gestoken. Vanaf dat moment hielden wij jou in het oog. Wij wisten uiteraard dat je de dolk uit de kluis had gehaald. Wij wisten uiteraard dat je het geprobeerd had en met wie. Om die reden gingen wij de heer Melchior Multcher eveneens in het oog houden."

"Jezus..."

De misselijkheid in zijn maag was verdwenen, maar had plaatsgemaakt voor een enorm belastend gevoel op zijn schouders. Al die tijd dat hij dacht... al die tijd dat hij meende...

"Die heeft hier niets mee te maken, Lorne. De indianen spreken over de Grote Geest en goede of slechte demonen. Goed. Waar was ik gekomen? Eh... de heer Melchior Multcher. Iemand die u heel waarschijnlijk niet onbekend is?"

Lorne voelde een gewicht van ongeveer vierduizend kilogram op zijn beide schouders rusten. Dit ging een beetje te ver. Iets als dit had hij helemaal niet verwacht. Het was nooit zijn bedoeling...

"Het is nooit mijn bedoeling geweest..."

"Wij werpen geen enkel verwijt aan uw adres, meneer Dor...Lorne. De reden waarom u de dolk hebt ontvreemd en Dae Nhemm in het lichaam van uw vriend Multcher hebt laten treden, gaat ons eigenlijk niet aan. Die zal vanuit uw oogpunt totaal aanvaardbaar zijn. Dat willen wij geenszins in twijfel trekken. Tot op heden hebt u ons een uitstekende medewerking verleend. Trouwens, aanvaard mijn excuses voor het hardhandig overbrengen van uw kantoor naar deze ruimte, maar die korte, maar krachtige actie was nodig gezien de omstandigheden."

Lorne mompelde iets onverstaanbaars. Waarschijnlijk wist hij zelf niet dat hij mompelde.

"Van zodra wij er weet van hadden dat u de dolk had ontvreemd, werd u dus in het oog gehouden. De volgende stap waren eventuele zelfmoorden. Die kwamen er dan ook effectief aan. Daardoor wisten wij met absolute zekerheid dat Luik één van het Project volledig geslaagd was en dat wij overgeschakeld waren naar Luik Twee. Op dat punt ben ik uit de schaduwen gestapt. Ik heb het onderzoek naar de zelfmoorden op mij genomen. De drie lichamen werden naar hier overgebracht. Wat ons nu rest, is Luik Drie: het terugdringen van Dae Nhemm. Trouwens, de dolk is natuurlijk weer in ons bezit. U hebt die trouwens netjes terug in de kluis geplaatst. Eén van de gegevens die wij toentertijd van de oude indiaan en ook via andere vormen van overleveringen verkregen hebben, is het feit dat wanneer éénmaal een gedeelte van het strooisel uit de dolk is verwijderd, de rest nutteloos is. Dat jammerlijke gegeven hebben we in onze notities verwerkt. Nu willen we Dae Nhemn opnieuw volledig in de dolk krijgen. En daarvoor hebben wij uw hulp nodig."

Lorne Dorganson keek abrupt op.

"Mijn hulp? Wat kan *ik* daarbij doen? Ik dacht verdomme dat alles een stom spelletje was. Ik heb daar helemaal geen verstand van."

"Zoals ik daarnet reeds heb gezegd, Lorne... weten wij er ook niet alles over. Hoe is Eagle Eyes aan zijn einde gekomen en hoe is Dae Nhemm in de dolk geraakt?"

"Verwachten jullie soms dat ik daar antwoorden op geef?"

Todd Elleniak keek glimlachend opzij naar Candice Polchner, die de ganse tijd nog niets had gezegd. Haar gezicht stond nog altijd even zorgelijk.

"Helemaal niet, Lorne. Wij verwachten enkel dat u erin slaagt uw vriend Melchior te overtuigen om – net als u – met ons mee te werken. Wij zullen erin slagen Dae Nhemm te bedwingen nadat wij met hem hebben gesproken, terwijl hij nog steeds in het lichaam van uw vriend verblijft. Gewoon een kwestie van hem te overtuigen. Wij moeten van hemzelf te weten komen wat we *willen* weten."

"Melchior? Meewerken?"

Todd haalde de wenkbrauwen op.

"Denkt u dat daarrond problemen zullen ontstaan?"

"Ik weet het niet. Ik ken Melchior wel en hij wil van de demon af, dat wel."

Todds gezicht klaarde op.

"Net wat ik dacht. Dat komt dus voor mekaar. U wordt straks ondergebracht in een meer comfortabele ruimte waar u zich op uw confrontatie met uw vriend kunt voorbereiden. Wij zullen ervoor zorgen dat hij hier geraakt."

Todd knikte in zijn richting, draaide zich om zijn as en op de voet gevolgd door Lornes zogezegde bazin, verliet hij de metalen ruimte.

Lorne vond dat de speciale agent of geheime agent of wat-dan-ook-meneer-Todd-Elleniak (nu herinnerde hij zich toch diens naam) heel erg zeker van zichzelf was. Hij vroeg zich af wat de man nog in zijn mars had indien niet alles verliep zoals hij het wilde. En ergens... ergens diep in zijn binnenste had Lorne de misselijkmakende indruk dat Todd niet alles had gezegd. Hij kon niet zeggen waarom hij met dat gevoel worstelde, maar het was er.

Annie Mouhaird had er geen enkel idee van hoelang ze al onder de grond vertoefde. Ofwel had ze geslapen, ofwel kwam ze terug bij bewustzijn. Het was nog steeds even donker en vochtig om haar heen. Nog steeds waagde ze het niet haar ene arm en been te bewegen. Ook had ze geen enkel besef van tijd. Ze opende haar ogen. De duisternis bleef. De stank van opdrogende urine drong haar neus binnen en ineens herinnerde zij zich de aanwezigheid van het afschuwelijke monster. Het had Danny vermoord, ze zag zijn hoofd steeds opnieuw tegen de rand van het deksel slaan. Het had haar aangevallen, omvergetrokken en meegesleurd. Nu zat ze hier, onder de grond. Waarschijnlijk was ze dezelfde weg als Danny gevolgd. Onder het deksel, de donkere, vochtige grond binnen. Dus bevond ze zich nog steeds in de buurt van dat grote gebouw met die immense antenne erbovenop. Haar rechterarm en rechterbeen waren verlamd. Die bestonden als het ware niet, tot zij die probeerde te bewegen. Dan vlamde de pijn door die ledematen. Dus hield ze zich stil.

Omdat ze vermoedde dat het beest niet in haar buurt was – die afschuwelijke stank miste ze – was ze van plan iets te ondernemen. Gewoon de grootte van de ruimte om haar heen schatten.

Met haar vrije hand greep ze in de vochtige aarde waar ze ruggelings tegenaan leunde. Ze had nog steeds de indruk dat ze tegen een schuine muur achteroverleunde. Blind zijn moest afschuwelijk zijn. Gewoon heel wat besef ging verloren. Haar hand graaide in de aarde en greep er een ferme vochtige klodder uit. Annie probeerde haar rechterarm te ontzien en wierp de aarde recht voor zich weg. Het geluid van aarde op aarde volgde. Ze schatte ongeveer een meter, maar ze vreesde dat ze er evengoed een meter naast kon zitten. Hoe dan ook, het was geen grote ruimte, maar dat was ze al gewaargeworden. Ze herhaalde haar handelingen naar links, maar dat gaf een ander resultaat. De aarde verkruimelde en ze kon onmogelijk de afstand schatten. Annie Mouhaird probeerde rustig te blijven. *Nadenken en redeneren, niet beginnen panikeren.* De Jeep hadden ze achtergelaten. Nu moest men toch al op zoek zijn. Iemand zou toch de Jeep opmerken. Vol kentekens van het politiekorps… en niemand in de buurt. Dat zou toch voor de nodige commotie zorgen?!

Nogmaals groef ze met haar nagels in de koude aarde en greep er een handvol vast. Nu nog naar haar rechterkant werpen. Voor haar één meter breed, hooguit twee. Links van haar onmogelijk te schatten. Als het resultaat aan haar rechterkant hetzelfde was, bevond ze zich in een tunnel onder de grond. Annie zoog adem naar binnen, spande haar spieren op om haar ene arm en been te ontzien en wierp de aarde naar links terwijl ze uitademende.

Tegelijk vlamde pijn in haar been op. Ze hapte naar adem en zoog de afschuwelijke stank van daarnet naar binnen. Die kleefde als harige schimmel op haar tong. *Het* was terug. De aarde hoorde ze nergens terechtkomen, maar het roffelen van het beest in de tunnel wel. Snuiven, ritselen… tot het voor haar stond. Annie voelde het, het was er gewoon. Ze hoorde de rochelende ademhaling links van haar hoofd. Zó dicht dat ze misselijk werd. Haar darmen reageerden en hielden de warme, kleverige inhoud niet langer op. Haar broek vulde zich met de vrijgekomen fecaliën. Annie Mouhaird had geen tijd om zich te schamen. Het beest moet de ontlasting eveneens geroken hebben, want het rochelen zakte eensklaps naar beneden. Het boog zijn hoofd voorover. Toen ze een druk in haar kruis gewaarwerd, uitte Annie een korte snik. Het snuffelen startte ook. Over haar benen gleden de tentakels. Eerst de benen, dan de buik, de borsten en het gezicht. Smerige, slijmerige, dunne darmen. Overal op en rond haar heen. Annie probeerde niet te gillen toen de druk in haar kruis erger werd. Iets groots en nats begon haar tussen haar benen te likken. Annie kreunde.

Maar het kreunen ging heel vlug over in een schor gillen toen een afschuwelijke pijn zich in haar linkerbeen ontwikkelde. Het was onmogelijk te dragen. Het beest beet haar! Ze voelde de lange tanden die in het vel, vlees en de spieren van haar bovenbeen werden gedreven. Het beest snoof en rukte met zijn hoofd, waardoor de pijn gewoon ondraaglijk werd.

Annie Mouhaird hield op met schreeuwen omdat ze het bewustzijn verloor.

Woensdag, 22 juni 2005.

Het was net iets over halfvier toen Shelley Cockroft thuiskwam van haar dodelijke wandeling door het stadspark. Op datzelfde moment wierp Annie Mouhaird onder de grond haar eerste hoopje aarde voor zich uit en werd Lorne Dorganson stiekem benaderd door Dune McCoff. Melchior bevond zich nog steeds in zijn hok. Hij had enkele wagens volgetankt, er zorgvuldig voor zorgend dat hij de handschoenen aanhield. Melchior wist niets af van Shelley's nieuwste intenties. Hij had trouwens andere intenties. Er was nu bijna een uur voorbijgegaan na het afgebroken gesprek met Lorne. Sedertdien had hij niets meer van hem gehoord. Melchior overwoog serieus om het nogmaals te proberen. Lornes mobieltje was waarschijnlijk nog steeds buiten strijd. Waarom het dus niet nog eens op dat 'verboden' nummer proberen? Nog even afwachten, misschien belde Lorne hem zelf op…
Ondertussen stond Shelley Cockroft in haar keuken op Willow Lane en keek in de kleine spiegel die naast de klok aan de muur hing. Zij zag een heel aantrekkelijke vrouw die nog een prachtig leven voor de boeg had. Niets stond haar nog in de weg. Zelfs de stem in haar hoofd zei dat ze nog steeds aantrekkelijk was.
- *Je hebt uitstekend werk geleverd daarnet, Shelley!* -
"Dank je!"
Shelley wist niet wie haar aansprak, maar ze voelde dat ze hem reeds had ontmoet. Misschien in een vorig leven, want ze kon zich geen voorstelling van de man maken. Wat hij zei, stond haar echter wel aan. Hij wist duidelijk dat vrouwen graag bejubeld werden. Misschien was het enkel maar een mooiprater, maar… hij deed het goed.
- *Je hebt me heel wat werk bespaard, weet je dat? Je hebt mijn gave gebruikt om een hele resem anderen te infecteren. Zo moet het. Ik ben fier op jou.* -
Shelley glimlachte naar haar spiegelbeeld. Ze wilde dat ze de eigenaar

van de stem kon zien, hoewel ze niet wist waar hij het over had.
- *Weet je, Shelley… je hebt prachtige ogen. -*
De vrouw bloosde en sloeg haar ogen neer.
- *Nee, kijk naar mij met die prachtige, blauwe kijkers. -*
Ineens was de stem verdwenen. Ook voelde ze zijn aanwezigheid niet meer. Shelley Cockroft draaide zich om, liep naar het aanrecht en trok de bovenste schuif open. Waarom ze het deed, wist ze niet. Ze voelde enkel aan dat het zo moest. Haar ene hand zweefde ineens boven de lade, leek te twijfelen, maar haalde er vervolgens een vork uit. Een doodgewone eetvork. Shelley liet de schuif openstaan en liep met de vork in haar hand door de woning. Naar buiten, naar de garage. Ze zag zichzelf handelen en besefte eigenlijk niet wat ze deed. Het gebeurde gewoon vanzelf. De vrouw liet de garagepoort open. Ze liep tot bij de werkbank waarop Jeffrey graag kleine klusjes verrichtte. Shelley was niet handig. Ze had zich nooit ingelaten met technische bezigheden en was blij dat haar man vroeger alles wat er op dat gebied te verrichten viel, voor zijn rekening nam hoewel het doe-het-zelven ook zijn speciáliteit niet was. Nu was het echter anders. Ze bekeek haar eigen handelingen in een waas van verwarring en verbazing. Shelley merkte dat haar vrije hand de lange hendel van de bankschroef vastnam en ronddraaide. Haar andere hand hief zichzelf op en stak het onderste van de steel van de vork tussen de twee metalen bumpers van de bankschroef. Haar andere hand draaide de hendel om en spande die heel hard op, zodat de vork onwrikbaar rechtop stond. De holle kant van de lange tanden was naar haar gericht.
Shelley Cockroft testte de stevigheid van de rechtopstaande vork door er aan te wringen, maar het stuk eetgerei gaf geen krimp. Zij rechtte vervolgens haar rug, ademde rustig… schatte de afstand en grootte van de hoek en sloeg vervolgens haar hoofd naar beneden. De tanden van de vork boorden zich in haar rechteroog en drongen onmiddellijk tot in haar hersenen door. De bloedende oogbol puilde naar buiten waarbij de pupil in een onmogelijke richting omhoog werd gewrongen.
Shelley stierf ogenblikkelijk. Haar lichaam zakte als een pudding in elkaar en bleef voorover op de werkbank liggen.

O p de parking van het politiekorps van Yellowmoon heerste een ongewone drukte. Iedereen die beschikbaar was, bevond zich in

de buurt van één van de beschikbare wagens. Sommigen hadden een sleutel in de hand, anderen wisten dat ze passagiers waren. Allen hadden ze daarnet, even voor halfvier, een briefing bijgewoond. Luitenant Will Kamen had informatie gegeven omtrent het wegblijven van Danny Lahmian en de stagiaire Annie Mouhaird. Tijdens de briefing vonden sommige agenten het opportuun om schuine opmerkingen te maken over de activiteiten waar Danny en Annie waarschijnlijk wel mee bezig waren. De meeste daarvan hadden heel weinig met politiewerk te maken. Een kwade blik van Kamen in hun richting bracht hen vlug op andere gedachten. Nu stond Kamen op de trappen en keek naar de manschappen die zich in de richting van de wagens begaven.
"Ik ben blij dat je een plan hebt uitgewerkt, Deke."
Deke was op zijn beurt blij met de bevestiging door zijn overste. Hij had inderdaad een groot plan van Yellowmoon op tafel geworpen en dat in secties onderverdeeld.
"Denk je dat er iets gebeurd is?"
Kamen draaide zich niet van het tumult op de binnenkoer weg, maar zei:
"Ik weet niet wat ik moet denken, Deke. Danny is niet thuis. Ik vind het vreemd. We hebben al vierentwintig uur niets van hem vernomen. Dat is tegen alle regels van het huis in. Ook de stagiaire heeft nog niets van zich laten horen."
Will vermoedde dat hij veel te lang had gewacht. Hij had veel eerder maatregelen moeten nemen. Het feit dat de eerste auto's de parking verlieten, stemde hem gerust. Nu werd er tenminste *iets* ondernomen.

Ongewenste veranderingen aan een menselijk lichaam die zich heel abrupt voordoen en van geen wijken weten, kunnen bezwaarlijk als een positieve evolutie worden omschreven. Van die onomstotelijke waarheid was Melchior Multcher zich terdege bewust. Terwijl hij in zijn hok op een volgende klant wachtte, bekeek hij de toestand van zijn eigen lijf. Zijn handen waren mager en dooraderd. Met wat verbeelding zag je zelfs de botten onder het gelige vel. De vingers werden langer en de nagels groeiden zienderogen. Melchior bekeek zijn eigen handen alsof die van iemand anders waren. Met die handen bevoelde hij vervolgens zijn gezicht. Het was ingevallen en voelde knokig aan. Hij betastte de uitstekende jukbeenderen en de geprononceerde oogkassen.

Zelfs zijn haar groeide. Hij voelde zich niet goed meer in zijn vel.

- Natuurlijk niet, Melch, goeie jongen. -

Melchior keek op. Hij verwachtte dat er iemand in zijn hok voor zijn tafeltje stond. Onmiddellijk daarop besefte hij dat de stem binnenin zijn hoofd had geklonken.

- Hallo? Ben je er nog, merneer Melchior Multcher? -

Melch had geen zin om te reageren.

- Melch? Wat scheelt er?-

Hij legde zijn handen plat op de tafel en duwde de vingertoppen hard op het hout.

- Wat vreet je eigenlijk uit? -

"Ik heb er genoeg van!"

- Ah, je bent er toch nog. Je lijkt wel een klein kind. Gedraag je! -

"Stop met belachelijk doen. Ga uit me weg! Ik ben jou genoeg van dienst geweest."

Melchior duwde zijn vingertoppen zo hard mogelijk tegen het hout. Het liet hem voelen dat hij zichzelf nog in de hand had.

- Je beseft toch dat je meer en meer op mij begint te lijken, nietwaar? Ik heb je dat toch al verteld. Heb je daar problemen mee? -

Melchior reageerde niet. Hij wist heel goed dat Dae Nhemm gelijk had. Hij was van plan zijn entiteit volledig over te nemen. Hij greep het kleine telefoontoestel dat op de tafel lag.

"Laat me met rust."

- Ik verspreid mezelf ondertussen, weet je. -

Melchior probeerde zich te concentreren op het toetsenbord van het minuscule apparaat dat hij in zijn handen hield. Het waren zijn vingers niet meer die het dekseltje openden en de toetsen indrukten. Ze waren te lang en te mager. Hij bracht de gsm tot tegen zijn oor en hoorde Lornes toestel overgaan. Melchior sloot de ogen en probeerde zich stomme zaken voor te stellen. Alles wat zijn gedachten uit de buurt van de demon hielden. Oldtimers, sterrenstelsels, actrices, zelfs Ottie... tot hij besefte dat er aan de andere kant van de lijn niet werd opgenomen.

- Jouw vriendje laat je in de steek. Je zal toch eens moeten leren op eigen benen te staan. Denk je nu werkelijk dat je de rest van je leven op anderen zal kunnen rekenen? Hebben jouw ouders jou met dat drogbeeld opgevoed? -

Melchior klapte zijn telefoontoestel dicht.

"Laat me met rust, klootzak."

- Kijk, nu word je weer onbeschoft."
Melchior hoorde een hoonlachen dat voor enge echo's binnenin zijn hoofd zorgde. Het ergste was dat hij niet wist wat hem te doen stond. Hij hoopte wel dat Lorne er reeds in geslaagd was een nieuwe afspraak met die ouwe indiaan te regelen. Melchior was van plan hem alles, maar dan ook alles wat in hem opkwam te vragen.

Lorne Dorganson had helemaal geen afspraak met Yellowmoon geregeld en zou daar ook nooit meer de kans toe krijgen. Hij bevond zich op datzelfde moment in een lokaal dat – zoals Todd Elleniak had gezegd – er iets comfortabeler aan toe was dan de ruimte van waaruit hij door Georges Bannier en Kurt Immner was overgebracht. Zij hadden geen woord met hem gewisseld. Trouwens, na de monoloog van Todd had hij eigenlijk weinig zin gehad om een gesprek met iemand te voeren. De twee 'ex-collega's' hadden hem zomaar op deze nieuwe stek ondergebracht en de deur achter zich dichtgetrokken. Lorne merkte dat er geen kruk aan deze kant op de deur stak en besefte dat het geen zin had ook maar iets te ondernemen. Het enige wat hem te doen stond, was afwachten.
Vier muren, geen vensters, één deur. Een tafel en twee stoelen. Vierkanten van licht, in het plafond ingebouwd. Een zetel en een onopgemaakt bed. Niet echt een plek om dagenlang te verblijven. Lorne vroeg zich net af wat men werkelijk met hem van plan was, toen hij geluid opving. Iemand was met de kruk aan de buitenkant van de deur bezig. Vanuit zijn luie positie in de zetel hield hij zijn ogen op de deur gericht. Die draaide vervolgens open en Dune McCoff schoof het lokaal binnen. Lorne merkte onmiddellijk dat hij zich niet als de twee anderen, Georges en Kurt, gedroeg. Hij leek nerveus. Hij had de deur heel voorzichtig geopend, als wilde hij niet dat iemand het hoorde. Lorne ging rechtop zitten.
"Dune?"
De man hield zich in de buurt van de deur op. Hij drukte zijn ene vinger op zijn lippen als teken dat Lorne zich stil moest houden. Wat was dat nu weer?
Dune McCoff stak zijn hoofd weer op de gang, trok zich even later het lokaal terug binnen en deed de deur achter zich niet dicht. Hij haastte zich tot bij de zetel waarin Lorne nog steeds flink rechtop zat.

"Dune, wat scheelt er?"

De man zweette. Hij wreef met de mouw van zijn vest over zijn voorhoofd en bekeek de vochtige strepen op de stof.

"Je moet hier weg, Lorne."

Lorne vatte niet onmiddellijk wat de man van plan was.

"Ik begrijp je niet."

"Weg! Weg hier vandaan!"

Dune zwaaide met de armen. Lorne begreep er niets meer van. Nu haalde hij zijn schouders op en spreidde zijn armen.

"Wil iemand me eindelijk eens vertellen wat er hier verdomme aan de hand is? Jij behoort toch tot hun bende, of niet soms? Jij bent toch een geheimagent of zoiets?"

Dune veegde het zweet van zijn gezicht met beide handen. Lorne begreep daaruit dat de man niet voor een gemakkelijke beslissing stond. Dune knikte en zei:

"Klopt, Lorne. Klopt helemaal. Maar we mogen weinig risico's nemen."

"Ik wil weten wat er aan de hand is! Ik begrijp er helemaal niets meer van!"

Lorne voelde zich kwaad worden. Het hield helemaal geen steek meer.

"Okay... luister. Wat Todd jou allemaal heeft verteld, is de waarheid. Hij heeft niet gelogen... maar... ik ga niet met alles akkoord. Het is een lang verhaal, ik hou het kort. Ik behoor inderdaad tot Todds team. Ik ben inderdaad een lid van de CIA. In het begin was dit Project heel aanlokkelijk en ik was echt bereid er volledig aan mee te werken. Todd ronselde enkele agenten en koos er degenen uit die volgens hem voldeden aan zijn voorwaarden."

"Is hij een belangrijk iemand?"

"Todd Elleniak? Hij is enorm belangrijk omdat hij een enorm grote macht heeft. Veel groter dan je je kan indenken."

"Waarom kan hij dan..."

"Laat me verder spreken, Lorne. Het Project Dae Nhemm werd gestart. Alles verliep volgens plan. Todds plan. Het was een groots plan, dat wel, maar het lukte. Luik een en twee. Geen probleem. Nu staat hij voor luik drie: het terugdringen van Dae Nhemm. Daarvoor heeft hij de drager van de demon..."

"Melchior..."

"... nodig. Maar er is voor mij iets niet duidelijk. Ik begrijp niet waarom hij jou zo per se erbij wil hebben."

"Om Melchior te overtuigen mee te werken! Dat heeft hij mij toch verteld daarnet!"

"Todd Elleniak heeft jou helemaal niet nodig om iemand – gelijk wie dan nog – te overtuigen. Ik heb de indruk dat hij jou, mij en misschien zelfs alle anderen niet alles heeft verteld. Ik denk dat enkel Candice en hijzelf de volledige toedracht kennen. Naast dit gebouw is er een labyrint. Niemand van ons mag er nog in. Zomaar. Ineens! We hebben allemaal het graf gezien, maar nu is het voor iedereen verboden gebied en niemand weet waarom. Hij weigert ook te zeggen waarom. Ik... vertrouw hem niet. Ik heb ook gezien waartoe Dae Nhemm in staat was. Eén aanraking en het slachtoffer pleegt even later zelfmoord. Dat wil hij aanwenden? Wat aanvankelijk heel avontuurlijk en veelbelovend leek, lijkt mij nu pure waanzin. Ik wil eruit stappen, maar kan dat zomaar niet."

Lorne hief zijn ene hand op.

"Eh... Dune, allemaal goed en wel, maar waarom vertel je *mij* dat allemaal?"

"Omdat ik... sympathie voor jou heb gekregen in de maanden dat we samen hebben gewerkt. Je bent een enorme sloddervos, maar een ongelooflijk toffe knul. Ik wil niet dat jou iets overkomt."

Lorne wist niet hoe hij daarop best reageerde. Van de drie 'collega's' op QuarTech kon hij inderdaad het best met Dune omgaan. Er was zelfs een tijdje echte vriendschap ontstaan tot Dune zich op een bepaald moment om tot nu toe onbekende redenen terugtrok. Nu begreep Lorne waarom. De vriendschap mocht en kon niet. Maar inderdaad, na de vlugge actie toen Melch hem opbelde, was hij Dune een beetje uit het oog verloren.

"Waarom denk je dat er mij iets zal overkomen?"

Dune keek vluchtig achterom naar de deur.

"Net omdat ik geen enkel vertrouwen stel in Elleniak. Samen met Georges en Kurt stapte ik in het Project. Wij zijn zijn naaste medewerkers, maar toch hebben wij geen vrije toegang tot de volledige inhoud van de dossiers. Wij beschikken evenmin over de bevoegdheid waarover hij beschikt."

"Wat is jouw plan?"

Dune keek Lorne doordringend aan.

"Ik laat jou ontsnappen."

"*Wat?*"

"We ensceneren een gevecht. Ik word knock-out geslagen en jij neemt de benen."

Lorne wreef zich over het gezicht. Dat leek een plan uit een erg onprofessioneel in elkaar gestoken B-film.

"Dat lukt nooit."

"Je krijgt maar deze ene kans, Lorne. Ik denk dat Todd iets veel groters van plan is dan hij wil laten blijken. Jij en ik hebben samen hopen lol gemaakt. Ik vond jou echt sympathiek, Lorne, de anderen droegen een masker. Ik heb er dikwijls over nagedacht om jou van het bestaan van het Project in te lichten. Ik wil dat je hier weggaat, Lorne. Loop naar huis, neem je wagen en rij uit Yellowmoon weg. Zover mogelijk, dat lijkt me het veiligst."

"Je meent het?"

Lorne schrok toen Dune zijn schouder vastgreep.

"Ik meen het, Lorne. Todd Elleniak is een gevaarlijk man. Hij wandelt over lijken om zijn doel te bereiken. En dat bedoel ik letterlijk."

Lorne keek in Dunes ogen. De man meende het echt. En de lol die ze samen hadden getapt, was ook échte lol. Hij slikte een brok door en zei:

"Okay. Zeg me wat ik moet doen."

Dune rechtte zich en liet daarbij Lornes schouders los.

"Heel eenvoudig. Je ramt je stoel tegen mijn kop. Je loopt naar buiten. Hiernaast is een lokaal met materiaal. Neem er zeker een zaklamp. Op het einde van de gang is een dubbele deur. Daarachter begint het labyrint, we zitten momenteel reeds onder de grond. Het is groter dan je vermoedt. Blijf altijd links lopen en je komt bij het graf terecht. Dit gebouw werd speciaal daarvoor hier gebouwd, de gang is eigenlijk een verlenging van de meest belangrijke gang onder de grond. Volg je nog?"

"Zaklamp, dubbele deur en links blijven. Dat wel, maar dat met die stoel..."

Dune McCoff ging daar niet op in.

"Voorbij het graf moet je de gang nemen die opwaarts loopt. Je blijft die volgen. Gebruik de zaklamp, het is er pikdonker. Op het einde van die gang zijn enkele verticale kokers met trappen. Klim in één ervan naar boven. Het kleine rooster dat de kokers bedekt, ligt onder een dunne laag bladeren, gras en andere vuiligheid die er zorgvuldig op aangebracht zijn. Het lijkt allemaal heel natuurlijk, maar dat is het niet. Er komt daar trouwens toch nooit iemand voorbij, maar het is gewoon een kwestie van bescherming. Vandaar moet je jezelf zien te redden."

"Ja... maar ik wil jou geen..."

Dune greep de vrije stoel vast en presenteerde die aan Lorne.

"Doe het, Lorne. Anders ben je voor altijd een slaaf van Todd. Begrijp dat nu toch."

"Slaaf? Wat bedoel je daarmee?"

"Hij heeft je alles verteld over het Project!"

"Ja... en wat dan nog?"

"Denk je werkelijk dat hij jou zomaar je vrije gang zal laten gaan? Je weet veel te veel! Ofwel word je uit de weg geruimd, ofwel zal hij ervoor zorgen dat je overgevlogen wordt naar een luizenhol ergens diep in het binnenland van Roemenië. Is het dat wat je wilt?"

Lorne zei niets. Dat ging zijn petje te boven, het was een wereldje dat hij niet kende. Hij had dit helemaal niet gewild. Met een nieuwe brok in zijn keel nam hij de stoel die Dune hem presenteerde, van de ondertussen overvloedig zwetende man over.

M arianne Duchamp, het eerste slachtoffer dat eerder die dag door Shelley Cockroft in het stadspark werd aangeraakt, legde ondertussen thuis op haar beurt haar ontblote handen op het hoofd van haar jongere broer, Lionel, en op de armen van haar beide ouders. Daarna liep ze naar de garage en bereidde een cocktail van fijngemalen glas, versnipperde stukjes koperdraad en ijzerschilfers. Ze strooide alles in een glas dat ze half met olie vulde. De stem in haar hoofd zei haar dat het gezond was alles in één keer op te drinken. Marianne zette het glas tegen haar mond en goot alles netjes naar binnen. Ze was een week eerder zestien geworden.

D e politiepatrouille die het deel waarin QuarTech zich bevond, had gekregen, reed op Moon Lane in de richting van Broadway. De twee jonge agenten, Redd en Ambry, hadden er weinig zin in.

"Komaan, wat vreten wij hier eigenlijk uit?"

Ambry keek verbaasd opzij naar Redd, die de wagen bestuurde.

"Uitkijken naar Danny en de stagiaire. Ik dacht toch dat je dat wist? Je was toch op de briefing aanwezig?"

Redd schudde het hoofd.

"Je bent een stomme uil, Ambry, wat ben je een stomme uil! Natuurlijk weet ik dat! Ik vraag me gewoon af waarom we dat eigenlijk doen. Iedereen weet toch dat Danny Lahmian een geile neukkikker is die op dit moment met die stagiaire ligt te scharrelen. Heb je de omvang van haar tieten gezien? Gewoon volumineus. Ik had er zelf wel zin in. Jammer van haar neus."

Ambry keek ondertussen weer voor zich. De grootte van Annie Mouhairds tieten was nu echt iets wat hem erg weinig interesseerde. Hij beschouwde zichzelf op zijn éénentwintigste als een geboren 'crimefighter', een politieman in hart en nieren. Hij was tot het korps toegetreden om misdadigers op te sluiten, noch meer, noch minder. Tieten? Jakkes... wat een tijdverspilling. Blijkbaar had zijn al even jonge collega daar minder problemen mee. Die grijnsde zelfs achter het stuur terwijl hij eraan dacht. Waarschijnlijk zag hij alles voor zijn geestesoog gebeuren.

"Danny is helemaal niet zoek. Hij heeft haar de nodige losmakende alcoholische dranken gevoerd en berijdt haar! Hij is zijn dikke pik tussen haar borsten aan het schui..."

"Al twee dagen?" onderbrak Ambry hem.

"Stomme oen. Hij duikt wel terug op. Hij zorgt er maar beter voor dat hij met een mooi klinkende uitleg op de proppen komt."

Redd draaide op dat moment Broadway op en stopte.

"Wat verder loopt het dood op een groot stuk braakliggende grond. We keren hier."

Ambry fronste de wenkbrauwen.

"Komaan, we moeten toch overal zoeken?"

Redd wees door de voorruit.

"Er is daar niets, enkel jungletoestanden."

Hij schakelde in de 'R'-stand en begon achteruit te rijden. Ambry had het niet naar zijn zin. Overal zoeken, betekent *overal zoeken*. Ook in de jungle. Opdracht is opdracht. Maar Redd had blijkbaar een andere

mening. Ambry zocht wanhopig naar een oplossing, maar Redd was bijna volledig gekeerd. Ineens kreeg Ambry een lumineuze ingeving.
"Wacht even..."
Redd duwde op de rem.
"Wat nu?"
"Jungle... goed. Maar wat als Danny daar momenteel met Annie in de Jeep scharrelt? Ze zijn toch met de Jeep op toer?"
"Ja, en wat dan nog?"
"Misschien waren ze zelfs van plan om het daarbinnen te doen!"
Ambry wees naar het donkere gat in het bos waarin Broadway verdween. Er drong heel weinig zonlicht binnen.
"En hebben ze daarom de Jeep meegenomen. Om diep in de jungle te kunnen binnendringen en daar ongestoord hun gang te kunnen gaan."
Redds gezicht klaarde op.
"Je bent dan toch nog *zo* stom niet!"
Hij schakelde opnieuw in de 'R' en reed een stukje achteruit. Hij wrong aan het stuur en reed terug Broadway op, in de richting van het donkere gat.
"Hebben we een fototoestel mee? Misschien treffen we hen terwijl ze bezig zijn. Hij met z'n blote kont en zij met haar mondje vol. Of zij met de benen gespreid bovenop de motorkap, terwijl hij zijn..."
Ambry luisterde allang niet meer naar de geile fantasieën van zijn collega. Hij was blij dat hij erin geslaagd was Redd op andere gedachten te brengen.

Twee andere mensen die de ondertussen overleden Shelley Cockroft had aangeraakt, dronken samen een glas rattenvergif leeg. Het was een koppel dat de maand daarvoor hun dertigste huwelijksverjaardag had gevierd. Dae Nhemm zei hen dat het best was dat ze samen zouden blijven. Samen in het leven, samen in de dood. De vrouw en de man glimlachten naar elkaar toen ze beseften dat de vriendelijke man die hen in hun hoofd toesprak het volledig bij het rechte eind had. Ze trokken – ondanks het feit dat het nog steeds geen avond was – hun kleren uit, schoven hun lichamen in hun pyjama en kropen naast mekaar in bed. Ze rolden dicht tegen elkaar en even later waren hun lijven in mekaar verwikkeld. Samen wachtten ze op de dood die hen onvermijdelijk kwam halen.

Lorne Dorganson kromde zijn handen om de leuning van de stoel die hij vasthield.

"Ik kan het niet."

Dune keek naar de deur.

"Komaan, er kan hier elk moment iemand aankomen."

"Wat zul je zeggen? Je kunt er je nooit uitpraten..."

"Trek je daar niets van aan, Lorne. Wonden genezen. Ik wilde allang uit het Project. Todd duldt geen misstappen. Hij kan mij niet ontslaan, wel overplaatsen. Daar reken ik op."

"Als je er zo over denkt..."

Lorne nam de leuning nog steviger vast.

"Het moet echt lijken! Sla hard!"

"Jezusssss...."

Lorne hief de stoel op, zwaaide die naar achteren en zag hoe Dune McCoff zijn ogen sloot en zijn hoofd oprichtte, als wilde hij een geur opsnuiven. Lorne spande daarop zijn spieren en trok de stoel uit alle macht naar voren. Net voor hij doel trof, kneep hij zijn eigen ogen eveneens dicht. Er ging een schok door zijn armen toen hij Dune een enorme opdoffer verkocht. Hij hoorde het hout tegen vlees, spieren en been ploffen. Het was een dof en heel onaangenaam geluid dat hij nooit eerder had gehoord. Hij opende de ogen en merkte dat Dune gevallen was. Hij lag op zijn rug en bloedde uit een diepe snede boven zijn linkeroog. Ook uit zijn mond spatte rood vocht, de onderlip was gescheurd. Zijn linkeroor hing niet helemaal meer aan zijn hoofd vast.

"God... God..."

Lorne liet de stoel vallen en knielde naast de liggende man. Het leek meer op door zijn benen zakken dan 'knielen'. Lornes gezicht werd krijtwit. Hij hield zijn handen met de palmen naar beneden boven het gewonde lichaam als wilde hij er een helende spreuk over uitspreken. Hij wilde de gevallen man genezen.

"God... Dune... sorry... sorry..."

Dune McCoff hoestte een klodder bloed naar buiten. Hij draaide zijn hoofd opzij en fluisterde dat het 'okay' was en dat hij moest maken dat hij wegkwam. Lorne Dorganson had moeite om op te staan. Alle kracht was uit zijn lichaam verdwenen. Hij voelde zich misselijk worden. Hoe meer hij naar het gehavende gezicht van Dune keek, hoe intenser hij zichzelf begon te haten.

"Ga... weg..."

Dunes bloed spatte op zijn broek.

"Sorry, kerel... ik..."

Lorne draaide zich op loden benen om en strompelde naar de deur. Het scheelde weinig of hij begon te wenen als een klein kind. Hij keek nog eenmaal achterom en trok vervolgens de deur verder open. Een vluchtige blik op de gang leerde hem dat die verlaten was. Hij trippelde die naar links op en haastte zich het naburige lokaal binnen. Hij knipte het licht aan en merkte dat het inderdaad om een gereedschapshok ging. Lorne herinnerde zich Dunes woorden: *zeker een zaklamp*! Lorne vond er vrijwel onmiddellijk een ganse resem. Blijkbaar was dat hier een veelvuldig vereist stuk gereedschap. De eerste lamp die hij vastgreep en aanknipte, werkte uitstekend. Een brede bundel wit licht sneed als een laserband door het halfduistere hok. Lorne merkte nog meer gereedschap: veel te zware hamers, schoppen, kruiwagens, helmen... maar niets waarmee hij zich eventueel kon verdedigen. Behalve: een klauwhamer. Hij nam die vast en woog het voorwerp in zijn rechterhand: een uitstekend wapen. Lorne Dorganson voelde de noodzaak om te lachen. De situatie waarin hij zich bevond, kwam hem ineens danig idioot over. Komaan... hij had daarnet iemand het hoofd opengeslagen en nu bewapende hij zich met een klauwhamer?! Demonen? Indianen? Op de vlucht slaan? Waar was hij in 's hemelsnaam mee bezig?

Lorne bekeek de lamp in zijn ene en de hamer in zijn andere hand. Dit leek werkelijk op de plot van een ouderwetse spionagefilm. Hoe dan ook, het besef dat hij toch *iets* moest ondernemen, spoorde hem aan om de werkelijkheid te aanvaarden. Teruggaan had geen zin. Een confrontatie met Todd Elleniak was een onderdeel van de nabije toekomst waar hij liever niet aan dacht. Dus... dan maar doen waar hij aan begonnen was: vluchten.

Hij verliet het gereedschapshok en liep naar links zoals Dune McCoff hem had opgedragen. De lange gang was niet meer dan een betonnen tunnel met om de meter een flauwe TL-lamp tegen het plafond. Heel ongezellig. Lorne schoof haastig langs de muren in de richting van de dubbele deur die het einde van de gang uitmaakte. Tot op dat moment had Dune het traject correct uitgelegd en was er nog niets mislopen.

Lorne arriveerde aan de deuren. Die zagen er heel stevig uit. Geen toestanden waar je even je schouder tegenzet als die niet onmiddellijk willen meewerken. Het leken wel sluisdeuren, gesloten met twee zware, metalen houders die de volledige breedte van de gang in beslag namen. De deuren zaten met enorme scharnieren in het beton vast. Elke kant had een metalen wiel dat er ter hoogte van een mannenborst op was bevestigd. *Het is een in- of uitgang die dagelijks honderdmaal werd gebruikt*, grapte Lorne tegen zichzelf. Hoewel hij van binnenhuisarchitectuur helemaal niets afwist, vond Lorne dat de omvang van de deuren hier toch wel ferm overdreven was. Een gewone deur om de gang van het labyrint te scheiden, had volgens hem ook volstaan.

Lorne besefte dat hij tijd verloor. Hij legde de hamer en de lamp op de grond, keek even achterom en zag dat hij nog steeds alleen was. Zijn verdwijning was nog niet opgevallen. Het verwijderen van de metalen baren viel niet mee. Hij had alle kracht die zijn lichaam kon voortbrengen nodig om de baren uit de houders te lichten. Vloekend was hij daar zeker een volle vijf minuten mee bezig. Volledig buiten adem en zwetend als had hij met kleren en al twee uur lang doelloos door de gietende regen gestruind, viel Lorne ruggelings tegen de muur. De ene deur had hij twintig centimeter kunnen openen. Hij had zich een breuk aan de draaiwielen gewrongen. De linkerkant zat muurvast, maar het wiel dat aan de rechterkant stak, had hij in beweging gekregen. Twee pinnen die verticaal in de binnenkant van de deur verwerkt zaten, kwamen door zijn draaien in beweging. De ene hief zich uit de grond, de andere zakte uit het plafond neer. Nu pas kon Lorne die deur openen door aan het wiel te trekken. Twintig centimeter, verder geraakte hij niet. Meer hoefde niet, meer kon ook niet. Hij had er de kracht niet voor. Zeker vijf minuten wachtte Lorne Dorganson tot zijn hart aan een rustiger tempo sloeg. Hij dacht even na over zijn ongezonde manier van leven, maar dat aspect liet hij vlug achterwege. Gedane zaken namen geen keer. Hij duwde zich van de muur weg, raapte de hamer en de zaklamp op en wrong zich in de ontstane spleet tussen de twee deuren.

Marianne Duchamp begreep niet waarom er bloed uit haar aars en vagina stroomde. Het meisje begreep evenmin waarom ze onophoudelijk braakte. Bloed, vermengd met stukjes ingewanden,

gulpte uit haar mond naar buiten. Dae Nhemm had het afbraakproces van haar lichaam aan een versnellingsopdracht onderworpen. Het gemalen glas, de ijzerschilfers en de stukjes koperdraad die ze samen met de olie naar binnen had gewerkt, scheurden haar maag en darmen totaal kapot. De ravage die in haar lichaam ontstond, zette zich in een sneltreinvaart verder. Wat normaal enige tijd in beslag zou nemen, gebeurde nu binnen het halfuur. Ze zat op de grond in de keuken van haar ouders die niet thuis waren. Met haar rug leunde ze tegen de onderste kastdeuren. Haar hoofd bengelde vooruit, de kin tegen de borstkas gedrukt. Bloed gulpte uit haar keel. Tegelijk stroomden haar gemalen ingewanden van tussen haar gespreide benen naar buiten.
Lionel, haar kleinere broertje van elf, speelde ondertussen buiten. Tikkertje. Een heel gezellig spelletje en erg in trek bij kinderen. Dae Nhemm wist niet waar hij het had. Hij kreeg een overvloed aan kansen. Het ging veel gemakkelijker dan hij had gedacht. Wat hem betrof was de wereld er een heel stuk op vooruitgegaan.

Ambry wees voor zich uit. Hij had zich al een ganse tijd stevig vastgehouden aan alles wat vastzat aan de binnenkant van de patrouillewagen omdat die voortdurend heen en weer werd geschud.
"Kijk... de Jeep!"
Redd vervloekte de gebrekkige toestand van het terrein waar ze op vorderden, maar vergat zijn frustratie. Hij had aanvankelijk problemen omdat hij Ambry's voorstel had opgevolgd, maar toen hij opkeek en iets verder inderdaad de Jeep van Danny en Annie zag staan, ebde het ongenoegen weg.
"Kijk nou 's! We hebben ze gevonden!"
"Ik zei het je nog!"
Redd zette zijn wagen zo goed als mogelijk aan de zijkant van het pad en draaide de contactsleutel om.
"We gaan te voet verder. Ik wil ze betrappen terwijl ze bezig zijn!"
"Komaan, je denkt toch niet dat ze nu nog..."
"Met de blote kont in de lucht! Ik lach me een breuk!"
Redd hees zichzelf uit het voertuig en wachtte niet tot Ambry zijn voorbeeld had gevolgd. Hij werkte zich door het struikgewas en de bomen tot bij de Jeep. Ondertussen was Ambry ook uitgestapt. Die bleef bij de wagen staan. Toen hij Redd bij de Jeep zag aankomen en

door de vensters gluren, vond hij dat zijn collega zich echt onvolwassen gedroeg. Hoe was je nu tot zoiets in staat?

Redd kwam vervolgens tot halverwege de landweg en spreidde zijn armen.

"En?" riep Ambry.

"Is leeg!" was het antwoord.

Had je nu echt iets anders verwacht? Dat had Ambry hem nog willen toeroepen, maar hij zag daarvan af. Er was iets anders dan leedvermaak dat zich in zijn hoofd had gewrongen. Als die Jeep hier al van gisteren stond, waar waren Danny en Annie dan? Omdat Redd geen aanstalten maakte om terug naar hun patrouillevoertuig te komen, duwde Ambry zich van de wagen weg. Hij controleerde zijn radio aan zijn riem en stapte in de richting van de wachtende en duidelijk teleurgestelde Redd.

Gelukkig had hij Dune McCoffs advies opgevolgd. Van zodra hij de onmogelijk dikke deuren voorbijgeglipt was, had Lorne Dorganson uit pure noodzaak de zaklamp aangeknipt omdat hij in totale duisternis was terechtgekomen. Het duurde even voor zijn ogen aan de nieuwe omgeving gewend waren. Hij bescheen de aangestampte grond onder zijn voeten, het plafond dat uit aarde en loshangende wortels bestond en de wanden die net als het plafond en de vloer uit verharde aarde waren vervaardigd.

"Wat is me dat hier voor een zootje?"

Het geluid van zijn stem klonk gedempt. Hij zwaaide de lamp om zich heen en bemerkte dat hij zich – zoals Dune had gezegd – in een tunnel bevond. De omgeving was niet uit aarde vervaardigd, het *was* de aarde. Lorne besefte dat hij onder de begane grond terechtgekomen was. Het was er vochtig en het stonk er naar schimmel. Wat had Dune gezegd? Links blijven volgen.

"Het stinkt hier!"

Lorne loerde in de lichtgevende spleet tussen de openstaande deuren en zag dat de gang nog steeds leeg was. Goed. Uitstekend zelfs. Links blijven. Hij kneep in de steel van de hamer in zijn rechterhand en richtte het sterke licht van de lamp voor zich uit. Ineens kwam hij tot een besef. Hij draaide zich om en scheen naar de binnenkant van de twee deuren.

"Jezus..."

De doorgang waar hij zich net tussen had gewrongen, kon enkel afgesloten worden vanop de gang. Niet van in de tunnel waar hij nu
stond. Op 'zijn' kant van de deuren was geen enkel bevestigingssysteem
voorzien. Geen draaiwielen, geen dwarsbalken. Enkel vlak metaal. Was
het de bedoeling dat er van deze kant uit niets (of niemand) de gang
betrad? Was het de bedoeling datzelfde iets hier onder de grond te houden? Lorne voelde dat er een laagje zweet op zijn voorhoofd verscheen.
De klauwhamer schonk hem slechts een lichte vorm van geruststelling.
Hij probeerde zijn gedachten op andere zaken te richten. Teruggaan
was onmogelijk. Links blijven. Dat had Dune gezegd. Geen probleem,
tot op dit punt had Dune hem nog niet in de steek gelaten.

Lorne ging op stap. Het krioelde van ongedierte in de buurt van zijn
voeten. Een paar keer moest hij niezen, waarbij het licht van zijn lamp
op en neer wipte. Links blijven. Hij kwam meerdere malen bij splitsingen aan, maar volgde Dunes raad noodzakelijkerwijze op. Hij hield
links aan. Boomwortels probeerden hem af en toe de weg te versperren
en op plaatsen waar maar weinig verkeer was geweest, was de grond
nat en kleverig. Over het algemeen waren de tunnels veelbelopen. De
aangestampte aarde was bijna een pad geworden en hier en daar was
de tunnel versterkt met steun- en draagbalken. Daardoor kreeg Lorne
het idee dat hij in een mijngang vorderde. Hoewel het niet nodig was,
had hij voortdurend de neiging voorover te buigen. Toen hij bij de
kleine spelonk aankwam, had hij niet op de tijd gelet. Hij was op dat
moment ook de tel kwijtgespeeld van het aantal splitsingen die hij had
genomen en was nogmaals blij dat hij Dunes advies had opgevolgd. Als
dit allemaal voorbij was, wist hij wie hij zeker een pint wilde betalen.
Hij mocht er niet aan denken dat hij verloren was gelopen, want hij
kreeg de beklemmende indruk dat dit een immens groot en moeilijk te
ontrafelen doolhof was. Er was niets waarop je je kon richten. Allemaal
aarden tunnels zonder meer.

De ruimte waar hij in terechtkwam, was nauwelijks groter dan het
gereedschapshok waar hij de hamer en de lamp had ontvreemd. Lorne
liet het licht over de wanden, het plafond en de vloer glijden. Het was
meer een grote, aarden hol. Hij telde een zestal oude, bijna doorrotte
steunbalken en evenveel dwarsbalken, waarop een rij boomstammen
naast elkaar lagen en daarmee het plafond uitmaakten. De stank was

net als in de gangen: vochtig en als schimmel. In het midden was een (poging tot) altaar uit (alweer) aarde vervaardigd. Het leek meer op een grote blok gestolde modder. Maar daarop lag een gelig skelet. In het licht van zijn zaklamp gaf die aanwezigheid een lugubere aanblik.

"Hm... is dat alles?"

De woorden klonken dof. Elk geluid werd door de vochtige wanden opgezogen. Hij deed enkele stappen naar voren en bleef het licht op het skelet houden. De armen waren op de borst gelegd en de handen gaven de indruk iets te willen vasthouden. Iets dat er niet meer was. De dolk! Dune had er hem voor gewaarschuwd dat hij niets majestueus of spectaculairs mocht verwachten, maar dat het graf van Eagle Eyes slechts *dit* hier was, had Lorne toch ook niet verwacht. Het skelet was grotendeels in mekaar gezakt. Blijkbaar moet de dolk naast het borstbeen gelegen hebben, net boven het hart, want op die plaats waren enkele ribben beschadigd. Net daar lagen de beide handen in elkaar verstrengeld.

Allemaal enorm boeiend, vond Lorne, maar wat hem nog het meest interesseerde, was veilig wegkomen. Zijn zoekende licht vond een smalle opening in de muur achter het 'altaar', tussen twee steunbalken. Dit was de enige manier om het graf van Eagle Eyes te verlaten. Omdat hij geen enkele reden had om aan de woorden van Dune McCoff te twijfelen, liep hij om het altaar heen en wrong zichzelf tussen de balken. Vloekend werkte hij zijn dikke lijf tussen de aarden wanden en kwam hijgend en happend naar adem in een ruimere gang terecht. Zijn jeansbroek en lichtblauwe T-shirt waren allang niet proper meer. Wel vol zweetplekken en aardevegen.

Terwijl hij de meeste vuiligheid van zijn kledij wreef, werd Lorne iets nieuws gewaar. Er was een scherpe geur bijgekomen. Iets dat hij niet eerder gewaar was geworden. Ammoniak. Het beet in zijn neusgaten en naarmate hij zich verder de gang inwerkte, zag hij dat bepaalde plekken op de grond donkerder waren dan andere. Donkerder en vochtiger, alsof daar iemand een ketel water had uitgegoten. Of was het urine? Lorne bedekte zijn mond en neus met de onderkant van zijn T-shirt telkens hij een dergelijke vlek passeerde en haastte er zich voorbij terwijl hij zijn adem inhield.

Wat had Dune ook weer gezegd? De gang opwaarts volgen? Had hij het ook niet over kokers en roosters gehad? Lorne hield het aarden plafond boven zich in de gaten. Hoelang duurde het eer hij de kokers aantrof? Omdat hij niet zeker van zijn stuk was, hield Lorne de lichtbundel op het plafond gericht. Het rook er naar schimmel en nog iets, iets wat hij niet onmiddellijk kon definiëren. Hij stapte haastig verder, waardoor hij niet meer lette waar hij zijn voeten plaatste.

Ineens struikelde hij en viel pardoes voorover. Hij denderde op zijn knieën voorover en verloor daarbij zowel de hamer als zijn lamp. Tegelijk met een korte ademstoot viel hij opzij in een plas stinkend vocht. *Urine*. Vast en zeker. De stank beet zich onmiddellijk op zijn kledij en huid vast. Happend naar adem scharrelde hij over de vochtige grond in de richting van de plaats waar zijn lamp op de grond lag. Lorne greep die vast, zette zich rechtop en scheen naar de plaats waar hij vermoedde dat de hamer lag. Hij was niet van plan dat ene wapen dat hij bezat, zomaar achter te laten.

Op zoek naar de hamer, bescheen de lichtbundel de restanten van een lichaam. Lorne deinsde verschrikt achteruit tot tegen de aarden muur. Hij vloekte en trok zijn knieën tot tegen zijn borst op, als wilde hij er zich achter verstoppen. Met een bevende hand bleef hij de draaglamp richten. Het lijk waarover hij gestruikeld was, was zwaar toegetakeld. De bovenkant van het hoofd was volledig verdwenen, alsmede de inhoud van de schedel. Lorne Dorganson vermoedde dat het een man was. Ganse stukken waren uit het lichaam verdwenen, alsof er hapjes uit werden genomen. Het vlees aan de randen was zwart en opgezwollen, als dikke, zwarte lippen rond een open mond volgepropt met rottende ingewanden. Wat hem nog het meest beangstigde, was het gescheurde uniform dat nog steeds rondom het lijk hing. Dat van een politieman. Rond het opgezwollen middel spande een draagriem. Lorne dacht er in zijn paniek niet aan naar het pistool te zoeken. Het lag waarschijnlijk onder het lijk en hij weigerde het aan te raken.

Hij uitte een korte snik, draaide zijn ogen van het afschuwelijke spektakel weg en duwde zich van de muur af. Het was meer dan tijd om bovengronds te geraken. Dune had gelijk. Dit was een onmogelijke situatie.

Redd contacteerde de hoofdpost met de melding dat zij de Jeep van Danny Lahmian en Annie Mouhaird hadden teruggevonden, maar dan wel zonder Danny en Annie. Het bericht werd onverwijld overgemaakt aan luitenant Will Kamen, die de ernst van de situatie inzag. Er rezen onmiddellijk een aantal vragen. Wat zochten ze daar? *Zochten* zij daar effectief iets? Of werden ze overmeesterd (hij wilde nog niet aan *gedood* denken) en werd hun wagen daar achtergelaten? Kamen wist dat hij de verschillende mogelijkheden moest evalueren. Er mocht niets aan het toeval of aan nalatigheid overgelaten worden. Het bericht dat de Jeep teruggevonden was, werd via de dispatching aan iedereen die nog op zoek was, overgemaakt. Misschien werd het de hoogste tijd om het verhaal van Danny en Nathaniel naar waarde te schatten. Misschien had Raven wel gelijk en moest er een deftig bezoek aan QuarTech gebracht worden, vermits alles toch heel dicht in de buurt was.

Ondertussen genoot Dae Nhemm van het spelletje dat de spelertjes tikkertje noemden. Hij raakte op die manier tientallen kinderen aan, die vervolgens hun eigen ouders en nog andere mensen aanraakten. Een sublieme wijze om zijn gif te verspreiden. Vroeger – toen hij bij de indianenstammen tekeerging – waren er minder mensen om te besmetten. De stammen waren kleiner, minder bevolkt. Maar hij had er niets op tegen dat de populatie blijkbaar met de jaren een enorme expansie had doorgemaakt. Dat maakte zijn werk er alleen maar aangenamer op.

Todd Elleniak rechtte zijn schouders toen een van zijn medewerkers hem 'op die speciale manier' benaderde. Hij vermoedde uit wat hij kon opmaken uit de lichaamshouding van de man, dat hij verstrekker van slecht nieuws was. Er was weinig nodig voor Todd om zich op voorhand te wapenen tegen allerhande vormen van oppositie. Hij was heel alert en gevoelig voor invloeden. Zaken zoals de manier waarop de man die hij niet van naam kende, zich schoorvoetend in zijn richting bewoog. Ook de manier waarop zijn schouders naar voren gekromd waren. De norse uitdrukking op diens gezicht. De in tuitvorm gewrongen lippen. De zorgzame blik in de ogen.

Meer dan gegevens genoeg om te beseffen dat die kerel zich niet op zijn gemak voelde. De reden van dergelijk gedrag was meestal dat hij of zij met slecht nieuws op de proppen kwam.

"Ja?"

"Eh... Lorne Dorganson is erin geslaagd te ontsnappen."

Todd haatte het feit dat hij bijna altijd gelijk had.

"*Hoe* is hij daarin geslaagd?"

"Dune McCoff."

"Heeft die hem vrijgelaten?"

De man wrong zijn hoofd van links naar rechts om zijn nekspieren te ontspannen. Hij vreesde de toorn van zijn baas. Hijzelf had helemaal niets met de zaak te maken, maar toch...

"Eh, neen, wat er juist is gebeurd, is nog niet bekend. Dune wordt momenteel verzorgd. Hij is er erg aan toe. Men heeft hem gevonden in het lokaal waar Lorne opgesloten zat."

"Dan ga ik even met hem praten. Breng me bij hem."

De man knikte en ging Todd Elleniak voor naar het lokaal waar twee vrouwen zich over de op een stoel achteroverleunende Dune McCoff ontfermden. De linkerkant van zijn hoofd was een waanzin van sneden en bloed. De oogkas was opgezwollen, de oorschelp hing enkel nog met het lelletje tegen het hoofd en ook op de schedel zelf was een diepe snede te zien. Die puilde open en bloed stroomde over het gescheurde oor tot op de schouder. De vrouwen merkten dat Todd binnengekomen was en gingen nederig opzij. Hij bekeek de kwetsuren zonder vertoon van enige emotie. Dune draaide zijn ogen in zijn richting.

"Hallo, Dune."

Bij het horen van Todds stem trok er een rilling door het lichaam van Dune McCoff dat languit, achterover op de stoel lag. Het was alsof hij een korte stroomstoot te verwerken kreeg.

"Ha..."

"Blijf rustig. Wat is er gebeurd?"

Dune produceerde enkele smekkende geluiden en sprak heel stil. Todd boog zich voorover om de woorden te kunnen begrijpen.

"Ik kwam er voorbij. Lorne hoorde mij en riep dat hij alles wilde zeggen. Ik zei aan de deur dat ik iemand zou halen, maar... hij zei..."

Dune wachtte even om naar adem te happen.

"Doe het rustig aan, ouwe jongen. Je hoeft je niet op te winden!"

De twee vrouwen voelden dat de spanning zich opbouwde. Todd Elleniak bezat een niet te onderschatten persoonlijkheid waar echt niet mee te spotten viel. Hij doorzag je onmiddellijk en betrapte je op eender welke fout.

Dunes lippen kleefden aan elkaar door het bloed dat uit de hoofdwonde stroomde. Todd keek opzij, richtte zich tot de twee vrouwen en zei:

"Lap hem een beetje op, dames. Deze heer heeft eerst medische bijstand nodig. Dan praten we verder."

Hij zette enkele passen achteruit en liet de vrouwen hun verplegende activiteiten doen. Ze depten bloed, veegden het gezicht schoon en ontsmetten de wonden wat een jammerlijk geklaag bij Dune uitlokte. Ondertussen stond Todd toe te kijken. En hij dacht na over het verloop van het Project. Niet alles liep zoals hij had verhoopt, maar dat betekende nog geen volledige teloorgang. Toen een van de vrouwen hem zei dat bepaalde wonden moesten worden dichtgenaaid, antwoordde hij:

"Dat kan straks ook nog, boven, op de medische afdeling. Ik wil nog eerst enkele antwoorden."

De vrouwen ruimden plaats en Todd richtte zich weer tot Dune.

"En... al iets beter?"

Dunes ogen draaiden in de richting vanwaar het geluid kwam. Hij hapte onmiddellijk naar adem en stamelde:

"Ik zei dat ik hulp... zou... halen."

"Rustig, jongen. Ik verwijt jou niets. Wat is er verder gebeurd?"

Dunes ademhaling werd iets rustiger.

"Hij riep dat daar geen tijd voor was. Lorne wilde mij alles vertellen, want de drager van de demon had zichzelf niet meer in de hand. Ik opende de deur en toen ik binnenstapte... ik... hij... iets kwam heel snel op me af en..."

Todd Elleniak legde een vaderlijke hand op Dune McCoffs schouder.

"Rustig blijven. We vinden hem wel. Laat je nu maar verzorgen."

Hij rechtte zich en stapte kordaat het lokaal uit. Buiten op de gang werd hij opnieuw benaderd.

"Ja?"

"Lorne is in het labyrint."

Todd sloot even de ogen. *Dat* had hij nu niet hoeven te vernemen. Hij regelde zijn ademhaling door heel intens en geconcentreerd te ademen. De man die hem had aangesproken; hield zich afzijdig. Todd dacht na. *Goed! Lorne gaat eraan, dat is zeker. Daarvoor zorgt de Bewaker wel. Die zijn we dus kwijt. Gevolg: we hebben iemand anders nodig. Iemand die Lorne kan vervangen als drager van de dolk. Wie? Wie? Even denken...*

oh, maar we hebben Dune McCoff toch? Die heeft Lorne laten lopen, met of zonder zijn eigen medewerking. Goed, die moet Lorne dan maar vervangen. Ziezo… alweer een probleem opgelost.

Hij opende de ogen en glimlachte naar de man die hem het nieuwe onheilsbericht had overgemaakt.

"Hij is erin geslaagd de poort te openen Gedeeltelijk toch. Moeten we hem achterna?"

Todd Elleniak schudde het hoofd.

"Helemaal niet. Je weet heel goed wat zich daarbinnen bevindt. Lorne leeft allang niet meer. Zorg er wel voor dat de poort weer dichtgemaakt wordt. We willen toch niet dat de Bewaker deze kant uitkomt, nietwaar?"

De man grijnsde wansmakelijk onecht, knikte en verdween haastig. Todd besloot dat het meer dan tijd werd dat ze Melchior Multcher in handen kregen. Hij vond het tevens nodig – gezien de omstandigheden – om hulp in te roepen. Niet dat die onmiddellijk nodig was, maar de nabijheid van een degelijke macht die binnen de tien minuten kon worden ingezet, stelde hem gerust. Gewoon een eenvoudige kwestie van voorbereid te zijn.

18. Haylan Rasschino
Hulp

Woensdag, 22 juni 2005.

Ondertussen was het kwart over vier in de namiddag van de tweeëntwintigste juni. Melchior Multcher was zó opgegaan in de verandering die zijn lichaam aan een dergelijk waanzinnig tempo onderging, dat hij zich van weinig anders bewust was. Zelfs het geschreeuw van Ottie Pelchs radio drong niet langer tot hem door. Hij haatte het dat Lorne zijn regelmatige telefonische oproepen niet langer beantwoordde. Sinds hij Lorne voor het laatst had gehoord, had hij diens mobieltje wel vijftig keer opgebeld. Telkens zonder resultaat. Vervolgens had hij zich nogmaals aan dat verboden nummer gewaagd. Meerdere malen zelfs, maar net als bij Lornes persoonlijke toestel kreeg hij ook daar geen enkele respons.

Melchior staarde met tranende ogen naar zijn handen. Die waren bijna doorzichtig geworden. De vingers... *de* vingers, niet langer *zijn* vingers... waren lang en dun en voorzien van vuile, puntige nagels. Zelfs zijn gezicht – dat hij ternauwernood met die vingers durfde aanraken – voelde anders aan. Melchior besefte heel duidelijk dat hij zichzelf verloor. Dae Nhemm nam beetje bij beetje – maar met een absolute zekerheid dat hij zou overwinnen – de overhand. Lorne Dorganson was er niet langer om hem bij te staan en er was niemand anders dan de oude indiaan die hem van antwoord op zijn vragen kon dienen. Terwijl hij over dat laatste idee nadacht, voelde Melchior ineens een pijnlijke sneer van haat naar Lorne. *Bijstaan?* Hoe kon die hem in 's hemelsnaam bijstaan? *Lorne* was degene die het allemaal aan het werk had gezet. *Lorne* was degene die zijn eigen vriend dat allemaal had aangedaan. Melchior kwam tot het pijnlijke besef dat hij van Lorne helemaal geen hulp kon verwachten. Hij stond er alleen voor.

Op de zesde verdieping van een appartementsgebouw in het centrum van Yellowmoon zaagden de vier leden van eenzelfde gezin zichzelf de keel over. De leeftijd varieerde van vier tot achtentwintig jaar. De vier zelfmoorden gebeurden met hetzelfde eenvoudige, gekartelde keukenmes. Een eerste extreem bloederig gevolg van het 'tikkertje'-spelen.

Hij had net een veelkleurige bestelwagen volgetankt en was – nog steeds angstvallig ferm gehandschoend – terug op weg naar zijn hok, toen hij aanvoelde dat er zich iemand daarbinnen bevond. Hij hield ter plaatse halt en keek voor zich uit. Melchior wist dat het hok er voor de klanten niet aanlokkelijk uitzag, net als de rest van de heel povere infrastructuur van het tankstation. Vanwaar hij nu stond, gaf zijn hok zelfs een waarlijk beangstigende indruk. Het zonlicht scheen hem in de ogen. Hij hief zijn ene hand op en plaatste het als een scherm tegen zijn voorhoofd. Hij slikte. De deur naar zijn hok stond open, net als altijd. Maar daarbinnen... zag hij niets. Compleet donker. Een soort *kwaad* donker. In normale omstandigheden – het traject hok-pompen en terug was door hem al triljoenen keren afgelegd – had hij bij zijn terugkeer van de pompen een duidelijke kijk op de tafel, stoel en kast, maar nu was er enkel dat zwarte vlak dat de deuropening uitmaakte.
Omdat hij zich ineens bewust werd van Ottie's kwade blik op zijn vreemde gedrag, bracht hij zijn hand terug naar beneden en stapte verder. Eigenlijk kon het hem niets meer schelen. Wat kon er nu nog gebeuren? Melchior Multcher schuifelde vooruit tot hij tegen de deuropening stond. Even hoopte hij vurig dat er achter hem een nieuwe klant het pompterrein opreed, maar dat gebeurde niet. Trouwens, eens moest hij toch terug binnenstappen, al kwamen er nu tien klanten toe.
Hij nam de deurstijl vast en probeerde naar binnen te kijken. Heel vaag merkte hij de contouren op van de tafel, van de stoel... daar zat iemand in? Of niet? Was het een schaduw? Een onprettige geur drong zijn neus binnen.
"Is daar iemand?
Het was alsof het duister binnen het geluid van zijn stem weerkaatste.
... "Kom binnen, Melch, het is trouwens *jouw* hok... het is hier koeler"...
Bij het horen van de stem smolten alle ingewanden in Melchiors buik samen. Hij herkende die stem uit de duizenden. Zelfs nu de eigenaar ervan meer dan dood was. Melchior wierp een vlugge blik op de winkel

en stapte zijn hok binnen.

... "Vrees niets, Melchior. Alleen jij kan mij zien en horen. Tot nu toch nog. Misschien komt daar ooit wel verandering in"...

Melchior wachtte tot zijn ogen aan de duisternis gewend waren en stapte zijn hok verder binnen. Nu kreeg hij een duidelijker zicht op zijn gast. Haylan Rasschino had in zijn stoel plaatsgenomen. Alhoewel: plaatsnemen was een verkeerde omschrijving van de manier waarop Melchior Haylan aantrof. Hij was volledig naakt en alle verwondingen leken slecht twee minuten eerder veroorzaakt. De geopende armen en buik. De loshangende wirwar van smeuïge ingewanden die tot op de vloer reikten. De bovenste helft van Haylan leunde grotendeels over de tafel en de onderkant lag opengesmeerd over de stoel en de vloer er-rond. De ogen die in het hoofd staken, waren dood. De mond bewoog niet toen Melchior de stem in zijn hoofd hoorde.

... "Ik ben blij dat je mij herkent."...

"Hel... Haylan?"

... "In hoogsteigen persoon. Blij mij terug te zien?"...

Melchiors ogen traanden. Hij had nooit eerder dergelijke verwondin-gen op een menselijk lichaam gezien. Eerst Hanna en nu Haylan? Wat volgde er nog? En niemand om hem raad te geven. Alsof Haylan zijn gedachten kon lezen, zei hij:

... "Net daarom ben ik gekomen, Melchior. Ik kom je hulp bieden... raad geven."...

Melchior wist niet goed hoe hij best met die informatie omging. Hay-lan was nu niet onmiddellijk de persoon in wie hij het meeste vertrou-wen stelde. Dood of niet. Maar omdat hij geen enkele uitweg had, besloot hij hem een kans te geven.

"Ik luister."

Het lijk bewoog nog steeds niet. Melchior kon zijn ogen onmogelijk van de openliggende armen afhouden. Alleen de geur van vergoten bloed en vrijgekomen ingewanden ontbrak.

... "Heb je nog veel last van Dae Nhemm de laatste uren?"...

"Minder."

... "Dat is omdat hij zich niet meer met jou kan bemoeien. Op dit moment versplintert, verdeelt en verspreidt hij zichzelf. Wat jij met mij, Hanna en Jeffrey hebt gedaan, doen nu anderen voor hem. Dae Nhemm heeft zich ontwikkeld. Iedereen in Yellowmoon zal zelfmoord plegen, Melchior. Het is een onomkeerbaar proces. Iedereen zal iemand anders aanraken en iedereen zal sterven. Dat is zijn taak, dat is de reden waarom Dae Nhemm bestaat."...

"Hoe kan het gestopt worden?"

... "Niet. Helemaal niet. Of toch niet op een manier die mij bekend is."...

"Waarom?"

... "Waarom wat?"...

"Waarom ben je hier? Waarom vertel je mij dat?"

Even stilte. Dan volgden woorden die Melchior niet had verwacht.

... "Jij verdient dit niet, Melchior. Je bent een knuppel van een kerel en ik heb je vroeger de stoom uit je oren gepest, dat wel. Maar... ik heb er spijt van. Je hebt geen prettig leven achter de rug en nu dit ook nog? Ik ben niet honderd procent onder de invloed van Dae Nhemm. Ik was zijn eerste experiment nadat jij hem had opgenomen. Nu is er veel te veel diversiteit. Hij moet overal aanwezig zijn, wil hij zijn taak volbrengen. Een stuk van mij zit nu ook in hem, waardoor ik zijn plannen ken en zelfs kan zien wat hij ziet. Ik ben hier, Melchior, omdat ik jou informatie wil geven. Misschien hoor je iets waar je je kan aan optrekken. Misschien zeg ik dingen die jou kunnen helpen om een einde te maken aan deze waanzin."...

Melchior worstelde met twee beelden. Het ene was de projectie van prenten uit zijn jeugdjaren, toen hij Haylan Rasschino als gore klootzak kende. Het andere was het beeld dat zich voor zijn ogen manifesteerde: Haylans vermassacreerde lijk. Hij wreef over zijn gezicht. Melchior had moeite met het aanvaarden van de situatie.

"Wat is zijn taak?"

... "Wat ik net heb gezegd. Iedereen in Yellowmoon moet sterven door zelfmoord. Hij verspreidt momenteel die ziekte. Tientallen mensen raken anderen aan, die op hun beurt anderen aanraken. Sommigen plegen heel snel zelfmoord, anderen gaan nog even op stap om wat handjes te schudden. Het duurde erg lang eer jouw aanraking invloed op mij had. Dae Nhemm had tijd nodig om op dreef te komen. Nu komt zijn invloed in een stroomversnelling. Op die manier werkte Dae Nhemm vroeger."...

"Ik wil dat niet op mijn geweten hebben."

... "Dat is ook zo niet. QuarTech heeft een smerig spel met jouw maat

Lorne gespeeld. Ze hebben hem dingen laten geloven. Jij bent in het spel meegedraaid, met alle bekende gevolgen vandien. Men kan jou niets verwijten. Dat is mijn mening."...

"Ik kan Lorne niet meer bereiken."

... "Ik denk dat hij niet meer te bereiken is, Melchior. Nu maken wij allemaal deel uit van een groot web met Dae Nhemm als middelpunt. Iedereen die met hem in contact is gekomen, rechtstreeks of via anderen, kan van de koek delen. Onder de bijgebouwen van QuarTech is een doolhof van gangen. Daarin bevindt zich de plaats waar de dolk met daarin Dae Nhemm zich bevond. Die gangenpartij wordt bewaakt door een Bewaker."...

Er flitste een herinnering door Melchiors hoofd. *Bewaker? "Jij zou een goede Bewaker kunnen zijn!"* Melchior rilde bij het besef dat hij die zin had uitgesproken net voor hij de Jack Russell aanraakte in de tuin van Hanna Khanlowksi, net één week eerder. Het leek eeuwen geleden. Braddie. Zo heette het hondje.

... "Het hondje dat je hebt aangeraakt, is nu de Bewaker van het labyrint. Het snuift momenteel de geur van jouw maat Lorne Dorganson op. Dae Nhemm weet dat, zo weet ik dat ook. Zo zou ook jij dat moeten kunnen weten."...

Melchior schudde zijn hoofd. Het werd hem allemaal te veel.

"Ik weet niets. Ik zie niets... Lorne..."

... "Dae Nhemm schermt zichzelf voor jou af. Ik vermoed dat Lorne onder de grond zit, en dat Braddie hem heel dicht op de hielen zit. Dat is niet erg positief, want Braddie is nu een afschuwelijk beest."...

Melchior voelde zijn benen in smeltende boter veranderen. *Dit kon niet. Dit mocht niet.*

"Wat moet ik doen?"

Er klonk niets dan wanhoop in die woorden.

... "Ik weet niet alles, daarvoor heb ik te weinig toegang tot de kennis die Dae Nhemm zelf bezit. Maar hij zit in jou. Hij heeft jou weliswaar niet meer nodig om zijn taak te volbrengen, maar indien ik jou was, zou ik proberen tot hem door te dringen. Kijken wat zijn zwakke punten zijn, kijken waar je hem kunt raken. Doe het terwijl je nog in leven bent, want... als ik eerlijk mag zijn... denk ik dat je vroeg of laat ook de hand aan jezelf zal slaan. Net als alle anderen in dit dorp! En nog iets... nu Lorne in de handen van die kerels is geraakt, zullen ze heel spoedig achter jou aankomen."...

Melchior beschouwde dat allemaal niet als een bedreiging. Wat Haylan zei klopte perfect. Dae Nhemm had hem niet meer nodig. Wat weerhield er hem dan nog van om Melchior zichzelf van kant te laten maken?

... "Ik ga weg, Melchior. Ik wil niet dat Dae Nhemm merkt dat ik met jou bezig ben. Maar ik denk dat hij het te druk heeft op andere plaatsen. Hou je sterk, Melch. Nogmaals sorry voor vroeger, maar wat geschied is, kan niet ongedaan worden gemaakt. Probeer er het beste van te maken, hopelijk heb ik jou een beetje geholpen. Misschien zien we elkaar ooit weer."...

De duisternis verdween uit Melchiors hok. Ook het lichaam van Haylan Rasschino loste op in het voortschrijdende licht. Melchior knipperde met de oogleden en twijfelde of hij op de stoel zou gaan zitten. Dezelfde stoel waarop daarnet de ingewanden van ... maar voor hij het zelf besefte, zag Melchior dat hij neerzat en voorover op de kleine tafel lag, de armen onder zijn hoofd gekruist.

In Sedan Street wierp een tachtig jaar oude vrouw zich voor de wielen van een passerende vrachtwagen. Twee kinderen trokken zich uit de handen van hun ouders los en liepen in Swan Park het meer in. De ouders holden achter hen aan, maar zorgden ervoor dat ook zij verdronken. En op de hoek van Morton Road en County Road 332 opende een veertiger de hoogspanningscabine. Hij stapte glimlachend naar binnen, brak enkele leidingen met een koevoet tot hij uiteindelijk geëlektrocuteerd werd. Zijn zwartgeblakerde lichaam werd achteruitgeworpen en kwam in Morton Road midden op de rijbaan terecht. Eén wagen remde heel abrupt en werd achteraan door een voertuig aangereden. Een klein gedeelte van het dorp kwam door zijn handelingen zonder elektriciteit te zitten.

Een reeks gebeurtenissen die het telefoonverkeer in Yellowmoon, richting politiekantoor en hulpdiensten, deed losbarsten.

Ottie Pelch vloekte hard. Het geluid van zijn stem kwam boven WXXW uit, wat op zichzelf al een hele prestatie was. Hij had drie minuten eerder die blauwe Chevrolet Corvette opgemerkt die naast een van de pompen tot stilstand gekomen was. Aan het stuur zat een veel te opzichtig opgetutte drellebel van ver in de zestig. Dat zij een beetje moest wachten, was niet erg, zij had tijd genoeg. Een beetje wachten, zo'n dertig seconden... dat kon geen kwaad. Maar Ottie ergerde er zich aan dat drie minuten na haar aankomst, de Corvette er nog steeds stond. En die lamme, klootzakkerige leegganger van een rotzooier Melch had zijn pizzasmoel nog niet eens laten zien. Ottie beende vloekend en ketterend uit de winkel en holde bijna tot bij de pompen. Hij grijnsde naar de vrouw die gelukkig geen opmerking gaf over het feit dat het zolang had geduurd. Hij gluurde vanuit zijn positie op het overmatig onblote, gerimpelde vel van haar behaloze borsten, maar concentreerde zich algauw op zijn werkzaamheden. Tijdens het tanken wierp hij woedende blikken op het hok. Melchior zat daar maar gewoon aan zijn tafel. Hij prutste met zijn gsm. Wat was er godverdomme met die klootzak aan de hand? Ottie overwoog de mogelijkheid die kerel gewoon te ontslaan. Eén belletje naar zijn oom William in Garland en die ziekelijke Melchior Multcher stond op straat.

Nadat de Corvette van de terreinen verdwenen was, beende hij met een dodelijke blik in zijn ogen naar het hok. Hij stormde binnen en merkte dat Melchior nauwelijks reageerde op zijn aankomst.

"Wat scheelt er met jou?!" tierde Ottie.

Nu schrok Melchior op. Hij had de man inderdaad niet opgemerkt. Hij was danig in de weer geweest met zijn telefoontoestel in de hoop Lorne Dorganson toch nog aan de lijn te krijgen. Daardoor had hij van de komst van de Corvette en vervolgens ook van het binnenkomen van Ottie geen notie genomen. Lorne antwoordde inderdaad niet meer. Was er effectief iets met hem gebeurd?

Melchior legde zijn mobieltje op tafel en keek Ottie beteuterd aan.

"Ben je ziek of wat? Je hebt je vandaag reeds als een debiel gedragen en nu laat je mij jouw werk doen? Ben je deze ochtend vergeten je pillen te nemen? Ik ontsla je na één telefoontje en dat weet je heel goed! Je bent hier om te werken en..."

Ottie besefte ineens dat Melchior er afschuwelijk uitzag. Hij voelde zich misselijk worden en liet dan ook onmiddellijk zijn ongenoegen merken.

"... Je bent... wat is er met jou? Je bent vel over been! Heb je de ene of de andere smerige ziekte opgelopen? Je lijkt wel een wandelend skelet!

Ga naar een dokter en was je haar! Vuilak. Ik wil niet dat je nog zó bij de klanten verschijnt... je jaagt ze van het beton af!"
Melchior had nog geen woord gezegd. Hij luisterde geduldig naar wat Ottie hem allemaal in het gezicht slingerde. Ottie draaide zich om en beende naar buiten. Hij draaide zich net voorbij de omlijsting van de deur om en riep:
"Ik hoop dat je geluisterd heb, Melchior Multcher?!"
Melch knikte. Zijn nekwervels kraakten. Zijn ogen waren op Ottie Pelch gericht, maar zagen iets anders. Haylan had zaken gezegd die hem aan het denken hadden gezet. Toen hij naar Lorne probeerde te bellen, had dat denkproces zich verdergezet. Er welden vragen in zijn hoofd op. Als er iemand antwoorden wist, dan was het Yellow Moon. Niemand anders.

In het politiebureel van Yellowmoon op Park Lane stond inspectrice Bette Andrews ineens van haar stoel op. Het was iets over vijf uur. De man van wie ze een verklaring opnam, keek verbaasd op toen de agente halverwege een zin zich zonder uitleg of verontschuldiging oprichtte, haar rug naar hem keerde en wegging. Hij legde een klacht tegen zijn ex neer naar aanleiding van het feit dat zij tijdens de uitoefening van het bezoekrecht hun driejarige kind op één dag tot tweemaal toe had geslagen. Het medische attest ter staving van zijn verklaring lag op haar bureau opengespreid. Bette Andrews was daarnet vol enthousiasme aan de verklaring begonnen. Ze was zesentwintig, ongehuwd en had een affiniteit met sociale onderzoeken.
Maar nu draaide ze zich weg van de man, die erg enthousiast aan zijn verklaring begonnen was. Ze wandelde door de gangen, groette niemand en zei tegen niemand iets. Ze stapte door tot ze in de toiletten aankwam. Daar opende ze de deur van een damestoilet en zette zich op de pot neer. Ze wurmde haar pistool uit haar holster, draaide het wapen met de loop naar haar hoofd en schoot zichzelf door het linkeroog.

Raven Daramantez beantwoordde Will Kamens paniekerige oproep onmiddellijk door in haar voertuig te springen en richting Yellowmoon te rijden. Ze haastte zich Garland uit en nam daarvoor de gebruikelijke County Route 332. Tijdens haar rit daarheen viel haar een uitzonderlijk transport in het luchtruim rechts van haar op.

Een pak Chinook-helikopters vorderden, net als zijzelf, in de richting van Yellowmoon. Ze was verrast door het grote aantal. Ze telde er zeker vijftien. Oefeningen van het leger waar zij (alweer) niets van afwist? Er werden duidelijk een groot aantal militairen verplaatst. Chinooks hadden dubbele schroeven – één aan de voorkant en één aan de achterkant – en konden zo'n dertig personen vervoeren. Dat herinnerde zij zich uit haar opleiding. Dus hingen daar volgens haar schatting zeker vierhonderdvijftig militairen in de lucht, op weg naar een voor haar onbekende bestemming.

Ze keek nog even naar de imposante verplaatsing, maar dan kwam de reden van haar eigen autorijden weer op de proppen. Will Kamens paniekerige oproep zinderde nog in haar onderbuik na. Een zelfmoord in het politiekantoor zelf. Een volledig gezin verdrinkt in de vijver van het Swan Park. Een vrouw springt zomaar onder een auto. Iemand die zichzelf elektrocuteert. Will had handen tekort, de politie kon niet overal tegelijk zijn. Ze had duidelijk de onmacht en de paniek in zijn stem gevoeld.

Wat was er verdomme in Yellowmoon aan de hand? Had Todd Elleniak dan toch gelijk met zijn verhaal over dat idiote 'CBS-Liquidium'-gedoe?

Na Wills overrompelende gesprek was Raven in haar Dodge Stratus gewipt en was zonder erbij na te denken richting Yellowmoon vertrokken. Niet dat ze in staat was veel hulp te bieden; het was trouwens haar branche *nog steeds* niet. Terwijl ze het dorp naderde, vroeg ze zich af wat haar aandeel in het oplossen van het probleem eigenlijk kon zijn. Ze kon Will niet in de steek laten, dat voelde ze wel, maar ze twijfelde aan de impact van haar eigen capaciteiten op wat er in Yellowmoon gebeurde.

Net voor ze het stadje binnenreed, zag ze nog een reeks van tien Chinooks die achter de eerste lading aankwam. Het gedonder van de twintig gigantische schroeven verdrong het geluid van haar autoradio. Nu was ze er niet meer erg gerust in. Veel te veel militairen. Dit leek niet erg meer op een oefening. Veel te veel vragen zonder antwoorden. Het zon haar niet.

Op de hoek van Short Street en Splinter Road, aan de overkant van het warenhuis waar Melchior op elf mei Jeffrey Cockroft aanraakte, waren bouwvakkers een appartementsbouw aan het optrekken. De ondergrondse garages waren afgewerkt en honderden ijzeren spijlen priemden verticaal op verschillende plaatsen uit het volledige oppervlakte van de betonnen grondplaat naar de lichtbewolkte hemel. Overal waar draagmuren moesten komen. Andy Gibbons, net dertig geworden, had diezelfde ochtend een dodelijk zoentje van zijn vrouw gekregen. Nu dook hij van de stelling van acht meter hoog, de houten platen waarop hij al de ganse dag had rondgelopen. Hij zweefde sierlijk door de lucht. Armen gespreid, schouders en rug naar achteren gekromd. Onmiddellijk daarop plofte hij op het ruwe beton nadat tientallen metalen spijlen als speren zijn hoofd, bovenlichaam en zelfs benen hadden doorboord. Er ontstond paniek. Er werd gegild. Iemand viel en brak een been.

Ottie Pelch keek verbaasd op toen hij Melchior Multcher in de richting van zijn winkel zag stappen. Die kerel was geestelijk compleet verdord, het kon niet anders. Melch moest in zijn hok blijven en de klanten bedienen. In de lange periode dat hij Melchior kende, was die waarschijnlijk nog nooit Ottie's winkel binnengekomen. Wat hem nog het meeste opviel, was de vastberaden tred waarmee Melchior zijn richting uitkwam. Eigenlijk zag de jongen er heel slecht uit. En dat haar van hem: lange, slierterige pieken en daarbij dan nog eens extreem vettig! Het was alsof hij op enkele dagen tijd een ware metamorfose had ondergaan. Ottie wist niet wat hij mocht verwachten toen Melchior Multcher – zeker niet in de vorm die hij jaren van hem gewoon was – zijn winkel binnenstapte.
"Ottie?"
Melchior bleef in de deuropening staan tot zijn ogen zich aan het half-duister aangepast hadden. Misschien had Ottie hem niet gehoord, hoewel Melchior zag dat de kerel hem met duidelijke verbazing op zijn gezicht aankeek.
"Ottie... zet die muziek af!"
Ottie Pelch draaide zich halfom, stak zijn ene hand uit en draaide de knop van zijn radiotoestel zo goed als dicht. Het geschreeuw van een black-metal band dimde tot een feeëriek fluisteren.
"Dank je."
"Wat scheelt er?"

"Ik heb jouw hulp nodig."

Ottie wist niet goed waar hij het had. Melchior was altijd onderdanig geweest, had nooit iets gevraagd, laat staan geëist. Nu kwam die zomaar hulp vragen?

"Heb je jezelf in de stront gewerkt?"

"Ik heb jouw auto nodig."

Ottie haalde de wenkbrauwen op.

"Mijn auto?"

"Ja... ik moet weg. Dringend!"

"*Hoe* dringend?"

"Ik heb geen tijd om het allemaal uit te leggen, Ottie. Krijg ik jouw sleutels?"

Ottie Pelch was nog steeds niet over de verbazing heen.

"Heb je wel een rijbewijs? Kun je wel rijden?"

"Ik heb een rijbewijs en ik kan rijden."

"Je verbaast me, Melchior. Wie doet de pompen ondertussen?"

Melchior zette enkele stappen in de richting van de toonbank. Ottie onderdrukte de neiging om achteruit te deinzen. Er was *iets* met Melchior. Iets dat Ottie niet kon definiëren, maar dat hem bang maakte.

"Ik ben hooguit twee uren weg. Neem de pompen van mij over en trek het van mijn loon af. Ik moet gewoon weg! Nu... zo rap mogelijk."

Ottie had zijn ondergeschikte nooit eerder op een dergelijke manier horen spreken. Het verbaasde hem, maar bracht hem tegelijk van zijn stuk. Normaal gaf hij de bevelen en deelde hij de lakens uit. Zonder het echt te willen, stak hij zijn hand in de zak van zijn jeansbroek, viste de autosleutels eruit en stak die naar Melchior uit. Die deed de rechterhandschoen af en stak zijn hand naar voren, maar trok die onmiddellijk terug.

"Leg ze neer, Ottie."

Ottie deed wat hem bevolen werd. Melchior raapte de sleutels op.

"Dank je, Ottie."

Ottie Pelch grijnsde onecht. Melchior draaide zich om en liep naar buiten, het zonlicht in.

Niet ver daarvandaan dronk een bejaarde man een volle fles brandalcohol leeg. Zijn echtgenote had een halfuur eerder een fles methanol soldaat gemaakt. Ondertussen werden op straat, in winkels of herbergen nog meer handen geschud, op blote schouders geklopt en zoenen gegeven. Een zestienjarige dook achterwaarts van de keldertrap naar beneden. Zijn nekwervels werden uit elkaar gerukt. Tegen de tijd dat zijn lichaam volledig op de grond lag, was hij al overleden.

Op het moment dat Todd Elleniak zich aan Eva Multcher voorstelde, startte Melchior de aftandse, felrode Pontiac Firebird. De zescilinder pruttelde even tegen, maar uiteindelijk kreeg Melchior de wagen aan de gang. Hij schakelde de automatische versnellingsbak in de 'D'-stand en reed heel traag – nagekeken door Ottie – de terreinen van het pompstation af.

De bel aan de voordeur rinkelde. Eva Multcher keek van haar bezigheden in de keuken op. Haar ogen vielen op het kleine horloge dat boven de oven ingewerkt zat. Het was halfzes. Abraham Multcher draaide zijn hoofd van het televisiescherm weg.

"Er is iemand aan de voordeur!" riep hij in de richting van de keuken. Eva droogde haar handen aan haar schort en beende door de woonkamer naar de hall. Een vlugge blik op Abraham leerde haar dat haar man opnieuw zijn volledige aandacht op het beeldscherm had geworpen. In de hall opende Eva de voordeur. Totaal verward keek ze naar de soldaatachtige individuen die voor haar woning stonden. Die waren uitgerust om zo een oorlogssituatie binnen te stappen. Helmen met ondoorzichtbare schermen op hun hoofd. Hun lichaam zat volledig verpakt in een soort uniform dat uit beschermende schilden bestond. In hun gehandschoende handen droegen ze geweren die ze schuin voor hun brede borstkas hielden. Er was geen vierkante millimeter van hun huid onbeveiligd. Het kwam Eva een beetje belachelijk over. Zo'n uitgedoste kerels had ze wel al eens op televisie gezien, maar nog nooit in het echt. Zij zagen er werkelijk indrukwekkend uit. Opeens schoven ze uiteen. Een deftig geklede man stapte naar voor en keek haar aan. Achter hem stonden de zes anderen onbeweeglijk. De man die eerst de kat uit de boom had gekeken en zich overduidelijk op de achtergrond had gehouden, keek vlug over haar schouder en richtte zich vervolgens tot haar.

"Mevrouw Multcher?"

"Eh... ja."

"Mijn naam is Todd Elleniak. Is uw zoon Melchior thuis?"

"Melchior? Neen, die is op zijn werk. Wat is er aan de hand?"
"Mogen wij binnenkomen?"
Eva keek naar de gewapende leden van zijn gezelschap.
"Allemaal?"
Todd glimlachte zacht.
"Ik en twee agenten. Gaat u dat?"
Eva zette een stap achteruit. Haar hart klopte in haar keel. Het feit dat hij de naam van haar zoon had genoemd, bezorgde haar een vreemd gevoel in haar maag. Todd stapte naar binnen, gevolgd door twee agenten.
"Waar is zijn kamer, mevrouw?"
Eva stak haar vinger op.
"Bovenaan de trap naar links. De eerste deur links."
Todd hoefde geen bevelen te geven. De twee agenten holden zonder veel omhaal de trappen op. Twee nieuwe namen onmiddellijk de plaats van de anderen in. Eva Multcher voelde zich een heel klein wezentje naast het drietal. De hall was door hun aanwezigheid volledig gevuld. Ze hoorde dat boven deuren werden geopend en weer dichtgedaan. Het gedreun van hun zware laarzen drong tot in de woonkamer door.
"Eva? Wie is het? Wat betekent dat lawaai boven?"
Todd richtte zijn blik op de deur naar de woonkamer. Eva legde haar hand op de deurkruk.
"Dat is mijn echtgenoot, Abraham. Hij is ziek."
"Wij zoeken uw zoon, mevrouw. Meer niet. Is hij in dit huis aanwezig?"
"Dat heb ik reeds gezegd, meneer. Hij is op z'n werk. Waarom hebt u hem nodig? Waarom al dat machtsvertoon?"
"Met wie spreek je daar?" riep Abraham vanuit de woonkamer.
"Dit 'machtsvertoon' zoals u dat noemt, mevrouw, is een absolute noodzakelijkheid. Kunt u mij zeggen waar wij het werk van Melchior kunnen aantreffen?"
Eva kreeg het koud binnenin haar borst.
"Wat heeft hij misdaan?"
"Iedereen blijft onschuldig tot de schuld effectief is bewezen. Momenteel hebben wij hem nodig om een onderzoek af te ronden."
"Waarom al die wapens? Melchior doet geen vlieg kwaad," verdedigde Eva.

"Dat beweer ik ook niet. Wij hebben hem enkel nodig. Waar is zijn werk?"

Het tweetal kwam donderend de trappen af.

"Wat gebeurt daar?" riep Abraham.

"Boven en de zolder: leeg," zei één van hen.

Todd gebaarde naar de woonkamer. Dezelfde twee soldaten wurmden zich tussen Todd en Eva en duwden de deur naar de woonkamer open. Eva voelde aan dat protesteren geen zin had. De man die voor haar stond, leek niet iemand om mee te spotten. Trouwens: laat ze maar zoeken, het resultaat had ze toch al voorspeld.

"Wie zijn jullie?" vroeg Abraham.

De oude man in de sofa probeerde rechtop te zitten, maar één van de soldaten wees hem aan.

"Niet opjagen, opa, slecht voor de tikker."

Abraham reikte zijn hoofd naar achteren in de hoop een blik op zijn vrouw te werpen, maar Eva bleef in de hall.

"Eva? Wie zijn die kerels? Wat willen ze? Moeten we de politie bellen?"

De stem van de man trilde. Het was duidelijk dat hij bang was. Met grote ogen volgde hij de handelingen van de twee uitgedoste en zwaarbewapende soldaten. Ze doorzochten elke plaats waar zich iemand kon verbergen en kwamen vervolgens terug bij Todd aan.

"Negatief."

Todd knikte en de twee vervoegden hun makkers buiten. Todd richtte zich terug naar Eva Multcher.

"Hij is inderdaad niet thuis. Nu... zijn werk graag?"

"Hij bedient de pompen op het station langsheen de 332."

Todd Elleniak knikte heel kort en zei: "Dank u. Ik ben blij dat u niet liegt."

Hij draaide zich abrupt om en liep in de richting van de twee zwarte bestelwagens die Eva nu pas voor het eerst opmerkte. Iedereen stapte in. Met gierende banden keerden de wagens in de richting van County Route 332.

"Zijn ze weg?" klonk het vanuit de woonkamer.

Eva duwde voorzichtig de voordeur dicht. Haar moedergevoelens waren danig door elkaar geschud. Ze voelde zich bang en opgewonden. In welke komedie was Melchior nu weer betrokken?

De politiediensten konden onmogelijk overal tegelijk zijn. Doelgericht hulp bieden was trouwens vrijwel onmogelijk. Raven kwam op het kantoor aan waar ze Kamen in een paniekerige toestand aantrof. Het regende oproepen van zelfmoorden. Het korps kon de zaken niet opvolgen. Ziekenwagens reden onophoudelijk heen en weer, maar nergens konden ze nog hulp bieden. Overal kwamen de ambulanciers te laat aan. Twee bedienden die op de eerste verdieping van het politiekantoor voor de administratieve verwerkingen van de lopende dossiers zorgden, hadden er ook een einde aan gemaakt. De ene, een veertigjarige, zwarte man, had de slagaders uit zijn linkerpols geklauwd met een briefopener. Hij moet dat gedaan hebben terwijl de andere bediende, een tamelijk plompe vrouw van net vijfendertig, haar hoofd op de vensterbank kapotsloeg. Ze deelde een eerste kopstoot uit waarbij de huid boven haar rechteroog barstte. Ze ging op de knieën zitten en begon aan een hele reeks kopstoten tegen de scherpe rand van de vensterbank. Die reeks duurde tot bij de laatste een gedeelte van haar roodgekleurde hersenen naar buiten spatte. Ondertussen was de zwarte man onderuitgezakt. Door bloedverlies had hij het bewustzijn verloren.

Op County Route 332 reed een jongeman met een bromfiets heel, héél snel tegen de voorkant van een aanstormende bus. Hij knalde door de voorruit en brak daarbij zijn nek. In het stadspark stak een medewerker van de groendienst zijn beide handen in de brekers van de hakselmachine die hij bediende. Zijn handen werden onmiddellijk tot achter de pols afgerukt. Hij stierf even later aan overmatig bloedverlies terwijl hij heel rustig met zijn rug tegen een boom zat.

Het was voor Raven Daramantez en Will Kamen duidelijk dat Yellowmoon in een onmogelijk te controleren chaotische situatie was terechtgekomen.

Ottie Pelch was nog niet helemaal bekomen van Melchiors vreemde gedragingen toen hij geconfronteerd werd met een nieuwe surprise. Twee zwarte bestelwagens daverden het pompenterrein op. De ene denderde via County Route tot net voor zijn winkel en de tweede gromde tot stilstand net voor Melchiors hok. De bestuurders waren niet van plan te tanken, zoveel was duidelijk. De verrassing werd nog groter toen de schuifdeuren van de wagens werden geopend en er zwaarbewapende mannen uit sprongen. Met z'n drieën wipten ze het hok binnen, maar kwamen onmiddellijk terug buiten. Drie anderen sprongen zijn winkel binnen en richtten hun wapens op hem. Ottie's darmen begaven het bijna. Hij deinsde achteruit en stak zijn handen in de lucht.

"Niet schieten! Ik heb niets misdaan!" prevelde hij.

"Zwijgen! Ga voorover op de toonbank liggen, armen gespreid!" riep één van de soldaten.

"Maar..."

"Doen!!"

Eén soldaat draaide het geluid van de radio uit. Twee geweerlopen werden op zijn hoofd gericht. Ottie schuifelde jammerend naar voren en plooide voorover op de toonbank.

"Gezicht naar links! Armen gespreid!"

Ottie deed wat hem werd opgedragen. Het kwam niet meer in hem op tegenstand te bieden. De twee geweren die op zijn hoofd waren gericht, waren meer dan doorslaggevende elementen om zich zeker geen heldhaftig gedrag aan te meten. Hij drukte de linkerkant van zijn hoofd tegen het vuile glas op de toonbank en hij spreidde zijn armen.

"Niet meer bewegen!"

De woorden werden in zijn oor geschreeuwd. De zenuwen in zijn buik trokken samen, nog even en hij scheet zijn middagmaal van die dag uit. Hij bleef onbeweeglijk liggen en hoorde nieuwe stappen. Niet het donderen van de zware laarzen, wel de elegante stap van dure heren-schoenen. Een nieuwe stem klonk op enkele meters van hem verwij-derd. Ottie waagde het niet zijn hoofd op te richten. De man die hem aansprak, klonk heel bedaard.

"Jij bent Melchior niet. Jouw naam, graag."

"Ottie Pelch, meneer," stamelde Ottie.

"Waar is Melchior Multcher?"

"Weet ik niet... meneer."

"Je bent toch zijn baas. Hij werkt hier toch, nietwaar?"

"Ja... inderdaad... hij doet de pompen..."

"Dat weten we, wij houden die persoon al een tijdje in het oog. Van-daag echter niet. Jammerlijk genoeg is hij nergens te bespeuren. Vol-gens zijn ouders moet hij toch hier zijn. Jij bent dus degene die weet waar hij uithangt, meneer Pelch. Ik zou het uitermate appreciëren als u ons vertelt waar meneer Multcher momenteel vertoeft."

"Hij heeft de sleutels van mijn wagen gevraagd, hooguit een kwartier geleden."

"En je hebt hem die gegeven?"

"Eh... ja..."

"Met als gevolg dat meneer Multcher momenteel met jouw wagen op de baan is?"

"Ja..."

"En waarheen?"

Ottie voelde dat de man zijn woede inhield. Dit ging niet goed, dit ging volledig verkeerd. Ottie had dit nooit eerder meegemaakt. Hij durfde bijna niet zeggen dat hij niet wist waar Melch naartoe was.

"Ik... weet het niet. Hij is in de richting van Garland vertrokken."

"Graag de beschrijving van jouw wagen?"

"Eh... Pontiac Firebird. Rood. Oud model."

"Hm..."

Omdat er even een stilte was, tilde Ottie zijn hoofd op. Een fractie van een seconde maar. Genoeg om te zien dat een deftig geklede man voor zijn toonbank stond. Onmiddellijk daarna voelde hij de kolf van een geweer in zijn nek terechtkomen.

"Neerliggen!"

Ottie bonkte zijn hoofd op het glas.

"Nog iets, meneer Pelch... heeft meneer Multcher u aangeraakt?"

Ottie fronste de wenkbrauwen.

"Wat?"

"Ik herhaal mijn vraag. Bent u onlangs – kortelings laat ons zeggen – met de huid van meneer Multcher in aanraking gekomen?"

Ottie begreep niet waar de man met die vraag naartoe wilde. Even zag hij Melch als viespeuk voor zich, maar dat idiote beeld vervaagde heel vlug. De situatie liet hem niet toe grappige gedachten te hebben.

"Graag een antwoord."

"Ik weet dat niet... ik herinner me dat niet..."

"Toen je hem daarnet de sleutels hebt gegeven?"

Ottie was te verbouwereerd om zich te herinneren dat Melchior hem had gevraagd de sleutels op de toonbank te leggen.

"Ik weet het niet... misschien wel ja, ik weet het niet... wat is er aan de hand?”

Ottie kreeg geen antwoord. Hij ving enkel de geluiden op van de man die om zijn as draaide en een gesprek met zijn soldaten begon. Wat hij hoorde, stond hem geenszins aan. De binnenkant van zijn winkeltje schonk hem ineens een heel intensief 'thuis'-gevoel. Vanuit zijn horizontale positie keek hij naar de goederen die op de toonbank – nu vlak voor zijn neus – gestald stonden. Daarachter de waren in de rekken tegen de vuile ramen. Dit was zijn tweede thuis, waarom zag hij dat *nu* pas? De woorden van de man ratelden tegen zijn ribben. Misschien voelde Ottie dat hij zou sterven. Misschien zag hij daarom ineens de waarde van zijn eigen winkeltje in.

“We moeten hem vinden. Het verspreidt zich nu vliegensvlug. Het vinden van Multcher is nu een absolute noodzaak. Maar tegelijk mogen we geen enkel risico nemen. Ik vrees zelfs dat we al te laat zijn. De versterking is aangekomen en houdt zich klaar. Laat de helikopters de wegen richting Garland en wijde omgeving uitkammen. Neem geen risico's. Geen aanrakingen op de blote huid. Dat is van primordiaal belang.”

Ottie hoorde het geluid van de dure schoenen. De man ging zijn winkel uit. De soldaat die het dichtst in zijn buurt stond, vroeg:

“Sir? Wat moeten we met hem?”

Die 'hem' was ongetwijfeld op zijn persoon bedoeld, dacht Ottie. Het antwoord dat de duurgeklede man gaf, deed zijn maag dichtklappen.

“We nemen vanaf nu geen enkel risico.”

Ottie Pelch had geen tijd om te schreeuwen. Heel hardhandig werd hij vastgegrepen en op de grond geworpen. Het laatste geluid dat hij hoorde, was het bonken van zijn hoofd op de linoleum. Een laars wrong zich in zijn nek. Ottie zag niet dat de soldaat die boven hem stond een pistool uit een holster haalde en daar een geluidsdemper op draaide. Hij zag niet dat de man zich vervolgens een beetje vooroverboog en het wapen op zijn slaap richtte.

Van wat daarna nog volgde, wist Ottie helemaal niets.

M elchior Multcher reed traag. Hij bezat wel een rijbewijs, maar was het besturen van een wagen niet gewoon. Hij hield zich uiterst rechts op zijn rijvak, klemde het stuur met beide handen muurvast en hield zijn ogen op de weg voor hem gericht. Zijn rug rustte niet tegen de leuning van de bestuurderszetel. Hij zat stijf rechtop, uiterst geconcentreerd.

- Hallo -

Melch schrok op. Hij bewoog het stuur waardoor de Firebird van links naar rechts schoof. Hij leek wel een dronkeman achter het stuur.

- Waar ga je heen? Je moet toch op je werk blijven? -

"Laat me met rust."

- Zo onbeleefd. -

Melchior voelde zijn spieren verkrampen. Als hij zonder brokken in Miles City wilde aankomen, deed hij er best aan zich te ontspannen. Dit was geen manier van handelen. Dae Nhemm was er blijkbaar heel erg gerust in.

- We moeten praten, Melch. -

Melchior zweeg. Hij wilde niet met de demon praten. Het had geen zin. *Praten* had geen zin. Enkel met Yellow Moon wilde hij een conversatie aangaan. Melchior wilde enkel woorden gebruiken en aanhoren om een oplossing te bekomen. Praten met Dae Nhemm leverde enkel nog meer problemen op.

- Ik denk dat ik weet waar je naartoe rijdt. -

Melchior reageerde niet. Hij wist dat Dae Nhemm heel waarschijnlijk de kracht bezat hem rechtsomkeer te laten maken. Hij had zijn kracht op dat gebied eerder bewezen.

- Ik denk zelfs dat ik weet wat je van plan bent, Melchior. Ik heb je inderdaad de laatste tijd een beetje verwaarloosd, maar ik had andere zaken waar ik mij mee bezig moest houden. Wat denk je bij die oude indiaan te verkrijgen? Want daar ben je nu toch naar op weg, nietwaar? -

Melchior wrong als reactie zijn handen rond het stuur. Meer had Dae Nhemm niet nodig.

- Zie je wel. Ik heb gelijk. Maar als je denkt dat die ouwe knook jou kan helpen, ben je helemaal verkeerd. Niemand kan jou helpen. Ik heb je in mijn macht en ik neem jou over. Ik heb nog meer plannen dan enkel maar die ganse stam af te maken. Jullie hebben iets wakker gemaakt waar jullie beter waren afgebleven. -

Melchior probeerde de stem in zijn hoofd te negeren. Hij was net door Garland gereden en volgde de richtingsaanwijzers richting Miles City. Hij had waarschijnlijk nooit eerder zolang aan één stuk achter het stuur van een wagen gezeten. Het zweet parelde uit elke porie. Maar hij was er gelukkig door. Op die manier hoefde hij weinig moeite te doen om geen aandacht aan Dae Nhemm te schenken.

- Ik merk dat je geen zin hebt om met mij te converseren, Melchior. Dat komt straks wel. Wees daar maar zeker van! -

Het volgende moment was het alsof een knop binnenin zijn hoofd werd omgedraaid. Het ene ogenblik was Dae Nhemm er, het volgende was hij verdwenen. Melchior knipperde met de oogleden en wiste het zweet van zijn gezicht. De hand die hij van het stuur omhoog liet komen, was zijn hand niet. Veel te mager, veel te lange vingers. Melchior kon wel wenen.

De vrouw bleef in de zetel zitten en keek niet echt naar de bizarre bezigheden van haar echtgenoot. Ze waren bijna dertig jaar getrouwd en hadden met relatief weinig problemen moeten afrekenen. Hij schoof alle meubelen opzij zodat hij vrije doorgang had. Vervolgens ging hij met zijn rug tegen de muur staan en duwde zich af. Hij holde als een geboren spurter door de woonkamer en knalde met zijn hoofd tegen het grote raam dat uitgaf op Carpenter Street, drie verdiepingen lager. Er klonk een enorme knal, maar het glas brak niet. De man zakte op zijn knieën. De vrouw bleef onaangeroerd in de zetel zitten. Hij stond op en herhaalde zijn handelingen. Tot driemaal toe. Het bloed stroomde al over zijn gezicht toen bij de laatste maal het glas het begaf. De man tuimelde voorover en scheurde zijn buik open aan de rechtopstaande glasscherven. Hij bleef even kantelen, maar tuimelde vervolgens in alle stilte naar beneden. De glasscherven hielden zijn ingewanden ter plaatse tot er geen speling meer was en het glas afbrak.

De vrouw stond op en ging naar de keuken. Ze stroopte alle kleren van haar lichaam en nam een ordinaire vork uit een van de keukenschuiven. Zij liep terug naar de zetel, ging zitten en begon met de vork in haar lichaam te prikken. Steeds opnieuw. In haar armen, benen, borsten, buik en gezicht. Ze bleef prikken tot geen enkel stukje huid heel bleef. Tot het bloed uit haar geperforeerde slagaders niet langer gulpte.

In zijn haast om uit de buurt van het stinkende lijk van de politieman te geraken, besefte Lorne Dorganson dat hij de hamer kwijtgespeeld was. Hij had geen enkel besef van de tijd en had nu enkel nog zijn draaglamp en zijn handen om zich mee te verdedigen. Even bedacht hij dat zijn tanden ook nog een bruikbaar wapen betekenden, maar hij kwam al vlug tot het besef dat hij een enorme schijterd was. Lorne wist van zichzelf dat indien hem iets zou belagen, hij als een geslagen hondje in een hoekje zou wegkruipen. Hij had zich nooit erg heldhaftig gedragen. Lorne wist van zichzelf dat hij een lafaard was, iemand die liever wegliep dan zich te verdedigen.

Hij haastte zich door de naar urine stinkende gangen. Daarvoor had hij twee redenen: ten eerste wilde hij zo vlug mogelijk bovengronds en ten tweede bekroop hem al enkele minuten het afschuwelijke gevoel dat er iets achter hem aankwam. Gelukkig bleef zijn lamp voldoende licht geven. Hij stak die voor zich uit om het licht zover mogelijk te laten reiken. Lorne wilde weten waar hij in terechtkwam, hij wilde geen tweede keer over iemand vallen. De donkere ruimte voor hem vond hij niet erg, maar de duisternis achter hem baarde hem zorgen. Die was niet leeg. Daar was iets. En het kwam achter hem aan.

Hij omzeilde voorzichtig wortels en grove aardekluiten en zocht wanhopig naar de luchtkokers op het einde van de gang waarover Dune McCoff hem had verteld. Lorne probeerde zich zo weinig mogelijk aan te trekken van wat achter hem lag. Daarom stapte hij dapper door. Tot het licht van zijn lamp op een rechtopstaande figuur viel.

"Jezus, Marie, Jozef...."

Lorne Dorganson voelde zijn hart op slag heel wat sneller slaan. Hij bescheen de persoon die ruggelings en iets achterover tegen de aarden wand aangeleund stond. Het was een vrouw en... opnieuw herkende hij de karakteristieken van een politie-uniform. Ze bewoog niet. Ook niet toen hij enkele malen aarzelend "hallo" zei. Lorne bescheen vervolgens de wonden. Er was aan het lichaam geknaagd en zo te zien nogal veel. Een stoere boomwortel stak dwars door haar rechterarm en een andere dikke wortel priemde door haar rechterdijbeen. Iemand had haar daarop gespietst zodat ze zich niet meer kon bewegen. De stank van de urine was hier niet te harden. De vrouw was half ontkleed omdat het ding dat van haar had gepeuzeld, haar uniform aan rafels had getrokken. Over haar ganse lichaam waren ferme stukken vlees en spieren weggescheurd. Een groot gedeelte van de borstkas was leeggegeten. Ingewanden, of rottende stukken daarvan, lagen rond de vrouw verspreid. Torren en kevers deden zich aan de lekkernijen tegoed. Het was een afschuwelijk beeld om zijn ogen op gericht te houden, mogelijk nog erger dan de andere agent van daarnet. Misschien was het omdat de vrouw rechtop stond. Die ene doorstoken arm opgeheven, de andere naast haar lichaam. De benen licht gespreid. Het hoofd hing voorover tegen de kapotgebeten borstkas. Lorne deed geen poging om haar gezicht te zien. Het bloed van de vrouw mengde zich op de grond met de aarde en de overdadig aanwezige urine. De stank op die plaats was echt niet te harden.

Lorne trok zijn T-shirt omhoog en bedekte er zijn neus en mond mee. Iets ritselde rechts van hem. Hevig geschrokken richtte hij zijn lamp op het lawaai. De aanwezige duisternis week voor het glijdende licht, maar er kwam niets tevoorschijn. De gang bleef leeg.

Hij kreeg de kriebels van zo dicht in de buurt van het vrouwenlijk te zijn. Het maakte dat hij waanbeelden kreeg. Of 'waangeluiden', als zoiets bestond. Lorne Dorganson draaide zich van de dode politieagente weg en ging terug op stap.

Nog geen twee minuten later merkte hij een flauw schijnsel dat vanuit het aarden plafond omlaagscheen.

"Eindelijk!" siste hij.

Hij rende naar het licht. Lorne kon bijna wenen toen hij de eerste luchtkoker zag. Verderop bemerkte hij nog een schijnsel. Dit was dus het einde van de gang. Het begin van de vrijheid. Lorne scheen met de lamp op de metalen ladder die in de wand van de koker verwerkt zat. Als hij met zijn hand omhoogreikte, nam hij zonder veel moeite de onderste trede vast. Hij grijnsde. Met een kleine inspanning geraakte hij zonder problemen uit de tunnel. Hij overwoog zelfs niet de volgende koker te nemen. Deze eerste zou de zaak wel klaren.

Lorne Dorganson was opgewonden als een kleuter. Hij legde de lamp opzij, wreef in zijn handen, berekende de afstand en maakte zich klaar voor de sprong. Hij ging op de zachte aarde af en greep tegelijk de onderste trede en die erboven met de andere hand vast. Even hing hij als een vis aan een haak te spartelen, maar dan trok hij zich langzaam omhoog. Hij wilde dat hij minder had gedronken, gegeten en gerookt. Hij besefte dat hij geen enkele vorm van conditie had en grijnsde bij die irriterende vaststelling. Vloekend, scheten latend en schoppend met de benen, werkte Lorne zich in de koker omhoog. Veel plaats was er niet, nauwelijks ruimte genoeg om zichzelf omhoog te hijsen.

Het zweet droop van zijn lichaam toen hij bovenin de koker uiteindelijk met zijn hoofd tegen het rooster stond. Hij testte de stevigheid en kwam tot de vaststelling dat het rooster tamelijk vastzat. Het daglicht drong maar pover door de aangebrachte bedekking door, maar Lorne vond dat het klaar genoeg was om te ontsnappen. Meer dan dat had hij niet nodig. Hij hield zich met één hand aan de metalen trede vast en wrong met de andere aan het rooster boven zijn hoofd. Hij pufte, hoestte en vloekte. Hij concentreerde zich zodanig op de laatste stap van zijn ontsnapping dat hij niet merkte dat onder hem een verandering was ingetreden.

Pas toen hij diep ademhaalde om met hernieuwde krachten tegen het rooster boven zijn hoofd tekeer te gaan, werd hij de stank gewaar. Het was de urine die hij al de ganse tijd had waargenomen (maar nu honderdmaal intenser) in combinatie met alles wat *kon* stinken. Het was een verpestende, warme stank die hem daar in die claustrofobische cilinder bereikte. Vervolgens werd hij ook het snuiven gewaar. Lorne liet zijn rug tegen de wand van de koker steunen. Er was iets daarbeneden, dat wist hij heel goed. Het was het ding dat hem al de ganse tijd had gevolgd en net buiten het bereik van zijn lamp was gebleven. Daarop deed Lorne Dorganson iets wat hij de rest van zijn leven beklaagde: hij richtte zijn gezicht omlaag, opende zijn benen en keek naar beneden.

Braddie zat onder de koker. De afschuwelijk gemuteerde hondenkop was naar hem opgericht. Het flauwe licht liet de vele ogen bovenop de gruwelijke kop glanzen. Het leek daardoor alsof die zelf licht uitstraalde. Lorne schreeuwde zo luid hij kon. Hij zag maar een gedeelte van Braddie's lijf, genoeg om net niet gek te worden. Rondom de ontvleesde kop bewogen zich tientallen tentakels als onrustige slangen. De gigantische muil stond open en de naaldtanden glinsterden net als de onmogelijk vele ogen in het licht.

Lorne Dorganson werd net niet gek, maar gedroeg zich wel als dusdanig. Hij bonkte met zijn ene vuist op de onderkant van het rooster en schreeuwde zijn keel schor. Hij klauwde als bezeten aan het ijzeren netwerk boven zijn hoofd, wat weinig resultaat opleverde. Hij zag de tentakels langs de wanden omhoogklimmen, maar probeerde die te negeren. De vrijheid was zo nabij! Het mocht niet, het kon niet! Lorne klauwde zijn vingers tot bloedens toe, maar het rooster wilde van geen wijken weten. Hij wrong er met beide handen aan, met zijn rug tegen de kokerwand en zijn voeten op de metalen treden. Hij sloeg erop, beukte er met zijn hoofd tegen. Alles was goed om weg te geraken. Maar de tentakels klommen steeds hoger. Die hadden duidelijk geen haast. Ze lieten hem aan grote slakken denken die zich langzaam langs de wanden een weg omhoog zochten. Lorne keek niet meer naar beneden. Hij balde al zijn energie om het rooster omhoog te krijgen. Hij negeerde de aanraking van de rode tentakels op zijn lichaam. Hij voelde die op zijn benen, rond zijn middel, op zijn schouders en armen. Er kwamen er steeds meer. Lorne schakelde zijn verstand uit en verbeeldde zich dat hij niet belaagd werd. Om diezelfde reden raakte hij ook geen tentakel aan. Hij zette met hernieuwde moed kracht op het rooster en bleef wanhopig om hulp schreeuwen.

Tot een eerste vlezige, stinkende darm zich in zijn mond wrong. Onmiddellijk gevolgd door een tweede. Zijn ogen puilden uit de kassen. Lorne stopte met zijn pogingen om het rooster open te krijgen. Hij greep de trede met beide handen vast en probeerde zich overeind te houden. Overal op zijn lichaam kleefden de darmen. De derde groef zich tussen de twee andere in zijn mond en drong tot diep in zijn keel door. Lorne moest kokhalzen. Hij wilde schreeuwen maar kon geen adem meer uitblazen, hij kon zelfs geen enkel geluid meer voortbrengen. Zijn lichaam zat in de koker gewrongen tussen de wanden en de tientallen tentakels die zich om hem hadden gewonden. Lorne kon enkel nog blazend als een woeste stier door zijn neus ademen. Met grote, tranende ogen zag hij de vrijheid op vijf centimeter van zijn gezicht verwijderd. Hij voelde zich naar beneden glijden. Lorne verloor de houvast op de trede, alle kracht was uit zijn handen verdwenen. Maar toch *viel* hij niet naar beneden. De darmen om hem heen zorgden ervoor dat hij gedragen werd. Hij vorderde heel langzaam, hoorde de kleverige geluiden van de glijdende tentakels en snoof adem door zijn neusgaten naar binnen. Zijn mond stond wijdopen en zijn kaaksbeenderen bezorgden hem pijn door die onnatuurlijke stand.

De afstand tussen het rooster en zijn ogen werd steeds groter. Plotseling bewoog hij niet meer. De tentakels hielden hem in de koker vast, het gezicht naar boven gericht. Buiten woei een zachte, warme wind, bedacht Lorne. Hij merkte het aan de bewegingen van het gras en de bladeren die op het rooster lagen.

Onder hem rekte Braddie zijn nek en snuffelde eerst aan de schoenen van zijn prooi die boven hem gevangen hing. De tentakels hielden zelfs Lornes benen gevangen. Na het snuffelen begon hij te knabbelen. Braddie beet eerst een klein stukje uit Lornes linkervoet, dwars door de schoen heen. Een voorproefje. Lorne kon zich niet bewegen, alles zat claustrofobisch muurvast. Hij kon niet schreeuwen, enkel wanhopig door de neusgaten naar adem snakken en met grote ogen omhoogkijken. Lorne produceerde toch een langgerekt gekreun toen Braddie verderging met zijn avondmaal. De lange naaldtanden boorden zich nogmaals in de linkervoet. Hij beet deze keer alle tenen af. Braddie had honger en wat zijn smaakpapillen te verwerken kregen, stond hem wel aan. De tanden rukten de broekspijp aan flarden en de vele ogen op zijn ontvleesde kop keken met veel interesse naar het onderbeen, het dijbeen en vervolgens nog hoger.

19. Yellow Moon
Hun tweede gesprek

Woensdag, 22 juni 2005.

*D*ae Nhemm liet niets meer van zich horen. Melchior bereikte zonder problemen even voor zes uur *The Custer Autumn Hotel* in Miles City. Hij parkeerde de Firebird bijna op dezelfde plaats waar Lorne Dorganson de dag daarvoor zijn Honda had gestald. Zorgvuldig schoof hij zijn handen in de zware werkhandschoenen nadat hij de wagen had afgesloten. Hij besefte dat het dragen van dergelijke handschoenen tamelijk idioot overkwam, maar daar trok Melchior zich nu echt niets van aan. Hij stapte het gebouw binnen. De geur van het avondeten had zich in alle gangen verspreid. Hij bood zich nergens aan en haastte zich naar zijn uiteindelijke doel. Gelukkig kende hij nog de kleurencombinatie van de pijlen om op de vierde verdieping te geraken. Melchior had gisteren goed opgelet. Misschien wist hij toen reeds dat hij die informatie nog nodig zou hebben.
Vóór de deur van de kamer waar hij wilde binnengaan, twijfelde hij. Niemand had hem aangesproken of tegengehouden. Iedereen bekommerde zich om zijn eigen bezigheden en de verpleegsters waren druk in de weer met het bedelen van het eten. Met zijn gehandschoende vuist klopte Melchior uiteindelijk dan toch op de deur. Door de doffe bons draaide de deur open. Melchior deinsde achteruit. Maar de stem van de oude indiaan stelde hem vervolgens gerust.
"Kom gerust binnen, bezoeker. Ik sluit mijn deur nooit. Ik bezit niets meer, dus kan men ook niets van mij wegnemen."
Melchior duwde de deur verder open en stapte de kamer van de dag ervoor binnen. Hij liet zijn ogen vluchtig rondgaan. Natuurlijk was er niets veranderd! De schamele versieringen aan de muren. Het schamele meubilair, het schamele persoontje in de zetel. Net als de dag ervoor droeg Yellow Moon een wollen deken over de schouders en lagen zijn magere, gevlekte handen op de knop van de wandelstok die tussen zijn knieën stond. Voor Melchior was het echt een déjà-vu ervaring. Het was alsof er helemaal niets gewijzigd was. Hij ging ongevraagd zitten

op de stoel die hij de dag ervoor ook had genomen.

Yellow Moon keek hem met zijn kleine kraaloogjes vanuit de diepe kassen in het zwaargegroefde gezicht aan.

"Je bent teruggekomen. Ik zie dat je naar mij geluisterd hebt!"

Een lange, magere vinger wees op de zware werkhandschoenen. Melchior knikte.

"Ja... ik wil meer antwoorden. Ik wil een oplossing."

"En die verwacht je van mij?"

Melchior schokte met zijn schouders. De uitdrukking op zijn gezicht sprak boekdelen.

"Jij bent de enige tot wie ik mij kan wenden. Jij bent de enige die iets over dit alles weet. De mensen van QuarTech hebben indertijd met jou contact opgenomen en dan Lorne en ikzelf..."

"Ik ben een Crow, jongen. Ik ben opgegroeid met mythes en legendes, goed wetend dat het niet allemaal spookverhalen waren. De Charquoi waren zo goed als buren. Verhalen die niet ver moeten reizen om aanhoord te worden, dragen meestal nog veel van de originele waarheid met zich mee. Gelukkig hebben de Bantheenay het echt nooit op ons voorzien, misschien zat ik hier dan helemaal niet... je bent alleen gekomen?"

"Mijn vriend, Lorne... kan ik niet meer bereiken. Ik heb van... eh... iemand het bericht gekregen dat hij in handen van de mensen van QuarTech is terechtgekomen. Die sprak ook over een ondergronds labyrint met een bewaker."

Yellow Moon stak een magere hand op.

"Klopt helemaal. Heel waarschijnlijk zal Dae Nhemm voor een nieuwe Bewaker hebben gezorgd. Het is een dier dat hij aangepast heeft om zich voor het voortbestaan van de demon in te zetten. Maar in feite komt het erop neer dat het zich terugtrekt in de buurt van het graf. Misschien heeft hij het deze keer bijkomende taken opgelegd."

Melchior knikte de ganse tijd met zijn hoofd.

"Dat is zo, hij vertelde me..."

"Hij... is dat iemand... Over wie heb je het?"

Melchior wist niet of hij de omschrijving 'spook' hier kon gebruiken. Yellow Moon zag er zo nuchter uit, hij wilde zichzelf niet belachelijk maken. Blijkbaar voelde de indiaan goed aan wat er binnenin Melchior gaande was.

"Je hebt me gisteren jouw verhaal verteld, jongeman. Ik heb het aanhoord, vertel me wat er ondertussen is gebeurd. Pas dan kan ik jou misschien de oplossing geven die je van mij verlangt. Ik weet echter niet of die jou zal aanspreken. Ik vermoed van niet."

Melchior greep die kans met beide handen aan. Hij verschoof zijn dijen op de stoel, dacht even na en begon te vertellen. Over het bezoek van Hanna Khanlowski aan zijn pompen. Over het verkeersongeval met die zwangere vrouw door zijn toedoen, of liever, door Dae Nhemms toedoen. Hij vermeldde ook het feit dat hij naar Lorne had gebeld op het werk, dat het gesprek werd afgebroken en dat hij sedert dat moment niets meer van hem had vernomen. Uiteindelijk had Melchior het over het bezoek van Haylan Rasschino aan zijn hok en de uiteindelijke beslissing om terug naar hier te komen.

Yellow Moon had enkele malen geknikt en stelde nu pas een vraag.

"Die Hanna en die Haylan... zijn dat mensen die jij hebt aangeraakt?"

"Ja. Haylan als eerste. Hij bezocht me vannamiddag in mijn hok en vertelde me dat Lorne onder de grond was. De bewaker zat hem op de hielen."

"Hij bezocht je? Of zijn geest?"

"Ik heb hem gezien zoals hij is gestorven. Hij kwam me zo bezoeken en zei me hulp te willen bieden."

Opnieuw knikte Yellow Moon.

"Net zoals de verhalen van vroeger, jongeman. Alles herhaalt zich. Meestal zijn de doden niet erg behulpzaam, maar wat het sterven door de demon betreft, daardoor zijn ze tamelijk meelevend."

"Daarom ben ik hier. Wat is er vroeger gebeurd? Hoe hebben ze Dae Nhemm kunnen bedwingen?"

Yellow Moon draaide zijn hoofd een beetje scheef. Eerst naar links, dan naar rechts. Er verscheen een vreemde glimlach op zijn gerimpelde gelaat.

"Ik weet niet of iemand het jou al heeft gezegd, maar je begint steeds meer op hem te lijken. De overname is bijna volledig, maar dat voel je misschien wel?"

Melchior slikte een brok door. Hij wist heel goed dat Dae Nhemm zich in zijn lichaam verpersoonlijkte. Zijn kleren hingen als vodden rond zijn graatmagere lijf. Hij *zag* bijna dwars door zijn handen en armen en hij had een bijna-constante drang om te neuken. Melchior wist dat het de hoogste tijd was om doordachte maatregelen te nemen.

"Ik zal jou vertellen wat je wilt weten. Maar zoals ik reeds heb gezegd: de waarheid staat jou niet aan. Daarom heb ik gisteren ook niet alles verteld. Maar gezien het feit dat jouw vriend Horne..."

"Lorne!"

"... Lorne dan maar... gezien jouw vriend Lorne in hun handen is, is het misschien het beste dat je weet hoe de vork werkelijk aan de steel zit."

"Ik luister."

"Het land waarop wij woonden, was onze eigendom. De blanken zijn gekomen en hebben ons verjaagd of gedood. Zij hebben zich met onze culturen bemoeid en hebben zaken gedaan waar ze geen benul van hadden. Het was ons land, jongeman, onze gronden en ons verleden. Het was heel onverstandig van de hebzuchtige blanken om zich te mengen met zaken waar zij niets van afwisten.

Ik heb je gisteren al alles over de Bantheenay en de Charquoi verteld. Ik heb ook Eagle Eyes vernoemd."

"Het is zijn graf waar QuarTech..."

Yellow Moon hief een hand op. Melchior zweeg onmiddellijk.

"Verkeerde veronderstelling, jongeman. Het lijk dat onder de grond ligt en de dolk vasthoudt, is het lijk van Eagle Eyes niet.

Melchior fronste de wenkbrauwen. Hij begreep de situatie niet meer.

"Gisteren heb ik niet geantwoord op de laatste vraag van je vriend. Hij wilde weten hoe het met Eagle Eyes was afgelopen. De zelfmoorden zijn inderdaad gestopt en Dae Nhemm is inderdaad in de dolk terechtgekomen. Dat klopt allemaal. Maar..."

Melchior werd ongeduldig.

"Maar wat?"

De kleine kraaloogjes van Yellow Moon keken Melchior zó doordringend aan dat hij het er koud van kreeg. Hij wees met diezelfde vinger van daarnet naar Melchiors gezicht en zei:

"Nog even en Dae Nhemm neemt jou volledig over. Ik zie zijn slechtheid in jouw ogen."

Melchior deinsde achteruit op de stoel. Zijn rug knalde tegen de leuning aan.

"Je maakt me bang! Stop het!"

"Ik vertel enkel wat ik zie."

"Wat moet ik doen?!"

Yellow Moon liet een lange zucht ontsnappen. Hij legde zijn hand terug op de wandelstok die tussen zijn knieën stond en keek Melchior enkele minuten stilzwijgend aan. De jongen voelde er zich onwennig door. Hij haatte het op die manier aangestaard te worden. Dan hief de stokoude indiaan zijn hand op en wees naar de muur achter zich.

"De blanken hebben er verkeerd aan gedaan onze cultuur te willen uitroeien. Geesten laten zich niet uitroeien. Wij waren het eerst op deze gronden. Het bloed van velen van ons is vergoten. Zij maken allemaal deel uit van de aarde, die ons niet vergeet. Mijn vader en grootvader hebben de strijd in levende lijve meegemaakt, jongeman. Het is die strijd die hen het leven heeft gekost. Achter mij hangt tegen de muur alles wat van hen rest. Dat is hun erfenis. Geen geld, geen roem en geen macht. Ik heb heel veel eerbied voor wat ze mij hebben nagelaten. Omdat hun *ziel* daarin zit. Zeggen die zaken jou iets?"

Melchior wist niet waar de indiaan naartoe wilde. Hij richtte zijn hoofd op en bekeek de zaken die tegen de muur uitgespreid hingen. *Zeiden die hem iets?* Een tomahawk, tja... de oude kledij, de versleten sloffen, de dromenvanger... *deed hem dat iets?* Het antwoord was heel oprecht.

"Eh... neen."

"Daarover gaat het nu juist, Melchior. Kijk om je heen."

De oude man hief een arm op en liet die de kamer rond gaan. Hij wees niet naar iets speciaals, maar Melchior voelde duidelijk aan dat hij de zaken uit zijn eigen verleden bedoelde.

"Je herkent waarschijnlijk de meeste voorwerpen niet eens, jongen. Dat daar: een halsketting gemaakt van berenklauwen. Daar: een miniatuurschild uit bizonhuid, versierd met uilenveren. Een kleine tabakzak, getooid met geverfde stekelvarkenpennen. De restanten van een hertenmasker, vervaardigd uit cederhout. Ik heb nog verscheidene draagbanden liggen, van hennep gemaakt en versierd met geborduurde elandharen. In de hoek ginder, een dansstaf met reigerveren. En daar: een schouderornament uit otterbont. Wat ik bedoel met jou dit allemaal aan te wijzen is: wij waren één met de natuur die ons omringde, meer nog, jongen, wij *waren* de natuur. Al die zaken om mij heen maakten deel uit van *ons* leven. *Ons* verleden en *onze* strijd om als oorspronkelijke bewoner van deze gronden overeind te blijven. Voor jullie zijn het niet meer dan artefacten die de blanken als 'merkwaardig' of 'typisch indiaans' omschrijven. Meer niet. De emotionele waarde kunnen jullie niet vatten. En zo is het met alles wat onze cultuur uitmaakt. Die kunnen jullie niet vatten. De blanken hebben geen voeling met de geesten van de overledenen. Zij houden geen rekening met de demonen, behalve in jouw geval, als zij er voordeel uit kunnen halen. Dat is nu typisch voor een blanke: als het maar geld, macht of roem oplevert."

Melchior knikte, maar was niet in staat de diepere waarde van Yellow Moons woorden te vatten. Hij dacht enkel aan zijn eigen probleem.

"De blanken dachten en denken nog steeds dat zij boven de natuur staan en dat zij het hier op deze wereldbol voor het zeggen hebben. Totaal verkeerd gedacht. Toen de blanken onze gronden innamen, de bisons doodden en de stammen uitmoordden, slaagden ze er enkel in ons vlees te vernietigen. De ziel bleef onaangeroerd. De ziel én alle aspecten die eigen aan ons bestaan waren. Zoals contact met geesten en demonen. Dat was *ons* leven! Niet dat van jullie. Dae Nhemm tot leven wekken was een heel ondoordachte daad, omdat geen enkele blanke weet hoe hij er tegenin moet gaan. Zij hadden het verleden met rust moeten laten. Maar..."

Yellow Moon boog het hoofd. Toch merkte Melchior dat er een bedroefde uitdrukking op zijn gegroefde gezicht lag.

"Ja? Maar wat?"

"Als ik jou hoor vertellen over die Todd en wat zijn handelingen zijn geweest... dan vermoed ik dat hij – of de mensen voor wie hij werkt – meer dan de gemiddelde blanke heeft bereikt. Ik voel me een beetje schuldig aan alles wat gebeurd is. Ik ben degene die hen alles verteld heeft. Ik was in de veronderstelling dat zij de intentie hadden de informatie goed te gebruiken. Een boek over het mystieke leven van de indianen? Ik had nooit gedacht dat zij iemand konden overhalen om zichzelf te snijden en het grauwe stof uit de dolk in de wonde te laten sijpelen. Hij heeft op een slimme manier gebruiktgemaakt van de lichtgelovigheid van enkele onwetenden. Ik heb dus een verkeerde veronderstelling gemaakt. Ik had beter moeten weten. Ik heb verkeerdelijk geloofd in de mooie woorden van een blanke, en dit na negenennegentig jaar ervaring!"

Melchior wreef zonder het te beseffen op het litteken op zijn arm. Hij wist niet of hij de taak had de oude man te troosten. Hij kreeg de kans niet, want Yellow Moon richtte zijn hoofd traag op.

"Ik heb Todd en zijn mensen alles verteld. Ik vertel jou ook alles."

"Ja..." zei Melchior ongeduldig.

"Het dode lichaam dat onder de grond ligt en de dolk vasthoudt, is dat van Eagle Eyes niet. De beteugeling van Dae Nhemm werkt als volgt: degene die de demon in zich draagt, wordt ter dood gebracht. Zijn lichaam wordt verbrand en de botten worden verpulverd tot er niets anders dan heel fijn stof rest. De dolk is slechts een symbool. Dat van de strijd tegen de slechte demonen. De kolf is hol en wordt met het stof gevuld. De rest wordt verspreid in een rivier, nooit op het land. Vervolgens zoekt men een vrijwilliger. Hij wordt degene die de dolk zal beschermen tegen andere slechte demonen. Daarom moet hij zich ook laten doden. Vervolgens wordt de dolk op zijn lichaam vastgenaaid, op de borstkas, net boven het hart. De handen worden bovenop de dolk gelegd. Het lichaam van degene die zich over de dolk ontfermt, wordt dan onder de grond begraven. Het lichaam van de houder wordt dus voor eeuwig verbonden met de dolk. Zijn goede geest bewaakt op die manier de slechte demon in de dolk. De Bantheenay respecteerden die enige manier om de demon in te binden."

Melchior hield zijn gehandschoende hand bovenop het litteken.

"Dus heb ik nu een gedeelte van Eagle Eyes in mijn bloed stromen?"

"Je hebt zijn ziel in jou. Die van hem, net als de donkere ziel van Dae Nhemm."

Melchior hief beide handen op. Het was een komisch zicht omdat ze nog steeds in de werkhandschoenen verstopt zaten.

"Ho... ho... wacht even... dus als ik het goed begrijp... en verplaats naar mijn situatie... dan zal Todd mij laten doden, verbranden en mijn stof in de dolk steken?"

Yellow Moon reageerde niet onmiddellijk. Hij hield beide handen op de wandelstok en keek Melchior onbewogen aan.

"Maar... wie zal dan moeten sterven en de dolk... eh... 'opgenaaid' krijgen?"

"Wie denk je, Melchior?"

De jongen voelde een ijskoude stroomstoot door zijn ruggengraat trekken. Hij wist wie Yellow Moon bedoelde, maar durfde de naam nauwelijks uitspreken.

"Dat kan niet..."

"Als die Todd over zoveel macht beschikt dat hij een demon op de wereld mag loslaten, dan zal het regelen van het verdwijnen van ene Melchior Multcher en ene Lorne Dorganson hem nauwelijks voor een probleem stellen."

De naam was gevallen. Melchior voelde zijn maag samentrekken. Zijn vriend was al in Todds handen. Hij twijfelde er niet aan dat de oude indiaan gelijk had.

"Lorne... dat kan niet... het is niet mogelijk."

Melchior had moeite om zijn handen niet op de magere armen van de indiaan te leggen toen hij vroeg:

"Wat denk je dat er nu zal gebeuren?"

Yellowmoon dacht kort na en stelde een vraag als antwoord.

"Kan jij de vlucht van een zwaluw voorspellen?"

Daar gaf Melchior geen antwoord op. Hij wist wat Yellowmoon met die vraag bedoelde.

"Nu komen we bij het moeilijkste gedeelte," ging de oude man verder.

Melchior richtte zijn hoofd op.

"Wat bedoel je?"

"Er *is* een mogelijkheid om alles op een andere manier stop te zetten."

Melchior ging nu volledig rechtop zitten. Zijn ogen waren wijdopengesperd.

"Vertel op!"

"Je zal het niet leuk vinden."

"Vertel *op*!"

"Als de drager van de demon zelfmoord pleegt vooraleer Dae Nhemm hem volledig overneemt, gaat diens kracht verloren. De ziel van de demon verdwijnt met de laatste hartslagen van de drager."

Melchior voelde dat hij helemaal koud werd vanbinnen. Dat was nu echt het laatste wat hij had willen horen. Dit was geen *oplossing*, maar een *beëindiging*. Zijn hart hamerde wild tegen de ribbenkast, als begreep het wat er kon gebeuren en toonde het zijn ongenoegen door woest te reageren.

"Bekijk het op deze manier, Melchior... er zijn drie verschillende mogelijkheden. Ten eerste neemt Dae Nhemm jou binnen enkele dagen, misschien zelfs uren, volledig over. Daar kun je niets meer tegen ondernemen. Dan ben jij verloren, want je bestaat niet meer. Hij wordt daarentegen sterker en is uiteindelijk niet langer in te tomen. Dan kan hij doen wat hij wil, met wie hij wil. Dat is het eerste scenario. Ten tweede word je door Todd gedood, verbrand en verpulverd. Lorne krijgt de dolk op zijn ribben genaaid en samen verdwijnen jullie voor altijd onder de grond of ergens in een kluis. Ook geen erg prettig vooruitzicht dus. Dan rest er nog een derde mogelijkheid: je pleegt zelfmoord en Dae Nhemm gaat verloren. Lorne blijft in leven. Laat me heel hard zijn, Melchior: bij elk van de drie mogelijkheden kom je om."

Melchior was bijna volledig in elkaar gezakt. Zijn magere gezicht was asgrauw. De diepliggende ogen staarden in een donker gat, een weerspiegeling van zijn toekomst.

"Ik heb gezegd dat je niet tevreden zou zijn. Maar gedane zaken nemen geen keer. Je zal zelf de keuze moeten maken, jongen. Onthou één zaak, die Todd-kerel is van alles op de hoogte. Wat ik jou daarnet heb verteld, weet hij ook."

Melchior haalde haastig adem. Zijn hersenen spinden op volle toeren en zijn ogen flitsten van links naar rechts en terug. Meerdere malen. Hij stond ineens op, keek Yellow Moon niet meer aan en holde de kamer uit. De oude indiaan keek knikkebollend toe en vond het niet fijn dat zijn gast de deur openliet. Zijn oude botten hielden niet zo van tocht.

Yellowmoon was ten prooi aan een razernij van chaotische paniek. Lawaaierige politiewagens hotsten door de straten, ambulancediensten repten zich naar de plaatsen waar hun hulp werd gevraagd. Er werd heel veel geschreeuwd. Mensen ontdekten dat hun naasten zichzelf naar de andere wereld hadden geholpen. Kinderen weenden, volwassenen gilden om hulp die toch te laat zou komen. Velen van de inwoners hadden ook de Chinook-helikopters in de verte zien voorbijvliegen en hadden zich dezelfde vragen als Raven gesteld. Maar de interesse was vlug overgaan in een nauwelijks in te tomen paniek. Niemand merkte dat de helikopters uit de buurt van het dorp landden, niet heel ver van QuarTech zelf. Niemand merkte dat honderden vreemd uitgedoste en zwaarbewapende soldaten werden gedropt. Niemand had er uiteraard weet van dat zij een zorgvuldig vooraf ontworpen plan volgden. Zij werden door middel van gigantische HumVee's die uit de helikopters reden, naar de voorziene plaatsen gebracht. Het zelfmoorden hield niet op, integendeel. Steeds meer inwoners van de kleine stad kozen ervoor om niet langer in leven te blijven, aangeraakt door en bezeten door een heel klein beetje Dae Nhemm.

Met z'n zessen lieten zij zich in een liftkoker vallen. Met z'n zessen keken ze met opgeheven gezicht naar de neerdalende liftkooi die op hen afkwam. En toen de kooi de grond raakte, bleef van de zes enkel nog één onontwarbare, kleverige brij van gemalen botten en ingewanden over. Vlees, spieren en hersenen. Alles werd binnen de wanden van de liftkoker samengeperst tot een wansmakelijk kluwen onmenselijkheid.

Raven en Kamen overlegden op het bureel wat ze konden ondernemen. Zij konden weinig anders doen dan de dienstdoende dispatcher bijstaan bij het beantwoorden van de tientallen oproepen.

Alles was één grote ramp, tot die opeens nog erger werd: alle elektriciteit viel uit, samen met de telefoonverbindingen.

A an de balie van *The Custer Autumn Hotel* in Miles City keek de dienstdoende verpleegster geschrokken op toen ze de jongeman met de zware werkhandschoenen op een holletje haar richting uit zag komen. Zijn gezicht was asgrauw. Benii, de zwarte verpleegster, had nooit eerder zo'n lelijke, magere jongen gezien. Je kon gewoon door zijn huid kijken. Je zag de dunne bloedbanen door het vlees en de spieren als nerveuze adders bewegen. Zelfs zijn stem was lelijk en rauw toen hij haar aansprak.

"Heb je een telefoonboek?"

"Sorry?"

Benii deinsde achteruit omdat de jongen zijn beide armen op de balie voor haar liet neerkomen. De aders onder zijn huid zwollen op. Speeksel spatte van tussen zijn gele tanden toen hij in haar gezicht schreeuwde:

"Ik heb een telefoonboek nodig!"

Bennii greep het boek van op de balie en wierp het voor hem neer.

"Hier!"

"Ga achteruit!"

Benii zette verschrikt enkele stappen naar achteren. Melchior schonk haar verder geen aandacht en trok de handschoenen van zijn handen.

Hij bladerde door het dikke boek en haalde zijn gsm tevoorschijn. Hij tikte enkele cijfers aan, klapte zijn toestel dicht en holde het gebouw uit.

Benii haatte dergelijke mensen.

In een gigantische zwarte trailer die naast de bestelwagens op de terreinen van QuarTech stonden, keek Candice Polchner toe hoe Todd Elleniak zich heel vakkundig met zijn bezigheden inliet. Hij stond over een opengeplooid grondplan op een metalen tafel gebogen en belde onophoudelijk met allerhande diensten. Hij leek achteraf tevreden met het eindresultaat. Toen het uiteindelijk leek alsof hij eventjes niets te verrichten had, richtte Candice zich tot hem.

"Het loopt grandioos verkeerd, Todd. Hoe denk je hieruit te geraken?"

Todd Elleniak draaide zijn hoofd in haar richting en keek de vrouw aan. Ze had plaatsgenomen op een van de comfortabele stoelen die tegen de glanzende binnenwand van de trailer opgesteld stonden. Behalve toekijken hoe hij alle activiteiten en evenementen regelde, had Candice weinig ondernomen, hoewel zij even verantwoordelijk was voor het Project als Todd zelf. Maar Todd kende andere mensen, hogergeplaatste mensen. Hij beschikte daarbij nog over heel andere bevoegdheden die haar eigenlijk een beetje bang maakten. Todd haalde traag zijn schouders op, spreidde zijn armen en wees daarmee om zich heen.

"Waar lijkt het op, Candice? Je ziet toch dat ik alles onder controle heb. De gevraagde versterking is aangekomen. Gewapend en wel. Het dorp is omsingeld en zopas zijn alle mogelijke leidingen afgesneden. Elektriciteit, telefoon en dergelijke. Yellowmoon is volledig afgesloten van de buitenwereld. Zonet zijn zelfs de masten van de mobiele telefoons onklaar gemaakt. Wij hebben onze eigen antennes en satellietverbindingen, gelukkig maar. Iedereen die hier is, blijft hier. Ik zie niet echt problemen, jij wel?"

Candice verschoof haar ene dij.

"Je bent niet realistisch, Todd. Luik Drie van het Project kan niet uitgevoerd worden en dat weet je ook. Melchior Multcher is niet binnen jouw bereik. Hoe denk je dat te zullen oplossen?"

"Ik bespeur een vleugje ongeduld in je stem, Candice. Ongeduld in combinatie met bezorgdheid. Klopt dat?"

"Waarom heb je Yellowmoon laten omsingelen?"

Candice vreesde dat haar stem trilde. De zenuwen in haar buik spanden zich op. Todd was niet de kerel om zonder grondige voorbereiding tegenin te gaan.

"Dat lijkt me duidelijk, Candice. Wij mogen toch niet toelaten dat de zelfmoordepidemie zich buiten de grenzen van dit dorp uitbreidt."

Nu had hij het plotseling over 'we'. Dat was haar opgevallen.

"Hoe denk je dat te zullen bewerkstelligen, Todd?"

Nu beefde haar stem wel. Ze wist het antwoord en was bang dat Todd het werkelijk zover zou drijven. Hij keek haar glimlachend aan.

"Het dorp is nu volledig in onze handen. Je hebt gelijk wat de drager van de demon betreft. Maar geen paniek: die komt wel terug, waar kan hij anders heen? Ik vermoed zelfs dat Lorne Dorganson nu ondertussen kennis heeft gemaakt met de bewaker van het graf. Dat probleem heb ik ook opgelost. Dune McCoff kan Lorne vervangen. Hij heeft hem trouwens laten ontsnappen."

"Je hebt me nog geen antwoord op mijn vraag gegeven, Todd."

Candices hart klopte in haar keel. Ze besefte dat ze de man niet te controleren had, maar kon het niet nalaten. Ze kende het antwoord en voelde zich er erg slecht door. Maar van bij de start van het Project was het scenario dat zij nu volgden, grondig uitgewerkt. Niemand hoopte dat het ooit zover kwam, maar nu stonden ze er met hun beide voeten middenin.

Todds stem klonk zacht, bijna helend.

"Candice, je weet goed wat er mij te doen staat. Je kent de regels van het spel. Niemand, maar dan ook niemand heeft dit gewenst."

"Ik vind het onmenselijk."

"Het was Churchill die ooit zei dat je geen omelet kunt maken zonder eieren te breken. Wij zijn van plan een omelet te bakken, Candice. Het klinkt misschien hard, maar wij kunnen er niet onderuit. De epidemie die door het loslaten van Dae Nhemm in gang werd gezet, mag geen uitbreiding nemen. Dat was één van de eerste regels toen we het Project startten. Wij moeten ervoor zorgen dat er een minimum aan slachtoffers valt."

Candices ogen vlogen open.

"Minimum? Yellowmoon telt bijna drieduizend inwoners. Noem jij dat een minimum?"

"Herinner je je voor hoeveel slachtoffers de eliminatie van de centrale in Tsjernobyl heeft gezorgd? Iedereen is er nog steeds van overtuigd dat het om een ongeval ging. Het was toen ook noodzakelijk, Candice. Dat zijn de activiteiten van onze dienst, hoe hard het ook is. Een paar mensenlevens gaan nu eenmaal verloren om vele andere te redden."

Er bengelde een traan aan Candices rechterwenkbrauw.

"Een paar? Een paar? Drieduizend, Todd. Kinderen. Onschuldige kinderen! Heb jij geen hart?"

Todd Elleniak haalde diep adem en liet die door middel van een lange zucht ontsnappen. Hij had erop gerekend dat hij ooit in een dergelijk gesprek met Candice verwikkeld zou geraken. Hij had haar aarzeling gevoeld naarmate het Project zich ontwikkelde en werd uitgebouwd. Nu het op een cruciaal punt was aangekomen, werd ze week van hart.

"Als we de epidemie niet laten stoppen, leeft binnen het jaar niemand meer op deze kant van de aardbol. Besef je dat, Candice? Wil je die verantwoordelijkheid op jouw schouders nemen? Op de duur ontsnapt niemand aan een aanraking. Iedereen valt ooit weleens in slaap, niet-waar?"

Candice wist dat hij gelijk had. Maar toch? Drieduizend mensen. Ze waagde nog een poging, maar wist op voorhand dat hij daar ook een gepaste reactie voor klaarhad.

"Hoe zul je het mislukken van het Project verklaren? Hoe zul je de dood van al die mensen verklaren?"

Todd reageerde allerminst geschrokken. Hij haalde zijn schouders op.

"Net zoals bij de vorige projecten die door onze dienst werden behartigd. Daarvoor staan andere mensen paraat, Candice, dat weet jij ook. Iedereen binnen onze dienst heeft zijn bevoegdheden, bekwaamheden en opdrachten. Momenteel bereidt men reeds alles op dat punt voor. Teksten en verslagen worden *nu* reeds opgesteld. Wij ons werk, zij dat van hen. Zij leveren trouwens prachtig werk. Iedereen wordt gebrainstormd door wat wij op de media loslaten. Bestaat er op deze planeet iemand die *geen* geloof hecht aan de 'officiële' versies dat de ontploffing in Tsjernobyl of het zinken van de Russische duikboot Koersk in de zomer van 2000 ongelukken waren? Is er iemand die twijfelt aan het bestaan van illegale gevangenkampen op Guantanomo Bay? Iedereen laat zijn aandacht daarop vestigen, zodat de brave burger niet merkt dat de werkelijke martelingen en ondervragingen in hun eigen steden doorgaan. Misschien zelfs een huizenblok verderop. Guantanomo is slechts een afleiding, dat weten wij, maar niemand anders. Nog steeds gelooft iedereen dat de negenhonderddertien doden in Jonestown, Guyana in 1978 het gevolg zijn van de collectieve zelfmoord van de leden van de People's Temple-sekte. Ik was er toen uiteraard nog niet bij betrokken, maar het was één van de eerste projecten, zijnde proefnemingen rond het creëren van massahysterie met dodelijke gevolgen. *Wij* weten dat, Candice, niemand anders. Het doel rechtvaardigt in onze projecten altijd de middelen, Candice. De massa is zo gemakkelijk te misleiden. Terrorisme moet compleet ingedijkt worden. Dit Project was daartoe nog maar eens een mogelijk middel. Nu blijkt het toch niet te voldoen. Dae Nhemm laat zich niet zomaar opnieuw kisten. Vandaar dat wij vandaag het Project afsluiten en..."

"Drieduizend, Todd! Drieduizend mensen! Ik kan dat niet aan!" onderbrak Candice hem met overslaande stem.

"Tijdens de oorlog in het begin van de jaren negentig stierven 250.000 mensen in Bosnië om etnische redenen. De Serviërs vermoordden er de moslims. In Srebrenica alleen al werden gewoon – koelbloedig, bedoel ik – al bijna tienduizend mensen gedood. Enkel en alleen om politieke en etnische redenen. Hier spreken wij van het voorkomen van het uitbreken van een mogelijk gigantische epidemie die op geen enkele manier in te dijken valt. Er is volgens mij toch een merkelijk verschil. Sommige mensen sterven omdat ze jammer genoeg op de verkeerde plaats leven. Dat begrijp je toch, Candice?"

De vrouw liet haar hoofd bengelen en gaf geen antwoord.

"Dan is dat jammer voor jou, Candice. Misschien kun je je ontslag in overweging nemen nadat wij hier alles hebben afgehandeld? Je weet trouwens dat ons volgende project nog een grotere omvang heeft dan dit hier? Zullen jouw zenuwen daar tegen opgewassen zijn?"

Special Agent Todd Elleniak wachtte haar antwoord op zijn vraag niet af. Hij draaide zich om en boog zich terug over het grondplan. Candice wist dat de man gelijk had. Ontslag was misschien niet noodzakelijk, overplaatsing daarentegen wel.

Eén van de telefoongesprekken die Todd voerde terwijl Candice hem zat aan te kijken voor ze aan haar – achteraf nutteloos blijkende –

betoog begon, was gericht aan de leider van een groep van zes militairen. Hun opdracht was het labyrint binnen te dringen en alles te doden wat er ze er aantroffen. De leider gaf nu een korte briefing vooraleer zij de weg volgden die Lorne Dorganson een paar uur eerder had genomen. Hij wees op een grondplan dat voor hen op de vloer uitgespreid lag.

"Luister, mannen, dit wordt waarschijnlijk niet gemakkelijk. Agent Elleniak beveelt het volgende: dit grondplan laat ons toe zonder problemen het doolhof te volgen. Het blijkt minder ingewikkeld dan het eruitziet. Onze opdracht is iedereen en alles te doden wat we aantreffen. Hij heeft het niet alleen over 'iedereen' gehad, laat dit duidelijk zijn. Hij sprak over 'iedereen én alles'. Ik weet waarmee zij bezig zijn, maar het blijkt om een geclassificeerd project te gaan. Voor de idioten onder jullie betekent dat: geheim."

Een paar van de soldaten grinnikten. Sommigen wezen naar elkaar.

"Luister!"

Het lachen verstomde.

"Dit is geen grapje, jongens. Agent Elleniak spreekt over een soort gemuteerde hond die door het doolhof sluipt. Ik weet bij God niet waar hij het over heeft, maar ik ben ook niet bevoegd om meer vragen te stellen dan de uitleg die ik van hem krijg. Hij heeft toch driemaal gezegd dat wij alles en iedereen moeten doden, dit is geen reddingsopdracht, integendeel. Nu nog iets heel belangrijks! Luisteren jullie?"

Met z'n allen knikten ze.

"Het is van primordiaal belang dat er geen contact mag zijn met de blote huid. Daarmee bedoel ik: wat we daar in die gangen ook aantreffen, schiet het aan flarden, maar raak het NIET met de blote huid aan. Ook niet als het dood is, is dat begrepen?"

Iedereen knikte, niemand stelde vragen.

"Is iedereen klaar?"

De soldaten gromden.

"Wapens en radio's in orde?"

Elkeen tikte tegen het wapen dat hij bij zich droeg. Twee onder hen beschikten als primair wapen over een vlammenwerper. Er klonk vervolgens een geknetter van de zendapparatuur omdat ze allemaal de zendtoets induwden.

"De lichten?"

"Werken perfect!" zei één van hen en klopte op de zware lampen die hij met zich meedroeg.

"Laatste vraag: zit elk stukje vel van jullie lichaam verborgen?"

Allen knikten ze want dat was de waarheid. De militairen waren – net als hun collega's die zich bovengronds ophielden – op een speciale manier uitgedost. Zware laarzen en zware gevechtskledij. Zware handschoenen en een bivakmuts onder een kleine helm met een neerklapbaar vizier dat tegen een onderste rand aansloot. Er was inderdaad geen vierkante millimeter blote huid te bespeuren.

"Goed dan, zorg voor jezelf en de andere naast je. We vertrekken... nu!"

In de oude Pontiac Firebird van Ottie Pelch bleef Melchior Multcher wachten tot zijn hart en zenuwen kalmer reageerden op de afgrijselijke informatie die de verrimpelde Yellow Moon hem zopas had gegeven. De wagen bleef in alle stilte op de parking van *The Custer Autumn Hotel* staan. Melchior had de handschoenen afgeworpen. Die lagen nu voor de passagierszetel op de totaal versleten voetmat. Hij keek met holle ogen naar het mobieltje dat hij tussen zijn vingers hield. Drie mogelijkheden had de oude knook hem gegeven. Drie mogelijkheden die alledrie zijn dood tot gevolg hadden. Het was geen gemakkelijke keuze. Het moment dat hij aan zijn ouders in hun woning op Church Street dacht, barstten de tranen spontaan uit zijn ogen. Melchior plooide dubbel en leunde met zijn hoofd tegen de bovenste rand van het stuur. Hij huilde met lange uithalen tot Dae Nhemm zich ineens manifesteerde.

- Die oude indiaan heeft gelijk, Melchior -

Melchior reageerde enkel door te stoppen met janken. Hij veegde het snot van zijn bovenlip weg en ging weer rechtop zitten. Zijn telefoontoestel rustte op dat moment in zijn magere schoot.

- Begrijp je wat ik bedoel?"

"Ik begrijp er niets meer van."

- Toen hij over culturen en zo sprak... weet je, ik heb een beetje eerbied voor die kerel.-

"Jij? Eerbied? Komaan!"

- Ik meen het. Ik maak deel uit van hun wereld. Demonen als ikzelf zijn door hun toedoen ontstaan en geschapen. De Grote Geest is er, hun demonen zijn er ook. Daarin heeft hij gelijk: de blanken hadden hen met rust

moeten laten. Niemand van hen heeft jullie tussenkomst gewenst. Niemand van hen heeft om de dood door de kogel omwille van jacht naar geld en grond gevraagd. Zij, de indianen, woonden hier eerst. Het was hun land, niet dat van jullie!"

"Ik heb nu wel geen zin om me met de geschiedenis van Amerika bezig te houden! Ik heb andere zaken aan mijn kop!"

- Ik maak deel uit van die geschiedenis, Melchior. Zij hebben mij geschapen door toedoen van hun experimenten met zwarte magie en drugs. Jullie hebben mij laten ontwaken en nu zit je ermee. Vooral jij! -

"Zeg dat wel!"

- Welke van de drie... oh, ja, voor ik het vergeet: Braddie, het brave hondje van Hanna dat jij zo vriendelijk hebt gestreeld, doet zich op dit moment tegoed aan de geslachtsdelen van jouw vriend Lorne... dit terzijde, maar naar welke van de drie mogelijkheden die jou werden aangeboden, gaat jouw keuze uit? -

"Lorne?" vroeg Melchior met knipperende oogleden.

- Dat was enkel ter info. Wel? Geef een antwoord! -

Dae Nhemm had er verkeerd aan gedaan de dood van Lorne te vermelden. Melchior was afgeleid. Hij voelde zich schuldig. Hij had Lorne nooit mogen lastigvallen met de problemen uit zijn eigen verleden. Dan was het nooit zover gekomen. Melchior voelde een vlaag van woede als een stormwind door zijn borstkas trekken. Dit ging te ver. Tijd voor actie.

Hij startte de motor van de Firebird en reed met gierende banden achteruit. Vervolgens slingerde hij woest aan het stuur, schakelde in 'D' en vertrok met een slippende achterkant in de richting van Yellowmoon. Dae Nhemm trok zich terug en liet de jongeman voor wat hij nog waard was. Wat de demon betrof, was Melchior Multcher al dood.

Voor Raven was de maat meer dan vol. Als Todd Elleniak dan toch de waarheid had gesproken, vond ze dat hij hen meer uitleg verschuldigd was. Op welke manier kon die hel daarbuiten tenietgedaan worden? Ze greep Kamens arm vast en rukte de man bijna omver. Zijn gezicht stond verhit toen hij zich naar haar omdraaide. De chaos had zich tot in het politiekantoor op Park Lane uitgebreid. De paniek was niet meer in te dijken. De burgemeester liep als een gillende gek door het stadhuis en schreeuwde onuitvoerbare bevelen die door niemand gehoord of opgevolgd werden. Wat hem door het lint had laten gaan, was de actie van zijn persoonlijke secretaresse (en minnares). Tijdens een paniekerig gesprek over de zich ontplooiende situatie in Yellowmoon, stak de vrouw het potlood dat zij al enkele minuten in haar handen hield met de punt eerst in haar rechterneusgat. Terwijl de burgemeester toekeek, knalde ze vervolgens haar gezicht op het tafelblad. Het potlood stootte onder haar oog tot in haar hersenen door. Haar doodstrijd duurde nog dertig seconden. Terwijl hij toekeek, spartelde de vrouw als een vis op het droge en uitte korte, hoestende geluiden terwijl haar ogen steeds verder uit haar hoofd puilden door de innerlijke druk die zich bleef ophopen.

Alle vormen van communicatie waren verstoord. Niemand kon iemand anders bereiken. Iedereen probeerde de vaste telefoon of de gsm, maar niets werkte. Todd had zijn voorzorgsmaatregelen heel accuraat voorbereid en uitgevoerd. Zelfs mensen die over persoonlijke radioapparatuur beschikten, kwamen tot de vaststelling dat zij enkel geruis ontvingen en niet meer konden zenden. Het aantal zelfmoorden stapelde zich zienderogen op.

"Will! Niemand kan Yellowmoon in of uit. Zelfs de ambulances worden niet meer binnengelaten," schreeuwde Raven in zijn gezicht om het lawaai in het kantoor te overstemmen.

Kamen streek door zijn haar.

"Wat?"

"Overal staan zwaarbewapende militairen. Niemand komt erin. Wat heeft dat te betekenen?"

"Heeft de burgemeester hier weet van?"

"Die kunnen we missen. Hij denkt dat de wereld vergaat!"

"Misschien is dat ook zo!"

Raven Daramantez rukte nogmaals aan zijn arm. Kamen zag niet langer de lichamelijke schoonheid van de vrouw die voor hem stond. Zijn seksuele appetijt kende grenzen. En die waren enkele uren geleden al meer dan overschreden.

"Kom met me mee, Will. We rijden naar QuarTech. Ik wil weten wat er aan de hand is!"

Kamen spreidde als bewijs van totale onmacht zijn beide armen en keek met angstige ogen om zich heen.

"Maar... maar... alles hier...regelen..."

"Wat moet er geregeld worden, Will? Er zijn geen gewonden! Alleen maar doden. Welke hulp kunnen wij bieden? Komaan!"

Raven trok Kamen met zich mee naar buiten. Ze probeerden zich niet op de woelige massa mensen te richten die verdwaasd schreeuwend door de straten liep. Sommigen hakten in zichzelf met wat ze ook maar in hun handen hielden terwijl anderen hen daarvan probeerden te weerhouden. Het bloed stroomde rijkelijk. Het was alsof bijna de volledige populatie van Yellowmoon gek was geworden. Raven zag vier mensen in een rij van het dak van een woning duiken. Niet springen, maar duiken, met het hoofd lichtelijk naar voren gebogen. Waarschijnlijk een compleet gezin. Ze draaide haar ogen weg van de plaats waar de vier op het beton neerkwamen. De vernietigende chaos was compleet. Raven dook achter het stuur van haar Dodge Stratus en startte de motor. Kamen nam naast haar plaats.

"Waar rijden we naartoe?"

Raven keek hem verbaasd aan. Had hij daarnet niet naar haar geluisterd? Of begon hij ook de pedalen te verliezen? Terwijl Raven kunstig haar wagen tussen de joelende mensen stuurde, herhaalde ze wat haar nog het meest bang maakte.

"Will, luister. Op weg naar hier heb ik een pak Chinook-helikopters gezien die deze kant uitkwamen. Dat was het transport van alle militairen die zich nu rondom Yellowmoon bevinden. Alles is verdomd goed voorbereid. Die Todd-kerel moet een enorme impact hebben en over onmogelijk grote bevoegdheden beschikken. Ik heb de berichtgeving op de radio gevolgd: de stad is gewoon omsingeld. Rondom de buitenste huizen staat een cirkel van zwaarbewapende militairen. Iedereen die probeert binnen of buiten te rijden, zelfs via het kleinst mogelijke wegeltje, wordt staande gehouden en teruggestuurd. Onder bedreiging van vuurwapens! Ik wil weten wat er aan de hand is. Waarom mag niemand binnen of buiten? Wat is er hier écht aan de hand? Ik vraag het Todd zelf. Hij alleen is in staat ons antwoorden te geven."

"Rijden we daarnaartoe?"

Raven knikte.

"Naar QuarTech. Ik heb er genoeg van dat ik alles met lege ogen moet aanzien en geen poot kan uitsteken."

"LET OP!"

Iemand dook voor haar wagen. Raven gilde en draaide haar stuur heel abrupt naar links. Kamens hoofd bonkte tegen het zijraam. Maar ze had de man op het nippertje gemist, of liever: hij had de wagen gemist. In haar achteruitkijkspiegel zag ze hem – absoluut een krasse zeventiger – op zijn knieën zitten. Hij keek verbaasd om zich heen. Raven wist dat hij het straks opnieuw zou proberen en er dan misschien wel zou in slagen.

"Denk je dat Todd iets zal loslaten?"

"Ik geef hem geen andere kans!" zei Raven vastberaden terwijl ze haar handen in een kwade bui om het stuur van de Stratus wrong.

Door de slag tegen het raam was luitenant Will Kamen volledig bij zijn positieven gekomen. Hij vond dat Ravens kwaadheid haar fraaie gezicht nog beter liet uitkomen. De lippen waren meer geprononceerd. Kamen keek fronsend voor zich uit.

De duisternis in de vochtige gangen onder de grond bezorgde de mannen van het vernietigingsteam geen enkele moeilijkheid. De zware lampen die zij bij zich droegen, verdreven elk weerspannig schaduwtje. Dankzij het plan betekende het labyrint evenmin een probleem. Met z'n zessen volgden ze de weg die Lorne Dorganson – en vóór hem vele anderen – was voorgegaan. Tot het moment dat ze bij het graf aankwamen, hadden ze hun zenuwen botgevierd op enkele woelmuizen en allerhande insecten die ze hadden ontmoet. Todd had gezegd dat alles moest geëlimineerd worden. De leider hief een gebalde vuist op en de vijf anderen hielden halt. Hij wees naar de ruimte die zich iets verderop bevond en zei:

"Het graf."

Niemand verroerde. Niemand was zo nieuwsgierig om zijn nek uit te steken.

"De map!"

Degene die de map bij zich had, stapte vooruit en overhandigde die aan de leider. Hij bekeek de uitgestippelde weg en even later glipten ze achteloos langs het graf. Geen van hen vertoonde veel interesse voor het skelet. Zij hadden andere zaken om zich op te concentreren. De stank van de oude urine bijvoorbeeld. Die was nauwelijks te verdragen, maar mocht hun taak niet bemoeilijken. Wat later beschenen de lampen het lijk van Danny Lahmian.

"Die ziet er al een heel beetje veel dood uit," zei een van hen.

De leider nam zijn wapen vast, richtte en vuurde enkele kogels in het lichaam. Waar de gloeiende bollen doel troffen, spatte het rottende vlees nog meer open. Tientallen vliegen stegen verschrikt op en zwermden om het zestal heen. Een verpestende stank verspreidde zich tegelijk met de gonzende insecten.

"Opgepast! Geen aanrakingen."

Iedereen trok nu zelfs zijn hoofd tussen de schouders. *Voor een paar vliegen?* Maar bevel was bevel. Als de leider zei dat een vlieg gevaarlijk was, dan was dat ook zo. Geen vragen stellen. Wie stelde trouwens vragen aan een leider die een halve lader leegpompt in een rottend lijk? Je hoefde heus geen dokter te zijn om te zien dat de politieagent die daar op de vochtige grond lag te beschimmelen, zo dood als een pier was. De kerel had geen volledig hoofd meer! Hoe dan ook, de zoektocht werd vervolgd. Nog meer insecten werden vertrappeld en sommigen maakten nu ook grapjes. De actie liet te lang op zich wachten. Tot ze het tweede lijk bereikten: dat van Annie Mouhaird.

"Nog een agente?"

De leider knikte terwijl hij opnieuw een gebalde vuist opstak. In het licht van de lampen waren de verwondingen afgrijselijk. Ook hier hadden honderden vliegen reeds hun toevlucht gezocht. Immense aaskevers werkten zich een weg naar het binnenste van haar lichaam, waar alles nog mals was. Annie's lichaam was bedekt met iets wat op wit, korrelig schuim geleek. Uit alle openingen die in haar huid en vlees gemaakt waren, puilde het schuim naar buiten. De lampen werden verplaatst zodat de leider iets dichterbij kon.

"Eieren."

"Wat?"

Hij wees op het schuim.

"Geen schuim. Miljoenen vliegeneitjes. Nu nog eieren, straks maden die de rest van haar lijf zullen opvreten."

"De natuur is toch prachtig."

"Achteruit!"

Iedereen zette enkele passen naar achteren. De leider wapende opnieuw en schoot de rest van de lader leeg. Annie's halfnaakte lichaam danste als een gebroken ledenpop langs de muur waar ze nog steeds tegen leunde. Hij schoot haar rechterschouder aan flarden, waardoor de arm afbrak. Haar lichaam tuimelde voorover. De wortel door haar ene been bood nu ook geen houvast meer en Annie Mouhaird stortte op de grond in elkaar. Ook haar ontblote rug was één vlakte van wriemelende wormen en kevers. De meeste soldaten zetten nog enkele passen achteruit. "Verbrand haar!" beval de leider.

De drager van de vlammenwerper kwam onmiddellijk naar voor. Hij richtte zijn aangepast wapen en blies een korte, maar krachtige straal vloeibaar vuur op Annie's lijk. De vlammen verspreidden zich over de grond en even later was de gang gevuld met een verpestende stank van verbrand vlees en kokend bloed. Iedereen deinsde achteruit voor de hitte van de verterende vlammen.

Even was er verwarring. Ze hoorden een schurend geluid en dachten dat het het brullen van het vuur was. Maar terwijl ze het resultaat van hun handelingen bekeken en de stank probeerden te negeren, kronkelden de eerste tentakels van Braddie door de smerige aarde. Die was op de schoten en het vuur afgekomen en bleef door de dikke rookwolk uit het zicht van de zes militairen verborgen. Zijn lange vangarmen meden het likkende vuur, wroetten zich onder de rook door en wikkelden zich rond het been van de man die het dichtstbij stond. Daarop trok Braddie de vangarm terug en de man tuimelde verschrikt achterover.

Het gillen begon. Door de dikke rook zag niemand echt goed wat er gebeurde. Het licht van de lampen werd door dezelfde rook weerkaatst. De leider zag echter wel dat zijn teamlid op de grond gevallen was en door iets werd voortgetrokken. De man vuurde onophoudelijk op iets wat zich voor hem, voorbij de rookwolk, bevond. Hij gilde en brulde toen hij dwars door het brandende lijk van Annie Mouhaird werd getrokken. Annie zelf verbrokkelde nu helemaal en werd door het gewicht van de man opengesmeerd. Die tierde en bleef vuren tot de lader leeg was. Zijn vuurwerend uniform zorgde dat hij onbeschadigd net voor de kwijlende Braddie terechtkwam. Hij richtte het wapen, haalde de trekker nogmaals over, maar zonder resultaat.

"Dood dat beest!" hoorde hij opeens schreeuwen.

Omdat hij wist wat dat betekende, drukte hij zich zo plat mogelijk tegen de grond. Achter hem scheurde de rookwolk open en zijn vijf collega's stapten tevoorschijn. Braddie richtte zijn ontvleesde kop op en krijste een afschuwelijk geluid. De naaldtanden waren nog bevuild met bloederige vleesresten van Lorne Dorgansons ingewanden. De leider hoorde dat de anderen allemaal minstens éénmaal hun verbazing lieten kennen. Iemand blies, een andere floot en twee van hen vloekten kort.

Maar op het moment dat Braddie al zijn tentakels in werking stelde, barstte een oorverdovend hellevuur onder de grond los. Alle vangarmen glibberden vanuit het gedrongen lichaam langs de wanden, over het plafond en de grond en daarmee ook over de schreeuwende man, in de richting van het vijftal. Als één man werden de wapens opgeheven. Er was geen bevel meer nodig om de trekker over te halen. Iedereen schreeuwde, iedereen voelde het bloed door zijn aderen bruisen. Dit was oorlog. De stank van het brandende vlees ging teniet in de geur van het wapengebruik. Honderden kogels werden in Braddie gepompt. Het geluid was niet te harden. Laders werden vervangen en het vuren vatte opnieuw aan. Onophoudelijk. Kogel na kogel scheurde een stuk uit de gemuteerde hond los. Tentakels spatten aan stukken uiteen. Bloed, vet en smurrie spetterden alle kanten op. Braddie krijste en sprong als een wild monster in het rond terwijl steeds meer kogels doel troffen. Ondertussen had de liggende kerel zich losgetrokken en had zich over de grond, onder de voorbijflitsende kogels door, tot achter zijn collega's gewrongen. Nu stond hij ook rechtop en met hernieuwde moed pompte hij er schreeuwend nog enkele kogels bij.

"Vuur!" schreeuwde de leider hees.

De aangesproken man liet zijn wapen zakken, nam de vlammenwerper vast en deed wat van hem verlangd werd. Met een enorme luchtverplaatsing sprong het vuur uit de lange loop van de werper en stortte zich op het creperende beest. Hij blies het vuur in die richting tot de tank leeg was. De tentakels kronkelden, sisten en spatten open. Slijmerig vocht borrelde uit de wonden tevoorschijn. Ze ratelden tegen de wanden, het plafond en de vloer. Toen de tank uit was, schoot iedereen z'n lader op het brandende beest leeg.

Uiteindelijk hief de leider nogmaals de gebalde vuist op. De wapens zwegen. Met z'n allen op trillende benen, hijgend en zwetend, keken ze toen hoe de man een zwaar handwapen uit zijn holster haalde. Een Desert Eagle.

"Licht, daar!"

Hij wees voor zich op de plaats in de ondergrondse gang waar het hoopje Braddie-restanten in brand stond. De vangarmen waren allemaal verschrompeld tot zwarte, verbrokkelde draden. Het licht liet een zwartgeblakerde vorm zien. Helemaal ineengekrompen. De ogen waren uit de kassen gebrand en de muil was wijdopengesperd. De naaldtanden allemaal zwart.

"Rotzakje!" siste de leider.

Hij vuurde nog enkele malen van dichtbij op de kop tot de schedel en de gekookte inhoud ervan volledig verbrijzeld waren.

Thellie Mason was zesentwintig en bezat een sublieme lichamelijke schoonheid. Zij woonde nog steeds met haar moeder in een kleine woning in het centrum van Yellowmoon. Haar lijfelijke perfectie had haar de modellenwereld binnengeloodst zonder dat ze er enige moeite hoefde voor te doen. Eigenlijk werd ze zomaar van straat geplukt door scouts, op zoek naar uiterlijke pracht. Dat was iets wat zij in overvloed bezat. Gezicht, lichaam en persoonlijke uitstraling. Subliem. Over haar karakter werd liever niet gepraat, want dat was om van te braken. Een kreng van een vrouw. Maar op de foto's die van haar in tijdschriften en magazines verschenen, was dat niet te zien.

Die avond was het tijd voor haar opmaak. Terwijl haar moeder beneden in de keuken bezig was (hun vader had het huwelijk en zijn vaderschap drie jaar eerder de rug toegekeerd), bevond Thellie Mason zich in haar kamer. Ze stond voor de grote, ronde spiegel. Met hoegenaamd geen enkele vorm van interesse bekeek ze de inktvisachtige creaturen die uit die spiegel gleden en zichzelf tegen de muren en op het plafond vastkleefden. Die lelijke dingen waren er gewoon.

Haar haar was niet zoals het hoorde te zijn. Dat was haar mening op dat moment. Met het voorwerp in haar hand begon ze het te kammen. Maar jammerlijk voor haar gave huid betrof het een stalen handschuurborstel. Van bij de eerste haal – Thellie stak er veel kracht achter want ze wilde mooi zijn en blijven – trok ze diepe, smalle voren in haar hoofdhuid die zich onmiddellijk met bloed vulden. Plukken haar bleven in de stalen pinnen van de borstel steken. Thellie schonk geen aandacht aan het bloed dat over haar gezicht stroomde, dat kon ook weggeveegd worden. Met dezelfde borstel, waarom niet? Het meisje haalde op die manier de huid van haar gezicht open. Ze scheurde daarbij zelfs haar ene oog kapot en trok diepe, bloederige geulen in de huid van haar keel en nek. De afschuwelijke vernieling hield aan tot ze een slagader openhaalde. Als een fontein spoot het bloed op de spiegel.

Thellie Mason bleef haar huid aan flarden rijten tot ze het bewustzijn verloor, op de grond viel en even later door het overdadige bloedverlies stierf.

Todd Elleniak stapte net de trap aan de deur van de trailer af toen zijn mobieltje ging. Hij viste het toestel uit zijn jaszak. Op de display stond de naam van de oproeper vermeld.

"Ja?"

"Het labyrint is clean."

Todd glimlachte. Toch iets dat lukte.

"Iedereen en alles, zoals ik had bevolen?"

De leider van het vernietigingsteam antwoordde iets, maar dat ging verloren in het gebrul achter Todd. Hij keek om en zag dat zeker tien HumVee's zich in de buurt van de trailer opstelden. De versterking bleef maar toestromen. Toen de laatste motor werd afgelegd, draaide Todd zich terug naar voren.

"Herhaal even, Julian. Het was hier net te druk."

"Daar leek het inderdaad op. Dus, ik herhaal: twee dode agenten gevonden. Dan een monster dat bijna een van mijn kerels te grazen had. Vervolgens hebben we nog een vent in een luchtkoker gevonden. Die was half opgegeten. Zijn ingewanden hingen uit zijn buik tot op..."

"Ja, goed... is alles opgeruimd?"

"Alles is opgeruimd. Het graf hebben we ook vernield."

"Okay. Prachtig. Is er iemand gewond? Is er iemand aangeraakt?"

"Negatief."

"Goed. Kom maar terug. Straks beginnen we bovengronds met de opruiming."

"Geef ons tien minuten."

20. Todd Elleniak
Heel drastische maatregelen.

Woensdag, 22 juni 2005.

Ondertussen was het reeds over zeven. Will Kamen en Raven Daramantez hadden allang thuis moeten zijn om zich met hun persoonlijke bezigheden in te laten. Ze kwamen integendeel totaal verhit en opgewonden in de buurt van QuarTech aan. Raven parkeerde haar voertuig op Elm Road, omdat de weg verder versperd was. Toen ze uitstapten, kwamen ze in een ware oorlogszone terecht. Overal bewogen zich militairen, stonden HumVee's netjes op een rij te wachten en op het terrein van QuarTech stonden zelfs drie zware bulldozers. De mooi verzorgde afbakening van taxushagen was op verschillende plaatsen furieus aan flarden gereden. Naar de reden van de aanwezigheid van die gigantische machines had Raven enkel het raden. Er werd druk over de radio's gepraat en tamelijk nerveus heel en weer gelopen. Het enige wat zij miste, waren helikopters die over het gebied voorbijvlogen. In films gebeurde dat toch altijd?
"Daar!"
"Wat?" vroeg Kamen geschrokken.
Ook hij had niet zonder zichtbare verbazing de drukke bedoening in de omgeving van QuarTech gadegeslagen. Hij keek in de richting die Raven hem aanwees.
"De trailer. Todd staat naast de trappen."
Raven wachtte Kamens reactie niet af. In al haar enthousiasme wierp ze de deur van haar wagen dicht en begon in de richting van de trailer die wat verderop stond, te stappen. Onmiddellijk werd haar de pas afgesneden door vier militairen.
"Ik wil met Todd spreken. Mijn naam is Raven Daramantez, luitenant Moordzaken."
'Politie Garland' liet ze achterwege. Eén van de zwaar geüniformeerden bekeek haar van boven tot onder en vroeg kortweg.
"Todd? Wie is Todd?"
Raven wees naar de man die naast de trappen van de trailer stond en

telefoneerde. Deed die man echt niets anders dan gesprekken voeren via zijn gsm? De man keek achter zich, draaide zich traag terug naar Raven en zei:

"Dat is Special Agent Elleniak. Wij kennen hem niet als 'Todd'. Maar hij is bezig. Mag niet gestoord worden."

"Door mij wel!"

Raven zette een stap naar voor en keek niet of Kamen haar volgde. Onmiddellijk laadden de militairen hun wapen en richtten de loop op haar hoofd. Kamen siste. Raven stopte.

"Niet bewegen, dame!"

Raven voelde dat de kerels het meenden. Vier geweren, vier vingers aan vier trekkers. Eén nerveuze beweging en haar leven was voorbij. Ze boog licht haar hoofd, stak haar handen traag omhoog en zette voorzichtig een pas terug. Toch hield ze haar ogen gericht op de man die haar had aangesproken.

"Toch moet ik hem spreken."

"Komaan, Raven, laat ons weggaan. Dat lukt toch niet."

Raven keek niet opzij naar Kamen die nog steeds bij de wagen stond.

"Laat ons vertrekken, we hebben hier niets te zoeken. Dit is in zijn handen, het is zijn verantwoordelijkheid."

"Jouw vriend spreekt wijze woorden, dame. Ik stel voor dat je je fraaie lichaam rechtsomkeer laat maken, in jouw wagen stapt en zorgt dat je hier zonder kleerscheuren vandaan komt."

De man had gesproken van naast zijn wapen dat nog steeds op haar hoofd gericht was. De andere drie hadden nog niet gereageerd.

"Ik *moet* hem spreken, het is belangrijk," zei Raven zacht.

Haar ogen hield ze op de man gericht. Dit was even een moeilijk moment voor beiden. Wie zou voor de andere onderdoen? Wie zou buigen? De militair schuifelde met zijn ene voet. Raven bleef onbeweeglijk staan. Nu keken ze elkaar in de ogen. Raven ademde rustig, de handen nog steeds ter hoogte van haar borsten opgericht.

"Sarge!" riep de man ineens.

Eén van de andere militairen reageerde.

"Sir!?"

"Drentel naar de trailer en vraag de baas of hij deze mooie dame wenst te ontvangen."

"Sir!"

Sarge trok zijn wapen tot tegen zijn lichaam rechtop, draaide zich om en holde naar de trailer. Ondertussen bleef de situatie bij de Dodge Stratus onveranderd. Kamen stond ernaast. Raven een stukje ervoor in een netelige positie met drie wapens op haar gericht. Ze voelde wel dat de ogen van de militair die blijkbaar de leiding had, niet langer 'enkel' op haar gezicht gericht waren. Ze merkte dat hij die over haar ganse lichaam liet glijden. Misschien zorgde een ondeugend gesprekje ondertussen voor wat afkoeling.

"Ben je tevreden met wat je ziet?" vroeg Raven, nog steeds met een fluwelen stem.

Zijn ogen flitsten onmiddellijk naar de hare. Hij rechtte zijn rug.

"Ben je echt van de politie?"

"Helemaal."

"Hebben de kerels op jouw bureau geluk!"

"Dus… je bent tevreden met wat je ziet?"

De man glimlachte nu zelfs en knikte kort.

"Als ik zo vrijuit mag zijn, dan vind ik jou zowat de prach…"

"Sir?!"

Sarge was onhoorbaar komen aanlopen en stond nu achter de leider. Deze knipperde met de oogleden en de man in hem werd onmiddellijk overgenomen door de militair.

"Ik luister."

"Special Agent Elleniak heeft geen bezwaar tegen een gesprek met deze twee mensen. Hij had hen reeds zien aankomen. Wel vraagt hij begeleiding en een perimeter van vijf meter rond zijn persoon."

Kamen keek verbaasd naar Raven die nog steeds niet reageerde. Perimeter rond zijn persoon? De leider trok nu ook het wapen rechtop, en de andere twee volgden zijn voorbeeld.

"Je krijgt blijkbaar toch je zin, dame," zei hij.

"Moet ik mijn wapen achterlaten?"

"Ik denk niet dat de baas bang is van jouw wapen. Trouwens, wij blijven in de buurt. Komaan, Sarge en ik gaan voor, jullie beiden tussenin. Ron en Wolf vormen de achterhoede."

Nu keek Raven voor het eerst opzij naar Kamen. Deze schudde zijn hoofd en liet een lange teug adem ontsnappen. Soms kon hij niet overweg met de manier waarop Raven de zaken behartigde.

In de grote werkplaats van de boerderij op de rand in het zuidelijke gedeelte van Yellowmoon trok Elwood Pelch, de vader van Ottie, zich niets aan van de drukke bezigheden op nauwelijks twee kilometer van zijn woning. Hij had de HumVee's zien aankomen, hij had de militairen zien uitstappen en had hen hun plaatsen zien innemen. Blijkbaar vormden ze een dubbele rij met naar schatting zo'n vijfentwintig meter tussen elke soldaat. Als ze zich op die manier bleven ontvouwen, vond Elwood, dan konden ze gemakkelijk Yellowmoon omsingelen.

Henriette, zijn vrouw, had zich twee uur eerder van de keldertrap naar beneden gestort. Nu was het zijn beurt. In de werkplaats hing Elwood zich op... met prikkeldraad. Hij hield geen rekening meer met de zwarte schaduwen die overal om hem heen zweefden. Aanvankelijk hadden die hem bang gemaakt. Hij had die opgemerkt kort nadat Henriette van boodschappen thuiskwam en hem een korte zoen op de wang gaf. Een halfuur later lag ze dood onderaan de trap in de kelder.

Elwood schopte de wankele stoel onder zich weg en zakte tot op tien centimeter van de grond. Het wurgen startte onmiddellijk, net als het snijden en prikken van de metalen prikkels. Elwoods ogen puilden uit de kassen. Hoe meer hij spartelde, hoe dieper de draad in het vlees van zijn nek en keel sneed. Hij stikte en bloedde tegelijk dood, want het ijzer scheurde de slagaders van zijn keel kapot. Tegen het moment dat Elwoods tenen de vloer bereikten, was zijn hoofd brutaal half van de romp gescheiden.

Melchior zette de wagen aan de kant. Hij schatte dat hij nog zo'n vijf kilometer van de grens met Yellowmoon verwijderd was. Hij draaide de contactsleutel om en de grove motor van de Firebird viel uit. In het moment van totale rust dat volgde, liet Melchior zich achteroverzakken. Hij had even tijd nodig. Tijd om alle gebeurtenissen van de afgelopen maanden op een rij te zetten. Melchior vond dat noodzakelijk omdat hij eigenlijk heel wat had meegemaakt en allerlei invloeden via veel kanalen had meegekregen. Zijn moeilijke jeugd was de oorzaak van het feit dat hij zijn vriend ermee lastig had gevallen. Dat stond voor hem vast. Lorne bood hem een kans aan, die hijzelf weliswaar niet voor mogelijk achtte, maar achteraf dan toch bleek te werken. Met alle bekende gevolgen vandien.

Hij keek in de achteruitkijkspiegel en zag de ogen van Dae Nhemm die hem aankeken. Dat was één van de gruwelijkste gevolgen voor hemzelf: Melchior Multcher hield op met te bestaan. De oude Yellow Moon had gelijk: Dae Nhemm nam hem compleet over. Dat en alle zelfmoorden die hij eigenlijk op zijn geweten had. Melchior draaide de spiegel rond en bekeek eerst zijn volledige gezicht, en vervolgens de rest van zijn lichaam, voorzover de bewegingsvrijheid van de spiegel het toeliet. Dit was niet langer *zijn* lichaam. Veel té mager, uitgemergeld bijna. Dat gezicht? Niet dat van hem. Dae Nhemm keek hem aan. En grijnsde zelfs?

Melchior draaide de spiegel weg. Dit kon niet langer. Dit moest ophouden. Yellow Moon gaf hem drie mogelijkheden. Welke van de drie koos hij best? Geen enkele was erg aantrekkelijk, maar hij besefte dat er geen vierde mogelijkheid was. Terwijl hij in de verte de eerste gebouwen van Yellowmoon meende te onderscheiden en hij toch genoot van de natuurlijke stilte om zich heen, kreeg hij ineens – zomaar – een ingeving.

Hij greep het mobieltje dat op de passagierszetel lag en drukte enkele toetsen in. Hij duwde het toestel tegen zijn oor en wachtte. Ondertussen keek hij naar de blauwe hemel. Het avondlijke duister liet nog even op zich wachten. Er was geen enkel wolkje. Het was een prachtig voorjaar. Zachte temperaturen, weinig wind. Hij hoorde eerst enkele schakelingen die hij anders niet opving tijdens het telefoneren, maar daar schonk Melchior geen aandacht aan. Dan kwam de stem.

"Met de firma QuarTech, hoe kan ik u helpen?"

Melchior schrok op. De vrouwenstem verraste hem.

"Mijn naam is Melchior. Ik wil Todd Elleniak spreken."

Er was even stilte. Dan:

"Er staat geen meneer Elleniak in ons werknemersbestand vermeld. Kunt u ons…"

"Stop het gelul! Geef mij Elleniaks nummer, het gaat over de zelfmoorden."

Weerom even stilte. Vervolgens kwam de vrouwenstem terug.

"Blijf aan de lijn… ik verbind u door."

De avondzon begon uiteindelijk toch aan de onvermijdelijke ondergang terwijl Melchior wachtte. De horizon was een prachtig palet van in elkaar glijdende kleuren. Blauw, felrood, oranje en geel. Melchior vond het een mooie wereld.

"Met Todd."

Melchiors hart sloeg even over. Hij veerde rechtop in zijn stoel. Hij spuwde de eerste woorden uit die in zijn hoofd opkwamen.

"Leeft Lorne nog?"

"Excuseer?"

"Ik ben Melchior Multcher. Ik draag Dae Nhemm in mij. Leeft Lorne nog?"

Er was blijkbaar heel wat bedrijvigheid in Elleniaks buurt. Melchior hoorde het gebrul van zware motoren en tussendoor veel stemmen op de achtergrond. Waar bevond die kerel zich? Op een motortreffen?

"Wacht even, Melchior, ik verwijder mij even."

Melchior hoorde enkele geluiden die hij niet onmiddellijk kon thuisbrengen. Daarna ving hij het lawaai van een dichtklappende, zware deur op en alle storende elementen waren ineens verdwenen. Op datzelfde moment kwamen Raven en Kamen in Elm Road aan.

"Melchior?"

"Ja?"

"Dit is beter. Het was te druk buiten. Ik hou ervan mijn gesprekken ongestoord te kunnen voeren. Wat was uw vraag?"

"Leeft Lorne nog?"

"Ik moet u tot mijn grote spijt meedelen dat Lorne Dorganson gestorven is."

Melchior kneep de ogen hard dicht. Dit kon niet!!

"Smeerlap!"

"Ik hoop dat het verwijt niet aan mijn adres bedoeld is. Of had u het over Lorne zelf, wat ik ook sterk betwijfel. Er is nog een oplossing voor het – ons – probleem."

Melchior veegde tranen uit zijn ogen.

"Ik kom van Miles City. Ik heb met de oude indiaan gesproken."

"Hmm… Yellow Moon. Interessante kerel. Heb je voldoende informatie gekregen?"

Melchior haatte het irritante gedrag van Elleniak.

"Hij heeft me alles verteld. Je bent van plan mij te doden, te verbranden en dan te verpulveren. De as wordt in het handvat van de dolk gegoten en de dolk wordt op Lornes borstkas genaaid. Samen worden we begraven. Dat zijn jouw plannen, Todd, *dat* is jouw oplossing. Ik weet er alles over."

"Dat klopt, maar…"

"Je hebt Lorne al gedood. Je wacht nu enkel nog op mij!"

"Lorne werd niet door ons gedood, Melchior,' zei Todd zo rustig mogelijk.

"Wat?"

"Jouw vriend werd door ons benaderd en meegevraagd naar onze 'speciale' burelen in QuarTech. Dat klopt. Maar blijkbaar moet hij door iemand aangeraakt zijn, want hij is ontsnapt en heeft zich van op het dak van het gebouw naar beneden geworpen. Het is heel jammer, hij is het slachtoffer geworden van de situatie die jullie samen hebben geschapen," loog Todd, en vond van zichzelf dat hij erg overtuigend overkwam.

Melchior liet zijn hoofd enkele malen achteruit tegen de steun knallen. Dit ging verkeerd… helemaal verkeerd!

"Wat meer is, Melchior… wat Yellow Moon jou heeft verteld, is de waarheid. Wij waren inderdaad van plan Lorne te gebruiken, maar nu kan dit niet meer. Hij heeft zelfmoord gepleegd, zodat hij niet voldoet aan de voorwaarden om als houder van de dolk te fungeren. Hij kan zich niet langer als vrijwilliger aanbieden."

Melchior voelde zich verward worden. Het werd hem te veel.

"Kom hierheen, Melchior. Yellowmoon is volledig omsingeld. Niemand mag de stad binnenkomen of verlaten. Samen kunnen we voor een oplossing zorgen."

"ER IS GEEN OPLOSSING!" schreeuwde Melchior.

"Toch wel. Ik ben hier omringd door mensen met ervaring in het occulte van verschillende indianenstammen. Zij zijn ervan overtuigd dat zij over de mogelijkheid beschikken jou van Dae Nhemm te verlossen."

"Gelul! Yellow Moon verzekerde mij dat er slechts drie mogelijkheden zijn."

"Melchior… ik lul niet, om jouw woorden te gebruiken. Yellow Moon is iemand die in de vorige eeuw heeft geleefd. Ondertussen zijn we honderd jaar verder in de tijd. Er bestaan nieuwe methodes. De mensen die mij begeleiden, zijn daartoe in staat. We hebben niet veel tijd meer. De epidemie die jij veroorzaakt hebt, neemt in Yellowmoon een enorme omvang. Je hebt zelf gezien tot wat Dae Nhemm in staat is."

Melchior kneep opnieuw zijn ogen hard dicht, als wilde hij de beelden

472

die zich in zijn hoofd opdrongen, op die manier verdrijven: de autobrand waarin Hanna Khanlowksi omkwam… het verkeersongeval met de zwangere vrouw… een totaal verhakkelde Haylan Rasschino op de stoel in zijn hok…

"Denk aan jouw ouders, Melchior."

Zijn ogen flitsten open. Dat deed pijn! In zijn hart, hoofd en borstkas. Dat deed verdomme veel pijn!

"Laat hen met rust, rotzak!"

"Ik doe jouw ouders niets, Melchior, maar dat kan ik niet beweren van de epidemie."

Melchior zag Eve in de keuken bezig en Abraham voor de televisie. Het beeld dat hij zo gewoon was en hem al die jaren als saai en kleinburgerlijk was overgekomen, gaf hem nu zo'n zalig gevoel. Thuis. Dat was zijn *thuis*! De plaats waar hij altijd naartoe kon! De plaats waar hij was opgegroeid en waar zijn ouders voor hem hadden gezorgd. Zij waren er altijd voor hem geweest. Hij had het altijd op die manier meegemaakt, van bij zijn geboorte!

De tranen rolden over zijn wangen.

"Ik kom eraan…" zei hij zacht en klapte de gsm dicht.

Todd keek op toen Sarge hem benaderde. Hij stond ondertussen alweer buiten de trailer. De man leek gehaast en Todd was blij dat hij net het goede nieuws van Melchiors komst ontvangen had.

"Sir?"

"Jawel?"

"Wij hebben twee mensen staande gehouden. Die willen u spreken. Een man en een vrouw. Zij beweert van de politie te zijn."

"Een mooie vrouw?"

"Eh… ja… inderdaad."

"Dan zal dat Raven wel zijn. Ik verwachtte haar al. Ze stelt mij niet teleur. Laat hen komen. Perimeter van vijf meter rond mij, zorg voor begeleiding."

"Sir!"

Sarge draaide zich om en holde terug naar de plaats waar hij vandaan kwam. Todd vond dat het dan toch nog goed verliep. Candice hield zich in de trailer op. Zo was hij van haar mekkeren af. Nu kon er volgens hem niet veel meer verkeerd lopen.

Melchior hield halt omdat de militairen die County Route 332 afsloten, hem dat bevolen. Hij wilde hun aantal niet tellen. Allemaal zwaarbewapend. En tientallen HumVee's om desnoods een achtervolging te starten. Er stond geen enkele andere wagen in de buurt. Niemand die ter plaatse was gebleven om te zien wat er aan de hand was. Geen picknickers, geen jengelende kinderen. Geen achtergebleven nieuwsgierigen. Melchior vroeg zich onmiddellijk af of iedereen dan zomaar terugreed waar ze vandaan kwamen. Het militaire optreden rond Yellowmoon werkte dus erg efficiënt. Hij stopte zo'n tien meter van de eerste wachtpost en draaide zijn raampje open. Eén soldaat kwam tot naast de wagen, maar hield toch een veiligheidsafstand.

"Terugrijden. Dit gebied wordt afgesloten."

"Ik moet naar Todd, mijn naam is Melchior Multcher."

"Naar wie?"

"Jullie baas, de overste… Special Agent Todd Elleniak."

De soldaat draaide zich om, liep tot bij de groep en even later begon iemand een telefonisch gesprek. Dat duurde niet lang en de soldaat kwam terug.

"Je mag doorrijden. Stapvoets. En blijf in de wagen. Je rijdt via Elm Road naar QuarTech. Begeleiding nodig?"

"Ik ken de weg."

Melchior begon het raam dicht te draaien. Toen er nog een opening van tien centimeter was, dook een simpele vlieg achter zijn hoofd de wagen binnen.

Raven Daramantez werd met Will Kamen aan haar zijde tot voor Todd Elleniak geleid. Hij stond nog steeds naast de trappen van de trailer, alsof hij het niet aandurfde zich ver uit de buurt van zijn kantoor op wielen te wagen. 'Sir' en Sarge hielden hen op de veilige en door Todd gevraagde afstand. De twee anderen, Ron en Wolf, vormden de achterhoede. Kamen voelde zich niet helemaal veilig, maar blijkbaar stelde Raven zich daar geen vragen bij. Die kerels hadden wapens, en die waren op hen gericht. Hoe bleef zij zo kalm?

Todd wachtte hen ogenschijnlijk goedgehumeurd op. Toen ze uiteindelijk een stilstaande groep vormden, stak Raven onmiddellijk van wal. Het spelen was voorbij. Ze spreidde haar armen, zwaaide die in het

rond en vroeg:
"Kun je ons nu eindelijk eens vertellen waar het hier allemaal over gaat? Iedereen helpt zichzelf van kant?! Wat moeten al die militairen hier?"
Todd schonk haar een korte glimlach.
"Luitenant Daramantez. Je blijkt een dame te zijn die blijft doorzetten. Ik meen mij echter te herinneren dat ik jou alles eerder heb uitgelegd? Het CBS-Liquidium? Chaos By Suicide. Haylan Rasschino en zijn contacten met een terroristische eenheid? Verspreiding van een zelfmoordepidemie enkel maar door contact met de blote huid? Als je om je heen kijkt, rinkelen er dan nog geen belletjes, luitenant?"
Raven voelde zich razend kwaad worden. Die kerel hield hen gewoon voor de gek.
"Hetzelfde gelul, ja. Wat met de militairen, Todd, de militairen? Wat gebeurt hier? Waarom is Yellowmoon afgesloten?"
"De epidemie heeft zich razendsnel uitgebreid, zoals u ongetwijfeld zelf hebt kunnen zien. Die moet ingedijkt worden. Ik veronderstel dat u er volledig mee akkoord gaat dat dit niet buiten de grenzen van Yellowmoon mag gaan?"
"En hoe denk je dat te zullen realiseren?" vroeg Raven met de handen in de heupen.
"Op dit moment kan iedereen die vrij rondloopt reeds besmet zijn. Niet *iedereen* die aangeraakt is, pleegt onmiddellijk zelfmoord. Sommigen wel, anderen raken eerst nog even vrienden, familie of kennissen aan en verspreiden op die manier de epidemie razendsnel. Er is ons tot op heden ook nog geen enkele manier bekend om op te sporen wie besmet is of niet. Niemand is momenteel nog te vertrouwen."
"Dus, wat bedoel je nu eigenlijk, Todd… iedereen samendrijven en trachten te genezen?"
De glimlach om Todds mond verdween.
"We hebben nog geen tegengif kunnen ontwikkelen, niet in dit stadium. Er is geen genezing mogelijk."
Raven keek om zich heen. Haar ogen gleden over Kamen, die het blijkbaar nog niet doorhad, naar de zwaarbewapende militairen. De vele HumVee's en de gigantische bulldozers. Verderop zag ze twee grote, zwarte vrachtwagens, met opleggers voor het vervoer van vloeistoffen. Vrachtwagens zonder enig opschrift, noch op de cilindervormige oplegger, noch op de trekker. Ineens kreeg ze het ijskoud.

"Maar... dan..."

Todd liet een lange zucht ontsnappen.

"Luitenant, eigenlijk verliezen wij momenteel tijd. Dit dorp is verloren. Niemand haalt het. Uiteindelijk zal iedereen zichzelf om zeep helpen. Dit Liquidium is de ergste nachtmerrie die ooit werd ontwikkeld. Ik zorg er enkel voor dat de epidemie niet buiten Yellowmoon gaat."

"Je bent van plan iedereen te doden?" vroeg Raven met trillende stem.

Todds uitdrukking op zijn gezicht veranderde niet. Hij vroeg enkel:
"Als je een verantwoordelijkheid hebt zoals die van mij, zou jij dan niet hetzelfde doen?"

"Dat is onmenselijk!!" riep Raven.

Todd bleef rustig. Vanuit zijn ooghoeken zag hij dat twee van de militairen hun wapen iets meer naar voren staken, in Ravens richting.

"Onmenselijk, zeg je? 'Noodzakelijk' is een betere omschrijving van de situatie. Het is primordiaal het virus hier te houden, luitenant. Gelijkaardige 'noodzakelijkheden' zijn eerder voorgevallen, in vrijwel identieke omstandigheden. Herinner je je Zaïre in 1976 en het Ebola-virus? Het epicentrum van de epidemie was het ziekenhuis van Yambuku, een missiepost die door Belgische nonnen aan de Ebola rivier werd geleid. Binnen de tien dagen had het virus zich verspreid in 55 nabijgelegen dorpen. Het leger werd ingezet. Iedereen die het versperde gebied wilde verlaten, werd neergeschoten. En nu..."

"Nu zijn er andere methodes!" onderbrak Raven hem.

"Zoals?"

Ravens ogen flitsten van links naar rechts. Op die vraag, bestaande uit één enkel woord, had ze niet onmiddellijk een antwoord.

"In dit geval is er slechts één efficiënte methode, luitenant."

Het oogcontact tussen Todd en Raven dat op die woorden volgde betekende voor beiden heel veel, hoewel niemand anders dat zo ervoer. Zij haatten elkaar, dat was een absolute zekerheid. Todd opende traag zijn vest en haalde een wapen uit een holster dat daaronder verborgen zat. *Een Smith &Wesson, model 66. Waarschijnlijk een .357 Magnum.* Dat ging allemaal vliegensvlug door Ravens hoofd. Hij richtte de revolver op de vrouw en haalde de trekker over. Raven Daramantez werd in het midden van haar borstbeen geraakt en door de kracht van de inslag achterovergeworpen. Ze kwam languit op haar rug terecht. Het bloed gutste uit de immense wonde en ook onder haar lichaam vormde zich een steeds groter wordende plas. Raven hoestte éénmaal bloed op, bespatte daarmee haar fraaie gezicht en stierf. Will Kamens mond viel open. Totaal van slag keek hij naar Todd, die nu hetzelfde wapen op hem had gericht.

"Zoals ik eerder zei, luitenant: niemand is nog te vertrouwen."

De kogel die zijn hoofd deed openspatten, zag Kamen niet aankomen. Zijn lichaam was al dood eer het de grond raakte. Special Agent Todd Elleniak borg zijn wapen weg. Hij gebaarde naar de twee lijken op de grond en zei:

"Zover zijn we reeds, mannen. Dat zijn twee mogelijke verspreiders minder. Jullie kennen de bevelen. Iedereen in dit dorp wordt als besmet en dus uiterst gevaarlijk beschouwd. Iedereen is een doelwit en moet sterven. Geen uitzonderingen. Er is geen tegengif. Zorg dat er geen contact met de huid is. Niet met de levenden, en niet met de doden. Dit is in het belang van de ganse natie. Ik weet dat het geen prettige opdracht is, maar doe wat jullie werd opgedragen."

Melchior reed in de richting van QuarTech terwijl de zenuwen zich rond zijn maag samentrokken. Er was geen haast bij want Todd had beloofd zijn ouders niets aan te doen. Maar toch geloofde hij de man niet, vandaar de spanning in zijn buik. Overal zag hij militairen die zich bewogen alsof ze in een oorlogsgebied opereerden. Er was iets vreemds aan de hand. Waren die mensen ingezet om zoveel mogelijk inwoners van Yellowmoon in veiligheid te brengen? Melchior zag hen toch huizen binnengaan. Waarom dan die zware wapens? De vlieg van daarnet rustte ondersteboven tegen de schuin aflopende achterruit van de Firebird.

Niemand had verwacht dat zich iets van die aard in Yellowmoon kon ontwikkelen. Niemand begreep waarom de zwaarbewapende militairen onschuldige mensen overhoop schoten. Niemand stelde zich vragen, want daarvoor was er geen tijd. De loop van de machinegeweren werden op hen gericht. Terwijl Todd zich rustig bovenaan de trap aan de trailer bevond en op de komst van Melchior Multcher wachtte, slachtten de militairen in zijn opdracht de ongeveer drieduizend inwoners van Yellowmoon af. Er was niemand die iemand anders kon helpen, want iedereen was een doelwit. Niemand bleef gespaard.

Kinderen, vrouwen, ouderen. Iedereen werd zonder enige vorm van uitleg met kogels doorzeefd. Alle huizen werden van boven tot onder doorzocht. Van kelder tot zolder en omgekeerd. Alle bijgebouwen en garages. Schuren en hokken. De militairen waren goed uitgerust. Er werd gebruikgemaakt van breekijzers en stormrammen om gebouwen binnen te dringen. Sommigen droegen gasmaskers en granaten bij zich. Heel wat deuren, poorten en vensters sneuvelden voordat de eigenaars zelf werden gedeletet. Nadat de eerste ploeg het grove werk had gedaan, werden dezelfde woningen nogmaals doorzocht door een tweede ploeg, die vervolgens alles (wat de eerste mogelijk over het hoofd had gezien) afwerkte. Mensen schreeuwden, huilden en tierden. Ze probeerden hun kroost te beschermen. Sommige dapperen probeerden weerstand te bieden door zelf naar het wapen te grijpen, maar binnen de kortste keren werden zij omvergemaaid. De overmacht was te groot. De slachting verliep desastreus voor de inwoners van Yellowmoon. De cirkel van soldaten rond het stadje werd steeds kleiner naarmate zij vorderden. Alles verliep volgens een nauwgezet en enorm accuraat opgesteld plan. Iedereen had zijn straten, iedereen had zijn eigen wijk. Met z'n allen kwamen de burgers om. Ook alle inwoners en het volledig verplegende personeel van het bejaardentehuis op Centennial Avenue. Alle aanwezigen in de kinderopvang op Dragonfly Road, de aanwezige kinderen, het opvangpersoneel en de ouders die er in paniek hun kinderen kwamen ophalen. Iedereen die aanwezig was in een speciale kerkdienst die op dat moment naar aanleiding van de gruwelijke zelfmoorden in Church Street werd gehouden. De slachting was alom en nietsontziend. Niet iedereen liet zich echter zomaar neerschieten. Er waren zelfs mensen die probeerden te vluchten door in hun wagen te springen en weg te rijden. Na een dolle rit van nauwelijks vijftig meter kwam hun voertuig tot stilstand, doorboord met kogels of mortieren, net als zijzelf. Overal klonk het geluid van brekend glas, versplinterend hout en het schreeuwen van mensen. Het kreunen van gewonden was er niet, niemand bleef in leven omdat telkens een allerlaatste schot in het voorhoofd werd gegeven. De grootste weerstand ondervonden de soldaten wanneer zij het politiekantoor en het gemeentehuis op Park Lane 'onder handen wilden nemen'. Zowel de politiemensen als de leden van de gemeenteraad probeerden zichzelf en hun dorp te verdedigen, maar alles was tevergeefs. Na een kort, maar heel intensief vuurgevecht waarbij auto's, ramen, deuren en zelfs volledige interieurs aan duizenden splinters werden geschoten, diende de overwinning eens te meer aan de militairen te worden toegeschreven. Zij gebruikten ongezien zware wapens die zelfs van bepaalde gebouwen nauwelijks iets herkenbaars achterlieten.

Niemand bleef overeind.

Drummie, het Maltezertje van Dyanna Linther, kefte heftig toen de soldaten het appartementsgebouw binnendrongen vanwaar Haylan Rasschino zich als eerste had afgeworpen. Maar het dappere hondje was niet in staat haar bazinnetje te verdedigen. Noch haar bazinnetje, noch gelijk welke andere inwoner van het blok. Sommigen kwamen – nieuwsgierig naar het helse lawaai in het gebouw – uit hun flat naar buiten en werden onmiddellijk afgemaakt. Anderen poogden zich in hun kleine woonst te verbergen, maar de gloeiende kogels doorboorden alles, ook hun bevende lichamen.

Bernie Khanlowski, Hanna's man, werd op een laffe wijze in de rug geschoten toen hij naar zijn lievelingswagen stond te kijken. Zomaar. Met de handen op de heupen bekeek hij zijn Chevrolet BelAir toen de gewapende mannen ongemerkt zijn garage binnenstapten. Door de inslag van de kogels werd hij vooruitgeslingerd en kwam tegen de zijkant van de Chevy terecht. Zijn bloed bespatte zowel het koetswerk als het interieur van de prachtige wagen. Hij viel opzij, veroorzaakte daarbij nog enkele rode vegen en bleef dood op de brede voorbumper liggen.

Eva Multcher stierf terwijl de kogels door het glas in haar lichaam insloegen. Zij was ondanks alle beroering in de keuken met het voorbereiden van het avondeten bezig. Haar bloedspattende lichaam werd achteruitgeslingerd en kwam languit bovenop de keukentafel terecht. Abe Multcher had zich al geërgerd aan het uitvallen van de electriciteit. Nu geraakte hij niet op tijd uit zijn zetel om te zien wat al dat afschuwelijke kabaal was. Opeens hoorde hij het kraken van hout en stonden twee militairen voor hem. Er werden twee geweren op hem gericht. Een op zijn borstkas en één op zijn gezicht. Daarna hield voor hem het bestaan op.

Melchior was de zich insluitende cirkel van het doodseskader voor, zodat de slachting zich achter hem afspeelde. Hij had wel enkele wagens gezien die halsoverkop de andere richting uit reden, maar had er verder geen aandacht aan geschonken. Hij concentreerde zich op de weg voor hem.

- Ga even opzij. -

Melchior schrok op van Dae Nhemms stem. Hij trapte op de rem en zette de wagen aan de kant.

"Wat scheelt er?"

- Bekijk jezelf, Melchior. -

Melchior bleef voor zich uitkijken. De zon liet steeds minder van zichzelf zien en achter hem werkte de nacht gestaag aan de opmars. Straks zouden de groene lampen in het vooruitstekende bureel van QuarTech aangestoken worden zodat het geheel er als een moderne versie van een spookkasteel zou uitzien. Uiteindelijk keek hij toch naar zichzelf in de achteruitkijkspiegel. Melchior schrok niet echt van wat hij zag, want hij had het verwacht. Achter het stuur van de Firebird zat niet langer Melchior Multcher, maar de vleesgeworden versie van de indiaanse demon.

- Zover zijn we gekomen, Melchior. Ik ben jij, jij bent ik. Wat ben je van plan?"

"Ik rij naar QuarTech en lever mezelf over aan Todd. Hij zal zorgen dat jij uit mij verdwijnt."

Melchiors stem trilde terwijl hij sprak.

- Geloof jij hem? -

Melchior reageerde daar niet op.

- Denk je dat ik je dat zomaar zal laten doen? -

Nogmaals een vraag zonder reactie. Melchior vermoedde wel dat Dae Nhemm zijn uiterste best zou doen. De demon zou alles proberen om te beletten dat Melchior zijn plannen uitvoerde, wat die ook waren. Waarom had hij dan toegelaten dat de jongen zo dicht in de buurt van QuarTech geraakte? Of was de overname van zijn lichaam nog niet volledig? Of anders: van het lichaam misschien wel, maar nog niet van de geest, de ziel? Melchior trok zijn ogen van het lelijke, magere gezicht in de kleine spiegel weg, en schakelde de versnellingspook in de 'D'-stand. Hij wilde geen tijd meer verliezen, want hij voelde dat hij niet ver naast de waarheid zat: hij had nog steeds grotendeels beschikking over zijn eigen wil... maar voor hoelang nog? Hoelang kon hij zijn gedachten nog volledig voor de demon afsluiten?

Hij draaide de weg op en keek om zich heen. Zijn ogen speurden de avondlijke omgeving af naar de gigantische antenne bovenop het dak van QuarTech. De hoofdbaan volgen betekende enkel tijdverlies. Dus draaide hij aan het stuur en hotste van County Route 332 naar rechts een landwegel op.

Todd Elleniak opende het deksel van zijn mobieltje en bracht het toestel tot tegen zijn hoofd. Volgens de laatste berichtgeving verliep de ontmanteling van het dorp perfect. Er was heel weinig verzet, wat hij verwacht had. Geen verzet, en ook geen andere moeilijkheden. De toegangswegen bleven afgezet, zodat niemand erbij kon, maar ook niemand weg kon.

"Ik luister."

"Ben je er nog? Ik kom eraan!"

Todd rechtte zijn rug.

"Melchior?"

"Verwacht je nog iemand anders?"

"Waar ben je?"

"Ik rij momenteel… Desert Street in!"

Melchior hoorde papieren ritselen. Zocht Todd op een plan?

"Dat is vlakbij?!"

"Inderdaad, heel dichtbij, ik draai nu zelfs Holmen Street in… en ik… stop!"

"Waarom?"

"Omdat ik wil dat jij me persoonlijk ontvangt."

Even was er stilte.

"Dat is geen enkel probleem, Melchior. Je volgt Holmen Street en rijdt de terreinen van QuarTech op. Tegen de gebouwen staat een grote, zwarte trailer. Ik wacht onderaan de metalen trap. Je kunt me niet missen, ik ben de enige persoon in de buurt met een maatpak aan. Natuurlijk ben ik er niet alleen, dat begrijp je wel."

"Dat begrijp ik."

"Ben je er klaar voor, Melchior? Heb je nog vragen?"

"Ik ben er klaar voor. Ik weet dat wat ik van plan ben te doen, de enige juiste oplossing van het probleem is."

Todd zocht naar de betekenis achter die woorden. Hoorde hij twijfel, of achterdocht? Of was het net een absolute zekerheid die hij liever niet had gehoord?

"We wachten jou op, Melchior. Na jouw aankomst vangen we onmiddellijk aan met het verwijderen van de demon uit jouw lichaam. De mensen hier hebben alles in gereedheid gebracht."

"Goed… goed… eh, Todd?"

"Jawel?"

"Mijn ouders? Is alles goed met hen?"

"Natuurlijk… waarom die vraag?"

"Omdat ik nogal veel, zwaarbewapende militairen heb gezien. Die gedroegen zich niet alsof ze met een humanitaire operatie bezig waren."

"Zij hebben de taak ervoor te zorgen dat niemand het dorp verlaat. Eerst moet alles tot rust komen. Eerst moet het Derde Luik van het project afgewerkt worden, en dat is net waarom jij hier nodig bent."

"Op jouw trailer, staan daar twee schotelantennes?"

"Wat?"

Todd keek naar het dak boven zijn hoofd. De vraag verraste hem.

"Dat is inderdaad zo. Waarom nu die vraag?"

"Vanwaar ik nu sta, zie ik in de verte de gebouwen met daarvoor inderdaad een zwarte trailer. Zorg dat je buiten staat, Todd, anders rij ik gewoon rechtdoor en zie je mij nooit meer terug."

"Ik zal er zijn."

"Tot straks."

Melchior klapte zijn gsm dicht en wierp die achteloos naar achteren. Hij had het toestel niet meer nodig. Niet met wat hij van plan was. Het apparaatje botste tegen de achterruit en de geschrokken vlieg duwde zich van het glas weg. Het insect vloog rusteloos binnenin de wagen rond. Melchior kromde zijn vingers rond het stuur. Niet meer twijfelen. De zenuwen rond zijn maag trokken zich mogelijk nog strakker samen. Eén blik in de spiegel vertelde hem genoeg: hij had de juiste beslissing genomen. Yellow Moon had gelijk: er was geen terugweg mogelijk.

Hij trapte het gaspedaal tot op de vloer.

De achterbanden van de Firebird spinden even waardoor witte rook in de wielkassen opwolkte. De achterkant zwenkte opzij, maar Melchior stuurde bij. De wagen schoot uiteindelijk vooruit. De jongen hield het pedaal hard tegen de vloermat aangedrukt.

- *Je gaat zo hard, is dat nodig?* -

Dae Nhemm wikkelde zich in zijn geest. Melchior deed zijn uiterste best om hem te negeren. Hij wilde enkel recht voor zich uitkijken en rijden. Het enige wat effectief telde.

- Je rijdt te vlug, Melchior, dat is toch overbodig, straks gebeuren er onge-lukken! -

Melchior kneep hard in het stuur en probeerde zich op zijn doel te concentreren: de zwarte trailer die nog een ferm stuk van hem verwijderd was. Maar hij haalde snelheid. De oude, maar nog steeds krachtige motor van de Firebird loeide hard en bewees de gevraagde dienst door de wagen steeds sneller te laten rijden. Hij wilde zich door niets laten afleiden. Maar hij had problemen met enkele beelden die hem voor de geest schoten, wat echter – tot zijn grote blijdschap – bewees dat het nog steeds *zijn* geest was, niet die van Dae Nhemm. Daar verscheen Ottie Pelch, wiens wagen hij momenteel bestuurde. Die wees hem terecht omdat hij de pompen niet goed afsloot. Ook Lorne Dorganson kwam gedag zeggen, hij zat in zijn smerige woonkamer met zijn smerige kleren aan zijn lijf gekleefd. Op de kleine tafel vóór hem lag een verschrompelde pizzapunt in een open kartonnen doos vol vlekken. Melchior zag vervolgens zijn ouders zoals hij die in de beste omstandigheden kende: zijn moeder in de keuken en zijn vader in de sofa voor de televisie. Geen afleiding! Melchior kneep de ogen hard dicht en voelde traanvocht tussen de oogleden.

"Harder!" schreeuwde hij en de beelden uit zijn verleden vervaagden onmiddellijk.

- Haal je poot van de gas, sukkel! -

"Laat me!"

- Je... bent andere dingen van plan?!-

Melchior reageerde niet, hoewel hij voelde dat Dae Nhemm zich in zijn hoofd enorm opwond. Blijkbaar voelde de demon dat het niet goed ging. Hij voelde duidelijk aan dat Melchior van plan was zaken te ondernemen waar hij niet aan had gedacht.

- Je rijdt je te pletter! -

"Inderdaad! Rotzak!"

Melchior kneep als bezeten in het stuur omdat de demon zich werkelijk als een duivel inspande om zijn wil, verstand en ziel tegelijk over te nemen. Dae Nhemm had blijkbaar niet gedacht dat Melchior tot iets dergelijks in staat was. Maar als de jongen erin slaagde zichzelf kapot te maken, betekende dat ook het einde van zijn heerschappij op Melchiors lichaam, geest en ziel. Dus stelde de demon alles in het werk om een zelfmoord tegen te gaan.

Todd Elleniak was ondertussen onderaan de trap van de trailer aangekomen. Vanwaar hij stond, zag hij in de verte een wagen naderen. De snelheid waarmee de knalrode Pontiac Firebird over het wegdek snorde, baarde hem op dat moment nog geen zorgen, er waren namelijk veel militairen in zijn nabijheid. Melchior vocht tegen de pogingen van Dae Nhemm om hem volkomen te overmeesteren. Hij voelde hem in al zijn aderen, spieren en weefsels wriemelen, als wilde die Melchior millimeter per millimeter volledig inpalmen. Maar de jongen hield stand met het laatste beetje vrije wil waar hij nog over beschikte. Zijn ogen flitsten van de trailer in de verte (een echte 'tunnelvisie', want zowel links als rechts stonden HumVee's en militairen) naar de achteruitkijkspiegel. In de vreemde ogen, die niet langer van hem waren, zocht hij toch nog naar het laatste greintje Melchior Multcher die er mogelijk nog in aan te treffen was. Hij had namelijk alle kracht nodig om zich tegen de woedeuitbarstingen van de demon te verzetten en tegelijk de wagen op het juiste pad te houden.

"Die kerel rijdt wel erg snel, Sir."

De opmerking van de man die naast hem stond, zette Todd aan het nadenken. 'Erg snel' was een juiste omschrijving. Iemand kon zich haasten om ergens te geraken, maar dit leek nergens op. En toen de Firebird eventjes van de ene naar de andere kant over de weg slingerde, hield Todd op met denken. Hij wist dat Melchior zijn woord niet hield. Als de drager gedood werd, kon Todd nog over de demon beschikken, maar niet bij een zelfmoord. En dat was die klootzak dus duidelijk van plan. Zijn mening was gevormd. Dat had die rotzak dus bedoeld. Todd zoog lucht naar binnen, opende zijn mond en schreeuwde:

"Hij stopt niet! Schiet hem neer!"

De man naast Todd – die ondertussen op de trap van de trailer holde – schreeuwde bevelen in de radio die naast zijn hoofd in een houdertje op zijn schouder was bevestigd. Geweren werden omhooggetild. Melchior – en ook Dae Nhemm – zag wat er gebeurde. Hij schatte de afstand nog nauwelijks honderd meter. De demon schreeuwde en gilde binnenin Melchior en trok figuurlijk zijn lichaam aan rafels. Hij besefte dat Melchiors zelfmoord ook *zijn* einde betekende. De jongen hield zich sterk, ongelooflijk sterk. Hij wilde dus sterven. Melchior plooide voorover naar het stuur en tierde zijn keel schor. De onrustige vlieg ging op zijn wang zitten. Hij wuifde met zijn ene hand en tikte daarmee de vlieg weg, die door het open zijraam naar buiten werd gezogen.

De eerste kogels sloegen in de voorruit. De Firebird had ondertussen een enorme snelheid. Melchior keek nog even boven het stuur en zag dat hij nog steeds op de trailer afstevende. Daarna liet hij het stuur los en kantelde de bestuurdersstoel zover mogelijk achterover. Tientallen kogels sloegen in de voor- en zijkanten van de wagen. Todd schreeuwde bovenop de trap dat zij hem moesten doden eer hij zichzelf vernietigde, anders was alles verloren. De militairen vuurden daarom à volonté op de wagen. De kogels boorden zich in het metaal, de ramen spatten kapot.

Toen het rechtervoorwiel aan flarden sprong, week de wagen naar rechts af en scheerde rakelings langs de trailer. Todd keek vanuit zijn hoge positie op de trap in de wagen, naar de achteroverliggende Melchior Multcher die naar hem glimlachte. Hij wuifde ook even met een krampachtig opgestoken, bebloede rechterhand. Het lichaam van de kerel – hoe lelijk en mager het ook was – was op verschillende plaatsen getroffen door de kogels die door het metaal heen waren gedrongen, maar hij leefde nog. Hun ogen ontmoetten mekaar. Todd las er in een fractie van een seconde spijt, verdriet en wanhoop in. Onmiddellijk daarna knalde de rode Firebird met volle snelheid tegen de zijkant van een van de bulldozers die verderop geparkeerd stond. De wagen plooide als een harmonica in elkaar, waarbij de achterkant omhoogkantelde en tegen de bovenste rand van de rupsbanden terechtkwam.

Todd sprong van de trappen en gilde:

"Schiet hem dood, misschien leeft hij nog!"

Enkele militairen holden naar de totaal verhakkelde wagen, maar deinsden terug toen die plotseling door een wolk van laaiend vuur omgeven werd. Er klonk een enorme knal toen de benzinetank openbarstte. Het vuur verspreidde zich zowaar nog vlugger. De militairen renden onwetend over hun volgende taak rond het brandende voertuig tot een duidelijk teleurgestelde Special Agent Todd Elleniak hen terugriep met de woorden:

"Laat maar branden, het is nu toch te laat."

Tot diep in de nacht duurden alle eliminatieactiviteiten in Yellowmoon. Het Derde Luik van het project was dus een totale mislukking, maar toch slaagde Todd Elleniak er in de epidemie binnen de grenzen van Yellowmoon te houden. Was hij er niet in geslaagd het Derde Luik van het Project tot een bevredigend einde te brengen, hij kon toch het voorkomen van de uitbreiding van de epidemie op zijn palmares schrijven. Het incident met de knalrode Firebird die zichzelf te pletter reed tegen een bulldozer, was voor iedereen – buiten Todd zelf – een akkefietje. Het afslachten van alle inwoners van Yellowmoon was dé echte opdracht, omdat behalve Todd en Candice niemand anders wist waar alles eigenlijk wél over ging. Zij waren de enige aanwezigen die wisten wat de waarheid was. Niemand van de militairen werd gewond of aangeraakt. Het was even na halfeen 's nachts toen Todd het bericht kreeg dat er niemand meer in het dorp in leven was. Iedereen was gedood. Meerdere lijken werden voor medisch onderzoek door gespecialiseerde teams meegenomen.

Ondertussen hadden de grote bulldozers tientallen immense putten gemaakt in de vrije gronden naast QuarTech. Honderden lijken, ook dat van Raven Daramantez en Will Kamen, werden daarin gedumpt. Heel nauwkeurig werden alle huizen en aanhorigheden doorzocht tot er geen enkel lijk meer aan te treffen was. De lijkputten werden vervolgens overdadig besproeid met benzine, afkomstig uit de vrachtwagens die Raven eerder had opgemerkt. Daarna kwam het vuur. Het allesverterende, bijtende en vernietigende vuur. De vlammen laaiden hoog op.

Vanuit zijn kleine kamer in Miles City zag de oude Yellow Moon dat de hemel boven Yellowmoon rood opgloeide. Hij meende te weten wat dat betekende. Hij wist ook dat de vriendelijke jonge kerel hem nooit meer zou bezoeken. Naar het al dan niet verder bestaan van Dae Nhemm had de oude indiaan enkel het raden.

De ganse nacht werd doorgewerkt. Naast de brandputten kwamen er ook vlammenwerpers aan te pas. De stank van verbrand vlees was nauwelijks te harden en verving bijna de volledige luchtlaag in de nabije omgeving. Iedereen werkte koortsachtig vlug, want de nacht zorgde nog een beetje voor beschutting. Tegen de ochtend reden de bulldozers de brandputten binnen en schepten de verbrande resten op. Deze werden in een machine gedumpt die op een grote betonmolen geleek, maar eigenlijk een immense verbrijzelaar was. Die was daar in de loop van de nacht gekomen. Alles wat nog restte van de inwoners van Yellowmoon, werd gepiet, vermalen en verbrijzeld tot er – onvoorstelbaar – nog drie grote containers met grijze pulp overbleven. Deze werden zorgvuldig afgesloten, opgeladen en vervoerd naar een voor alle militairen onbekende plek.

Dagen later, maar dat wisten enkel bepaalde medewerkers van Todds team, kwamen de doden terug naar Yellowmoon. De pulp werd na onderzoek in speciaal afgesloten vaten geperst. Die werden dan begraven in dezelfde putten waarin de lijken werden verbrand. Begraven is een slechte omschrijving: de putten met daarin een kleine dertig vaten werden vol sneldrogend beton gestort. Tonnen aarde werden vervolgens over de betonlaag gestort en heel vast aangereden door dezelfde bulldozers die in eerste instantie de lijkputten hadden gegraven.

Tegen het middaguur van donderdag, de drieëntwintigste, was Yellowmoon enkel nog bezet door militairen, die alles opruimden. De taken waren goed verdeeld en Todd Elleniak, die hooguit drie uren had geslapen op een bank in de trailer, was tevreden. Candice had de plaats al eerder verlaten. Het dorp was nog steeds hermetisch afgesloten en dat zou ook zo blijven. Er waren nieuwe krachten onderweg met zes meter hoge, gekromde, betonnen dragers en een ontelbaar aantal enorme rollen prikkeldraad. Terwijl de militairen van het doodseskader zich klaarmaakten om te vertrekken, begonnen de pas aangekomen mensen aan hun eigen taak: Yellowmoon voor altijd van de buitenwereld afsluiten. Waar ooit de eerste cirkel van militairen rondom het dorp had gestaan, werden nu de palen in de grond gegoten, tot een stuk voorbij de gebouwen van QuarTech. Aan die palen, die naar binnen kromden en daardoor een gigantische koepel vormden, werd een ondoordringbaar netwerk van prikkeldraad bevestigd, met tien meter dieper – richting centrum – nogmaals een cirkel met palen en prikkeldraad.

Het was duidelijk de bedoeling ervoor te zorgen dat niemand zich naar binnen waagde. Aan de buitenkant van de eerste omheining werden om de vijf meter manshoge borden bevestigd met de waarschuwing het gebied niet te betreden. *Besmettingsgevaar.*

Todd gaf ook de opdracht de bijgebouwen van QuarTech met de grond gelijk te maken, de toegang tot het labyrint en de luchtkokers vol te storten met beton.

Vanaf dat ogenblik waren Yellowmoon en ruime omgeving voor altijd geboekstaafd als een totaal te mijden gevaarlijke spookruïne.

De kranten die de dagen daarna verschenen, hadden het over een waar cataclysme dat zich had voorgedaan in een dorp in het zuidoosten van de staat Montana. Alle onderwerpen in alle kranten handelden over het accidenteel uitbreken van een virus dat als omschrijving 'CBS-Liquidium' had. Dat was namelijk wat als officiële versie naar buiten werd gebracht, het resultaat van maandenlang voorbereiden van nauwkeurig uitgeplozen teksten. Er werden geen namen vermeld, ook niet in navolgende artikels of in verslagen door heethoofdjournalisten die er de zaak van hun leven wilden van maken. Iedereen werd teruggefloten, niemand bereikte wat van Yellowmoon overbleef. De eerste weken bleven er militairen in de nabije buurt. Zij vormden een perimeter rond de spookstad.

Volgens het officiële nieuws was één van de inwoners van Yellowmoon in contact gekomen met een terroristische eenheid die het op de brave burgers in de VS had gemunt. Zij hadden een soort vloeistof ontwikkeld die bij aanraking aanvankelijk gekheid veroorzaakte en vervolgens tot nooit eerder geziene massale zelfmoord leidde. De inwoner – die zijn medewerking aan de misdadige organisatie had verleend – was er tijdens zijn experimenten zelf het slachtoffer van geworden en stierf pas nadat hij enkele anderen had besmet. De epidemie verspreidde zich vervolgens enorm snel, maar het was dankzij een vakkundig en doortastend optreden van een speciale eenheid van de CIA dat de epidemie, die in staat was alle inwoners van de VS binnen de kortste keren uit te roeien, een abrupte halt werd toegeroepen. Volgens diezelfde officiële versie had de epidemie ter plaatse reeds aan ongeveer tweeduizendvijfhonderd mensen het leven gekost, waardoor de degelijkheid als oorlogswapen terdege werd bewezen. De rest van de inwoners van Yellowmoon is achteraf bezweken omdat er nog geen tegengif kon worden vervaardigd. De mensen van de CIA hadden, samen met honderden militairen, hun uiterste best gedaan om de gewonden te verzorgen en te begeleiden, maar alles bleek tevergeefs. Alle inwoners van Yellowmoon en eigenlijk iedereen die zich binnen de grenzen van het dorp bevond, werd het slachtoffer van een van de gevaarlijkste artificiële virussen die de mensheid ooit heeft gekend. Er verschenen tevens duizenden lofbetuigingen aan het adres van de CIA die er gelukkig in geslaagd was alles binnen de perken te houden.

Natuurlijk kwamen er in het begin massa's televisieploegen van de meest uiteenlopende netwerken langs. Uiteraard vanop een veilige afstand konden zij beelden maken, maar de journalisten waren furieus over het feit dat zij 1. niet dichterbij mochten komen en 2. dat er geen enkele overlevende was om te interviewen. Er was dus niemand buiten de authoriteiten om een gesprek mee te voeren over wat er met de bewoners van Yellowmoon was voorgevallen. Honderden camera's namen duizenden beelden. Helikopters van bepaalde netwerken probeerden over het terrein en de betonnen koepel vol prikkeldraad te vliegen, maar werden onmiddellijk weggejaagd door veel grotere, militaire hefschroefvliegtuigen.

En wie 'Yellowmoon' op Internet bij Google intypte, kon op ettelijke sites terecht. Zelfs de officiële (CIA)-versie vond men er terug. Natuurlijk werd er ruimte gemaakt voor forums. Iedereen had uiteraard een eigen mening. De versie die door de CIA werd afgeleverd, werd niet door iedereen zomaar klakkeloos aanvaard. De meningen over wat echt gebeurd was, varieerden enorm. Er was onder andere het bericht over het landen of neerstorten van een ruimteschip waarbij de inzittenden, buitenaardsen uiteraard, zich op hun eigen bezitterige manier over de inwoners hadden ontfermd. Het volledige mislukken van een genetisch experiment waarbij iedereen die in Yellowmoon woonde werd besmet, was ook een van de opties. Nog een andere veronderstelling was dat het ging om het afbakenen van een groot domein om iets monsterachtigs binnen te houden zodat het niet meer aan voedsel geraakte, en mettertijd omkwam. Veel ideeën staken de kop op en die werden druk bediscussieerd door degenen die zich daarmee wilden bezighouden.

Naar aanleiding van al die heisa wilden ramptoeristen uiteraard het getroffen dorp bereiken, maar de aanwezigheid van de onverbiddelijke en zwaarbewapende militairen bracht hen vlug op andere gedachten. Tientallen artikels verschenen in verschillende kranten, week- en boulevardbladen. Niemand twijfelde aan de mogelijke waarheid van de officiële versie. Niemand had een andere, eigen visie, want niemand had zicht op wat zich werkelijk had voorgedaan. Behalve natuurlijk een stokoude indiaan op een muffe kamer in een verzorgingstehuis in Miles City. Maar die wist heel goed dat niemand hem zou geloven. Dus zweeg hij.

Er kwamen een groot aantal protestbrieven bij de gouverneur van Montana van boze mensen die klaagden over het feit dat ze geen toestemming kregen om 'het graf' van hun familieleden te bezoeken. Uiteindelijk werd een gedenksteen opgericht die werd opgedragen 'Aan de slachtoffers van wat nooit had mogen zijn'. Tussen Kerstdag en Nieuwjaar van 2005 werden alle briefschrijvers persoonlijk uitgenodigd om dezelfde dag éénmalig hun rouw te komen betuigen. Die dag – onder nauwkeurig toezicht van de militairen – werden duizenden foto's en bloemen rond de gedenksteen met de vorm van een gigantische traan neergelegd. De steen werd midden op County Route 332 aan de kant van Garland geplaatst, daar waar de betonnen pijler uit de grond rees. De koude kon niet beletten dat duizenden mensen toestroomden en weenden om het verlies van wie zij hadden gekend en bemind.

De aandacht luwde zoals altijd bij grote evenementen en in de lente van het volgende jaar, 2006, trokken de militairen zich talrijk terug, zogezegd omdat het besmettingsgevaar grotendeels afgezwakt was. Ondertussen had men noodgedwongen zelfs County Route 332 omgelegd. Komende van Garland, maakten autobestuurders reeds enkele kilometers voor de perimeter westwaarts een omweg van tientallen kilometers rond Yellowmoon. Hetzelfde deden de wagens die vanuit Brandenberg kwamen, maar zij reden de omweg dan wel in oostelijke richting. Eind 2006 bevond zich nog een post van tien militairen op elk van de twee plaatsen waar vroeger County Route het grondgebied van Yellowmoon binnentrok. De natuur had reeds zijn uiterste best gedaan om de palen en de prikkeldraad te overmeesteren, en was daar grotendeels in geslaagd. In de lente van 2007 trokken alle militairen zich terug. De foto's rond de gedenksteen waren bleek geworden van het zonlicht of gewoon weggewaaid. De vele bloemen waren verrot en tot pulp herleid. De aandacht brokkelde nog verder af (ondertussen waren er veel ergere en grootsere zaken gebeurd die de ganse wereld door elkaar schudden) en tegen de herfst van 2007 waren de contouren van Yellowmoon nog nauwelijks zichtbaar. Waar zich ooit een dorp met bijna drieduizend inwoners bevond, ontwikkelde zich een woest, koepelvormig groengebied, waar de allesoverheersende plantenwereld zich met de prikkeldraad had bevriend tot een ondoordringbare jungle.

Woensdag, 22 juni 2005.

De vlieg die Melchior uit zijn wagen had gewipt, zat op één van de schotelantennes van de trailer. Toen Todd Elleniak naar buiten kwam om de aankomst van de tweede lading militairen te aanschouwen – die met de palen en de prikkeldraad – zette de vlieg zich in beweging. Ze dook langs het dak naar beneden en ging in Todds blote nek zitten. Dit was Melchiors tweede zelfmoord en een geschenkje voor Special Agent Todd Elleniak. Deze tweede zelfdoding liet alles wat mogelijk nog van de demon restte, volledig vervagen. De vlieg, die door de aanraking van Melchiors hand, een heel klein beetje van Dae Nhemm én daardoor ook een heel klein beetje van Melchior Multcher in zich had opgenomen, beet zich in Todds nek vast. Opzettelijk.

Onachtzaam sloeg Todd de vlieg tegen zijn nekvel dood. Hij veegde zijn hand aan een zakdoek af en hield zich verder met zijn handelingen bezig.

Door die aanraking maakte het heel kleine beetje Dae Nhemm de overdracht.

Een miniem klein deeltje.

Maar het *was* er... en het werkte in. Melchior wist dat het genoeg was.

Het duurde enkele weken.

Drie om juist te zijn. Het kleine deeltje van Dae Nhemm dat, samen met Melchior, de overgang had gemaakt, had heel wat tijd nodig om zich te ontwikkelen en de sterke geest van de man in kwestie over te nemen. Todd had ondertussen heel wat verslagen gemaakt en uren uitleg gegeven over zijn handelingen in Yellowmoon. Dae Nhemm ondernam nog enkel heel wanhopige en nauwelijks effectieve pogingen om zich verder te verspreiden bij elke aanraking die Todd pleegde, maar Melchiors wil kwam er telkens tussen. De overdracht was enkel voor Todd bedoeld. En Melchiors wil was en bleef op dat gebied sterk. Heel sterk.

Zaterdag, 16 juli 2005.

De zestiende juli van dat jaar, drie weken na de massale slachtpartij in Montana, bevond Todd zich in een hotelkamer in Londen. Hij vroeg zich niet af wat de bewegende, zwarte vlekken op de muren betekenden en nog minder waarom die grote, insectachtige beesten aan het plafond boven zijn hoofd hingen. Hij keek wel naar het scheermes dat hij in zijn handen hield. Hij begreep ook niet waarom hij naakt op de rand van zijn bed zat.

Nog minder begreep hij zichzelf toen hij zijn linkerbeen optilde, dat op zijn rechterknie legde en vervolgens dat been van bij de enkel begon te villen. Eerst zijn linker-, vervolgens het rechterbeen. Dan de beide armen. De borstkas en de buik volgden. Hij sneed hele stroken bloedende huid in repen van zijn lichaam en wierp die achteloos op het tapijt dat de vloer van de hotelkamer vulde. Met zijn rug en zitvlak had hij moeite, omdat hij geen zicht had op wat hij deed. Daarom doorkerfde hij met het mes zijn rug en scheurde er de huid in langgerekte flarden af. Voordat hij wankelend de kamer verliet, scalpeerde hij zichzelf en sneed hij zijn gezicht aan stukken.

Niemand zag hem zijn kamer verlaten, niemand merkte de afgrijselijke figuur op de trappen naar de hall. Strompelend en mummelend, volledig gevild en overdadig bloedend, overal rode vlekken achterlatend waar hij zijn voeten zette of waar hij zijn handen tegenaan kleefde, bereikte Todd Elleniak uiteindelijk Regent Street. Daar oogstte zijn verschijning heel wat opzien, gevolgd door een kakofonie van schreeuwen en roepen. Er liepen tientallen mensen voorbij de ingang van het hotel.

Uiteindelijk scheurden de spieren van het gewricht rond de linkerknie en Todd zakte hulpeloos in elkaar. Zijn gevilde hoofd raakte het voetpad. De kin kraakte van de rest van het hoofd af en rolde verderop, wat nog meer geroep en gegil uitlokte. Heel wat omstanders wisten niet wat hen te doen stond. Uiteindelijk werden de hulpdiensten verwittigd. Ondertussen lag Special Agent Todd Elleniak zieltogend dood te bloeden. Zijn ogen zagen enkel nog zwarte vlekken die rondom hem bewogen. Dat was de enige gewaarwording. Niets anders meer. Geen gevoel, geen gehoor, geen smaak. Enkel zicht op de vlekken. Er kwamen er steeds meer, waardoor het steeds donkerder werd.

Zijn hart hield op met pompen net voor de eerste ambulance er aankwam.

Van dezelfde auteur:

Erfenis (1999) - Roman - ISBN: 90-75212-18-6

... na de plotse dood van zijn vader keert Frank Rowland terug naar Rowland Mansion, de ouderlijke woning in Milltown (Kentucky) waar nog andere bewoners blijken te huizen. Zij gebruiken de donkere zolderruimten om Franks wereld én leven vanuit hun eigen dimensie te betreden. Het zijn de Lathorianen. Zij laten Frank 'nog' een erfenis na. Hun bedoelingen zijn echter desastreus. Frank wordt met zijn gezin in een angstaanjagende draaikolk van gruwel meegesleurd. Er volgen ijzingwekkende gebeurtenissen die escaleren tot een bloedstollende climax...

Het Pact (2000) - Roman - ISBN: 90-75212-24-0

... in Culverton (Oregon) bevindt zich een ondergronds complex, angstvallig afgeschermd van de buitenwereld. Vorsers verrichten er reeds sinds de vijftiger jaren wanhopig – en vruchteloos - onderzoek naar middelen om tijdens oorlogen militaire verliezen in te dijken. Ten einde raad sluit men in alle onwetendheid een verbond met het grootste Kwaad dat de wereld ooit heeft gekend. Dat houdt zich echter niet aan de afspraken en start een verwoestende en nietsontziende veroveringstocht...

Twijfelzone (2001) - Novellenbundel - ISBN: 90-75212-32-1

... in Twijfelzone wordt door de mensen die op de plaats van 'de feiten' aankomen, helemaal niet getwijfeld. Winnie Shankar wordt echter geconfronteerd met een gans andere invulling van diezelfde feiten.
Nachtloper
... Bill Corff ontmoet in Nachtloper een heel ongezellig creatuur dat hem vergezelt tijdens zijn nachtelijke rit door een duister woud.
Kinderfantasie
... de onderwijzeres AnnaBelle Sloathe straft in Kinderfantasie een pestkopje en opent daardoor poorten naar de wereld waar verlangens en fantasieën werkelijkheid worden. Er zijn beloningen, niet voor iedereen echter.
Heaven's End
... Heaven's End is een stoffig en onbelangrijk dorp waar in een ver verleden aan 'iemand' iets werd beloofd. Op een goede dag wordt die belofte waargemaakt, en dat zullen de huidige inwoners van Heaven's End weten.

Westhaven (2002) - Roman - ISBN: 90-75212-42-9

... het dorpje Westhaven (Kansas) wordt door een jonge meid bezocht die zich als Sela Wincer voorstelt. Ze steelt de harten van tal van inwoners en slaagt erin zich permanent te vestigen. Van bij haar aankomst krijgt het dorp te maken met onregelmatigheden die, naarmate haar aanwezigheid blijft duren, steeds hallucinantere en dodelijkere vormen aannemen. Uiteindelijk blijkt dat Sela niet is wie of wat ze beweert te zijn. Ze heeft een welbepaald doel en ontziet niets of niemand om dat te bereiken. Door haar toedoen krijgen de nietsvermoedende dorpelingen af te rekenen met een onvoorstelbaar Kwaad dat zich op verrassende manieren in Westhaven verspreidt en een heus cataclysme dreigt te worden. Iedereen reageert op zijn of haar eigen manier...

Thanathor (2003) - Roman - ISBN: 90-75212-49-6

... reeds meerdere eeuwen is een verwoed gevecht aan de gang tussen twee oeroude rassen. Die gruwelijke oorlog blijft voor de hedendaagse mens, die het bestaan van de rassen sinds lang vergeten is, verborgen. Tot twee nuchtere en onwetende politie-mensen in Harronville (Minnesota) bij de eindstrijd betrokken geraken. Hun inzet betekent een dramatische confrontatie met wat zij niet begrijpen en nauwelijks aan-kunnen. Hun aanpak wordt een krampachtig gevecht om in leven te blijven...

Acht jaar later (2004) - Verhalenbundel - ISBN: 90-75212-55-0

1. Churchyard memories
2. De waterput
3. De biechtstoel
4. Lievelingswagen
5. Via de kinderen
6. Ballade van Alice
7. Frenchie's wraak
8. Acht jaar later
9. Over gezag en monsters
10. Eenrichtingsverkeer
11. Er zijn deuren...
12. Alleen de doden
13. Helleweefsel
14. Over de man die horror schreef

Anderwereld (2005) - Roman - ISBN: 90-75212-60-7

... vier mensen hebben in hun jeugd een dramatische ervaring meegemaakt. Nu ze volwassen zijn, beheerst de nasleep van die angstwekkende gebeurtenis hun leven nog steeds. Maar ze worden 'gecontacteerd'. Teruggaan naar de plaats waar alles zich heeft afgespeeld en herbeleven wat hen toen is overkomen, is de enige manier om van die emotionele belasting af te geraken. Blijkt echter dat hoopgevende beloftes niet worden nagekomen. Integendeel: de vier worden meegesleurd in een ongelijke strijd met de vleesgeworden demonen uit hun eigen verleden én de verschrikkelijke creaturen van de onvoorstelbare Anderwereld waarin ze terechtkomen...